Y PLYGAIN OLAF

gan yr un awdur:

Steddfod ym Meifod, anffawd Morwyn y Fro, trafferthion teuluol a digon o waith i'r Arolygydd Daf Dafis a Heddlu Dyfed Powys ...

"Dyma chwip o nofel garlamus, fyrlymus, gan un sydd â dawn dweud stori ddifyr ac sy'n nabod yr ardal a'i chymeriadau yn iawn."
– Geraint Løvgreen

"Hiwmor deifiol, clyfar a dychymyg cwbl rhemp!"
– Bethan Gwanas

Gwasg Carreg Gwalch, £8

Mae corff Heulwen Breeze-Evans, ymgeisydd yn Etholiadau'r Cynulliad, yn cael ei ddarganfod yn ei swyddfa yn y Trallwng. Un o bileri'r gymdeithas, efallai, ond mae'r Arolygydd Daf Dafis yn ei chael hi'n anodd canfod rhywun heb gymhelliad i'w lladd ...

"Mae hiwmor Myfanwy Alexander yn allweddol i'r mwynhad a geir wrth ddarllen."
– Cerian Arianrhod, Gwales.com

Gwasg Carreg Gwalch, £9

Y Plygain Olaf

Myfanwy Alexander

Argraffiad cyntaf: 2017

Rhif Llyfr Safonol Rhyngwladol:
978-1-84527-610-2

Cyhoeddwyd gyda chymorth Cyngor Llyfrau Cymru

Cynllun y clawr: Siôn Ilar

Cyhoeddwyd gan Wasg Carreg Gwalch,
12 Iard yr Orsaf, Llanrwst, Dyffryn Conwy, Cymru LL26 0EH.
Ffôn: 01492 642031
Ffacs: 01492 642502
e-bost: llyfrau@carreg-gwalch.com
lle ar y we: www.carreg-gwalch.com

Argraffwyd a chyhoeddwyd yng Nghymru

Er cof am Arwyn Tŷ Isa,

Ffrind a phlygeiniwr heb ei ail.

Pennod 1

Prynhawn Dydd Sul

Torri coed tân oedd Daf Dafis, gwaith oedd yn cynhesu ei gorff hyd yn oed ar brynhawn llwyd o Ragfyr. Ac ystyried bod rhywun wedi ceisio'i ladd efo bwyell rai misoedd ynghynt, roedd Daf yn hynod o gyfforddus yn trin y teclyn bach handi. Roedd yr hen feudy erbyn hyn yn llawn coed – fel sawl dyn canol oed oedd â stof losgi coed, roedd Daf wedi datblygu dipyn o obscsiwn efo'r stwff. Ers iddo fo a Gaenor, ei gariad, brynu hen ffermdy yn dyddio o oes Fictoria a safai mewn erw o dir ar gyrion Llanfair Caereinion, roedd digon o le i Daf gadw'r llwyth o dderw a gafodd gan ei lysfab, y boncyffion onnen a brynodd ar ôl gweld hysbŷs yn ffenest Siop Top a'r poplar a wnâi goed bore penigamp.

Roedd Daf yn mwynhau bod yn berchen ar dŷ diddorol, er nad oedd yn llawer mwy nag adfail. Y gair a ddefnyddiodd Gaenor wrth ddisgrifio Hengwrt oedd 'potensial', a rhannai Daf ei chyffro. Ond, yn anffodus, doedd Daf ddim wedi rhannu ei bryderon ariannol â Gaenor. Buasai ei gyflog yn Arolygydd yn Heddlu Dyfed Powys yn ddigon i dalu'r rhent ar eu tŷ bach yn Llanfair a'r morgais ar Hengwrt, ond ers dechrau'r tymor academaidd ddeufis ynghynt, pan ddechreuodd Carys, ei ferch, astudio yn y Guildhall yn Llundain, roedd pethau wedi bod yn dynn. Fyddai Daf byth yn anghofio'r ymateb ar ei hwyneb hardd pan welodd y neges ar eu gwefan: 'Carys Dafis, BMus Vocal Studies Sept 16: Accepted'. Roedd ei ymateb yntau, pan welodd y bil am ei ffioedd a'i rhent, yr un mor ddramatig.

Daeth y newyddion braf hwnnw i godi calon Carys mewn cyfnod anodd – roedd hi'n flin iawn iddi golli'r cyfle i fynd i Rio efo'i chariad, Garmon, oedd yn cystadlu yn y Gemau Paralympaidd. Byddai Garmon fel arfer yn ildio i Carys bob tro, ond roedd o'n benderfynol na fyddai hi'n cael y cyfle i ddod i gyswllt â firws Zika.

'Be os wyt ti'n beichiogi tra 'dan ni yno, cariad?' ceisiodd esbonio. 'Dwi ddim isio hyd yn oed meddwl am y peth.'

'Ond dwi'n ysu i fynd i Rio, ac i dy weld ti'n cystadlu,' atebodd Carys braidd yn bwdlyd.

'Yr eiliad y bydd hi'n saff i fynd yno, mi awn ni ar daith drwy Dde America i gyd, Carys.'

'Ond mi fyddi di'n mwynhau holl hwyl y Gemau hebdda i ...'

'Fydda i ddim yn mwynhau o gwbwl hebddat ti, Carys Dafis.'

Felly, gwyliodd Carys y Gemau ar y teledu, a phan ddaeth Garmon yn ôl efo'i fedal efydd a chanfod ei bod wedi derbyn y cynnig gan y Guildhall, roedd o wrth ei fodd.

'Felly mi fyddi di'n graddio cyn Tokyo ... ac yn fyd-enwog am dy lais cyn i mi gael fy medal aur!'

Er ei falchder, daeth Daf i sylweddoli na allai Carys fyw yn Llundain ar y benthyciad a gafodd gan Lywodraeth Cymru. Cynigiodd roi mil y mis iddi; gwrthododd i ddechrau, ond cytunodd i gymryd wyth cant.

'Fydd gen ti ddim amser sbâr i weithio tu ôl rhyw far,' dywedodd Daf wrthi. 'Rhaid i ti fanteisio i'r eitha ar y cyfle – gweld pob opera, mynychu pob cyngerdd, blasu bywyd Llundain go iawn. Paid â phoeni am bres.'

Rhagwelai Daf fisoedd llwm yn ymestyn o'u blaenau nes y byddai'n bosib iddyn nhw symud i Hengwrt. Roedd Gaenor, chwarae teg iddi, yn ddarbodus iawn, ond roedd Mali fach angen ei Phampers, roedd y bil trydan yn ddychrynllyd – a rywsut, byddai'n rhaid iddyn nhw ddygymod â'r Nadolig, oedd yn prysur agosáu. Ac ar ben popeth, y diwrnod cynt daeth llythyr drwy ddrws y tŷ bach cyfleus roedden nhw'n ei rentu yng nghanol y dref i ddweud bod y tŷ wedi ei werthu a bod angen aildrafod eu cytundeb efo'r perchennog newydd. Buont yn lwcus y flwyddyn cynt i gael y lle am bris rhesymol – byddai pwy bynnag oedd wedi prynu'r lle'n bownd o godi'r rhent. Ochneidiodd Daf. Doedd Gaenor ddim wedi gweld y llythyr, a phenderfynodd beidio â'i phoeni. Roedd hi wedi gadael dyn cyfoethog i gyd-fyw â Daf, ac roedd yn anodd iddo anghofio hynny. Petai Daf yn rhannu ei holl bryderon ariannol â hi, byddai'n mynnu chwilio am swydd i helpu efo'r biliau. Allai Daf ddim gadael iddi wneud hynny. Ganwyd Mali Haf yn fabi iach ar ôl i Gaenor golli un deg saith o fabanod dros gyfnod o bron i ugain mlynedd, ac roedd Daf yn benderfynol y dylai hi gael mwynhau ei hamser efo'i merch fach hyfryd yn hytrach na photsian yn rhyw swyddfa ddiflas. Nid oedd Gaenor byth yn gofyn am unrhyw beth ond, ym marn Daf, roedd hi'n haeddu'r byd ac roedd o'n flin na allai hyd yn oed roi bywyd cyfforddus iddi ar hyn o bryd. Dyna un rheswm pam yr oedd o'n treulio cymaint o'i amser yn torri coed – roedd yn ffordd o wagio'i feddwl o'r pryderon a oedd yn aros amdano pan âi adref.

Roedd yn rhaid iddyn nhw ddechrau'r gwaith ar y tŷ cyn gynted â phosib, felly byddai'n rhaid i Daf siarad efo adeiladwr gorau'r ardal, sef Jonas Bitfel. Gan nad oedd ffôn Bitfel yn gweithio ar ôl stormydd yn ochrau Dolanog byddai'n rhaid i Daf alw heibio, ond roedd o braidd yn gyndyn gan mai Jonas oedd cariad newydd Falmai, cyn-wraig Daf. Er mai Daf oedd yr un a benderfynodd adael y briodas, doedd o ddim yn edrych ymlaen i'w gweld hi yn ei groesawu i dŷ mawr Jonas.

Gwasgodd Daf y coed tân i mewn i hen sach wrtaith a'i chodi ar ei ysgwydd. Roedd y diwrnodau'n byrhau, a heno roedd Daf wedi addo rhoi lifft i'w fab, Rhodri, i'r plygain yn Nolanog.

Ers diwedd yr haf, roedd llais Rhodri wedi torri ac o sitrwns ei alto gweddol datblygodd sŵn hollol newydd, yn ddwfn ac yn gyfoethog. Pethau go brin yw baswyr pymtheg oed, ac o ganlyniad roedd ffôn Rhodri'n boeth â cheisiadau gan grwpiau a phartïon. Ffurfiodd bedwarawd efo'i ffrindiau oedd yn blygeinwyr selog, ond yn anffodus nid oedd yr un ohonyn nhw'n ddigon hen i yrru ac roedd yn rhaid i'r rhieni ddarparu gwasanaeth tacsi. Roedd Daf wedi mynychu gwerth degawd o wasanaethau plygain yn hanner cyntaf Rhagfyr yn unig. I wneud y sefyllfa'n waeth, roedd Carys wedi penderfynu, am ryw reswm, atgyfodi Parti Neuadd, sef parti canu traddodiadol ochr ei mam o'r teulu, ac ers iddi ddychwelyd o Lundain cynhaliwyd sawl ymarfer yn nhŷ Daf yn ogystal ag yn Neuadd, cartref brawd Falmai oedd yn digwydd bod yn gyn-ŵr i Gaenor. Pan oedd Rhodri, Carys a Siôn, mab Gaenor a chefnder i Rhodri a Carys, yn canu yn y lolfa, a Daf, Gaenor a Mali fach yn clwydo yn y gegin, doedd dim lle i droi. Dim ond tair carol roedden nhw'n ymarfer – dwy garol teulu Neuadd, sef 'Pan Gododd Sêr dros Fryniau Pell' ac 'Y Bore Ganwyd Ceidwad Pur' a, jest rhag ofn y byddai rhyw barti arall wedi meiddio canu un o'r rheini'n barod, 'Daeth Nadolig' wrth gefn. Byddai sŵn trawfforch Siôn, trawfforch ei daid, wastad yn atseinio drwy ben Daf fel cloch ond, chwarae teg iddyn nhw, roedden nhw'n arddel eu traddodiad teuluol ac roedd Daf yn falch iawn ohonyn nhw am wneud hynny. Dyna pam ei fod yn fwy na bodlon cludo Rhodri i bob cornel o'r sir ar nosweithiau tywyll, barugog.

Dim ond dau gar oedd ganddyn nhw fel teulu, gan nad oedd Carys angen car yn Llundain, felly, bob hyn a hyn, roedd hynny'n golygu cyfaddawd o ryw fath. Ar y dydd Sul gaeafol hwn roedd Daf wedi cytuno i gerdded yr hanner milltir yn ôl adref o Hengwrt gan adael y car i Gaenor, oedd mewn cyfarfod i drafod codi £50,000 er mwyn trwsio to'r ysgol feithrin. Triawd o ferched annisgwyl oedd cydlynwyr y fenter – pob un â rheswm gwahanol i gefnogi'r achos. I Gaenor, oedd wedi darganfod cymdeithas newydd yn yr ysgol feithrin, mater o ddyletswydd oedd o. I Daisy, athrawes ifanc ar gyfnod mamolaeth, roedd yn gyfle i ddod i nabod pobol yr ardal a chadw'i hun yn brysur yn ystod yr wythnos tra oedd ei phartner yn gweithio yng Nghaerdydd. A'r trydydd? Dynes alluog, dynes fusnes o fri oedd wastad yn rhy brysur i gymryd unrhyw ran ym mywyd cyhoeddus Llanfair Caereinion.

'Fel arfer,' meddai Chrissie Berllan wrth Daf wrth neidio i lawr o gaban ei *mini-digger*, 'does gen i ddim diddordeb mewn pethe fel hyn, a tydi'r rhan fwyaf o'r merched ddim yn gofyn i mi gyfrannu rhag ofn i mi gynhyrfu gormod ar eu hannwyl wŷr, ond ffasiwn dre fydd hi heb yr ysgol feithrin, dwed? Mae'r cogie wrth eu bodde yna'n barod, a rhaid i ni ffeindio'r pres rywsut.'

Gwenodd Daf wrth feddwl am y tair, Gaenor, Daisy a Chrissie: roedden nhw fel corwynt, ac wedi llwyddo i godi pymtheg mil mewn pedair wythnos. Y prosiect nesaf ar yr agenda oedd noson arbennig i'r leidis yn y Ganolfan Hamdden, ac ar bron pob polyn telegraff, pob wal a phob ffenest yn y dref roedd posteri mawr yn hysbysebu'r noson: 'Dadlapio Dolig. Canolfan Hamdden Caereinion, Rhagfyr 17eg am 7.30yh. Dewch i weld y Bois!'. Doedd Daf ddim wedi busnesa rhyw lawer yn y trefniadau, ond roedd o'n gwybod nad anrhegion fyddai'n cael eu 'dadlapio'.

Daeth Daf wyneb yn wyneb â golygfa hynod wrth groesi'r ffordd ger y siop tships, sef cynulleidfa capel Moreia yn llifo allan i'r stryd tra oedd Dana, gwraig ei ffrind Dr Mansel, yn croesi o gyfeiriad y bont. Yn gyferbyniad llwyr i gotiau trwchus, tywyll y capelwyr, roedd Dana yn ei dillad rhedeg Lycra amryliw, ac yn ei chlustiau roedd clustffonau – yn chwarae un o ganeuon yr Human League, dyfalodd Daf, gan mai dyna roedd hi'n ei ganu ar dop ei llais wrth redeg heibio. Ond y peth mwyaf trawiadol am Dana oedd y mochyn meicro oedd yn trotian wrth ei hymyl ar ei dennyn. Sade oedd enw'r mochyn, ar ôl y gantores ddaeth i amlygrwydd yn yr wythdegau. Oherwydd y tywydd oer, roedd Sade wedi ei gwisgo'n gynnes mewn gwisg pwdin Nadolig, efo bŵts bach coch am ei thraed. Roedd ymateb y capelwyr iddi yn adlewyrchiad perffaith o'r ardal ar ei gorau – cyfarchent Dana'n gwrtais ac yn hollol naturiol, fel petai dim o'i le ar fynd â mochyn wedi'i wisgo fel pwdin Dolig am dro ar dennyn. Pethau bach fel hyn oedd yn gwneud Daf mor falch o'i filltir sgwâr.

Roedd Carys wedi gofyn am fenthyg y car arall i drefnu pethau ar gyfer ymweliad tri ffrind o Lundain. Gan nad oedd hanner digon o le iddyn nhw aros yn y tŷ bach gyferbyn â thafarn yr Afr, gofynnodd Carys i John, ei hewythr, a gaent aros yn Neuadd, ffermdy enfawr y teulu. Cyfeiriodd John y cais at feistres Neuadd, sef Belle, cariad Siôn, y bu i Daf gydweithio â hi yn gynharach y flwyddyn honno. Yn ystod yr haf roedd Belle, cyn-aelod hynod ddeniadol o'r Fyddin a oedd yn hyfforddi cŵn fforensig, wedi dod i fyw efo Siôn yn y ffermdy, sefyllfa a oedd yn gwneud John braidd yn anesmwyth.

'Does gen i ddim gair i'w ddweud yn ei herbyn hi, wir, Dafydd,' cyfaddefodd John wrth Daf dros beint. 'Mae hi wastad yn gwrtais, yn gogyddes o fri, yn handi iawn ar yr iard ac mae hi'n gwneud cyfraniad ariannol sylweddol i redeg y lle – ond, duwcs, tydi hi ddim yn hawdd byw efo nhw.'

'Pam hynny, John?'

Cochodd y ffermwr a meddyliodd Daf pa mor rhyfedd oedd ei fywyd. Roedd Daf wedi gadael chwaer John gan ei fod wedi dechrau perthynas efo'i wraig, ond rywsut roedd y dynion yn ffrindiau erbyn hyn. Ar y llaw arall, ystyriodd Daf, efallai na fyddai neb arall yn ddigon gwirion i wrando ar John yn bwrw'i fol.

'Maen nhw ... mor boeth efo'i gilydd, Dafydd, wir i ti. Maen nhw wedi troi'r parlwr bech, lle oedd Mam yn arfer gwnïo, i fod yn *mini-gym* ac maen nhw wastad yna, ddim yn gwisgo llawer. Dwi mor falch dros Siôn, achos mae hi'n lodes lyfli – ond alla i ddim eistedd efo nhw yn gwylio *Dechrau Canu, Dechrau Canmol* tra maen nhw'n tynnu eu dillad o hyd. A ... wel, mae hyn yn mynd i fod yn anodd ei goelio, ond ...'

'Ond be, John?'

'Wsnos diwetha, ro'n i 'di bod lawr yn Aber yn y pnawn, digwyddiad NFU ar ffermio ar ôl Brexit, ac mi ddwedais wrth Belle am beidio gwneud swper i mi achos 'mod i fel arfer yn cael pryd o fwyd efo criw yr NFU. Mi benderfynais beidio aros yn y diwedd ... gormod ar fy meddwl, rywsut. Brechdan bech adre, meddyliais, ond pan agorais ddrws cefn Neuadd ...' Llyncodd bron i hanner peint o Worthington's cyn parhau. 'Roedd arogl braf yn dod o'r gegin, ond nid eistedd wrth y bwrdd oedden nhw – roedd Siôn yn gorwedd ar fwrdd y gegin, yn noeth borcyn, a Belle yn bwyta stecsen oddi ar ei fol. Un waedlyd hefyd, efo cyllell fawr. Roedd andros o fès arno fo, a dyma hi'n dechrau llyfu'r saim a'r gwaed oddi ar ei groen.'

'O.'

'Yn amlwg, roedd o wrth ei fodd, ei lygaid wedi'u cau'n dynn, ac roedd o'n canu grwndi fel cath fech ond ... wel, Dafydd, dwi wastad wedi bod yn ddyn preifat. Diolch byth am y byngalo.'

Am bron i ugain mlynedd, byngalo Neuadd oedd cartref Daf a Falmai, ond erbyn hyn, a Falmai'n treulio'r rhan fwyaf o'i hamser efo Jonas Bitfel, roedd preswylydd hollol annisgwyl yn y tŷ bach yng nghornel buarth Neuadd: Doris. Pan symudodd Belle i Neuadd, datganodd yn hollol glir nad gwraig fferm draddodiadol fyddai hi, ac y byddai'n rhaid iddyn nhw wneud trefniadau call ynglŷn â'r gwaith tŷ. Cynigiodd y syniad o dalu rhywun i gadw'r tŷ, a chyrhaeddodd Doris.

'Yn tydi bywyd yn beth od, Dafydd?' myfyriodd John. 'Erbyn hyn, dwi'n treulio'r rhan fwya o'm hamser yn gwylio'r teledu yng nghwmni dynes o Affrica.'

'Mae Doris yn ddynes ddymunol iawn,' atebodd Daf, 'ac mae Belle yn dipyn bach mwy ... mwy heriol. Pobol yw pobol, John, waeth o ble maen nhw'n dod.'

Ond heriol neu beidio, roedd Belle yn sylweddoli pa mor bwysig oedd lletygarwch i deulu Neuadd. Os mai bwriad Carys oedd creu argraff dda ar ei ffrindiau – ac roedd Daf yn amau oedden nhw'n ffrindiau go iawn iddi – byddai cwpl o nosweithiau yng nghartref ei chyndadau yn sicr o wneud hynny.

Gan ei fod yn disgwyl y byddai Carys yn dal i fyny yn Neuadd yn gwneud ei threfniadau munud olaf, synnodd Daf weld y car tu allan i'r tŷ. Arhosodd am eiliad tu allan i'r drws pan glywodd gerddoriaeth annisgwyl, 'Hot Stuff' gan Donna Summer. Pwysodd Daf ar y silff ffenest i dynnu ei fŵts mwdlyd, a chan nad oedd y llenni wedi'u cau yn dynn gwelodd sleisen o'i lolfa. Roedd Carys yn eistedd ar y soffa, yn wynebu'r ffenest ac yn gwenu'n braf wrth wylio dyn ifanc, tal a chanddo wallt browngoch yn symud yn noeth o'i blaen. Camodd Daf yn ôl yn sydyn a rhoddodd ei droed mewn pwll dŵr. Rhegodd. Yn ystod Steddfod Meifod, dysgodd Daf sawl gwers, ac un o'r rheini oedd na ddylai byth ofyn unrhyw gwestiynau ynglŷn â bywyd personol ei ferch. Tynnodd ei hosan wlyb a cheisiodd ddyfalu pwy oedd y còg. Roedd Garmon, ei chariad, draw yng Ngwlad Pwyl yn cael triniaeth ar asgwrn ei gefn – oedd hi'n bosib bod Carys wedi penderfynu cael ffling fach tra oedd o i ffwrdd? Ond pwy bynnag oedd y còg, doedd Daf ddim yn fodlon sefyll ar stepen ei ddrws ei hunan am eiliad yn rhagor. Doedd o ddim yn fodlon cnocio ar ddrws ei gartref ei hun chwaith, felly cododd y glicied a cherddodd i mewn, fel y dechreuodd Carys siarad efo'i ffrind.

'Dwi'n dechrau cynhesu, Ed, ond dwi ddim ar dân eto, sori.'

Yn sefyll ar y rŷg o flaen y stof roedd Ed Mills, un o ffrindiau Carys o'r Clwb Ffermwyr Ifanc lleol a dyn tân rhan-amser, yn noeth heblaw am ei helmed. Ar y llawr roedd darnau eraill o'i iwnifform: y gôt drom frown â'i streipiau *hi-vis*, trowsus gwrth-dân a menig hir. Cododd Carys ar ei thraed yn hollol hamddenol, cipiodd y garthen oddi ar gefn y soffa a lapiodd hi dros noethni Ed.

'Dadi,' dywedodd, mewn llais heb smic o euogrwydd nag embaras, 'dim ond un bŵt sy gen ti.'

Fel sawl rhiant, roedd Daf yn falch iawn o hyder ei blentyn ond weithiau roedd yr hyder hwnnw'n ei roi dan anfantais. Roedd hi'n ymddwyn fel petai dim o'i le ar gael dyn noeth yn dawnsio o'i blaen, felly trodd Daf at Ed.

'Sut hwyl, Ed? Go oer tu allan.'

Roedd yr aer oer a ddaeth drwy'r drws efo Daf wedi codi croen gŵydd ar Ed ac roedd yn crynu rhywfaint.

'Mr Dafis,' dechreuodd yn swil. 'Dydi o ddim ... fel ti'n feddwl.'

'Dwi'n rhy hen i feddwl dim. Dech chi'n ddigon hen, y ddau ohonoch chi, felly dydi o'n ddim o 'musnes i.'

'Roedd Carys yn ... yn fy helpu fi.'

'Dwi'm angen y manylion, diolch yn fawr iawn.'

'Na, na – i baratoi ar gyfer nos Wener. Y busnes Dadlapio Dolig 'ma ...'

Llwyddodd Daf i beidio â chwerthin o weld golwg mor bryderus ar wyneb y dyn ifanc.

'Mae Ed yn aelod o ddau barti ar gyfer y Dadlapio,' esboniodd Carys. 'Mae'r criw Ffermwyr Ifanc yn perfformio darn comig, ond mae Bois y Golau Glas yn cymryd y peth o ddifri.'

Hyd yn hyn, doedd Daf ddim wedi clywed llawer am y noson arbennig hon ac roedd o'n falch: fel dyn oedd yn ceisio peidio meddwl am ferched fel darnau o gnawd, doedd o ddim yn siŵr iawn sut i ymateb i ferched oedd yn gwneud yn union yr un peth i ddynion.

'Yn ôl y sôn, maen nhw wedi gwerthu pedwar cant o docynnau yn barod, Mr Dafis, ac mae'r leidis angen *strip show* go iawn. Mi gawson ni ymarfer neithiwr lawr yn yr Armoury yn y Trallwng ac ... wel, dwi'm isie gadael pawb i lawr felly mi ofynnais am gyngor gan Carys.'

'Chwarae teg i ti, còg, ond paid â phoeni. Mi fyddan nhw'n llawn dop o lysh ac yn barod i fwynhau unrhyw beth.'

'Mae Dadi'n iawn, Ed,' cytunodd Carys, yn gwenu'n braf. 'Jest cer amdani! A cofia symud dy gluniau, ie?'

Nodiodd Ed ei ben, yn ansicr beth i'w wneud nesaf.

'Cer di i'r gegin i roi dy ddillad ymlaen, lanc,' awgrymodd Daf. 'A rho'r tegell ymlaen tra wyt ti yno.'

Diflannodd Ed efo gwên swil, ddiolchgar. Eisteddodd Daf er mwyn tynnu'r bŵt arall.

'Ydi hyn yn beth call, Car?' gofynnodd yn dawel. 'Be fyse Garmon yn ddweud?'

'Dadi! Paid dechrau arna i – dwi 'di trafod yr holl beth efo Garmon. Ffrind ydi Ed, ffrind sy'n diodde o ddiffyg hyder. Mae o wedi dod ata i am gyngor oherwydd nad oes ganddon ni berthynas rywiol.'

Nid oedd Daf mor sicr ar ôl gweld fflach gyfarwydd yn llygaid Ed.

Agorodd drws y gegin a daeth Ed i'r golwg yn gwisgo crys polo MWFRS a throwsus du, a fyddai neb yn meddwl o edrych arno ei fod yn bwriadu tynnu ei ddillad o flaen neuadd yn llawn dop o ferched meddw.

'Ti'n aros am baned?' gofynnodd Daf.

'Na, sori, Mr Dafis. Rhaid i mi wneud y gwartheg yn gynnar cyn i mi fynd i ymarfer arall yn nes ymlaen, efo'r Ffermwyr Ifanc. Biti fod Siôn yn ei golli, ond ...'

'Ed Mills,' ymatebodd Carys, fel chwaer fawr, 'mae Siôn yn canu yn y plygain heno, sy'n lot pwysicach.'

'Ond den ni wir angen tri *run-through* o leia. Ac mae Rob yn mynd i Aber nos Fawrth i weld ei gariad mewn rhyw sioe, den ni'n canu carolau nos Fercher, felly ...'

'Be os dech chi'n cwrdd yn hwyrach? Os bydd Siôn yn gadael y plygain cyn cael y swper, mi all o fod efo chi cyn naw. Dim ond yn Dolanog yden ni.'

Cochodd Ed cyn ateb.

'Dydi o ddim yn cael aros allan yn hwyr ar nos Sul. Byth.'

'Dim yn cael? Dyn ydi o, nid còg chwech oed. Does neb yn gofyn am ganiatâd i fynd allan pan maen nhw'n ugain oed.'

'Dydi Belle ddim yn cîn,' mwmialodd Ed. 'A beth bynnag, ers misoedd rŵan, mae Siôn wastad yn od ar ddyddiau Sul.'

Arhosodd Daf ar waelod y grisiau.

'Sut felly, Ed?' gofynnodd. Roedd sylw Ed yn atseinio pryder Gaenor am ei mab.

'Wastad yn dawel, braidd yn isel. Dim ... ddim fel mae o fel arfer, dim jôcs gwirion. Fflat, 'swn i'n deud.'

'Pen mawr siŵr,' barnodd Carys. Yn amlwg, doedd ganddi ddim llawer o ddiddordeb yn hwyliau ei chefnder. 'Dadi, wnei di godi Rhods? Den ni ddim wedi clywed siw na miw ganddo ers neithiwr.'

'Be? Tydi Rhods ddim wedi codi eto? Mae hi bron yn bedwar! Be am ei frecwast?'

'Cinio bêtars wastad yn noson fawr,' cyfrannodd Ed.

Ochneidiodd Daf a dringodd y grisiau i chwilio am sanau

sych. O'r ffenest ym mhen y grisiau gwyliodd Carys yn ffarwelio ag Ed yn y golau a lifai drwy'r drws ffrynt agored. Dim ond cusan fach ar ei foch roddodd Carys iddo, ond safodd Ed yn stond yn yr oerni am sawl munud ar ôl iddi hi ddychwelyd i'r tŷ. Wedyn, cododd ei law fawr i gyffwrdd ei foch cyn neidio i mewn i'w pic-yp, fel petai angen cadw'r gusan yn saff.

Penderfynodd bicio i'r gawod yn sydyn i gynhesu, ond roedd yn rhaid iddo ddeffro Rhodri yn gyntaf. Doedd Daf ddim yn edrych ymlaen i weld cyflwr ei lofft gan fod llawr ucha'r tŷ i gyd yn drewi o chwd.

Gallai fod yn waeth, ystyriodd y tad caredig wrth sylwi bod ei fab wedi mynd â bwced bach fyny'r staer hefo fo'r noson cynt ac wedi bod yn ddigon call i roi lliain oddi tano. Ond, yn anffodus, roedd o wedi dewis rhywbeth lliwgar iawn i'w yfed – gwin coch, port neu blydi Cherry Brandy. Roedd Rhodri wedi cael swydd dda efo'r criw hela draw yn Nolanog, efo digon o bres poced, ond ers dechrau'r tymor saethu roedd o wedi dod adref braidd yn tipsi gwpl o weithiau – er, dim byd tebyg i neithiwr. Aeth Daf i'r stafell molchi i nôl cadach tamp: roedd y rhan fwyaf o'r chwd yn y bwced, chwarae teg, ond roedd Rhodri wedi cysgu a'i wyneb yn yr ychydig oedd ar y gobennydd.

'Pnawn da, Rhods,' dywedodd, yn hollol ymwybodol o'i ddyletswydd i roi pryd da o dafod iddo fo. 'Sut wyt ti'n teimlo?'

'O, Dad, ti'n andros o swnllyd,' atebodd Rhodri. Ceisiodd dynnu'r gobennydd dros ei glustiau cyn sylweddoli pa mor wlyb oedd o. Rhoddodd Daf y cadach yn ei law a syllodd Rhodri arno fel petai erioed wedi gweld un o'r blaen.

'Well i ti godi'n reit sydyn, lanc, cyn i dy chwaer ddod i dy nôl di. Be am i ti neidio i'r gawod tra dwi'n sortio pethau fan hyn?'

'Does dim rhaid i ti, wir, Dad.'

Cofiodd Daf yr un wyneb yn blastar o fanana yn flwydd oed, ac wedi'i beintio fel panda ar daith i sw Caer pan oedd yn dair.

'Cofia, mae ffrindiau Carys yn dod i'r plygain – ei ffrindiau swanc o Lundain. Os nad wyt ti'n ddigon smart...'

Daliodd Rhodri'r clwt a rhwbiodd ei fochau. Cododd ar ei draed yn sigledig.

'Sori, Dadi, wir.'

'Noson dda?'

'Noson anhygoel. Gwledd o fwyd, cwmni braf ...'

'A sawl brandi hefyd?'

'Roedd popeth yn rhad ac am ddim, Dadi – mi fyddai'n wastraff gwrthod.'

Tra oedd Daf yn tynnu'r dillad oddi ar y gwely, clywodd lais Rhodri'n rhuo'n uwch na dŵr y gawod: 'Carol y Swper'.

Cofiodd Daf hen dric ei fam i gael gwared ar oglau chwd, a llwythodd y dillad gwely a'r lliain i'r peiriant golchi efo llwyaid go dda o feicarb yn lle powdr golchi. Cliciodd y swits a phenderfynodd gael paned cyn gwneud unrhyw beth arall. Roedd y drws rhwng y lolfa a'r gegin ar agor a chlywodd sŵn chwerthin.

'Duwcs, Dafi, ti'n hynod o *domesticated*! Petawn i'n gofyn i RB wneud y ffasiwn beth, fydde fe ddim yn gwybod ble mae'r *washer* yn cwato!'

Nid oedd Daf yn sicr o ffrind newydd Gaenor. Roedd Daisy'n lodes llawn hwyl, wastad yn barod am jôc ac unrhyw fath o sbri, ond roedd hefyd braidd yn rhy barod i drafod ei bywyd moethus yn bartner i Rhys Bowen, Aelod Cynulliad cyfoethog yr ardal. Arian newydd, meddyliodd Daf, fel petai'n un o'r hen fonheddwyr. Ond ar y llaw arall, roedd hi'n weithgar, yn garedig ac yn hael tu hwnt.

Pan aeth Daf i mewn i gynnig paned iddyn nhw, gwelodd fod Daisy yn gorwedd ar hyd y soffa, a'i thraed i fyny. Nid oedd Daf erioed yn cofio gweld unrhyw ddynes cweit mor feichiog â hi – roedd ei ffrog binc yn dynn dros fynydd o fol, fel petai eliffant bach yn cuddio oddi tani. Daliodd Daisy lygaid Daf am eiliad.

'Pythefnos i fynd a 'wy bron â byrsto nawr!' ebychodd, gan symud y clustogau.

'Gymeri di baned tra ti'n rhoi dy draed i fyny, Daisy?' cynigiodd Daf.

'Diolch i ti, Dafi. Gae, ti mor ffodus i ga'l sboner mor feddylgar, wir Dduw. Fel hyn oedd e i ddechre neu ti 'di llwyddo i'w hyfforddi e?'

Daeth Carys i lawr y staer, wedi'i gwisgo braidd yn ffurfiol ar gyfer y plygain. Yn amlwg, roedd wedi sylwi ar y dôn nawddoglyd yn llais Daisy.

'Mae Dadi wastad wedi bod yn neis,' atebodd yn swta. 'Dim paned i fi, diolch – dwi ar fy ffordd i nôl fy ffrindiau oddi ar y trên er mwyn eu setlo nhw yn Neuadd cyn y plygain.'

Camodd at y drws, ond wrth iddi fynd heibio'r soffa roedd yn rhaid iddi ddweud:

'Daisy, mae dy wallt di mor lysh!'

'Mae'n neis, yn tydi? Ro'n i fel soga ddechre'r wythnos, mor flinedig, ac roedd RB yn reit ddigalon gan ei fod yng Nghaerdydd ac yn ffaelu gofalu amdana i, felly fe es i fyny i Gaer am trêt bach ... i'r salon trendi 'na, Vain. Nhw sy'n steilio gefn llwyfan mewn sawl un o'r gwylie mawr – y V Festival a Creamfields ...'

Dihangodd Daf i'r gegin i wneud y te, ond pan ddychwelodd efo'r hambwrdd roedd Daisy'n dal i frolio.

' ... system Nanokeratin, sy wir yn maethu dy wallt, cyn dechrau ar unrhyw driniaeth arall. A ti'n gwybod be? Roedd yr hen foi'n iawn: 'wy ddim yn teimlo'n fflat o gwbl nawr! Drycha, 'wy'n ... blodeuo! Dylet ti ddanfon Gaenor fyny i Vain fel anrheg Dolig, Dafi, ond fydd dim llawer o newid o bum can punt, wir i ti.'

'Dwi'n reit hapus efo Ivy Siop Trin Gwallt, diolch,' dywedodd Gaenor, gan rannu gwên fach gyda Daf wrth gymryd ei mẁg ganddo.

'Ro'n i'n meddwl mai draw yn Berllan oeddech chi'n cyfarfod pnawn heddiw,' meddai Daf.

'Roedden ni angen help technegol Rhods ar gyfer y tocynnau,' esboniodd Gaenor.

'All Rhods wneud hynny yn ei gwsg,' sicrhaodd Carys. 'Wela i di'n nes ymlaen. Paid poeni am swper i mi, Gae – mae Doris yn paratoi bwffe bach i ni yn Neuadd cyn y plygain, a bydd digonedd o fwyd wedyn.' A ffwrdd â hi hefo golwg braidd yn bryderus ar ei hwyneb.

Un o'r pethau oedd yn gwylltio Daf ynglŷn â Daisy oedd y cyferbyniadau yn ei natur. Ar ôl chwarter awr o hunanfrolio diflas, dywedodd mewn llais hynod o ddiffuant:

'Llongyfarchiadau, Dafi. Ddylet ti fod yn browd iawn ohoni hi! Mor dalentog, mor llwyddiannus ond â'i thraed ar y ddaear. Chi wedi gwneud job wych efo nhw. Mae'n rhaid i ti ddysgu RB sut i fod yn dad da – 'sdim clem 'da fe. Mae e'n meddwl mai prynu pethau yw'r gyfrinach ... 'wy'n gwybod nad yw hynny'n gywir ond 'sdim clem 'da fi, chwaith!'

'Does dim cyfrinach, lodes, jest gwna dy orau glas,' atebodd Daf mewn llais braidd yn gryg.

'Rhaid bod rhai *top tips* 'da ti, Dafi! 'Sneb yn magu plant mor neis drwy hap a damwain.'

Ar y gair, neidiodd Rhodri lawr y staer, yn hymian. Mewn llai na hanner awr, a gyda help digon o ddŵr poeth a sebon, roedd o wedi trawsnewid ei hun yn ddyn ifanc parchus yn barod am y cyfarfod plygain.

'Rŵan ti'n codi, Rhods?' gofynnodd Gaenor.

'Ie. Dipyn o noson fawr. Ble mae Mals?' Roedd Rhodri wrth ei fodd efo'i hanner chwaer fach.

'Wedi aros i gael ei the draw yn Berllan. Roedd hi'n chwarae mor neis efo efeilliaid Chrissie, mi ofynnodd allai hi ei chadw hi am gwpl o oriau. Mae'r cogie'n ei haddoli hi.'

'Braidd yn ifanc am *playdates*, yn tydi?' gofynnodd Daf.

'Ond maen nhw mor ciwt efo'i gilydd, Dafi,' mynnodd Daisy. 'Mae'r bois mor fawr ac mor dywyll a hithe fel tywysoges fach *blonde* rhyngddyn nhw ...'

Cymerodd Gaenor y cyfle i esbonio i Rhodri yn union beth oedd angen ei wneud hefo'r tocynnau, a chadarnhaodd y llanc mai gwaith pum munud fyddai o.

'Hen bryd i ni fynd, Rhods,' atgoffodd Daf ei fab, yn ymwybodol y byddai'n rhaid iddo alw heibio Jonas Bitfel ar y ffordd i'r plygain. 'Fydd yn iawn iddo fo sortio'r peth ar ôl canu, leidis?'

'Wrth gwrs. Cer at dy blygain, Rhods.'

Dilynodd llais Daisy nhw drwy'r drws. 'Yn tydi e'n beth braf eu bod nhw'r ifanc wedi'u magu i fod mor driw i'r traddodiadau ...'

Ochneidiodd Daf. 'Ydi o'n mynd ar dy nerfau di, y ffordd mae pobol yn brolio'r busnes canu plygain 'ma? Fel taset ti'n gwneud rhyw aberth fawr?'

'Dim ots gen i. Dwi'n ifanc, ac mae pawb yn meddwl eu bod nhw'n deall pobol ifanc. Den ni i gyd yn ddi-Gymraeg, yn hoffi pethe Americanaidd, yn *obsessed* efo gwylio porn ar ein ffôns ac yn rhy ddiog i weithio. Mae rhai o'r plygeinwyr, yn enwedig y rhai sy'n dod o bell, mor neis efo ni, ac yn ein trin ni fel tasen ni'n selébs. O, gyda llaw, wyt ti'n iawn i roi lifft lawr i'r cogie i blygain Llandeilo? Rhywun o fanno wedi ffonio yn holi i ni fynd yno.'

'Llandeilo? Mae hynny bron yn y de.'

'Trip bach neis.'

'Dydi Carys ddim awydd mynd?'

'Fydd hi wedi mynd 'nôl i Lundain erbyn hynny.'

'Ocê, iawn. Ond pan ti'n dewis cartre henoed i mi, cofia 'mod i'n barod i dy yrru di i ben arall Cymru yng nghanol gaeaf ...'

Wrth reswm, ac yntau'n adeiladwr, roedd yn bwysig i Jonas godi tŷ braf iddo'i hun. Roedd o wedi llwyddo. Ar grib o dir uchel rhwng Dolanog a Llanerfyl, efo golygfeydd bendigedig, defnyddiodd safle hen dŷ er mwyn ennill y caniatâd cynllunio. Tŷ cyfoes heb fod yn rhy fodern oedd Bitfel Newydd, efo digon o waith cerrig a choed derw i gyhoeddi ei Gymreictod a digon o wydr i gymryd mantais o'r safle godidog. Roedd wtra fer wedi'i choncritio'n iawn yn cysylltu'r buarth â'r ddrysfa o ffyrdd cul – roedd Daf yn cofio'i dad, wrth yrru fan y siop ers talwm, yn dweud bod dewis o ddwsin o ffyrdd gwahanol i gyrraedd Dolanog.

Yn y buarth gwelodd Daf bedair fan wen, i gyd efo'r un sgrifen ar eu hochrau: 'Jonas Roberts, Gwaith o Safon'. Roedd y Mercedes mawr du yno hefyd, ond nid Peugeot Falmai. Rhoddodd Daf ochenaid fach o ryddhad. Y gwir oedd bod Falmai wedi bod yn sur ac yn flin yn ystod eu priodas, ond roedd hi fel dynes newydd efo Jonas, yn chwerthin ac yn syllu i'w lygaid fel alcoholig yn syllu ar botel o wisgi. Roedd bywyd hebddo i weld yn ei siwtio i'r dim – ai fo, felly, oedd yn ei gwneud yn anhapus?

Cnociodd Daf sawl tro ar y drws cyn sylwi ar oleuadau yr ochr arall i'r tŷ, fel petai rhywun yn gweithio y tu allan. Cerddodd rownd i weld golygfa hollol annisgwyl – roedd pob un ffenest wedi ei thorri'n sitrwns, a phentyrrau o wydr dros y feranda. Ar ben ysgol, roedd Jonas yn ceisio hoelio tarpolin enfawr dros fframiau gwag y drysau Ffrengig.

'Ti isie help, Jonas?' galwodd Daf.

'Plis. Cer di fyny i godi'r ochr arall.'

Dringodd Daf, yn ofalus, i fyny ysgol arall a thynnu ochr arall y tarpolin yn dynn. Hoeliodd Jonas y gornel gyntaf i'w lle cyn dilyn llinell y ffrâm i'r canol. Symudodd yr ysgol i wneud yr ochr arall – a gyda phob hoelen teimlai Daf y tarpolin yn ysgafnhau yn ei fysedd. Dringodd i lawr a gorffennodd Jonas y gwaith.

'Maen nhw'n addo tywydd reit arw, Dafydd,' ochneidiodd. 'Rhaid i'r lle ddal dŵr.'

'Be ddigwyddodd?'

'Dim byd. Damwain. Hen bethe bregus ydi unedau *triple-glazed*.'

'Oes 'na siawns am air, Jonas? Dwi'n gwybod pa mor brysur wyt ti, ond 'swn i'n licio trefnu amserlen ar gyfer y gwaith yn Hengwrt.'

'Ty'd i mewn – mae fy llyfryn bach i yma'n rhywle.'

Yn y bagiau sbwriel porffor oedd wedi eu gadael yn y cyntedd yn barod i fynd allan y bore wedyn, gwelodd Daf ddarn o grochenwaith oedd wedi torri. Darn cyfarwydd iawn – y llestr arbennig roedd rhieni diolchgar wedi'i roi i Falmai ar ôl llwyddiant ei pharti cerdd dant yn Steddfod yr Urdd Dinbych, 2006. Roedd Fal yn trysori'r llestr hwnnw. Cododd chwilfrydedd Daf.

Yn y gegin fawr hefyd roedd olion trais: roedd sgrin y teledu wedi malu ac ar lawr wrth yr Aga roedd gweddillion dwy botel o laeth. I lygaid proffesiynol Daf, edrychai fel lleoliad trosedd.

'Sori am yr anhrefn,' mwmialodd Jonas.

'Gwranda, dwi'm isie busnesa, Jonas, ond mae'r tŷ yma mewn andros o fès. Be sy wedi digwydd?'

'Dim byd. Jest cogie'n cael dipyn o stranc, dyna'r cyfan.'

'Mae 'na wahaniaeth rhwng stranc a malu'r tŷ. A dim cogie bach ydyn nhw erbyn hyn.'

Agorodd Jonas ddrôr a thynnodd lyfryn bach ohono. Cyn ei agor, cuddiodd ei wyneb mawr y tu ôl i'w ddwylo coch.

'Dwi ddim yn hapus efo pethe fel hyn, Dafydd. Dyn caib a rhaw ydw i, heb arfer efo ... yr holl *deimladau.*'

'Stedda di lawr am eiliad,' meddai Daf, yn syllu ar ei watsh. 'Dweda di'r hanes.'

'Ddylen i ddim. Ti'n heddwas. Dwi'm isie i ddim byd drwg ddigwydd iddyn nhw.'

'Ond sbia di ar y llanast 'ma. Rhaid cael rhywfaint o drefn, Jonas. Mi alli di ddweud yr hanes wrtha i heb i'r peth fynd ymhellach. Wir i ti.'

Disgynnodd Jonas i gadair wrth y bwrdd, ei wyneb yn ei ddwylo eto. Pan gododd ei ben, roedd ei lygaid yn wlyb.

'Mi godais y tŷ 'ma i Nikki, i'n teulu ni, ond mae hi 'di mynd, Dafydd. Ers pum mlynedd rŵan. Chafodd hi erioed fyw yma. Chafodd hi ddim cysgu yma am un noson. Roedd hi'n rhy sâl. Mi ddois i â hi yma am dro o'r hosbis un diwrnod, iddi hi gael gweld y lle, ond doedd hi ddim yn gallu dod allan o'r car. Hi oedd isie'r ffenestri mawr, er mwyn i ni gael mwynhau'r tirlun efo'n gilydd. Merch o 'Pool oedd hi, wastad wedi breuddwydio am fyw yng nghanol cefn gwlad. Wastad yn mynd â'r cogie am dro tra oedden ni'n byw lawr ym Maesglas. Ti'n gwybod be ddwedodd hi ryw dro? Ffansïo cadw asyn oedd hi, o bopeth, i'r wyrion bech gael hwyl efo fo un diwrnod. Wrth gwrs, den ni i gyd yn galaru amdani bob dydd. All Fal byth lenwi ei sgidie hi, byth. Roedd Nikki a fi efo'n gilydd ers pan oedden ni yn ein harddegau. Prentis i Wncl Jim o'n i pan welais i hi am y tro cynta, a hithe dal yn yr ysgol. Mi wnaethon ni fagu plant efo'n gilydd, creu busnes go dda efo'n gilydd. Hi oedd y brêns, finne y gwaith caib a rhaw. Ond mae hi wedi mynd, Dafydd, ac allwn ni byth ei chael hi'n ôl.'

'Ond, rywsut, mae bywyd yn mynd yn ei flaen?'

'Na, ddim yn union. Nid symud ymlaen ydw i. Mae fel petai coeden fach yn yr ardd wedi cwympo mewn storm ac wedyn, rhyw dro, ti'n gweld briallu yno. Hollol wahanol.'

'Mae Fal yn meddwl y byd ohonat ti, Jonas.'

'Ydi hi wedi dweud hynny wrthat ti?'

'Naddo, ond dwi'n ei nabod hi'n reit dda, ac mae'r peth yn amlwg.'

'Mae hi bron â bod wedi symud i mewn, wyddost ti. Mae'n gyfleus iddyn nhw yn Neuadd i be-ti'n-galw, y ddynes ... yr howscipar gael aros yn y byngalo, a dydi hi ddim yn gwneud smic o synnwyr i Fal fod yn unig yn y byngalo a finne ar ben fy hun fan hyn.'

'Ar ben dy hun? Be am y cogie?'

'Mynd a dod maen nhw. Mae gan Kev ferch lawr ochrau Guilsfield, felly mae o'n treulio dipyn o'i amser fan acw. Connor, wel, mae Connor yn stori arall, a Carl wastad yn symud i rannu tŷ efo ffrindie am ryw dair wythnos wedyn yn dod 'nôl efo pen mawr a dim pres. Beth bynnag, dim efo nhw dwi'n iste lawr a gwylio'r teledu fin nos. Dipyn o gwmpeini, dyna'r peth.'

'Hollol naturiol.'

'Wnes i ddim mynd allan i chwilio am neb. Ro'n i'n meddwl ... y byddwn i ar ben fy hun am byth. Ond roedd trafferthion gyda *soakaway* y byngalo, a dros baned ...'

'Jonas, does dim rhaid i ti gyfiawnhau dy hun i mi, o bawb. Does dim byd yn bod ar i tithe a Fal fod efo'ch gilydd.'

'Dim felly mae'r cogie'n meddwl. Maen nhw'n dweud 'mod i'n sarhau Nikki.'

'Hen bryd i'r cogie feindio'u busnes.'

'Gawson nhw amser go galed, wyddost ti, Dafydd. Roedd hi'n sâl am gyfnod hir – diagnosis, triniaeth, ysbaid, sgan, diagnosis arall. Am dros ddegawd roedden ni'n gaeth i'r ffycin canser, bob un ohonon ni. Ro'n i'n gwneud pob ymdrech iddyn nhw beidio â cholli allan, ond mi fethais yn llwyr. Cael eu magu yng nghysgod angau wnaethon nhw, wir.'

'A nhw sy wedi chwalu'r tŷ?'

'Tŷ eu mam, medden nhw. Roedd Con a Kev wedi bod ffwrdd am wythnos, rhyw drip stag i Ddwyrain Ewrop. Pan welson nhw stwff Fal, ei llestri ar y dreser, ei dillad yn y wardrob ... Daeth Carl fyny hefyd. Diolch byth, mae hi wedi mynd lawr i Gaerfyrddin ar gyfer aduniad coleg.'

'Does ganddyn nhw ddim hawl i fihafio fel hyn, Jonas. Ti isie i mi eu harestio nhw? Mae noson yn y celloedd wedi sobri sawl llanc penboeth, dwi'n dweud wrthat ti.'

'Doedd dim hawl gen i i ddwyn eu hieuenctid efo gwaith caled a galar chwaith. Dynion ifanc wedi'u brifo ydyn nhw. Dwi'm yn gwybod be i wneud am y gorau.'

'Paid ag anghofio Fal,' meddai Daf mewn llais isel. 'Mae hi wedi gwneud dipyn o ymrwymiad i ti, Jonas.'

'Dwi'n ... dwi'n ei hoffi hi gymaint. Mae'n ... fel ... docs gen i ddim ffycin geiriau.'

'Ti isie i mi gael gair efo nhw?'

'Dwi'm yn gwybod. Gawn ni drafod Hengwrt rŵan? Fydda i'n methu gwneud unrhyw fath o waith concrit nes bydd y tywydd yn troi – ac roedd cylch i'w weld o gwmpas y lleuad heno.'

'Eira, felly?'

'Cyn diwedd yr wythnos, bendant.'

'Wel,' gorffennodd Daf, yn ymwybodol o'r amser, 'gorau po gynta efo Hengwrt, Jonas, os gweli di'n dda.'

'Dwi erioed wedi concritio mewn tywydd barugog, Dafydd,

a hyd yn oed i dy blesio di, dwi ddim am ddechrau rŵan. Allwn ni baratoi, ond mae'n amhosib gwneud y *groundworks* pan mae'r tir mor galed â hyn.'

'Deall yn iawn.' Arhosodd Daf wrth y drws. 'Dwi'n meddwl y byse'n well i mi gael gair efo'r cogie, Jonas, rhag ofn i rywun gael ei anafu. Ceisio sortio pethau.'

'Jest gad i mi feddwl, Dafydd.'

Wrth iddo gyrraedd ei gar, clywodd Daf sŵn tawel yn dod o'r ochr arall i'r tŷ. Sŵn brwsh Jonas, yn sgubo'r gwydr oddi ar y feranda. Trodd at Rhodri, oedd wedi bod yn aros yn amyneddgar yn y car oer, a chyfrodd ei fendithion.

Er mai dim ond tua dwsin o dai, eglwys, cofeb, capel, pont, garej fysys a neuadd oedd yno, roedd Daf yn hoff iawn o bentref Dolanog. Byddai Gaenor wastad yn ei bryfocio drwy ddweud mai'r unig reswm roedd o'n hoffi Dolanog oedd y ffaith fod y pentref yn gwneud i Lanfair Caereinion edrych yn gosmopolitaidd mewn cymhariaeth. Ond roedd yn fwy na hynny – er enghraifft, y gymdeithas agos a chroesawgar lle roedd newydd-ddyfodiaid yn cyd-dynnu â'r trigolion oedd â gwreiddiau dwfn yno. Efallai, meddyliodd, wrth geisio parcio rhwng Land Rover coch a hen Nissan Micra, mai'r gyfrinach oedd cryfder y Cymreictod yma.

Cymeriad cyfarwydd o deulu cyfarwydd oedd piau'r Land Rover: Mr Parry, Pantybrodyr, dyn ecsentrig, penteulu oedd yn trysori hen arferion, hen ganeuon, yr hen ffordd o fyw. Ond roedd o hefyd yn ddyn od, fel roedd Rhodri ar fin dysgu. Doedd dim digon o le i agor drysau'r car led y pen, a gwasgodd Daf rhwng ei gar o a'r Micra. Wrth ei basio, dyfalodd mai car person mewn oed oedd o – roedd y paent wedi meddalu a cholli'i sglein ac roedd andros o we pry cop yn y ffenest ôl. Efallai mai dim ond i'r plygain y byddai'r hen gar yn dod allan erbyn hyn. Gwnaeth nodyn o'r rhif cofrestru yn ei ffôn, nid oherwydd ei fod awydd erlid plygeinwyr am fân- droseddau ond oherwydd y nifer fawr o ddamweiniau oedd yn cael eu hachosi gan hen bobol.

Ar ochr arall y car, gan geisio bod yn ofalus iawn i beidio baeddu ei grys ar ddrws y Land Rover, roedd Rhodri yn ei wasgu ei hun drwy'r bwlch rhwng y cerbydau. Pan oedd o'n agos at y ffenest ochr, clywodd sgrech uffernol – roedd y gath fwyaf a welodd erioed wedi ei lluchio'i hun at y ffenest, ei chrafangau'n swnllyd ar y gwydr. Neidiodd Rhodri bron mor uchel â'r gath, ac yn union fel hithe, roedd ei wallt yn sefyll i fyny fel brwsh. Dihangodd o'r bwlch rhwng y ceir a safodd yn stond yn gwylio'r gath yn ceisio dod allan drwy'r sgrin wynt, yn dal i greu sŵn erchyll.

'Ffycin hel. Be ddiawl oedd hwnna?'

'Avril,' atebodd ei dad, yn methu peidio gwenu. 'Cath Mr Parry Pantybrodyr. Wastad yn mynd efo fo i bobman.'

'Wel, diolch byth nad ydi hi'n cael dod i mewn i'r eglwys, beth bynnag,' atebodd Rhodri, yn ceisio aildrefnu ei wallt ar ôl y braw. 'Wyt ti'n siŵr mai cath ydi hi, nid lyncs neu rwbeth?'

'Ti sy'n gwisgo'r unig Lynx fan hyn, ond ti'n nabod teulu Pantybrodyr, lanc, wastad rhyw hen stori. Yn ôl Mr Parry, daliodd ei hen daid y gath wyllt ola yn yr ardal, a genynnau hwnnw, achos cwrcath oedd o, sy'n gyfrifol am dymer y llinach. Ond yn ôl ei ferch-yng-nghyfraith, mi brynodd yr hen ddyn gath enfawr hefyd, un o'r Maine Coons 'na, ddeng mlynedd yn ôl. Mae Avril yn gymysgedd o gath wyllt a Maine Coon, felly.'

'Blydi hel,' rhyfeddodd Rhodri, gan edrych dros ei ysgwydd ar wyneb ffyrnig y gath, ei llygaid yn llosgi'n llachar yn y tywyllwch.

'Maen nhw'n dweud mai cathod mawr yw'r rheswm pam mae pobol yn ofni'r tywyllwch. Am gyfnod, roedden ni'n ceisio goroesi yn yr un ardal â llwyth o gathod mawr, a'r fantais fwya oedd ganddyn nhw oedd eu gallu i weld yn y tywyllwch.'

'Dad, wyt ti'n ceisio codi arswyd arna i? Achos ti'n methu.'

'Ro'n i'n meddwl 'i fod o'n ddiddorol. Dwi'n hoffi meddwl faint o'r pethau den ni'n wneud rŵan sy'n deillio o arferion a ddatblygodd filoedd o flynyddoedd yn ôl. Heno, er enghraifft, den ni'n cymryd rhan mewn gwasanaeth i ddathlu canol gaeaf.

Ta waeth am y straeon Cristnogol sy wedi eu hoelio ar yr achlysur, ti 'di dod i Ddolanog heno i geisio deffro'r haul a sicrhau dychweliad y gwanwyn.'

'Ti'n nytar llwyr, Dad.'

'Na.' Daeth y llais o'r cysgodion ger llidiart yr eglwys. 'Mae dy dad yn llygad ei le. Clogyn o Gristnogaeth sy wedi ei lapio dros arferion paganaidd yw'r Nadolig ac mae'n hen bryd i Gymru gofleidio ei gwreiddiau, ei natur baganaidd.'

Roedd o'n llais hyfryd, ac wastad wedi bod, ym marn Daf. Roedd Gala Taylor ac yntau wedi bod yn ffrindiau ers eu dyddiau ysgol – merch o deulu o hipis oedd hi, wedi ei geni mewn bwthyn bach nid nepell o Bitfel. Ar ôl teithio'r byd, dychwelodd Gala i'r ardal efo cwpl o blant a dim gŵr. Ers hynny, llwyddodd i greu busnes llewyrchus yn gwerthu meddyginiaethau amgen a darparu gwahanol fath o driniaethau. I Daf, dim ond lol oedd o, ond roedd yn rhaid iddo gyfaddef fod sawl un wedi datgan i'r driniaeth a gawsant ganddi newid eu bywydau. Cofiodd drafod y peth efo'i ffrind o feddyg, Huw Mansel.

'Hyd yn oed os mai dim ond *placebo* yw e, Daf, mae'n gwneud i bobol deimlo'n well. Ac mae pobol sy'n teimlo'n well yn llawer llai tebygol o wastraffu fy amser i yn y syrjeri,' meddai hwnnw.

Ond cwac neu beidio, roedd Gala yn ddynes braf, yn onest, llawn hiwmor a hael, ac roedd hyd yn oed y bobol fwyaf hen ffasiwn yn yr ardal yn fodlon ei chanmol.

'Lodes reit ddymunol,' oedd barn Richard Parry Pantybrodyr, 'a dim ond hithe, dyddie 'ma, sy'n gwneud y pethe iawn ar gyfer clwy'r edefyn gwlân.'

Doedd Gala ddim yn gwneud dim drwg i neb, ac os oedd ei chwsmeriaid braidd yn rhy barod i gredu popeth a ddywedai, nid ei bai hi oedd hynny. Heno, roedd hi'n gwisgo côt hir werdd oedd yn atgoffa Daf o luniau yn llyfrau Tolkien.

'Ond,' atebodd Rhodri, 'gwasanaeth Cristnogol ydi hwn. Mae'n hen, wrth gwrs 'i fod o, a dyna be sy mor ddiddorol, achos mae'r caneuon yn mynd yn ôl i'r Canol Oesoedd. Ond mae pob gair yn dod o'r Beibl neu'r traddodiad Catholig.'

'O ble daeth y delweddau cyn hynny?' parhaodd Gala. 'Faint o weithiau heno fyddwch chi'n sôn am y Forwyn? Ffurf ar y Dduwies Fawr yw'r Forwyn sy hefyd yn fam – a phaid â sôn am y Duw ifanc sy'n cael ei ladd ar gyfer pawb. Iesu ti'n ei alw ond Baldur oedd o i'r Llychlynwyr, Horus i bobol yr Aifft. Ac yn y gwanwyn, mae o'n atgyfodi efo'r haul.'

'Diddorol,' ymatebodd Rhodri. 'Mi Gŵgla i rai o'r enwau 'na.' Gwelodd ei ffrindiau a cherddodd draw atyn nhw.

'Paid â dweud 'mod i'n tanseilio ei ffydd selog, Daf,' cellweiriodd Gala.

''Sgen i ddim syniad oes ffydd ganddo fo.'

'Mi fyse'n braf petai o'n datblygu diddordeb yn yr hen ffydd. Y drwg efo paganiaid ydi bod y rhan fwya ohonyn nhw'n methu canu, felly mae eu seremonïau nhw mor flêr.'

'Ti'n dweud "nhw", Gala, ond pagan wyt ti dy hunan, ie?'

'Dwi'm yn sicr. Weithiau mi fydda i'n codi'n gynnar ym mis Mai, i weld yr haul yn codi uwchben y goedwig a gwrando ar yr adar, a dwi'n hollol sicr na allai byd mor braf gael ei greu drwy hap a damwain. Ond hefyd, ar ben arall y sbectrwm, dwi wedi cael y profiad o geisio helpu rhywfaint ar ddynes ddeg ar hugain oed efo cwpl o blant sy'n cael ei bwyta'n fyw gan ganser. Ar adegau felly mi fydda i'n gofyn pwy greodd y celloedd creulon rheini.'

'Duwcs, Gala, den ni'n mynd yn reit ddwfn, yn tyden?'

'Braidd. Beth bynnag, dwi mor falch 'mod i wedi dy weld di, Daf. Ti'n gwybod bod Fal wedi dod ata i am driniaeth?'

'Gala, cofia nad ydw i'n ŵr iddi hi bellach.'

'Ond mae'n rhaid i mi siarad efo rhywun a ... wel, mae'n beth go sensitif. Dim y math o beth y galla i ei drafod efo'i brawd.'

'Wel, os oes rhaid ...'

'Dafydd!'

Dim yn aml iawn roedd Daf yn falch o weld ei gyn-fam-yng-nghyfraith ond, ar ôl ei sgwrs gyda Jonas, doedd ganddo ddim awydd clywed mwy o hanes cyfrinachol Fal. Sylwodd Gala ei bod wedi colli sylw Daf, a cherddodd i mewn i'r eglwys, gan ysgwyd llaw â'r ficer yn y drws.

Roedd mam John a Falmai yn cerdded tuag ato. Er bod ei hwyneb bellach yn fain, a chanddi lais y gellid ei glywed dros sawl cae, bu Mrs Jones Neuadd yn ddynes olygus ym mlodau ei dyddiau. Ond yn dilyn blynyddoedd o gael ei ffordd ei hun datblygodd golwg bwdlyd arni. Hefyd, sylwodd Daf, roedd sawl blewyn hir tywyll wedi dechrau tyfu ar ei gên – yn bendant, fyddai neb yn meiddio tynnu sylw at y rheini, heb sôn am roi plwc iddyn nhw.

'Dafydd, dwi'n synnu dy fod di'n ddigon digywilydd i ddod i'r gwasanaeth hwn, wir, ar ôl popeth ti wedi'i wneud.'

'Dim ond gyrrwr tacsi i Rhods ydw i, Mrs Jones; dwi'm yn bwriadu cymryd rhan.'

'Wyt ti'n sylweddoli ffasiwn lanast ti 'di wneud o 'nheulu i? Pobol ddeche oedden ni yn Neuadd, wastad wedi bod.'

Cyn i Mrs Jones gael cyfle i ymhelaethu, cyrhaeddodd Carys efo'i ffrindiau o Lundain. Roedd golwg nawddoglyd arnyn nhw, ond doedd snobyddiaeth erioed wedi achosi problemau i deulu Neuadd felly doedd gan Mrs Jones ddim llawer i'w ddweud ynglŷn â Carys. Yn dynn ar eu sodlau roedd Siôn a Belle, a'r dyn ifanc tal yn agor y llidiart ar gyfer ei bartner yn gwrtais. Roedden nhw'n gwpwl trawiadol. Doedd Siôn ddim yn gwisgo côt, dim ond siwt groeslabedog Eidalaidd, yn amlwg wedi cael ei gwneud yn arbennig iddo fo, oedd yn amlygu ei ysgwyddau llydan a'i wast dynn. Roedd ei wallt wedi'i dorri'n fyr ar yr ochrau gyda thon hirach, drwchus ar dop ei ben. Pan drodd ei ben i wenu i'w cyfeiriad, fflachiodd ei ddannedd fel ceg un o sêr Hollywood. Cerddodd i lawr y llwybr drwy'r fynwent fel petai ar garped coch, a Belle ar ei fraich mewn sgert ledr fer, sodlau uchel a siaced o ffwr du efo coler finc.

'Dim hi sy bia'r siaced yna,' hisiodd Mrs Jones yng nghlust Daf. 'Siaced Oen Persia fy mam-yng-nghyfraith oedd honna. Does ganddi hi ddim hawl i'w gwisgo.'

'Mae Siôn a John wedi rhoi caniatâd iddi hi, mae'n siŵr,' cynigiodd Daf. 'Tydyn nhw'n edrych yn smart?'

'Rhy smart o lawer. Fel aelodau'r Maffia, nid pobol Neuadd o gwbl. A wyddost ti be, Dafydd? Yn ôl y sôn, mae hi'n rhoi tri chan punt iddo fo bob mis, i "gadw ei hun yn dlws". Wyt ti erioed wedi clywed y ffasiwn beth? Mae'n ... annaturiol.'

'Ond mae ganddi hi fusnes da, cofiwch, Mrs Jones. Ers dod i Neuadd, mae hi wedi datblygu ei chwmni ac mae hi'n cyflogi tri o bobol erbyn hyn.'

'Ond pa fath o fusnes ydi o, dwed? Rhyw lol efo cŵn yn chwilio mewn tanau. Drwy dy ddylanwad *di* mae'r ffasiwn ddynes wedi dod i Neuadd.'

'I fod yn deg, Mrs Jones, Siôn wnaeth ei gwahodd i Neuadd, nid fi. Maen nhw'n hapus iawn efo'i gilydd.'

'Dim sôn am briodi, jest byw tali hefo'i gilydd fel sipsiwn ... yn Neuadd.'

'Mae'r byd wedi newid, Mrs Jones. Does neb yn meddwl fel'na'r dyddiau yma.'

'Dwi'n dal i boeni am safon foesol y teulu. Efallai ei bod yn iawn i rywun fel tithe, mab y Siop, redeg i ffwrdd efo'r ferch 'na o Ddyffryn Tanat, ond aer Neuadd ydi Siôn.'

'Ifanc ydi o, Mrs Jones,' atebodd Daf yn amyneddgar. Roedd wedi hen arfer bellach â min ei thafod. 'Ac mae o wedi dod o hyd i ferch alluog, olygus a thriw cyn iddo droi'n un ar hugain, ac mae hi'n digwydd bod yn Gymraes i'r carn hefyd.'

Cyn i Mrs Jones fanylu ar wendidau amlwg Belle, daeth cwpwl arall fyny o'r ffordd, y bobol gyntaf, heblaw ffrindiau Carys, i siarad gair o Saesneg.

'Here we are then. "Eglwys" is "church",' eglurodd y dyn tal yn ei gôt hen ffasiwn, ffurfiol, a'i gap stabl braidd yn gam ar ei ben.

'Eglwys,' mentrodd y ddynes, efo gwên fawr. 'Plygain yn eglwys yn Dolanog.'

Doedd neb, hyd yma, wedi dod yn agos at ddelfryd Mrs Jones o wisg addas i blygain. Roedd y ddynes hon wedi dewis sgert barchus frown o Edinburgh Woollen Mill, siwmper wyrdd tywyll a siaced gwilt. Roedd ei sgarff yn smart ond heb dynnu gormod o sylw – ond doedd hi ddim yn cyrraedd safon Mrs Jones oherwydd lliw ei chroen.

'Noswaith dda, Doris,' cyfarchodd Daf.

'Noswaith dda, Mr Dafis. Fy plygain cyntaf.'

'Duwcs, Doris, mae dy Gymraeg yn datblygu'n dda. Wyt ti'n mynd i wersi?'

'Bob nos Lun ... ac mae athro da yn Neuadd.'

Roedd wyneb John yn wên i gyd ond roedd yn rhaid i Mrs Jones wneud ymdrech fawr i lyncu ei geiriau sur o flaen ei mab. Ar ôl i John a Doris fynd i mewn i'r eglwys, poerodd ei gwenwyn dros Dafydd.

'Erbyn hyn, mae fy merch yn creu sgandal wrth redeg o gwmpas efo rhyw fildar a fy mab yn treulio hanner ei amser efo rhyw Hottentot. Sbia'r helynt ti wedi'i achosi, tithe a'r slwten 'na ...'

Doedd Daf erioed, drwy gydol ei berthynas â theulu Neuadd, wedi defnyddio'i statws nac unrhyw wybodaeth swyddogol i ennill pwynt. Doedd o ddim yn rhoi rhech am yr hyn oedd ganddi hi i'w ddweud amdano fo, ond doedd o ddim yn fodlon derbyn geiriau fel hyn yn erbyn Gaenor, heb sôn am Doris, oedd yn hollol ddiniwed.

'Dyna hen ddigon, Mrs Jones. Dwi'n gwybod be ydi'ch barn amdana i, ac mae ganddoch chi berffaith hawl i'r farn honno – ond os ydech chi'n dewis geiriau fel'na i ddisgrifio Doris eto, bydd yn rhaid i mi roi adroddiad am eich ymddygiad i Wasanaeth Erlyn y Goron. Mae'n anghyfreithlon defnyddio geiriau fel y gwnaethoch chi i godi casineb yn erbyn pobol o unrhyw hil, ac mae'n rhaid i mi egluro fod hwn yn rhybudd ffurfiol. Os ydech chi'n parhau i ddefnyddio iaith debyg, bydd yn rhaid i mi fynd â'r mater ymhellach.'

Roedd ei cheg yn dal i agor a chau fel pysgodyn pan fartsiodd Daf i mewn i'r eglwys. Ochneidiodd wrth chwilio am gornel fach dawel. Roedd yr eglwys bron yn llawn ond roedd

Belle wedi llwyddo i gadw lle iddo wrth ei hochr ar un o'r ddwy fainc oedd yn llawn o deulu Neuadd, yn cynnwys ffrindiau Carys. Hyd yn oed ar ôl ei ffrae efo Mrs Jones, roedd yn braf eu gweld nhw efo'i gilydd, a gwyddai y byddai Fal yn siomedig na allai fod yno.

O'i sedd rhwng y wal oer a choes gynnes Belle, cafodd Daf gyfle i edrych dros y gynulleidfa. Aelodau parti Rhodri a'u teuluoedd. Parti o'r Drenewydd â dau athro cerdd yn eu mysg, oedd yn dod bob blwyddyn gan fwriadu dangos i'r josgins sut i wneud y job yn iawn. Roy Williams Bryngrug a'i ffrindiau o Lanfihangel-yng-Ngwynfa, llond rhes o Parrys Pantybrodyr – pob un heblaw'r gath. Partïon o Gemmaes, Dinas a Llanerfyl yn chwilio am bobol fyddai'n fodlon dod i gefnogi eu plygeiniau hwythau, a dros ddwsin o hen leidis. Yn y cefn, braidd yn anesmwyth, eisteddai pump o ferched pymtheg oed – parti i gystadlu yn erbyn y bechgyn, tybed? Gwelodd Daf hefyd grŵp o'i hen ffrindiau ysgol, pedwarawd oedd wedi goroesi ers Steddfod Meifod 2003. Yn yr ail res, yn siarad yn llon gyda phawb, roedd Illtyd Astley, Athro yn yr Adran Astudiaethau Gwerin ym Mhrifysgol Aberystwyth. Roedd o'n esiampl berffaith o'r bobol hynny fyddai'n dod i'r plygain o bell, fel petaen nhw'n mynd i'r sw, ond roedd o'n *chap* bach clên ofnadwy hefyd. Ac yntau'n ddyn byr efo ychydig o wyn yn ei wallt tywyll, bu'n casglu, dathlu a hybu'r hyn roedd o'n ei alw'n 'gynhaeaf y werin' ers deng mlynedd ar hugain. Hwntw o ryw fath oedd o'n wreiddiol, ac am bymtheng mlynedd bu'n cyflwyno'r rhaglen deledu boblogaidd *Ni*. Cofiodd Daf rywun yn disgrifio'r rhaglen un tro fel *Cefn Gwlad* heb y gwartheg – a gallai Daf weld pam. I Illtyd Astley, roedd pob math o stori, jôc, cân neu sgets yn haeddu cael ei recordio, ac roedd ei gasgliad o grefftau, tecstilau, offer a ryseitiau wedi ennill iddo ei lysenw, Pioden Cymru. Heblaw am drafod ei dueddiad i gasglu merched ifanc deniadol hefyd, a mynd â nhw'n ôl i'w nyth, doedd gan neb air drwg i'w ddweud amdano. Byddai wastad yn barod i wrando ar unrhyw un oedd â chwedl neu hanesyn difyr i'w ddweud wrtho, a phan fyddai ei gyfrolau niferus yn cael eu cyhoeddi byddai ym mhob un hanner dwsin o dudalennau o ddiolchiadau. O'r Athro yng Nghaergrawnt i'r ddynes lolipop yn Eglwyswrw, roedd Illtyd yn cydnabod pawb.

Ar y fainc tu ôl i Illtyd roedd dyn cefnsyth, urddasol oedd yn gyferbyniad llwyr i'r academydd – sgweier lleol ac Aelod Seneddol Sir Drefaldwyn, Mostyn Gwydyr-Gwynne. Nid oedd rheswm o gwbl i Daf ei gasáu, heblaw am y ffaith ei fod o'n Dori rhonc, ond rywsut allai o ddim cymryd ato. Wrth ochr Mostyn eisteddai Haf, ei wraig newydd hardd, feichiog, oedd yn hen ffrind i Daf; cyfreithwraig radicalaidd oedd wastad yn gweithio am gyfleoedd cyfartal a hawliau i bobol ddifreintiedig. Cododd Haf ei llaw ar Daf ac roedd yn rhaid iddo gyfaddef, er nad oedd y ddau, yn ei farn o, yn siwtio'i gilydd o gwbwl, ei bod yn edrych yn hapus iawn.

'Be sy'n dy gnoi di, Wncl Daf?' gofynnodd Belle. Roedd hi wedi mabwysiadu'r enw hwnnw arno fel jôc ar ôl iddyn nhw gyfarfod yn rhinwedd eu swyddi ar achos o losgi bwriadol. Erbyn hyn roedd y ddau wedi datblygu cyfeillgarwch agos ond roedd Daf yn aml iawn yn cael ei frawychu gan natur rywiol, gorfforol cariad ei nai. Dros bryd o fwyd byddai Belle yn mwynhau ei chig fel llewpart. Yn ystod diwrnod o hwyl ar y traeth, roedd hi wastad yn plymio'n ddyfnach na neb arall, ac wrth fynd am dro efo'r teulu byddai'n dringo pob coeden, gan gystadlu â Siôn a Rhodri i ddringo uchaf. Roedd Daf wastad wedi ystyried ei hun yn ddyn oedd yn mwynhau pleserau'r byd, ond o'i gymharu â Belle roedd o bron yn Biwritanaidd. Treuliodd Belle ddegawd yn y fyddin ac roedd ei phrofiadau yn sicr yn cyfrannu at ei hagwedd tuag at y byd.

'Dwi 'di gweld digon o bobol farw, Daf,' dywedodd dros wisgi un noson. 'Dwi isie byw cyn marw.' Rywsut, llwyddodd i blethu ei hedonistiaeth â dyletswyddau 'gwraig' fferm: roedd hi'n mwynhau helpu Siôn i wneud ei waith, roedd hi wedi meistroli'r cŵn defaid yn syth – ac roedd hi'n fwy na bodlon talu i Doris wneud cinio i'r cneifwyr. Yn ogystal, roedd hi'n fodlon mynychu achlysuron pwysig y fro.

'Dwi 'di deud wrth Doris am wneud sbwnj, bara brith a bocs o frechdanau cyw iâr y coroni. Fydd hynny'n ddigon, Daf?' gofynnodd tra symudodd y ficer o'r drws i'r allor.

Gwenodd Daf ar ei disgrifiad o gynnwys y brechdanau – a hithau'n chwaer i Drefnydd yr Urdd, roedd Belle yn tueddu i gyfieithu popeth.

'Hen ddigon.'

'Rhaid cofio am draddodiad hael Neuadd, yn does?'

Nid oedd Daf yn sicr oedd hi'n jocian ai peidio. 'Ti'n cyflawni dyletswyddau Meistres Neuadd i'r dim, Belle.'

Edrychodd Belle arno'n awgrymog drwy ei hamrannau, a difarodd Daf ei ddewis o eiriau'n syth. Roedd elfen o sadomasocistiaeth yn ei pherthynas â Siôn ac, fel arfer, roedd Daf yn ofalus iawn i osgoi unrhyw air fyddai'n cyfeirio at hynny. Rhaid oedd newid y pwnc.

'Ffasiwn bobol ydi ffrindiau Carys?' gofynnodd.

'Snobs bach Seisnig, ond paid â phoeni, Daf, mi gân nhw'r croeso gorau posib.'

'Dwi'm yn siŵr fod Car wedi setlo'n iawn yn y coleg.'

'Sut all hi setlo efo'r fath bobol? Roeddan nhw wedi disgwyl y bydden ni'n rhyw deulu plwyfol, comon, ond dwi wedi rhoi dipyn o sioc iddyn nhw'n barod.'

'Bydda di'n ofalus, Belle, maen nhw'n bobol ifanc ddylanwadol ...'

'Dim byd drwg, Daf, jest rwbath i wneud iddyn nhw feddwl. Tra oeddan nhw'n cael eu bwffe yn y stafell fwyta mi drefnais fod Siôn drws nesa, yn y stafell gerdd, iddyn nhw gael dysgu cystal delynor ydi o. Mi aethon nhw i gyd drwodd i fusnesa – doedden nhw erioed wedi gweld telyn deires o'r blaen, heb sôn am un yn cael ei chanu gan ddyn yn ei foilars. Gofynnodd un ohonyn nhw pwy oedd Siôn a dwedodd yntau, yn syml, mai cefnder Carys oedd o, ac mai fo sy biau'r lle. Roedd un o'r lleill yn ddigon digywilydd i ofyn faint o dir oedd ganddo fo!'

'Os wyt ti am roi braw iddyn nhw, gyrra nhw i'r yrfa chwist

nos Lun yn Rhiwhiriaeth. Mi fydd hi fel Rorke's Drift yno, ond efo sgons yn lle gynnau.'

Dechreuodd chwerthiniad Belle fel yr oedd y ficer yn dechrau dweud gras, a gallai Daf deimlo'i hymdrech i'w atal drwy gnawd ei chlun. Còg ffodus oedd Siôn, meddyliodd; un dewr, efallai, ond yn bendant, un ffodus.

Cododd hen ddynes ar ei thraed o'u blaenau.

'O, dyma ni,' sibrydodd yng nghlust Belle. Cofiai Daf glywed Mrs Jones Brithwen yn canu dros ddeng mlynedd ar hugain yn ôl, a sylweddolodd fod ei chof wedi para'n hirach na'i llais. Llanwodd ei hysgyfaint a dechreuodd:

'Tra Adda ac Efa ...'

Ar ddiwedd y deunaw pennill, yn cynnwys y pennill am Jericho a ddychwelodd ddwywaith, sylwodd Daf ar ymateb y gynulleidfa: rhyddhad ar wynebau parti Cemmaes na fyddai perygl iddyn nhw ostwng safon y canu, ystumiau braidd yn nawddoglyd gan eraill a diddordeb brwd gan Illtyd Astley. Roedd gwên bell ar wyneb yr AS, nad oedd ganddo air o Gymraeg. Yn ara deg, disgynnodd Mrs Jones Brithwen i lawr o'r allor. Roedd dwyawr o hyn o'u blaenau, myfyriodd Daf.

Parti Llanerfyl oedd nesaf a phenderfynodd Daf droi ei feddwl at ei waith. Roedd ganddo dîm tyn o swyddogion yn gweithio iddo – rhai ohonynt yn ffrindiau agos hefyd. Cofiodd ei fod wedi cytuno i yrru Sarjant Sheila i glinig ffrwythlondeb yn Amwythig er mwyn iddi ddechrau ar gyfres o brofion. Roedd Tom, gŵr Sheila, yn meddwl y byd ohoni, ond fel sawl ffermwr hen ffasiwn doedd o ddim yn fodlon trafod y fath bethau â phroblemau cenhedlu plant, heb sôn am fynd i glinig o'r fath i gael ei fodio. Chwarae teg i Sheila, roedd hi wedi addo gwneud siopa Nadolig Daf iddo i ddiolch am y lifft a'r cwmni ar y daith. Gan ei bod yn giamstar am siopa gyda llygad dda, cof fel eliffant ac, yn bwysicach, trwyn am fargen, cytunodd Daf yn llawen.

Trodd meddwl Daf at Nev, un o'r cwnstabliaid, oedd wedi bod yn bihafio'n od. Còg ifanc cwrtais ac addfwyn oedd Nev, wastad wedi bod; cyn-glerc yn y banc oedd yn byw efo'i fam, ac roedd wedi datblygu, yn ara deg, i fod yn heddwas da. Ond yn ystod y dyddiau diwethaf roedd o wedi bod yn fyr ei dymer, gan regi ar Sheila pan ofynnodd hi iddo beth oedd y broblem. 'Rhwystredigaeth rywiol' oedd diagnosis Sheila, ond roedd Daf yn siŵr fod mwy i'r peth. Yn ddiweddar roedd ei wallt wedi dechrau teneuo a chawsai'r llanc blorod mawr ar ei ên. Druan o Nev, meddyliodd – ond waeth beth oedd ei broblem, doedd ganddo ddim hawl i fod yn ymosodol â'i gyd-weithwyr. Penderfynodd Daf y byddai'n cael gair ag o cyn gynted â phosib.

Dychwelodd ei feddwl at y presennol, a sylweddolodd Daf fod Miriam Parry yn canu unawd. Dynes fain oedd hi, a'i gwallt coch yn dechrau britho; roedd hi ryw bum mlynedd yn hŷn na Daf ac wedi'i gwisgo'n dwt heblaw am y bŵts gwaith trwm am ei thraed. Miriam oedd un o gymeriadau caredicaf y fro, ac unig ferch Richard Parry Pantybrodyr. Yn ogystal â llais ei thad, etifeddodd, yn anffodus, ei drwyn enfawr. Cofiai Daf hi yn yr ysgol gynradd – roedd hi'n ferch hen ffasiwn bryd hynny hyd yn oed, ac yn derbyn y byddai'n dilyn patrwm bywyd ei rhieni. Yn yr ysgol uwchradd roedd hi'n destun sbort gan y byddai ei mam dal yn gwau cardigans iddi tra bod pawb arall yn gwisgo crysau chwys. Chymerodd Miriam ddim smic o sylw – roedd hi'n dal i godi'n gynnar i helpu ei thad ar y buarth cyn dod i'r ysgol, yn dal i wenu, yn dal i ganu fel aderyn. Roedd hi'n embaras dyddiol i'w brawd, Dewi Wyn, oedd flwyddyn yn iau na hi, ond ar ôl iddi adael y byd addysg cafodd Miriam Pantybrodyr gariad. Gwirionodd Roy Williams Bryngrug ar ei natur roddgar, ei gwên a'i llais hyfryd, a chwarter canrif yn ddiweddarach roedd y ddau yn dal i ganlyn, yn stedi yn hytrach nag yn serchus. Dyn y ffordd oedd Roy, yn gweithio yn depo Llanfyllin heb arwydd o ddyrchafiad o droi'r arwydd Stop/Go.

Canai Miriam hen, hen garol ag iddi naws ganoloesol, atgofus, yn ei llais hyfryd. 'Y Gwir yn y Gwair' oedd ei henw – ac roedd Daf yn bendant iddo glywed yr alaw yn rhywle yn ddiweddar. Ar raglen deledu, efallai? Roedd hi'n sicr yn dôn ramantus, llawn ystyr, a gyffyrddodd bob aelod o'r gynulleidfa.

Ar ôl i Miriam ddarfod, daeth yr 'arbenigwyr' o'r Drenewydd i'r allor i ganu carol hir iawn. Crwydrodd meddwl Daf drachefn i gyfeiriad ei waith, a'r *legal highs* bondigrybwyll oedd yn bla yn yr ardal. Ers iddyn nhw gael eu gwneud yn anghyfreithlon roedd y cynnyrch i gyd ar y farchnad ddu yn hytrach nag mewn siopau. Ddeufis ynghynt bu i un o gogie chweched dosbarth Ysgol y Trallwng foddi yn y gamlas: yn ei boced roedd pecyn gwag o Spice, a wnaeth y ddeddfwriaeth newydd ddim i'w achub o. Ac ystyried hynny, roedd Daf yn falch fod Rhodri yn slotian efo'r criw saethu – efallai fod hynny hefyd yn anghyfreithlon ond roedd o'n llawer gwell na chymryd Spice ar ei ben ei hun wrth y gamlas.

Erbyn hyn roedd bois Llanfihangel wedi newid tôn y gwasanaeth gyda'u cyflwyniad di-lol o 'Wele'n Gwawrio'. Doedd eu baswyr ddim mor gryf ag arfer, a sylwodd Daf fod Roy Bryngrug, oedd â'r llais gorau, yn edrych braidd yn welw. Wrth iddyn nhw orffen, agorodd drws yr eglwys a daeth Falmai i mewn, yn gwenu'n braf, gan wasgu i sedd rhwng aelodau o barti Cemmaes, jest mewn pryd i weld aelodau Parti Neuadd yn codi ar eu traed. Synnodd Daf o deimlo coes Belle yn crynu wrth ei ochr.

'Fyddan nhw'n iawn, lodes, paid poeni,' meddai, ond wnaeth Belle ddim cymryd sylw ohono o gwbl, fel petai hi'n fyddar i bopeth heblaw llais ei chariad. I Daf, oedd wedi clywed eu harlwy dro ar ôl tro, roedd yn llawer mwy difyr gwylio Belle yn hytrach na'u gwylio nhw. Roedd canhwyllau ei llygaid wedi lledaenu fel llygaid dol, ac roedd yn anadlu'n fas a chyflym, fel petai hi wedi'i chyffroi – mae'n rhaid ei bod yn caru Siôn yn angerddol i gyrraedd y fath gyflwr o gynhyrfiad mewn gwasanaeth plygain, rhyfeddodd Daf.

Roedden nhw'n canu'n dda, chwarae teg, eu lleisiau'n plethu'n berffaith. Llifodd tswnami o sentimentaleiddrwydd drwy ei frest a throdd i ddal llygad Falmai. Roedd ei hwyneb hithau'n llawn pleser a balchder. Cofiodd Daf am drafferthion Jonas a phenderfynodd fod dyletswydd arno fo, fel ffrind, fel heddwas ac fel cyn-ŵr i Falmai, i sicrhau ei bod yn hapus.

Doedd neb yn cymeradwyo mewn gwasanaeth plygain, wrth gwrs, ond dyna roedden nhw'n ei haeddu. Ar ôl diwedd yr emyn, sibrydodd Haf Gwydyr-Gwynne yng nghlust ei gŵr a throi i wenu ar Daf, a oedd yn ddigon balch o dderbyn yr ystum o ganmoliaeth. Byddai hefyd wedi hoffi darllen y nodiadau a sgwennodd Illtyd Astley yn ei ddyddiadur bach. Yn y cefn, roedd dynion parti Cemmaes yn tynnu coes Falmai am ei merch olygus ac roedd y ficer, hyd yn oed, yn gwenu.

Wrth ysgwydd Daf, ymlaciodd Belle. Roedd Siôn wedi gwneud yn dda, dyna'r cyfan oedd yn bwysig iddi hi, a chymerodd hi ddim llawer o ddiddordeb yng ngweddill yr hanner cyntaf, hyd yn oed unawd Carys, ond yn ystod y casgliad gofynnodd i Daf newid sedd â hi. Ar ôl symud, sylweddolodd Daf y rheswm: o'i safle newydd gallai Belle ymestyn ei llaw i gyffwrdd â llaw Siôn oedd yn eistedd o'i blaen. Dyna braf, meddyliodd Daf, nes iddo sylwi ar Belle yn llyfu ei bysedd cyn mwytho cledr llaw Siôn. Cofiodd eiriau John – pwy, yn wir, allai gyd-fyw â dau mor boeth?

Roedd yr ail hanner yn union fel yr hanner cyntaf, oedd yn golygu y byddai'r gwasanaeth dros dair awr o hyd. Ceisiodd Daf feddwl am strategaeth aml-asiantaeth i ddatrys achos anodd yn y Trallwng, ond dechreuodd freuddwydio am baned a sleisen fawr o gacen sbwnj. Ers cwpl o fisoedd, roedd Gae wedi bod ar ddeiet go galed felly roedd Daf, i'w chefnogi, wedi gofyn iddi hi beidio â phobi cacennau tan y Dolig. Bu'r aberth yn un anodd.

Roedd Daf yn falch iawn o glywed y diolchiadau a'r fendith – dim ond un gân oedd ar ôl felly. Cododd Carys i esbonio, mewn Saesneg tawel, draddodiad 'Carol y Swper'.

'All the men have to go up to sing, and that includes everyone.' Cyfeiriai ei geiriau olaf at ei ffrindiau o Lundain. Fel arfer, arhosai Daf yn ei sedd ar gyfer Carol y Swper rhag codi cywilydd ar ei blant talentog, ond heno teimlai ddyletswydd i ddangos i'r Saeson snobyddlyd yn union beth oedd traddodiad teuluol Cymreig. Neidiodd ar ei draed, ond wrth gerdded tuag at yr allor clywodd llais Rhodri'n sibrwd yn ei glust:

'Safa reit tu ôl i Siôn a dilyna'i gywair o,' gorchmynnodd. 'Ac os nad wyt ti'n gallu cyrraedd y nodau, gwna siâp ceg.'

Roedd Daf yn falch ei fod wedi codi – dim ond dau ddyn mor hen â Duw a Mostyn Gwydyr-Gwynne oedd wedi aros yn eu seddi. Am eiliad, anghofiodd Daf pa mor wael oedd ei lais a dechreuodd fwynhau ei hun, ond cyn cyrraedd y geiriau adnabyddus 'Mae heddiw'n ddydd cymod a'r swper yn barod', cofiodd rybudd Rhodri. Tawodd, a gadael i'r gweddill godi'r to efo'r Haleliwias a'r Amen olaf. Roedd casineb Mrs Jones, trafferthion Jonas a'i sefyllfa ariannol ei hun wedi eu boddi yn y canu.

Pennod 2

Nos Sul

Fel mewn sawl cymuned lwyddiannus, y Ganolfan oedd calon Dolanog. Ysgol oedd yr adeilad hanner canrif ynghynt, ond roedd yr ystafell liwgar, gyda'i ffenestri uchel a'i chegin fodern, yn edrych i'r dyfodol yn hytrach na'r gorffennol. Deuai gwres ac arogl cacennau ffres i groesawu'r plygeinwyr wrth iddyn nhw ddod drwy'r drws.

'Dwi ar lwgu,' meddai Rhodri, gan ddal y drws ar agor i'w chwaer.

'A bai pwy yw hynny, dwed?' atebodd Daf. 'Ond ti'n lwcus, mae 'na wledd i ni fan hyn.'

Yn y gegin, tu ôl i'r byrddau oedd yn llawn dop o gacennau a brechdanau, roedd giang o ferched croesawgar.

'Duwcs, does neb cystal â chi leidis Dolanog am goginio, wir,' sylwodd Daf, yn ceisio ffeindio lle ar ei blât ar gyfer darn o *Swiss roll*. Llwyddodd i roi brechdan cyw iâr y coroni i sefyll ar sleisen o *quiche* cyn chwilio am baned.

'Stedda di lawr, Daf Dafis,' mynnodd Mrs Morris y Wern. 'Fyddi di wedi colli hanner y platiad 'na dros y lle mewn munud. Mi fyddwn ni'n dod rownd efo'r tebot yn nes ymlaen.'

Roedd yr ystafell yn llawn i'r ymylon. Gan fod cadeiriau'n brin, eisteddodd Daf gyferbyn ag Illtyd Astley. Roedd y dyn bach yn bwyta brechdan efo'i law dde ac yn sgwennu yn ei lyfryn bach efo'i law chwith.

'Arolygydd Dafis, am lwc!' cyfarchodd gyda gwên.

'Wnaethoch chi fwynhau'r plygain, Mr Astley?'

'Do, yn wir! Ydw i'n iawn mai eich plant chi oedd y bobol ifanc a serennodd heno?'

'Dwi'm yn siŵr am serennu, ond dwi 'di magu plygeinwyr selog, rhywsut. Mae'r dalent a'r traddodiad yn dod o ochr eu mam.'

'Sicrhewch nad ydi'ch merch yn colli'r tinc unigryw yn ei llais, Arolygydd Dafis, wrth iddi gael ei hyfforddi yn Llundain. Mae ganddi hi lais a gwreiddiau dwfn iddo, mae'n amlwg. Beth oedd hanes yr ail gân a roddodd y triawd i ni? Eich meibion chi oedden nhw?'

'Fy mab a fy llysfab. Os dech chi isie stori "Ffisig i'r Ffyddlon" mae'n well i chi siarad â Carys – o ochr fy nghyn-wraig o'r teulu mae'r carolau'n tarddu. Dyna ei brawd hi, y dyn tal fan acw. Mi all o roi hanes y teulu i chi.'

'Chwarae teg iddyn nhw am gadw'r traddodiad, wir. Ond yn gyntaf, mae gen i rywbeth i'w drafod efo chi, Arolygydd. Mae gen i lyfr ar y gweill, dan y teitl "Y Fro a Fu". Syniad go syml, sef casgliad o hanesion, rhigymau a diarhebion sy'n perthyn i bob crefft a welid mewn pentre gwledig ganrif yn ôl. Hyd yn hyn, tydw i ddim wedi dechrau ar straeon yr heddlu ond mae sawl un wedi awgrymu i mi ofyn i chi am gyfraniad ...'

'Yn anffodus, Mr Astley ...'

Torrodd y dyn bach ar ei draws, ei eiriau'n llifo dros brotestiadau Daf. Roedd o'n disgrifio ei brosiect mewn termau deniadol iawn: yr effaith y gallai'r fath ffynhonnell ei chael ar ysgolion, pa mor bwysig oedd casglu holl ddoethineb y werin, ac yn y blaen. Tra llifai'r geiriau dros y bwrdd, gorffennodd Daf y cyfan oedd ar ei blât, fel petai dan ddylanwad hypnotydd. Roedd o'n falch pan roddwyd cwpan a soser o grochenwaith gwyrdd ar y bwrdd o flaen Astley.

'Paned i chi, Mr Astley,' meddai'r hen ddynes.

Cododd Daf ei lygaid i gyfarch yr hen wraig ond doedd o ddim yn adnabod ei hwyneb, er bod ei hacen yn un leol. Rhyfedd, meddyliodd – roedd o'n adnabod pawb arall o'r un genhedlaeth yn yr ardal, ac roedd yn sicr y byddai wedi cofio'r hen leidi petai wedi ei gweld o'r blaen. Edrychodd Daf y tu hwnt i'r cnawd llac a'r ddrysfa o linellau dwfn ar ei chroen a sylwi bod ganddi lygaid brown, melfedaidd. Ddegawdau ynghynt, byddai wedi bod yn ddynes ddeniadol iawn. Roedd ei llaw, oedd yn gosod y gwpan o flaen Astley, yn groen llewpart o smotiau brown.

'Oes paned i mi, os gwelwch yn dda?' gofynnodd yn gwrtais iddi.

'Arhosa di funud, còg, mi ddown ni atat ti toc.'

Diflannodd y ddynes rhwng y rhesi o fyrddau. Cododd Astley y gwpan i'w wefus. Gwgodd.

'Ach y fi! Mae'r baned 'ma'n drewi o lygod!'

'Wastad 'run fath mewn llefydd fel hyn. Pob math o bethau'n rhedeg yn rhemp yng nghefn y cypyrddau.'

'Llygod neu beidio, mae'n dwym ac yn wlyb, a cha i ddim siawns am ddiod arall cyn cyrraedd Dyffryn Aeron.'

Llowciodd Astley ei de a chymerodd Daf y cyfle i ymateb i'w gais.

'Mae'ch prosiect chi'n swnio'n ddiddorol tu hwnt ond, yn anffodus, alla i ddim cyfrannu at y llyfr tra bydda i'n aelod o'r heddlu. Mae'r rhan fwya o'm gwaith i'n gyfrinachol.'

Agorodd Astley ei geg i ddweud rhywbeth, ond llwyddodd Daf i achub y blaen arno.

'Mi alla i e-bostio manylion cyswllt cwpl o'm cyn-gydweithwyr, y rhai sydd wedi ymddeol, atoch os ydi hynny o help. Yn y cyfamser, mi ddanfona i rywun draw i drafod "Ffisig i'r Ffyddlon" efo chi. Pleser siarad efo chi, Mr Astley.'

'A chithe, Arolygydd.' Gwagiodd ei gwpan.

Cododd Daf a gwthiodd drwy'r dorf i'r bwrdd yn y gornel lle roedd John a Doris yn mwynhau sgwrs.

'Hei, John, sori 'mod i'n torri ar draws, ond mae Illtyd Astley'n daer i glywed hanes y garol "Ffisig i'r Ffyddlon".'

Gwenodd Doris gan ddangos y bwlch rhwng ei dannedd. Nid am y tro cyntaf, ceisiodd Daf ddyfalu beth oedd ei hanes. Sawl tro, roedd wedi ceisio'i holi am y daith hir o Sierra Leone i Lanfair Caereinion a beth ddaeth â hi yma, ond chafodd o erioed lawer o ymateb, heblaw bod Belle yn hen ffrind iddi hi, a chyfieithiad o enw ei mamwlad.

'O Sierra Leone dwi'n dod,' byddai'n dweud, 'sy'n golygu Mynyddoedd y Llewod yn y Gymraeg.'

A dyna'r cyfan. Ond roedd hi'n ddynes glên, yn brysur o

doriad y wawr tan yn hwyr y nos, ac yn falch o gael y cyfle i fyw'n ddedwydd yn Neuadd. Hefyd, roedd hi wastad yn fodlon gwarchod Mali Haf. Wrth ei gwylio'n diddanu'r un fach â hwiangerddi yn ei mamiaith, Mende, cafodd Gaenor yr argraff ei bod hi'n fam, ond pan welodd bryder Doris pan ofynnwyd y cwestiwn iddi, wnaeth Gaenor ddim holi ymhellach.

Cododd John yn araf, fel dyn llawer hŷn na'i oed. Roedd ei waith corfforol dyddiol wedi gadael ei ôl ar ei gorff.

'Tyrd efo fi, Doris,' meddai. 'Mae Mr Astley yn ddyn neis iawn, ac mi fydd o'n falch iawn o gwrdd â dysgwraig o Affrica.'

Sbonciodd Doris i'w thraed ond roedd swildod yn ei llygaid.

'Dafydd, wyt ti wedi cael sleisen o fara brith heno?' gofynnodd John.

'Do, a bara brith braf iawn oedd o hefyd.'

'Ein Doris ni wnaeth o – gallai guro pob Cymraes am wneud bara brith, wir. Rhaid i ti gystadlu yn Sioe Llanfair tro nesa, Doris.'

Gwridodd Doris a daeth golwg o hunanfoddhad dros wyneb John, yn amlwg yn falch ei fod wedi llwyddo i'w phlesio. Tybed oedd mwy na chyfeillgarwch rhwng y ddau? Petai'n trafod unrhyw ddyn arall, byddai Daf yn amau'r meistr o gymryd mantais o'r howsciper ond doedd John ddim fel dynion eraill. Roedd yn ei natur i fod yn ddrwgdybus o fenyw a gawsai ei geni y tu hwnt i ffiniau'r plwy, heb sôn am wlad a diwylliant mor ecsotig â Sierra Leone.

Roedd syched mawr ar Daf ac roedd yn hynod o falch o weld Gala yn cario dwy gwpan ar hambwrdd bach, ac yn gwasgu drwy'r bobol tuag ato. Rhannodd hi sgwrs ar ei ffordd efo Mr Parry, nad oedd i weld yn hapus iawn, sylwodd Daf. Edrychai Gala fel tywysoges o'r Canol Oesoedd yn ei ffrog hir borffor oedd â brodwaith dros y frest a llewys llydan – chwarae rhan oedd hi, meddyliodd Daf, ac yn llwyddiannus iawn hefyd. Disgwyliai ei chwsmeriaid a'i chymdogion weld 'hipi' ac roedd Gala yn ddigon hapus i gyd-fynd â'u disgwyliadau. Dihangodd oddi wrth Mr Parry a gwthiodd drwy'r dorf at Daf.

'Dwi ddim wedi dy weld di'n canu ers gwasanaeth carolau'r ysgol ers talwm. Ti angen paned.'

'Ydw, wir Dduw. Mae 'ngheg i fel nyth cathod. Pam na ddoist ti'n gynt efo'r te, lodes?'

'Achos dwi ddim yn hoff iawn o'r bastard bech slei oedd efo ti.'

Gwenodd Daf. 'Be – Astley? Mae o'n ddyn bach ffeind ... dipyn bach o granc, falle, ond does dim drwg ynddo fo.'

'Dyna be mae o isie i ni feddwl, ond y gwir yw ei fod o'n twyllo pobol, yn aml iawn. Paid byth â rhoi dy ffydd ynddo fo, Daf.'

'Does gen i ddim byd i'w wneud â fo, wir. Ond sôn am gadw cwmpeini rhyfedd, be oedd gan Mr Parry Pantybrodyr i'w ddweud wrthat ti, Gala?'

Chwarddodd y ddynes o'i flaen. Roedd rhythm rhyfedd yn ei chwerthiniad, fel petai wedi ei ymarfer, ac roedd y sŵn yn heintus.

'Rhedeg ar ei fab oedd o ... druan o Dewi Wyn! Ond mae gan yr hen ddyn dwtsh o *rheumatics*– dwi wedi rhoi olew mecryll a *chilli* iddo fo ond roedd o'n gofyn am *massage* hefyd, a pan wrthodes i, mi gynigiodd fy mhriodi i!'

'Hen fastard budr. Wnaeth ei lygaid ddim symud oddi ar dy fronnau am eiliad.'

'O, mae o'n foi iawn yn y bôn, wyddost ti, Daf, dim ond braidd yn hunanol. Ac os fysen i awydd gwerthu fy hun i hen ddyn, fysen i'n chwilio am un cyfoethog! Ond ta waeth am hynny – dwi isie siarad efo ti ynglŷn â Falmai.'

'Ble mae hi?'

'Wnaeth hi ddim aros i'r swper. Awyddus i weld Jonas ar ôl penwythnos i ffwrdd, dwi'n tybio.'

Fyddai'r croeso ddim yn gynnes iawn yn Bitfel, meddyliodd Daf, a phob ffenest, bron, wedi eu torri.

'Fel dwedes i o'r blaen, Gala, ddylet ti ddim siarad efo fi am Falmai.'

'Does dim dewis gen i, Daf. Dwi'n gwybod i'r dim sut mae

pethau rhwng Fal a tithe, yn well na ti dy hun, dwi'n tybio. Mae hi 'di ymddiried yn gyfan gwbl yndda i, peth sy'n angenrheidiol ar gyfer triniaeth lwyddiannus.' Manteisiodd Gala ar y cyfle i gellwair efo Daf. 'Trueni na ddaeth hi i 'ngweld i cyn i chi wahanu ... 'sen i wedi gallu awgrymu sawl peth i wella dy fywyd carwriaethol.'

'Doedd dim byd o'i le rhwng Fal a finne yn y gwely, Gala,' atebodd Daf yn amddiffynnol.

'Ond mi wnest ti ei gadael hi – wrth gwrs bod problemau rhyngddoch chi.'

Agorodd Daf ei geg i ddadlau efo Gala ond, yn sydyn, trodd pob pen yn y Ganolfan i gyfeiriad Illtyd Astley. Gyda sŵn fel bag o fwyd gwartheg yn disgyn, cwympodd i'r llawr. Am eiliad, roedd pawb yn berffaith dawel. Roedd golwg o ddryswch llwyr ar wyneb John, oedd yn sefyll gyferbyn ag Astley. Belle oedd y person cyntaf i symud, wedyn Daf. Penliniodd Belle wrth ei ochr, a hyd yn oed yng nghanol argyfwng fel hwn sylwodd Daf, a sawl dyn arall, fod ei sgert dynn wedi codi sawl modfedd i ddangos y les du a addurnai dop ei sanau. Yn amlwg, roedd ei sgiliau cymorth cyntaf hi cystal â'i chorff, a gyda chymorth Daf, gwnaeth y claf yn gyfforddus. Dechreuodd chwilio am rywbeth, ac roedd Daf yn ddigon cyfarwydd â sefyllfaoedd tebyg i wybod beth roedd hi ei angen. Estynnodd bensil hir hen ffasiwn Illtyd Astley iddi. Symudodd Astley mewn sbasm o boen ac roedd yn rhaid i Daf ddal ei ben yn dynn er mwyn i Belle allu agor ei geg. Rhoddodd y pensil o dan ei dafod cyn tynnu waled y claf o'i siaced.

''Sdim cerdyn ganddo fo, Daf,' meddai, 'ond yn bendant, mae o'n cael ffit. Galw'r ambiwlans, wnei di?'

Gwthiodd Daf drwy'r llu o bobol i'r drws, ond cyn iddo gael cyfle i dynnu ei ffôn o'i boced gwelodd dri dyn yn ffraeo wrth y diffibriliwr.

'Fy nhro fi ydi o,' mynnodd Dewi Wyn Parry. 'Ti ddefnyddiodd o tro diwetha.'

'Dim ond ymarfer oedd y tro diwetha,' cwynodd y dyn arall, gan geisio cipio'r teclyn o'i le ar y wal.

'Trefn yr wyddor, dyna ddwedodd Pwyllgor y Ganolfan,' mynnodd y trydydd dyn, gan wthio'i hun rhyngddyn nhw.

'*Fix* oedd hynny, Blainey,' atebodd Parry. 'Fi awgrymodd y dylen ni gael *de-fib* yn y lle cynta.'

'Dim ond i ti gael tynnu topie merched dierth, y ffycar budr,' gwaeddodd Blainey wrth godi'r diffibriliwr.

Dechreuodd ffrae go iawn, a defnyddiodd Blainey y peiriant gwerthfawr fel arf i daro cefn pen Parry yn galed. Collodd Blainey ei falans am eiliad a bachodd y trydydd dyn y cas plastig.

'Calliwch, plis!' taranodd Daf. 'Rhaid i mi ffonio'r ambiwlans a does gen i ddim amser i wylio dynion mewn oed yn chwarae plant.'

Daeth golwg o embaras dros wynebau cochion y tri.

Tra oedd Daf yn rhoi'r manylion i ferch y Gwasanaeth Ambiwlans, camodd i gyfeiriad cofeb y pentref. Yng nghysgodion y fynwent, gwelodd rywun yn symud. Cafodd gip sydyn ar wyneb dynes ifanc, ond erbyn iddo dynnu ei dortsh o'i boced roedd y ferch wedi diflannu. Safodd Daf yn stond. Roedd hi'n noson dawel, fel petai'r byd i gyd yn dal ei wynt. Cofiodd yr hyn y byddai Fal yn ei ddweud wrth y plant ar nosweithiau tebyg ers talwm: 'Mae popeth yn aros am y baban Iesu.' Ataliodd ei hun rhag hel mwy o feddyliau – roedd yn hen bryd iddo fynd yn ôl i helpu Belle efo Astley.

Dim ond deg munud oedd wedi mynd heibio ond roedd salwch yr academydd yn hen newyddion, a phobol wedi dechrau gadael. Dim ond y dynion oedd yn byw mewn gobaith o weld mwy o goesau Belle oedd ar ôl yn y cylch o gwmpas Astley, yn cynnwys Mr Parry Pantybrodyr. Roedd Gala wedi ymuno â Belle ond doedd dim llawer y gallen nhw'i wneud i'r claf, oedd yn gorwedd yn llonydd ar y llawr. Yng nghornel bella'r neuadd, tu ôl i'r piano, safai Miriam Pantybrodyr, ei hwyneb yn wyn fel y galchen, fel petai mewn sioc.

'Ddylen ni ei godi fo, Mr Dafis?' gofynnodd Roy Bryngrug. 'All o ddim bod yn gyfforddus ar y llawr fel'na.'

'Mae Belle yn gwybod be mae hi'n wneud, Roy. Well i ti fynd draw i gael gair efo Miriam – mae golwg go wael arni hi.'

'Ocê. Peth rhyfedd ... fel arfer mae hi'n grêt mewn unrhyw greisis.'

Roedd ei lais yn fflat, fel ei wyneb.

'Wyt ti'n iawn, lanc?' gofynnodd Daf.

'Ie, ie. Braidd yn *stressed*, dyna'r cyfan.'

'Sut hynny, Roy?' Doedd neb â llai i'w boeni na Roy Bryngrug, o'r hyn y gallai Daf ei weld.

'O, dwi ar secondiad o'r depo, i'r blydi *trunk road*. Rhaid i mi yrru'r fan trwy'r gwaith ffordd rhwng Llangadfan a Foel. Mae pobol mor gas ar y briffordd, Mr Dafis, dim amynedd o gwbl ganddyn nhw.' Ochneidiodd Roy, a gwyddai Daf fod mwy na straen yr A458 yn ei boeni.

'Pryd allwn ni fynd, Dad?' gofynnodd Rhodri o'r tu ôl iddo.

Pan drodd Daf i'w wynebu, sylwodd fod smic bach o finlliw ar ên ei fab, ac roedd top ei glustiau'n goch. Ers iddo fod yn fabi, roedd clustiau Rhodri wastad wedi troi'n goch yn yr oerni felly doedd dim rhaid i Daf wneud llawer iawn o waith ditectif i fod yn sicr fod y llanc wedi treulio peth amser allan yn y tywyllwch yng nghwmni un o'r merched ifanc yr oedd wedi sylwi arnyn nhw yn rhes gefn yr eglwys yn ystod y gwasanaeth plygain. Byddai'n rhaid iddo ymchwilio ymhellach, penderfynodd.

'Rhaid i ni aros nes i'r ambiwlans ddod, sori. Alla i ddim gadael Belle ar ei phen ei hun. Ti isie gofyn i Carys am lifft, neu Siôn?'

'Mae Carys wedi mynd efo'i ffrindiau a doedd dim lle yn y car i fi. A tydi Siôn ddim yn cael gyrru ar ddydd Sul ... ac mi fydd o'n aros am Belle, beth bynnag.'

'Am be ti'n sôn? Siôn ddim yn cael gyrru ar ddydd Sul?'

'Mae'n wir. Pryd oedd y tro diwetha i ti 'i weld o'n gyrru car ar y Sul?'

'Ond mae o'n gwneud y gwaith ar y fferm, a ...'

'Ti 'di bod fyny yn Neuadd dros y penwythnos yn ddiweddar, Dad? Os oes rhaid i rywun yrru'r tractor neu'r cwad, Belle sy'n gwneud.'

'O, twt lol,' wfftiodd Daf.

'Nid ffŵl bach diniwed ydw i, Dad. Does dim rhaid i ti ddiystyru popeth dwi'n ddweud.'

'Dwi ddim. Ond, i mi, mae'r sefyllfa'n swnio'n reit od. Mae hyd yn oed yr Efengylwyr mwya tanbaid yn cael gyrru ar ddydd Sul.'

'Ond mae eu perthynas nhw'n llawn rheolau, Dad, mae hynny'n amlwg. Ac os oes llawer iawn o reolau, bydd Siôn yn siŵr o dorri rhai bob hyn a hyn, a bydd Belle yn ei gosbi ... chwip din i'r bachgen drwg.'

Os oedd unrhyw beth yn fwy annymunol na gwybod gormod am fywyd rhywiol ei lysfab, meddyliodd Daf, trafod y busnes hwnnw efo'i fab oedd hynny.

'Mi fydd yr ambiwlans yma cyn bo hir,' mwmialodd Daf, i droi'r sgwrs.

'Da iawn. Mae gen i waith cartref i'w wneud, ac mae Gae isie i mi wneud rwbeth efo rhyw ffeil.'

'Wrth gwrs. Ydi dy fam o gwmpas?'

'Wedi mynd. Mi ofynna i i Wncl John am lifft.'

Erbyn hyn, dim ond chwarter llawn oedd y Ganolfan. Piciodd Daf i'r gegin i helpu'r leidis i gael gwared ar weddill y bwyd, ac roedd o'n dal i gnoi pan aeth yn ôl at Belle.

'Cysgu mae o,' meddai, 'ond mi gafodd o bwl go ddifrifol. Dwi wedi edrych drwy ei bocedi, ond tydi o ddim yn cario unrhyw dabledi efo fo. Dyma oriad ei gar o – wnei di jecio yn fanno? Os ydi o ar unrhyw feddyginiaeth at epilepsi mae'n rhaid iddo ei gymryd cyn gynted â phosib.'

Aeth Daf allan drachefn, y goriad yng nghledr ei law, draw i'r maes parcio. Pwysodd y botwm i ddatgloi'r car ac edrych o'i gwmpas. Gan fod enw garej yn Aberystwyth oedd yn gwerthu Land Rovers ar un o ddolenni'r goriadau, roedd Daf yn disgwyl i oleuadau cerbyd 4x4 fflachio, ond na. Goleuodd sbortscar bychan smart yng nghanol y tywyllwch – Audi TT coch, cerbyd braidd yn annisgwyl i'r gwerinwr enwog. Agorodd Daf y drws a throi'r goriad er mwyn rhoi goleuadau mewnol y car ymlaen.

Bron yn union fel y sioc gafodd Rhodri gan gath Mr Parry yn gynharach, neidiodd Daf yn y sedd ledr pan glywodd lais cyfarwydd yn llenwi'r car – llais Miriam Pantybrodyr. Ar sedd y teithiwr roedd amlen gwiltiog a stamp o Unol Daleithiau America arni, ac yn gorwedd wrth ei hymyl, clawr CD a darn o bapur. Yn chwilfrydig, cododd Daf y darn papur. Nodyn byr oedd o, ac ar y top roedd enw Richard Diamond, un o gynhyrchwyr ffilmiau enwocaf y byd. 'Here's your CD back, with many thanks. You might want to bring that very talented lady to the premiere, or perhaps you should bring your wife. Tickets in the post.' Wedyn, roedd Richard Diamond wedi tynnu llun bach o wyneb yn wincio.

Roedd Daf wedi drysu'n lân. Sut allai rhywun fel Diamond fod yn nabod Illtyd Astley, heb sôn am Miriam Pantybrodyr? Ond roedd yr enw'n ddigon clir ar yr amlen: Illtyd Astley, Maesnewydd, Nantaeron, Ceredigion. Ond doedd y peth yn ddim o fusnes Daf. Agorodd y blwch menig. Dim byd ond llawlyfr y car, pecyn o Extra Strongs a ffôn symudol rhad. Ac yn y cefn, amlen fach arall, un frown y tro hwn, efo dim byd arni. Agorodd Daf hi: dau becyn sgleiniog coch. Durex. Dyma odinebwr trefnus, ystyriodd Daf wrth roi'r amlen yn ei hôl. Chwiliodd yn y car ac yn y bŵt: dim tabledi o gwbl.

'Sori, Belle,' dywedodd ar ôl dychwelyd i'r Ganolfan. 'Doedd dim byd yn ei gar.'

'Efallai mai ei ffit gynta oedd hon – ond roedd hi'n sicr yn un sylweddol. Lle ma'r blydi ambiwlans?'

'Fyddan nhw yma toc, Belle.'

'Ti wastad yn llawn ffydd, Daf ... dwi jest yn gobeithio nad achosodd y ffit 'na anaf i'w ymennydd.'

'Ti isie mynd adre, Belle? Does dim rhaid i ti aros fan hyn.'

'Na, mi arhosa i. Ond dwi angen gair efo Siôn.'

'Iawn, lodes. Ti 'di bod andros o help hyd yn hyn.'

Roedd yn rhaid iddo fo gael gwylio'r sgwrs rhyngddi a'i chariad. Beth, tybed, oedd yn mynd ymlaen? Roedd Daf wedi sylwi bellach fod golwg od ar Siôn, rhyw bellter yn ei lygaid, ond a oedd ganddo reswm i boeni?

Eisteddai Gala hefyd ar y llawr wrth ochr Astley, ei choesau hir wedi eu croesi fel petai'n gwneud ioga. Roedd hi'n estyn hances bob hyn a hyn i sychu'r poer oddi ar ei wefusau slac. Cododd law'r claf i gymryd ei bỳls, a chyn gollwng ei law syllodd Gala ar y gledr.

'Dyma i ti law llawn cyfrinachau,' meddai.

Ers ei dyddiau ysgol, roedd Gala wedi brolio'i dawn i allu darllen dyfodol rhywun dim ond drwy edrych ar gledr ei law. Teimlodd Daf ryddhad pan welodd y dynion ambiwlans yn agor drws y neuadd.

'What you got for us then, Inspector?' gofynnodd y dyn bach digywilydd wrth agor ei fag. 'Better be serious to get us out in this frost.'

Esboniodd Daf yr hyn ddigwyddodd i Astley tra oedd y Sgowser yn gwneud ei asesiad cyntaf. Gan anwybyddu Daf, dywedodd wrth ei gyd-weithiwr:

'Tell your missus we'll be late back – this could be a job for Stoke but we'll call in at RSH first.'

Doedd dynion ambiwlans canolbarth Cymru ddim yn teithio draw i Stoke-on-Trent ar chwarae bach – mae'n rhaid bod cyflwr Astley yn go ddifrifol. Ddeng munud yn ddiweddarach roedd drws trwm melyn y cerbyd yn cau â chlep, gan adael Dolanog mewn heddwch unwaith yn rhagor.

'Rhod!' galwodd Daf. 'Hen bryd i ni fynd.'

Roedd o'n sefyll wrth y fynedfa pan ddaeth Mrs Morris y Wern o'r gegin a bag plastig yn ei llaw.

'Dwi 'di pacio chydig o sborion i ti, còg,' dywedodd mewn llais direidus. 'Mae Gaenor yn mynd i Slimming World efo Lorraine, gwraig ein Tom ni, ac mae o wastad ar lwgu, druan. Maen nhw'n ddigon o sgini-minis fel maen nhw, yn fy marn i.'

Doedd dim rhaid i Daf agor y bag i ddeall beth oedd ynddo fo gan fod yr arogl braf yn dweud y cyfan.

'Ffeind iawn, Mrs Morris. Diolch o galon.'

'Rhaid i ni ofalu amdanat ti, yn does? Beth petai rhywun wedi cael ei ladd heno yn Nolanog – pwy arall fyddai'n gallu'n helpu ni?'

'Fi ydi'r unig un oedd yn haeddu cael ei lofruddio heno – oherwydd safon fy nghanu yn ystod "Carol y Swper"!' atebodd Daf yn gellweirus.

Daeth golwg ramantus i wyneb yr hen ddynes.

'Dwi 'di colli "Carol y Swper" ers ugain mlynedd rŵan, wrth wneud y te. Dwi'n cofio'i mwynhau hi gymaint pan o'n i'n ifanc. Roedd hi'n arwydd fod y Dolig wedi cyrraedd.'

Am ryw reswm, meddyliodd Daf am Mali Haf, gan obeithio y byddai hithau, rhyw ddydd, yn mwynhau 'Carol y Swper' hefyd.

'Alli di roi lifft adre i Jenna, Dad?' gofynnodd Rhodri.

Jenna oedd y ferch y bu Rhodri yn ei chwmni, felly.

'Wrth gwrs. Ble wyt ti'n byw, lodes?'

'Cefn Coch.'

Gyrrodd Daf yn ofalus ac araf i fyny i'r pentref yng nghanol y bryniau i ddanfon y lodes adref, ond chafodd o ddim o'i hanes hi gan Rhodri ar ôl iddi adael y car. Yr eiliad y cyrhaeddodd y tŷ, aeth Rhodri'n syth i'w lofft. Cododd Gaenor ei haeliau.

'Dwi 'di gofyn gormod o gwestiynau am ei gariad newydd,' eglurodd Daf.

'Mae gan Rhodri gariad? Ti isie wisgi bach tra den ni'n trafod y newyddion?'

'Dim diolch, Gae.' Er bod Daf yn ysu am wisgi mawr, roedd o wedi penderfynu y byddai'r hanner potel oedd yn y cwpwrdd yn para tan y Dolig. Gwnaeth baned o de, ac ymhen hanner awr roedd o wedi trafod holl ddigwyddiadau'r noson efo Gaenor ac yn teimlo'n llawer gwell.

'Roedden nhw'n canu mor braf, Gaenor, o'n i mor prowd.'

Rywsut, yn ei chwmni, ciliodd popeth negyddol i'r cysgodion. Rhoddodd ei fraich dros ei hysgwydd i'w thynnu'n dynn am gusan ond clywodd sŵn siffrwd o dan ei ben ôl.

Cododd ar ei draed a chwilio o dan y clustogau – cylchgrawn drud yr olwg ac amlen wen. Am hanner eiliad, roedd Daf yn flin am gost y cylchgrawn ond ddywedodd o ddim gair.

'Wir Dduw,' dwrdiodd Gaenor, 'mae Daisy'n waeth na phlentyn am adael ei phethau ym mhob man. Ddoe mi ffeindiais i ei phwrs ac un o'i threiners, a rŵan mae hi wedi gadael ei *Vogue* yma. Be sy yn yr amlen?'

Y llythyr gan asiant y landlord oedd o. 'Dim byd.'

'Daf, dydi "dim byd" byth yn dod mewn amlen. Be sy?'

'Dim byd,' ailadroddodd Daf wrth luchio'r amlen i'r stof.

Roedd golwg ddryslyd, braidd yn boenus ar wyneb Gaenor am eiliad, cyn iddi ddechrau chwerthin.

'Mi wnes i anghofio ... mae'n dymor o fod yn slei, yn tydi? Paid â phoeni, Daf, cadw di dy gyfrinachau, ond dim ond tan y Dolig, iawn?'

Am y tro, roedd Daf yn fodlon iddi feddwl mai derbynneb rhyw anrheg chwaethus oedd yn yr amlen. Câi wybod y gwir pan fyddai rhaid.

'Ty'd, mae'n hen bryd i ni fynd i'r gwely,' awgrymodd.

Yn nes ymlaen, yn glyd o dan y dŵfe, teimlodd Daf law feddal Gaenor yn ymestyn ar draws ei fol. Rhoddodd ei law drosti, i'w rhwystro rhag crwydro ymhellach. Heblaw ei broblemau ariannol, yr unig beth oedd ar ei feddwl oedd y les ar sanau sidan Belle. Merch secsi ar gyfer dyn ifanc cyfoethog, meddyliodd, gan deimlo'n hen ac yn dlawd, ac yn oer.

Pennod 3

Bore dydd Llun

Sleifiodd Daf allan drwy'r drws ffrynt toc cyn saith tra oedd pawb arall yn dal i gysgu. Neithiwr roedd dau beth wedi digwydd: roedd wedi dweud celwydd wrth Gaenor am y tro cyntaf drwy guddio'r llythyr gan yr asiant tai, ac roedd o wedi methu ymateb iddi'n rhywiol. Efallai nad oedd hi hyd yn oed wedi sylwi ar yr un o'r ddau beth, ond roeddent yn chwarae ar ei feddwl o. Penderfynodd brynu potel o win – rhywbeth nad oedd yn digwydd yn aml y dyddiau yma, yn rhannol oherwydd deiet Gaenor – ond heno, â chynnig arbennig ar Jacob's Creek yn Londis, roedd yn hen bryd iddyn nhw gael trêt. Roedd gwên ar ei wyneb cyn iddo gyrraedd gorsaf yr heddlu.

'Bore da, Sheila.'

'Bore da, bòs. Mae 'na gwpl o bethau sy angen eu gwneud cyn i ni gychwyn.'

'Megis?'

'Beth am yr achos *coercive control* 'na? Roedd sôn am gyfarfod efo dynes sy'n arbenigo yn y maes heddiw, rhyw gyswllt i Mrs Gwydyr-Gwynne, ond os ...'

'Dau o'r gloch mae'r cyfarfod i fod, Sheila. Fyddwn ni'n ôl mewn pryd.'

'Ocê, bòs.' Roedd golwg bryderus ar ei hwyneb a nodyn synfyfyriol yn ei llais.

Agorodd Daf ffeil achosion o ladrata oedd yn ei ddrysu, ond chafodd o ddim cyfle i bori ymhell ynddi.

'Bore da, bòs,' oedd y cyfarchiad annisgwyl.

'Bore da, Steve. Falch o dy glywed di'n mentro rhyw chydig o Gymraeg ... o'r diwedd.'

'If you can't beat 'em, join 'em. Beth am y *burglaries* 'na, syr? Mae 'na *pattern*, siŵr.'

'Patrwm. Oes. A dwi isie i ti roi dipyn o d'amser i'r achosion yma, iawn?'

'Damser?'

'Time.'

'I thought that was "amser". Without the "d".'

'The "d" is to save you saying "dy" in full. "Dy amser" becomes "d'amser". Wyt ti'n cael gwersi Gymraeg?'

'Dwi yn.'

'Da iawn ti, Steve. Fydd hynny o fantais i ti pan fyddi di'n mynd am y dyrchafiad nesaf.'

'Ti'n *inspiration* i mi, syr. Ti 'di gwneud yn da yn y *Force*, a ti'n *fuckwit* – rhaid mai iaith Gymraeg yn gwneud wahaniaeth mawr.'

'Ha ffycin ha.'

'Mae gen i digon o damser i rhoi i'r job yma, dwi'n meddwl.'

Roedd Daf ar fin ei gywiro ond cofiodd y dywediad: gwell Cymraeg slac na Saesneg slic. Hyd yma, bu elfen wrth-Gymreig yn Steve – efallai fod y ffaith fod Sheila wedi dysgu'r iaith mor dda wedi ei ysbrydoli.

'Ocê. Ti o gwmpas heddiw bore? Dwi 'di cymryd y bore ffwrdd.'

'Pam wyt ti *here then*?'

'Aros am Sheila ydw i. Mae hi'n fy helpu efo fy siopa Nadolig.'

Cymerodd Steve y ffeil ganddo, a phan oedd o'n ymestyn dros y ddesg, gwelodd Daf rywbeth ar lawes ei grys. Fel arfer, gan ei fod yn byw ar ei ben ei hun, doedd Steve ddim yn smwddio os nad oedd rhaid. Heddiw, roedd ei grys yn berffaith lyfn ac yn gwynto'n ffres iawn – ond ar y gwffen roedd Coco Pop. Syrthiodd y darnau i'w lle a phenderfynodd Daf drafod sefyllfa Steve efo Sheila yn y car. Ar y gair, derbyniodd Daf decst:

'Aros tu allan. Barod i fynd rŵan?'

Pan aeth allan, roedd Sheila'n sefyll wrth ei gar o, yn syllu i'r pellter.

'Ti'n siŵr dy fod di isie cychwyn mor gynnar â hyn, lodes?

Dydi'r apwyntiad ddim tan ar ôl deg, a den ni ddim isie bod yn cicio'n sodle.'

Wedyn, sylwodd – nid syllu i'r pellter oedd hi ond gwylio'r mamau yn gwthio'u bygis i Ysgol Maes-y-dre. Pan drodd hi at Daf roedd ei llygaid yn sgleinio.

'Does dim rhaid i ti ddod efo fi, Daf, os ti'n rhy brysur.'

'Dwi'n dod, reit? Dwi 'di dweud wrth bawb ein bod ni'n mynd i siopa Dolig.'

'Am ddyn gonest, ti'n rhaffu celwyddau'n ddigon rhwydd.'

'Ond ti'n *mynd* i fy helpu i efo'r siopa, jest nid heddiw.'

Agorodd Daf ddrws ei gar iddi gan fod ei gyd-weithiwr, erbyn hyn, wedi dod i arfer â chwrteisi hen ffasiwn ei gŵr. Wrth setlo yn y car, roedd Sheila'n annaturiol o dawel.

'Hei, paid poeni, lodes. Fydd popeth yn iawn, wyddost ti.'

Nodiodd ei phen heb ddweud gair.

Wrth iddyn nhw yrru heibio'r Smithfield, sylwodd Sheila ar yr holl Land Rovers a'r treilers oedd yn aros i gael mynd i mewn.

'Rhag cywilydd Malc Rhoswen,' dwrdiodd. 'Ddwedodd o yng Nghinio Dolig yr NFU ei fod o wastad yn cyrraedd y farchnad cyn hanner awr wedi saith.'

Roedd Sheila wedi cofleidio'i rôl newydd yn wraig i ffermwr cefnog â brwdfrydedd, ac roedd Daf yn falch o'i gweld hi mor hapus.

'Tom 'di dod lawr?'

'Isie cael gwared â hen stôrs, dyna'r cyfan.'

Cododd gwrid yn ei bochau y tu ôl i'w cholur, a heb iddi orfod dweud gair roedd Daf yn deall. Hen ddefaid hesb oedd stôrs, ac roedd yn rhaid i Tom, fel pob ffermwr da, gael gwared ar bob anifail anffrwythlon. Newidiodd Daf y pwnc.

'Be 'di hanes Steve, dwed?'

'Ti'n rhy fusneslyd o lawer, bòs. Pa hanes?'

'Heddiw bore roedd o'n siarad Cymraeg, yn gwisgo crys wedi cael ei smwddio'n iawn ... ac mae ei fam wedi mynd ar ryw grŵs. Ac yn fwy na hynny, roedd Coco Pop yn sownd yn ei lawes. Quod erat demonstrandum.'

'Dwi'n stryglo efo'r Gymraeg – 'sgen i ddim siawns efo Sbaeneg.'

'Lladin. Dweud bod rhywbeth wedi cael ei brofi.'

'Beth, felly?'

'Mae gan Steve gariad newydd, un sy'n giamstar efo haearn smwddio. Mae ganddi hi blant ac mae siawns dda ei bod hi neu'r plant yn siarad Cymraeg.'

Ystyriodd Sheila cyn ymateb.

'Mae o'n yfed llai nag arfer. Ac ers ei ben-blwydd bythefnos yn ôl, mae o'n gwisgo *aftershave* newydd neis. Versace Eau Fraiche ... y math o stwff fyse mam Steve byth yn brynu.'

'Anrheg gan y ddynes ddirgel felly.'

Treuliodd Daf weddill y siwrne'n fodlon, yn ceisio dyfalu'n union pwy oedd cariad newydd Steve. Wnaeth Sheila ddim yngan gair nes iddyn nhw gyrraedd maes parcio'r ysbyty.

'Dwi'm isie'i adael o lawr, ti'n gwybod, Daf,' meddai mewn llais isel. 'Mae o'n ddyn da. Dydi o byth yn gofyn am ddim gen i, ond mae o wedi gweithio gydol ei oes i gadw Glantanat, i wella'r lle, i'w basio mlaen i'w aer. Be os na fydd aer?'

'Wel, allwch chi wastad werthu'r hen le a byw yn ddedwydd yn y Bahamas.'

'Ond yr holl waith! Yr holl ymdrech! Fin nos, ar ôl diwrnod caled, yn enwedig yn y tywydd oer yma, mae o'n symud fel hen ddyn, mor flinedig.'

'Mae Tom wedi hen arfer efo gwaith caled, Sheila fach. Ond falle y bydd angen presgripsiwn arno fo am fwy o *bed rest*.'

Gwenodd Sheila. 'Diolch, Daf, ti'n ffrind da.'

Roedd Daf yn hoffi enw'r uned roedden nhw wedi dod iddi: y Ganolfan Ffrwythlondeb. Doedd dim sôn am anffrwythlondeb.

'Den ni'n rhy gynnar o lawer. Ti isie mynd am dro bach?'

'Ie, syniad da, bòs.'

Dim ond unwaith rownd y maes parcio gerddon nhw gan fod y gwynt yn brathu.

'Dwi'n difaru dod heb het – mae hi wastad fel blydi Siberia yma.'

'Oes het 'da ti? Dwi ddim wedi dy weld di'n gwisgo un erioed.'

'Er gwybodaeth, Sarjant Francis, mae gen i sawl het, addas i bob achlysur. Paned?'

Nid oedd bwyty'r ysbyty ar agor eto felly roedd yn rhaid iddyn nhw fynd i'r siop goffi.

'Gas gen i lefydd fel hyn,' mwmialodd Sheila.

'A finne.'

Eisteddodd y ddau yn dawel, wyneb yn wyneb.

'Diolch o galon i ti am ddod, bòs. Dydi Mam yn ddim help efo pethe fel hyn, ac fel ti'n gwybod, dwi ddim isie i bawb gael gwybod am ein problemau ni.'

''Sdim angen i ti ddiolch.' Oedodd Daf am eiliad. 'Oes gen ti feiro a phapur? Dwi angen gwneud fy rhestr siopa Dolig.'

Aeth deng munud heibio, wedyn hanner awr.

'Mae'n hen bryd i ni fynd,' dywedodd Sheila wrth godi o'i chadair galed. Doedd hi ddim hyd yn oed wedi blasu ei choffi.

Dynes glên iawn oedd yn aros amdanyn nhw wrth ddesg derbynfa'r uned.

'Paid â mynd i nunlle, Daf,' sibrydodd Sheila.

Am y tro cyntaf yn eu pymtheng mlynedd o gyfeillgarwch, gafaelodd Sheila yn llaw Daf a'i gwasgu'n dynn. Ar ôl tipyn o siarad a llenwi ffurflenni, tywyswyd Sheila drwy ddrws mawr gwyn. Ac yntau'n sefyll ar ei ben ei hun yn y cyntedd, roedd Daf yn anesmwyth. Doedd nunlle i eistedd ond roedd o'n anfodlon mynd, hyd yn oed draw i'r caffi drws nesaf. Doedd dim llawer o bwrpas dod â Sheila i'r clinig a'i gadael hi yno. Tynnodd lyfr o boced ei siaced ac ymhen munud neu ddau roedd o ar goll yn y stori afaelgar. Wnaeth o ddim sylwi ar y nyrs ifanc yn dod i mewn.

'Yes?' gofynnodd iddo.

'I'm waiting for Sheila Francis.'

'Yes. Of course. If you just wait here, Mr Francis, someone will come to you directly.'

Ymgollodd drachefn yn ei lyfr.

'Would you come with me, Mr Francis?' gofynnodd y nyrs ifanc.

'I'm not Sheila's husband.'

'That doesn't matter at all. You can just wait in here and I'll come back in half an hour with a cup of tea for you.'

Agorodd ddrws a'i arwain i ystafell fach blaen ac un gadair ynddi. Eisteddodd Daf arni ac ailagor y cloriau. Lle bach handi i gael llonydd, meddyliodd. Ar ôl gorffen y stori, cododd ei ben i archwilio'r ystafell yn fwy manwl. Fel sawl ystafell ysbyty, nid oedd ffenest. Yn y gornel roedd basin molchi bach a pheiriant sychu dwylo. O flaen Daf roedd bwrdd isel ac arno gwpan fach blastig a sawl cylchgrawn. Cododd un ohonynt a chafodd fraw – roedd hwn yn wahanol iawn i *Hello*. Cododd yr un nesaf yn y pentwr, a'r nesaf. *Razzle*, *Asian Babes*, *Penthouse* a chwpl o bethau eraill poethach byth. Sylwodd hefyd nad cwpan oedd o'i flaen ond potyn i gasglu sampl ... ac nid sampl dŵr. Cododd yn sydyn a golchodd ei ddwylo. Brysiodd allan i'r dderbynfa, lle roedd y nyrs ifanc yn siarad efo'r ddynes tu ôl i'r ddesg.

'Hello, Mr Francis,' meddai'r dderbynwraig.

'No, it's Mr Davies,' cywirodd y nyrs hi, yn taro golwg ar ei chlipfwrdd. 'Well, you don't believe in hanging about.' Agorodd fag plastig a sticio label bach arno. 'Just pop your sample in there, please.'

'I ... haven't got a sample.'

'Well, back you go. It's not that difficult, you know. Just relax.' Gwenodd yn glên arno.

'No, you don't understand. I'm not Mrs Francis's partner ... Mr Francis is.'

'We have a strict policy about not enquiring into clients' personal lives.'

'You can enquire all you like: Mrs Francis is happily married and I'm just a work colleague who gave her a lift here.'

Y ddynes tu ôl i'r ddesg ddechreuodd chwerthin gyntaf, nes bod dagrau yn ei llygaid. Edrychodd y nyrs ifanc yn bryderus ar

Daf, rhag ofn ei fod yn dal dig, ond pan welodd fod y dyn o'i blaen hefyd yn piffian chwerthin, ymunodd hithau, gan ddweud:

'You must have thought we have a strange choice of reading matter in our waiting room, then!'

'Well,' atebodd Daf, 'I am a policeman, so I've seen a fair bit of such stuff – but yes, it was unexpected.'

Roedden nhw'n dal i chwerthin pan ddaeth Sheila yn ôl drwy'r drws mawr gwyn. Pan glywodd hithau'r hanes, gwelodd yr ochr ddoniol.

'Sut allen nhw feddwl ein bod ni'n ...? Hel's bels!' ebychodd.

'Hei, does dim rhaid i ti fod yn sarhaus, missus. Mae 'na gryn dipyn o leidis fyddai'n ddigon bodlon derbyn sampl gen i, wir i ti.'

'Pwy, heblaw Gaenor?'

'Fyset ti'n synnu. Beth bynnag, sut aeth pethau efo ti?'

'Ocê. Ond arhosa am funud. Pentwr o *porn* oedd ar y bwrdd?'

'Ie. Yn ôl y nyrs, mae'r rhan fwya o glinics yn defnyddio'r system BYOP, sef Bring Your Own Porn, ond mewn dalgylch fel hwn, ardaloedd gwledig eang, mae'n anodd i bobol ddod o hyd i'r deunydd angenrheidiol ...'

'Wn i ddim ... ti'n cofio Herbert y ffariar?' gofynnodd Sheila.

Rhyw ddeng mlynedd ynghynt, cafodd y ffariar lleol ei ddal yn gwerthu deunydd pornograffig.

'Ydw, ond roedd yr hen Herbert yn cyflenwi stwff amheus iawn, cofia.'

'Digon normal i Guilsfield, fyswn i'n dweud.'

'Tyrd 'laen, lodes, faint o bobol, hyd yn oed yn Guilsfield, sy'n ysu am *donkey porn*?'

Erbyn hyn roedden nhw wedi cyrraedd y brif fynedfa, yn dal i chwerthin fel ffyliaid.

'Dwi'n nabod cwpl o ferched o'r ardal honno sy'n hyllach nag unrhyw asyn dwi wedi'i weld erioed,' atebodd Sheila, a sylwodd Daf fod rhannu jôcs gwirion wedi gwneud byd o les i'r ddau ohonyn nhw.

Clywodd Daf besychiad uchel, mawreddog o'r tu ôl iddo. Trodd ar ei sawdl i weld Dr Jarman y patholegydd yn sefyll o'i flaen.

'Rhy brysur yn chwerthin i ateb dy ffôn, Dafydd?' meddai'n sur.

'Sori, syr, dwi 'di cymryd heddiw bore i ffwrdd o'r gwaith.'

'Hm. Beth bynnag, cafodd dyn ei wenwyno yn y plygain yn Nolanog neithiwr.'

'Be?'

'Neithiwr, daeth dyn yma mewn ambiwlans. Dros nos, cafodd sawl ffit ac erbyn hyn mae ganddo fo *azotemia*. Mae ei wraig newydd gyrraedd. Doedd dim diben ei symud i ysbyty arall – os na fydd ei ysgyfaint yn ffaelu yn ystod yr oriau nesaf, bydd yn rhaid iddi benderfynu a ydi hi am i ni ddiffodd y system cynnal bywyd.'

'Dr Jarman, ym mha ystyr dech chi'n defnyddio'r term "gwenwyno"?'

'Dim ond un ystyr sy i'r gair hyd y gwn i: mae'r claf wedi bwyta rhywbeth a achosodd ei salwch, a thra rydan ni'n gwamalu yn y fan hyn, mae o'n gorwedd ar ei wely angau.'

'Ym mha ward mae o?'

'Yr Uned Gofal Dwys. A cyn i ti ofyn, mae gen i theori am y gwenwyn: *oenanthotoxin*. Tydw i ddim wedi gorffen y profion, ond dwi'n weddol sicr. Wrth gwrs, ar ôl iddo fo farw, gallaf gadarnhau hynny gan fod arwyddion amlwg iawn bryd hynny fod *oenanthotoxin* yn y corff.'

'Does dim modd achub y claf?' gofynnodd Daf. Roedd yn casáu tôn llais y patholegydd – dyn oedd yn y gwely, nid casgliad ar hap o gelloedd o dan ei feicrosgop.

'Maen nhw wedi gwneud popeth allan nhw, rhoi *thiopentone* iddo i ddelio â'r ffitiau, ond erbyn hyn mae o wedi diodde niwed i sawl organ, yn cynnwys bôn ei ymennydd a'i arennau. A dweud y gwir, rydan ni'n gwastraffu arian y cyhoedd arno ar hyn o bryd, ac os na fydd o wedi mynd yn ystod yr oriau nesaf, bydd yn rhaid ei symud o. Mae gwlâu yn yr uned yma'n bethau prin, a does dim diben gwastraffu un ohonyn nhw heb obaith y bydd y claf yn gwella.'

Yn ystod y sgwrs, roedd Sheila wedi gwrando'n dawel ond wrth i Jarman orffen siarad, tynnodd lyfryn bach o'i bag a sgwennodd gwpl o nodiadau byr ynddo.

'Does ganddoch chi ddim syniad sut gafodd o ei wenwyno, Dr Jarman?' gofynnodd Daf, heb lawer o obaith am ateb.

'Patholegydd yw i, a heddwas wyt ti, Dafydd Dafis.'

Brasgamodd i ffwrdd, gan wthio'r drysau dwbl i'w hagor fel cowboi yn mynd i mewn i salŵn.

'Yr uned 'ma, ICU ydi o, ie?' gofynnodd Sheila.

'Ie. Gwranda, dwi'n meddwl y bydd rhaid i mi fynd yno, ond rwyt ti wedi cymryd diwrnod cyfan o wyliau. Ti isie picio draw i'r dre am awr neu ddwy?'

'Rhag cywilydd i ti, Daf. Jest oherwydd 'mod i'n ddynes, tydi siopa ddim yn obsesiwn i mi. Ddo i efo ti – mi fydd yn rhaid i ti gael dipyn o help.'

'Ti'n siŵr?'

'Wrth gwrs. Beth oedd enw'r gwenwyn 'na eto?'

'Does gen i ddim syniad. Cemeg oedd yr unig TGAU i mi ei fethu.'

'*Oenanthotoxin* neu rwbeth. Sbia, mae'r ICU draw fan'cw.'

Cerddodd Sheila'n hyderus drwy'r ddrysfa o goridorau, heibio i'r caffi bach lle cawson nhw baned yn gynharach y bore hwnnw, a throi i'r chwith i'r uned. Ger y ddesg, gwelodd Daf wyneb cyfarwydd un o swyddogion Heddlu West Mercia.

'Glad to see you've shown up at last, Taff,' meddai. 'Got enough on my plate without clearing up your messes.'

Agorodd Daf ei geg i ddechrau achub ei gam ond penderfynodd beidio. 'Want to fill me in with the details?'

'You're better off chatting with the medics. I've got better things to do, like I said,' meddai wrth gerdded ymaith.

Tu ôl i'r ddesg safai nyrs yn ei thridegau, a phan gododd ei phen cawsant gyfarchiad cyfeillgar.

'Hei, Sheila! Dech chi 'di dod i helpu efo'r *poisoning*, do?

Falch o'ch gweld chi – mae'r wraig braidd yn *flakey* ac mae dynes arall newydd gyrraedd ...'

O gyfeiriad y ward deuai sŵn lleisiau uchel, rhyw fath o ffrae. Agorodd Daf y drws a gwelodd feddyg bach diniwed yr olwg yn ceisio cadw trefn ar ddynes oedd dipyn bach yn hŷn na Daf, dynes fain iawn efo llygaid mawr, llawn poen, a lodes rhwng pump a deg ar hugain oed oedd wedi'i gwisgo o'i chorun i'w sawdl mewn dillad Joules. Mam a merch, tybiodd Daf, cyn sylwi nad oedd tebygrwydd o fath yn y byd rhyngddynt.

'Does dim hawl gen ti i ddod yn agos i'r lle 'ma,' bloeddiodd y ddynes hŷn. 'Cer o'ma ar unwaith, cyn i mi ofyn i'r *chap* 'ma ffonio'r heddlu.' Amneidiodd ei phen i gyfeiriad y meddyg bach.

'Ladies, I must insist ...' meddai hwnnw, heb lawer o awdurdod na gobaith yn ei lais.

'Ti yw'r un sydd â dim hawl,' atebodd y ferch, gan ymestyn ei llaw yn ymosodol i wyneb y ddynes arall. 'Drycha ar y fodrwy 'ma: fi yw ei wraig e, a hen ast chwerw wyt ti. 'Wy ddim yn synnu dy fod di ar ben dy hun a tithe mor sur â lemon.'

'Heddwas ydw i,' datganodd Daf ar eu traws. 'Mae'n hollol anaddas i chi fod yn dadlau fel hyn. Allan efo fi rŵan, eich dwy.'

'Ond tydw i ddim wedi cael cyfle i weld fy ngŵr eto,' mynnodd y ddynes hŷn. 'Os ydi o'n wir fod ... fod ei fywyd mewn peryg, mae'n rhaid i mi gael ei weld o.'

'Ond ti ddim yn wraig iddo fe ddim mwy, ti'n deall? Neu wyt ti'n mynd yn sofft yn dy ben fel dy rieni annwyl? Ti'n ddigon hen i gael Alzheimer's, ta beth.'

'Dyna hen ddigon,' rhybuddiodd Daf, yn synnu bod Astley yn destun cymaint o stŵr. Oedd, roedd o'n ddyn bach dymunol, ond fyddai Daf erioed wedi dychmygu y byddai'n destun ffrae rhwng dwy ddynes. 'Mae'r meddyg yn ceisio gofalu am y cleifion ar yr uned, yn cynnwys Mr Astley, a tydi helbul fel hyn yn helpu neb.'

Teimlodd law ar ei benelin – nyrs y ddesg.

'Mae Sheila wedi bachu'r stafell aros i chi, a dwi'n meddwl y byddai'n well i chi fynd â'r leidis yno i drafod. Druan o Dr Shamim, mae o bron â mynd o'i gof.'

'Diolch yn fawr.'

Roedd gwragedd Astley yn sefyll yn stond, fel petai ganddyn nhw ddim clem be i'w wneud nesaf ond eto'n anfodlon ildio modfedd o dir.

'Dewch efo fi, plis,' gorchmynnodd Daf.

Roedd y meddyg yn falch o weld eu cefnau wrth i Daf eu tywys drwy'r drws gyferbyn.

'Rŵan 'te, leidis, rydw i a Sarjant Francis yn deall yn iawn eich bod chi'n diodde, a bod y sefyllfa'n andros o drist. Ond rhaid cadw rhyw fath o drefn, er lles Mr Astley a'r cleifion eraill. Dwi'n cymryd nad ydech chi wedi cael cyfle i'w weld o eto?'

'Ro'n i ar fy ffordd i weld fy ngŵr,' dechreuodd y ddynes ifanc, gan roi pwyslais ar y gair olaf, 'ond wedyn cyrhaeddodd yr hen wrach 'ma, yn codi stŵr fel arfer.'

'Mae gen i hawl i weld Illtyd,' ymatebodd y llall. 'Fi ydi ei wir gariad – dim ond ffolineb yn ei henaint wyt ti.'

'Reit,' chwyrnodd Daf. 'Y Mrs Astley bresennol, dos di efo Sarjant Francis i weld dy ŵr ... ac mi arhoswn ni yn fan hyn am dipyn, iawn, Mrs Astley?'

Nodiodd y ddynes hŷn ei phen. Roedd golwg fuddugoliaethus ar wyneb y llall wrth iddi adael yr ystafell fach. Am sawl munud bu distawrwydd.

'Pa mor sâl ydi o?' gofynnodd y ddynes hŷn ar ôl saib hir.

'O be dwi wedi'i glywed – a chofiwch mai heddwas ydw i, nid meddyg – mae'r sefyllfa'n ddifrifol.'

'O.'

'Mae'n wir ddrwg gen i.'

'Ydi o'n ... ydi o'n mynd i farw?'

'Well i chi ofyn y cwestiwn hwnnw i'r meddyg.'

'Gafaelwch yn fy llaw.'

Cododd Daf ei llaw denau o'i chôl. Roedd sawl staen a chraith arni ac roedd yn gryfach nag yr oedd Daf wedi'i ddisgwyl; llaw garddwraig, dyfalodd.

Dynes fach oedd Mrs Astley, ei gwallt hir, brith wedi'i glymu'n dorch anhrefnus tu ôl i'w phen. O dan ei chôt hir ddu gwelodd Daf siwmper hir yr oedd hi, mae'n debyg, wedi ei gwau ei hunan, trowsus lliwgar a belt mawr plastig. Edrychodd Daf i lawr ar ei thraed a chael cadarnhad o'i argraff gyntaf: roedd hi'n gwisgo welintons byr, du. Roedd ei hwyneb yn hir, ac er nad oedd hi erioed wedi bod yn brydferth roedd tynerwch a chynhesrwydd yn ei llygaid duon. Er ei bod yn amlwg yn treulio dipyn o'i hamser yn yr awyr iach, doedd hi ddim yn ymddangos i Daf yn ddynes iach gan fod ei chroen yn hongian yn llac dros ei hesgyrn, ac roedd ei llaw yn anarferol o oer.

'Dech chi isie paned?' cynigiodd.

'Dwi'n iawn, diolch.'

'Dech chi'n siŵr? Dech chi angen rhywbeth cynnes.'

'Fydda i byth yn bwyta nac yfed mewn llefydd fel hyn – does wybod beth maen nhw'n ei roi yng nghwpan rhywun.'

Peth rhyfedd i'w ddweud a'i chyn-ŵr yn gorwedd yn yr ysbyty ar ôl cael ei wenwyno, meddyliodd Daf, ond ddywedodd o ddim gair.

'Rydw i'n fegan,' esboniodd. 'Dwi'n ceisio troedio'r byd heb frifo'r un creadur.'

'Chwarae teg i chi,' ymatebodd Daf, gan feddwl y byddai llond powlen o gaserol cig eidion blasus Gaenor yn gwneud byd o les iddi. 'Dafydd ydw i, yr Arolygydd Dafydd Dafis, yn swyddogol.'

'Helô, Dafydd. Enid Astley.' Gwasgodd law Daf fel cyfarchiad.

'Enid, mae'n rhaid i mi ofyn cwpl o gwestiynau i chi, jest i sicrhau ein bod ni'n deall popeth yn iawn, ocê? Gwraig Illtyd oeddech chi?'

Nodiodd ei phen.

'Ond roeddech chi wedi gwahanu?'

'Na. Fe wnaeth o fy ngadael i, sy'n beth hollol wahanol.'

'Ond dech chi wedi ysgaru?'

'Doedd dim dewis. Mae o wedi mynd, wedi cwrdd â rhywun arall, a dyna fo.'

'Wedi cwrdd â ... â'r ferch a oedd yma gynne?'

‘Hithe?’ Chwarddodd Enid yn dawel. ‘Plis, Dafydd! Na, y greadures yna yw ei bedwaredd neu ei bumed ffansi ar ôl Nolwenn. Fydd hi ddim yn para’n hir.’

‘Ond maen nhw wedi priodi.’

‘Mae o’n hoff iawn o briodi. Mae fel dibyniaeth iddo.’ Cododd ei phen a syllodd i’r pellter. ‘Doedd Nolwenn ddim yn barod i’w briodi o, felly mi ddaeth yn ôl ata i, o bawb, i drafod pa mor drist oedd hynny. Llydawes yw Nolwenn ac roedd ganddi syniadau hen ffasiwn iawn am briodas – doedd hi ddim yn fodlon priodi dyn oedd â gwraig sy’n dal yn fyw. Yn fodlon cysgu efo fo, ond nid ei briodi.’

Roedd ei llaw yn crynu yn llaw Daf, ac wrth iddi symud mymryn, cododd llawes ei chôt rhyw fodfedd. Ar groen ei harddwrn, gwelodd bedair craith goch. Ar ôl blynyddoedd o brofiad, gallai Daf ddweud y gwahaniaeth rhwng olion hunan-niweidio ac ymgais ddifrifol gan rywun i’w ladd ei hun – ryw dro, roedd Enid wedi ceisio rhoi terfyn ar ei bywyd. Ond doedd dim rhaid i Daf weld y marciau coch i ddeall mai dynes fregus iawn oedd cyn-wraig Illtyd Astley.

‘Gwrandwch, Enid, mae heddiw’n bownd o fod yn ddiwrnod heriol iawn i chi. Oes ’na aelod o’r teulu fyddai’n gallu dod i gadw cwmni i chi?’

Ysgydwodd ei phen.

‘Neu ffrind?’

‘Na. Dwi’n iawn. Well gen i fod ar ben fy hun. Os wyt ti’n dechrau ymddiried mewn pobol, mi fyddi di mewn sefyllfa waeth pan fyddan nhw’n dy adael di i lawr.’

Roedd y ddau’n eistedd yn dawel, law yn llaw, pan agorodd Sheila’r drws. Tynnodd Enid ei llaw yn ôl yn sydyn cyn i’r wraig bresennol ddod i mewn, ond roedd llygaid y Mrs Astley bresennol yn syllu’n wag o’i blaen pan gerddodd yn araf i’r ystafell yn ôl troed Sheila.

‘Mae’r doctor wedi gofyn iddi benderfynu cyn bo hir a ddylid diffodd y peiriant,’ esboniodd Sheila.

Neidiodd Enid ar ei thraed.

'Does ganddi ddim hawl i wneud hynny! Rhaid gofyn am farn ei ferch: hi ydi ei berthynas agosaf.'

Ochneidiodd Daf. 'Faint ydi oed ei ferch?' gofynnodd.

'Saith ar hugain. Mae ganddi hi hawl i fod yn rhan o'r penderfyniad.'

Snwffiodd y ddynes ifanc a chododd ei phen.

'Dy'n ni ddim angen *nut job* arall o gwmpas. Mae gen i'r hawl i wneud penderfyniad gan fod Illtyd wedi gwneud ewyllys fyw. Mae copi yn y feddygfa yn Aberaeron ac un arall yn swyddfa Garton, Gethin, Hughes yn Aberystwyth.'

'Fe gysyllta i efo nhw rŵan,' meddai Sheila.

'Os wyt ti'n digwydd siarad efo unrhyw un yn Garton, Gethin, Hughes,' ychwanegodd y wraig ifanc, 'wnei di ofyn iddyn nhw ddanfon copi o ewyllys Illtyd draw i'r tŷ hefyd, er mwyn i mi gael dechrau ar yr holl waith papur?'

Doedd hon ddim yn rhy glyfar, meddyliodd Daf. Hyd yn oed os oedd hi'n *gold digger*, doedd dim rhaid iddi hi fod mor agored am y peth.

'Ydi hi'n iawn i mi gael gweld Illtyd rŵan?' holodd Enid, ei llais mor denau â'i bysedd.

'Wrth gwrs; dewch efo fi.'

Roedd gweld ei chyn-ŵr yn ergyd i Enid a bu'n rhaid iddi bwyso'n drwm ar fraich Daf. Yn y gwely uchel, a sawl peipen yn ei glymu i'r peiriannau, gorweddai Illtyd ar ei gefn, ei geg yn slac a'i lygaid ar agor ond heb fedru gweld.

'Cariad,' sibrydodd Enid, 'dwi yma. Paid â phoeni.'

Dim ymateb.

'Illtyd, Enid sy 'ma.' Mwythodd gefn ei law rhwng y caniwlâu.

Dim byd.

'Cofiwch,' meddai Daf yn dyner, 'ei fod o, mae'n debyg, wedi diodde niwed i'w ymennydd. Efallai nad ydi o'n clywed dim erbyn hyn.'

Safai Enid yn stond fel petai mewn trwmgwsg. Llanwodd ei hysgyfaint a dechreuodd ganu:

'Pa bryd y deui eto, i edrych am dy Wenno?
Pa bryd y deui eto, o'th grwydro, Deio'r Glyn?
Ma 'nghalon heno'n disgw'l cael gweld dy wyneb annw'l.
Ma 'nghalon heno'n disgw'l amdanat, Deio'r Glyn.'

Nid oedd Daf yn ffan o ganu gwerin, yn enwedig unawdau digyfeiliant, ond hyd yn oed i philistiad fel fo roedd llais Enid yn syfrdanol. Yn syml a phur, pob nodyn mor glir â chloch. Roedd yr alaw ar ei phen ei hun yn dorcalonnus, ond o glywed y geiriau'n plethu'n berffaith efo'r miwsig, teimlodd Daf rhyw wres y tu ôl i'w lygaid. Ond nid iddo fo roedd hi'n canu.

Llanwodd llygaid Astley a dechreuodd dagrau lifo i lawr ei fochau. Nid adwaith oedd hyn, ond llefain go iawn. Plygodd Enid dros y claf fel petai'n bwriadu rhoi cusan iddo ond estynnodd ei thafod allan a llyfu'r dagrau oddi ar ei foch. Cofiodd Daf gân arall: 'Cariad pur sydd fel y dur, yn para tra bo dau.' Teimlai ei fod yn tarfu ar ffarwél olaf y ddau. Aeth Enid draw i ochr arall y gwely er mwyn llyfu'r dagrau o'i foch arall, ac anadlodd Astley'n ddwfn. Camodd Enid yn ôl a safodd yn llonydd am sawl munud.

'Ffarwél, fy nghariad i,' meddai o'r diwedd mewn llais annisgwyl o glir, llais oedd yn arfer perfformio.

Symudodd Illtyd Astley ei ben rhyw fymryn a chaeodd ei lygaid. Heb droi ei chefn arno, bagiodd Enid tua'r drws. Daeth sŵn hymian gwan o gyfeiriad y gwely. Doedd Daf ddim yn gyfarwydd â'r alaw ond gwelodd yr effaith gafodd y sŵn ar Enid wrth i Illtyd lwyddo i gyfathrebu â hi. Roedd hi'n wên o glust i glust. Ar ôl iddynt gau drws y ward fach ar eu holau, taflodd Enid ei hun ar Daf a'i gofleidio.

'Diolch o galon,' sibrydodd yn ei glust. 'Mae'n iawn rŵan. Mae popeth yn iawn rŵan.'

Ar ôl y penllanw emosiynol roedd yn rhaid i Daf ystyried pethau mwy ymarferol. Os byddai'n rhaid gwneud penderfyniad ynglŷn â dyfodol y claf, fyddai presenoldeb Enid ddim yn helpu, ond roedd hi'n rhy fregus i gael ei gyrru adref heb unrhyw gefnogaeth. Ac, wrth gwrs, os oedden nhw'n wynebu achos o wenwyno bwriadol, byddai'n rhaid i Daf ddysgu llawer mwy amdani. Danfonodd neges tecst i Steve: 'Danfona unrhyw ferch sy ar ddyletswydd draw i RSH plis. ICU. PCSO os oes rhaid.'

Derbyniodd neges yn ôl yn syth.

'OK. What's the Welsh for "I hate abbreviations"?'

'Nôl yn yr ystafell aros roedd Sheila wedi dod â phaned i'r 'wraig bresennol'.

'Mrs Astley,' dechreuodd, 'Daf Dafis ydw i, Arolygydd yn Heddlu Dyfed Powys.'

'Well i chi 'ngalw i'n Mel,' atebodd, gyda gwên. 'Mae'r hen ddynes yn dal i alw'i hunan yn "Mrs Astley". Beth yw'r broses nawr?'

Doedd dim byd yn debyg yn y ddwy wraig, myfyriodd Daf.

'Pa broses?'

'Gwneud y penderfyniad. Os oes rhaid i mi 'i wneud e, does dim llawer i'w ennill wrth oedi.'

Roedd ei geiriau'n galed, yn greulon hyd yn oed, ond roedd cryndod yn ei llais. Merch ifanc oedd hi o hyd, ac er ei bod yn gwisgo'n ddestlus a diddychymyg, roedd sawl craith fach yma ac acw ar hyd ei hwyneb a'i chlustiau – olion tyllau yn ei chnawd oedd bellach wedi cau. Ceisiodd Daf ddychmygu sut roedd hi'n edrych rai blynyddoedd ynghynt. Myfyrwraig ifanc, rebel a phync, a ddaliodd sylw ei hathro? Meddyliodd am Carys: tybed fyddai hi'n canfod ei hun yn yr un sefyllfa? Rhedodd ias sydyn trwyddo.

'Does dim ots amdana i,' datganodd Enid, 'ond mae gan ferch Illtyd hawl i fod yn rhan o'r ... penderfyniad yna. Mae ganddi hi hawl.'

'Ble mae hi'n byw?' gofynnodd Sheila. 'Allwn ni ddanfon aelod o'r heddlu i'w nôl hi?'

'Rhwng y Trallwng a'r Drenewydd mae hi'n byw, ond fe fydd hi yn ei gwaith rŵan, yn y coleg yn Drenewydd. Mae hi'n diwtor ar y cwrs Cynllunio Gemau Cyfrifiaduron,' eglurodd Enid.

'Dech chi am ei ffonio hi? Dwi'n tybio ei bod hi'n ferch i chi hefyd, Enid?' holodd Daf.

'Wrth gwrs. Efallai fod sawl menyw wedi dal diddordeb Illtyd dros y blynyddoedd, ond dim ond fi roddodd blentyn iddo fo.'

Sylwodd Daf nad oedd Enid wedi enwi ei merch, fel petai'n ddigon i gyfeirio ati fel merch Illtyd. Aeth Sheila allan i drefnu i gysylltu efo'r ferch a disgynnodd tawelwch ar yr ystafell fach. Gwyntodd Daf wlân gwlyb – arogl hipi.

'Ble dech chi'n byw, Enid?' gofynnodd.

'Morfa Dyfi, ger Machynlleth.'

'Ar ben eich hunan?'

Fflachiodd tymer yn ei llygaid.

'Be dech chi'n ddisgwyl? Hanner dwsin o *toyboys* yn eu harddegau'n ciwio wrth y drws?'

'Dwi'm isie busnesa, ond mae'n amlwg fod y sefyllfa yma'n achosi trallod i chi. Isie gwneud yn siŵr na fyddwch chi ar eich pen eich hun ar ôl mynd adre o'n i, dyna'r cyfan.'

'A pha agwedd o'r sefyllfa sy'n achosi'r trallod, dwedwch? Y ffaith fod fy ngŵr ar fin marw neu'r ffaith fod yr hwren yma'n cael dewis pryd fydd o'n mynd?'

'Nid hwren ydw i,' ebychodd Mel, yn chwifio ei llaw chwith yn yr awyr i arddangos dwy fodrwy: un band aur plaen ac un a diemwnt arni.

Fel plentyn yn pwdu, trodd Enid ei chefn i wynebu'r gornel.

'Sori,' meddai Sheila, yn rhoi ei phen rownd y drws. 'Be ydi enw eich merch, plis?'

'Fenws An Ferch Illtyd.'

'Reit ho.'

Am enw, meddyliodd Daf, braidd yn rhagrithiol. Roedd o'n flin iawn pan ddefnyddiai unrhyw un 'Davies' yn lle 'Dafis' ond iddo fo, roedd ffin rhwng bod yn Gymreig a gwneud plentyn yn destun sbort. Ond, a hithau'n ferch i academydd fel Illtyd Astley, magwyd y ferch mewn cyd-destun cymdeithasol hollol wahanol i Lanfair Caereinion – efallai fod hanner ei dosbarth yn yr ysgol ag enwau tebyg.

Yr eiliad y daeth Sheila yn ei hôl, piciodd Daf allan am baned a sgwrs efo Menna, y nyrs, am y sefyllfa. Fel pob heddwas, roedd wedi treulio tipyn o amser mewn unedau fel hyn dros y blynyddoedd ond galaru, nid ffraeo, fyddai'r teuluoedd fel arfer. Cyn iddo gyrraedd y ddesg, roedd Menna wedi derbyn copi o ewyllys fyw Illtyd Astley gan ei gyfreithwyr.

'Mae hon yn ddigon clir,' meddai wrth wthio'r ddogfen ar draws y ddesg i Daf. 'Mae Mr Astley wedi gwneud pethau'n llawer haws i bawb.'

'Be fydd yn digwydd nesa felly?'

'Bydd Dr Shamim yn siarad efo'r wraig, i roi'r wybodaeth iddi hi a chynnig cymorth cwnselydd iddi hi os bydd angen, wedyn bydd hi'n cael dewis.'

'Does dim llawer iawn o ddewis, o ystyried be mae o wedi'i nodi fan hyn,' sylwodd Daf wrth ddarllen dros y ddogfen.

'Yn hollol – ond rhaid i ni drafod bob dim efo'r teulu, iddyn nhw fod yn rhan o'r broses, hyd yn oed os oes rhagrybudd fel hyn yn bodoli.'

'Dwi'n deall. Ac mae hi, y wraig ifanc, wedi ei henwi yn berthynas agosaf iddo.'

'Bendant. Mae'r geiriad bron fel petai wedi rhagweld rhyw fath o ymyrraeth gan ei gyn-wraig.'

'Dwi'm yn synnu. Mae'n amlwg fod hanes go gymhleth yno.'

Chwarddodd Menna'n dawel.

'Pethau rhyfedd ydi pobol. Does dim byd trawiadol amdano fyddai'n denu'r merched ... dyn bach go gyffredin ydi o, hyd y gwela i.'

'Ond roedd rhyw ... rhyw anwyldeb yn perthyn iddo fo.'

'Dydi dynion bach annwyl ddim fel arfer yn casglu cariadon. Oedd o'n gyfoethog?'

''Sgen i ddim syniad. Dydi cyflog academydd a ffioedd ailddarlledu S4C ddim fel arfer yn creu miliwnydd. Bydd yn rhaid trefnu archwiliad post-mortem gynted â phosib.'

'Mae Dr Jarman wedi bod yn loetran yn y coridor fel rhyw dderyn corff yn barod.'

'Roedd o'n sôn am symptomau rhyw wenwyn penodol, sef *oenanthotoxin*.'

''Sgen i ddim syniad be 'di hwnnw ... uwchben fy lefel cyflog, dwi'n amau.'

'Iawn. Dwi'n bryderus am Mrs Astley Rhif Un – Enid. Oes rhywun o'r tîm argyfwng iechyd meddwl ar gael, tybed?'

'Mi allwn ni gynnig asesiad iddi hi ...'

'Rhaid gwneud hynny'n reit handi. Does gen i ddim swyddogion sbâr i ofalu amdani. Mi wn i fod adnoddau a staff yn brin yma hefyd, ond o leia mae'r cefndir a'r wybodaeth ganddoch chi.'

'Wrth gwrs.'

Daeth Enid allan o'r ystafell aros. Safodd yn y drws yn gwylio Daf, ei bysedd main yn troi o gwmpas ei gilydd. Sylwodd Daf fod marciau newydd ar gefn ei dwylo, fel petai wedi bod yn pinsio'i hun. Camodd Daf draw i siarad efo hi, ac er ei fod yn ymwybodol na ddylai wneud hynny, cymerodd ei llaw yn gadarn i'w rhwystro pan ddechreuodd dynnu ar ei chnawd bregus unwaith eto.

'Enid,' meddai mewn llais isel, 'rydech chi'n peri gofid i mi, wir. Does dim byd o'i le mewn gofyn am help. Mae'ch merch ar ei ffordd draw. Pa fath o lodes ydi hi?'

'Fenws An? Merch alluog. Mae hi wastad wedi bod o flaen ei hamser ... safodd ei TGAU Mathemateg a Ffiseg pan oedd hi'n ddeg oed.'

'Waw! A sut oedd yr ysgol yn ymdopi â merch mor alluog?'

'Ni fu Fenws An mewn ysgol erioed. Doedd Illtyd ddim yn hapus iddi gymysgu â phlant eraill; roedd gormod o Saeson o gwmpas.'

'Hyd yn oed ym Morfa Dyfi?'

'Os mai dim ond un sy'n methu siarad y Gymraeg, bydd y sgwrs yn troi i'r iaith fain. Amddiffyn ei ferch rhag dylanwadau drwg oedd o.'

'Ble gafodd hi ei haddysg, felly?'

'Adre. Roedden ni'n deulu bach clòs bryd hynny.'

'Ond be am ffrindiau?'

'Doedd hi ddim angen ffrindiau, gan fod ei thad a finne efo hi o hyd.'

'Ac ym Morfa Dyfi roeddech chi'n byw drwy gydol plentyndod Fenws An?'

'Prynodd Illtyd a finne'r bwthyn dros ddeng mlynedd ar hugain yn ôl, ac yno dwi'n dal i fyw.'

'Oes 'na rywun, ffrind neu gymydog, all ddod i aros efo chi am sbel? Be am Fenws An?'

Ysgydwodd Enid ei phen yn araf.

'Na. Dyden ni ddim yn siarad yn aml. Mae hi'n picio draw i weld ei nain bob hyn a hyn.'

'Felly mae'ch mam yn byw efo chi, Enid?'

'Ydi. Mae hi'n sâl ... wel, mae hi'n diodde o orffwylledd.'

Doedd Daf ddim wedi clywed y gair o'r blaen a cheisiodd guddio'i ddryswch.

'Dementia,' eglurodd Enid. 'Alzheimer's. Henwendid fydda i'n ei alw. Aeth fy nhad i lawr yr un llwybr ... bu farw ddwy flynedd yn ôl.'

'Mae ganddoch chi ddigon ar eich plât, felly?'

'Dwi wedi hen arfer. Ond mae'n anodd gwylio personoliaeth rhywun dech chi'n ei garu yn diflannu fesul dipyn.'

'Mae'n salwch creulon, tydi? Roedd fy nhad yn diodde o'r un peth.'

Ochneidiodd Enid a phwysodd ar fraich Daf, oedd yn dechrau teimlo'n anghyfforddus. Wyddai o ddim beth i'w ddweud wrthi – a gwyddai hefyd nad oedd ganddo'r arbenigedd i'w chysuro. Aflonyddwyd ar y distawrwydd gan sŵn ei ffôn: neges tecst gan un o'r PCSOs, yn dweud ei bod hi a Fenws An ar eu ffordd draw i'r ysbyty. Nid ymatebodd Enid o gwbl.

Ymhen hir a hwyr, agorodd Sheila'r drws ac arwain Daf allan o glyw Enid.

'Mae'r ferch tu allan,' sibrydodd. 'Yn siarad efo'r meddygon. Mae ganddi hi awgrym rhyfedd iawn.'

'Be?'

'Os oes rhaid i'r peiriant cynnal bywyd gael ei ddiffodd, mae hi'n ffansïo gwneud y job.'

Chwythodd Daf drwy ei ddannedd ac aeth yn ôl at Enid, a oedd yn eistedd yn berffaith lonydd, yn syllu ar ddim byd.

'Teulu od,' mwmialodd Sheila o dan ei gwynt.

Yn y coridor, yn sefyll wrth y ddesg, roedd Fenws An, ei gwallt byr porffor yn sgleinio fel metel. Dynes fer oedd hi – hyd yn oed yn ei bŵts uchel, doedd hi ddim llawer dros bum troedfedd. O'r tu ôl roedd ei siâp yn edrych braidd yn od, fel petai'n gwisgo staes i dynnu ei gwasg i mewn yn dynn. Pan drodd i wynebu Daf, gwelodd yntau fod cnawd ei bronnau mawr i'w weld uwchben bodis lledr du. Rhy egsotig o lawer i ddysgu yn y Tec yn Drenewydd, meddyliodd Daf – ac roedd hynny cyn iddo weld ei llygaid.

Doedd dim aeliau i'w gweld o dan ei ffrinj porffor, ac o dan ei hamrannau roedd llygaid cath. Roedden nhw'n felyn, ac yn lle cylchoedd yn y canol roedd dau hirgrwn du yn ymestyn dros yr iris, o'r gwyn i'r gwyn. Llwyddodd Daf, gydag ymdrech fawr, i rwystro'i hun rhag crynu. Dros y blynyddoedd roedd sawl un wedi codi ofn arno, ond roedd hon yn goron ar y cyfan. Wrth gwrs, gwyddai Daf am fodolaeth y fath lensys i'w gwisgo i bartïon gwisg ffansi ac ati – ond nid o barti Calan Gaeaf y daeth Fenws An, ond o'i gwaith. Pa fath o berson fyddai'n gwisgo lensys llygaid cath i'r gweithle ac, yn fwy penodol, i ddysgu pobol ifanc? Ond eto, o gofio'i phwnc, mae'n debyg fod y ddelwedd wedi'i chreu ar bwrpas. I'r llanciau yn eu harddegau fyddai'n treulio'u bywydau o flaen sgriniau, roedd hi'n siŵr o fod yn arwres. Gyda'i gwallt porffor, ei gwisg ledr rywiol a'r llygaid cath, creodd Fenws An ddelwedd oedd yn herio'r ffin rhwng ffantasi a bywyd go iawn – ac roedd Daf yn bendant bod ei darlithoedd yn boblogaidd iawn.

'Ti ydi'r bòs heddwas?' gofynnodd iddo mewn llais swynol oedd yn gyferbyniad i'w geiriau swta. Roedd ei minlliw yr un lliw â'i gwallt, ac roedd hi'n cnoi gwm fel dafad.

'Daf Dafis. Ddrwg gen i ein bod ni'n cwrdd yn y cyd-destun yma.'

Ymestynnodd ei law iddi ond anwybyddodd Fenws An yr ystum.

'Ydi hynny'n golygu y byddet ti'n falch o gwrdd â fi mewn cyd-destun arall?'

Cochodd Daf: roedd hi wedi llwyddo i droi ei eiriau di-ddim ar eu pennau.

'Ddrwg gen i fod dy dad mor wael, dyna be dwi'n ceisio'i ddweud.'

'Paid bod yn sori drosta i, Daf Dafis. Yr anrheg Dolig gorau allai'r hen fastard roi i mi fyddai marw – a dyna'n union be mae o ar fin gwneud. Henffych well a gogoniant i Dduw yn y Goruchaf! Os fydd o dan ddaear cyn yr Ŵyl, mi bicia i draw i Gapel John Hughes ym Mhontrobert ar gyfer y gwasanaeth chwech o'r gloch y bore.'

Am ryw reswm, nid oedd tinc o acen Sir Drefaldwyn yn ei llais na'i dewis o eirfa, a châi Daf ei atgoffa o actores yn adrodd sgript rhywun arall. Oedd Fenws An wedi bod yn ymarfer beth fyddai hi'n ei ddweud petai ei thad yn cael rhyw anffawd? Druan o'r doctor, meddyliodd – doedd o ddim yn haeddu'r ffasiwn shifft waith.

Pan ddaeth Mel i'r golwg, rhuthrodd Fenws An yn syth draw ati.

'O, helô,' meddai'r llysfam mewn llais blinedig. 'Ti 'di clywed y newyddion, felly?'

'Wrth gwrs 'mod i, a dwi'n fodlon troi'r swits ar yr hen goc oen, er mwyn pawb.'

Gwingodd Mel fel petai Fenws An wedi rhoi slap iddi.

Roedd y ddwy ferch o gwmpas yr un oed, ac er eu bod yn wahanol iawn mewn sawl ffordd, gallai Daf weld tebygrwydd rhyngddynt hefyd. Gwnaethai Mel ymdrech i wisgo'n geidwadol, fel cuddliw bron, ac roedd yn gyferbyniad llwyr i ddelwedd Fenws An. Ond rywsut roedd y ddwy'n cuddio tu ôl i'w dewisiadau, fel petai 'run ohonyn nhw'n gyfforddus yn eu crwyn.

'Os oes rhaid i ni fel teulu wneud y penderfyniad "anodd" yma, mi alla i helpu. Mi fyswn i wrth fy modd yn tynnu'r plwg ar y diawl bach,' cynigiodd Fenws An am yr eilwaith.

'Sori i dorri ar draws,' meddai Sheila, 'ond mae pethau'n dechrau symud rŵan. Mae Mel wedi llofnodi'r gwaith papur a'r unig beth sy angen yw caniatâd y tîm meddygol i weld ei gorff o ar ôl iddo farw.'

'Mae dy fam yn aros yn yr ystafell fach draw fan'cw, Fenws An,' ategodd Daf. 'Dwi'n siŵr y bydd hi'n falch iawn o dy weld di.'

'Does gen i ddim diddordeb mewn gweld yr hen sguthan yn wylo, diolch yn fawr iawn.'

Erbyn hyn, roedd y meddyg wedi dychwelyd, a golwg syber ar ei wyneb.

'Mr Astley has passed away,' datganodd. 'He felt no pain and drifted quietly into a deeper sleep.'

Edmygodd Daf y geiriau syml, clir – yn amlwg, roedd o wedi gwneud datganiad tebyg sawl tro. Disgynnodd pen Mel, a chuddiodd ei hwyneb yn ei dwylo. Gwnaeth Fenws An sŵn bach fel ci'n cyfarth, a chododd Mel ei phen yn sydyn.

'Paid bod yn gas rŵan, va,' sibrydodd. 'Alla i ddim ymdopi efo hynny. Dim nawr.'

'Ond sut fyddi di'n ymdopi yn dy dŷ mawr crand, Mel? Ar ben dy hun, heblaw am y bois ifanc fydd yn picio draw bob hyn a hyn, y bois ifanc del ...'

'Plis, va, dim nawr.'

'Pryd, felly? Un peth sy'n braf iawn – does dim rhaid i mi smalio bod yn ffrind i ti bellach. Ti 'di gwerthu dy hun am bris mor rhad, Mel. Ac er gwybodaeth, nid cariad mawr fy nhad oeddet ti ond y bedwaredd butain iddo ei chodi o nunlle ers i Nolwenn ei adael. Hi oedd ei gariad, hi chwalodd ei briodas, a dim ond adloniant dros dro oeddet ti, fel pob un o'i ffansis eraill. Yn ddiweddar, roedd o wedi cyfarfod merch arall, un iau na ti, un o fyfyrwyr ei gwrs Cenedlaetholdeb a Cherddoriaeth cyn y Rhyfel Mawr. Rosina yw ei henw hi, ac mae ganddi lygaid mawr fioled. Petai fy nhad heb farw, ti'n gwybod sut y byddai pethau wedi bod ... Mae gen i bethau i'w gwneud pnawn 'ma – ydi'r syrcas yma drosodd rŵan?' gofynnodd, gan daro'i throed yn ddiamynedd ar y llawr.

'Croeso i ti fynd, Fenws An. Ond os wyt ti'n awyddus i weld dy dad ...' dechreuodd Daf.

'Rhag ofn iddo godi fel Lasarus? Dim diolch. Ond mi fydda i'n mwynhau'r cnebrwng. Mi fydd yn braf iawn ei weld o dan ddaear. Os fydd hi'n parhau'n rhewllyd fel hyn, tybed fydd yn rhaid ei losgi o? Neu mi alla i roi ei gorff i ffrind i mi, iddo fo wneud arbrofion arno fo.'

'Paid siarad fel hyn, va. Dyn neis oedd dy dad, a ti'n gwybod hynny'n iawn. Roedd ganddo ddiddordebau eang ...' atebodd Mel.

'Yn dy gont di oedd ei ddiddordeb o, Mel, nid yn dy enaid. Ond erbyn hyn, roedd cont Rosina fach yn ei ddenu o ...'

Chwarddodd Mel, ei llygaid yn fflachio.

'Ti'n methu derbyn y ffaith dy fod ti wedi siomi cymaint arno fo, va, dyna'r gwir. Dy fod wedi gwastraffu dy dalentau a heb gyflawni dy botensial. Ond ti'n gwybod be? Does dim rhaid i ti boeni rhagor am fod yn siom iddo fo. Unig blentyn Illtyd Astley yn dysgu bechgyn plorynnog y Drenewydd sut i roi eu ffantasïau pathetig ar sgrin? O diar mi, diar mi.'

Roedd beth bynnag yr oedd Fenws An yn ei gnoi wedi troi ei phoer yn goch, felly pan boerodd ar foch Mel, neidiodd ei llysfam yn ôl mewn braw. Ni chododd ei llaw i gyffwrdd â'r hylif.

'Nyrs, nyrs!' galwodd. 'Helpwch fi, plis! Dwi'n siŵr bod haint ym mhoer rhywun fel *hon*!'

Y tu ôl i'w mwgwd proffesiynol, roedd Daf yn siŵr iddo weld tamed o siom ar wyneb y nyrs. Doedd hi ddim wedi disgwyl y fath ymddygiad gan Gymry, yn enwedig merched addysgedig. Wrth lanhau wyneb Mel, gofynnodd i Fenws An:

'Dech chi'n HIV positif?'

'Nac ydw wir.'

'Hepatitis?'

'Na.'

'A ... a be sy'n rhoi'r lliw coch i'ch poer chi?'

'Betel. Neu supari, fel maen nhw'n ei alw lawr yn Aberhonddu.'

Wnaeth hi ddim holi ymhellach. Roedd Daf yn deall yn iawn mai chwarae gemau yr oedd Fenws An, i geisio cael sylw, fel merch chwech oed, ond roedd yn rhaid iddo ofyn:

'Aberhonddu?'

'Ie. Yn yr iaith Nepali, maen nhw'n galw betel yn *supari*.'

Nododd Daf ei ben: yn Aberhonddu, pencadlys y Gatrawd Ghurka, Nepali oedd y drydedd iaith, ar ôl Saesneg a'r Gymraeg. Doedd betel, cneuen sy'n cael ei chnoi fel tonig, ddim yn anghyfreithlon ond roedd mor niweidiol i iechyd â nicotin.

'Pam ti'n cnoi betel, Fenws An?'

'Mae'n gwneud llai o ddrwg i ti na Red Bull, a gas gen i goffi. Ro'n i'n gweld pobol yn ei ddefnyddio draw yn Taiwan pan o'n i yno yn gwneud fy PhD.'

'Ond,' dywedodd Daf, yn ymwybodol ei fod yn swnio'n debycach i athro nag i heddwas, 'dydi o ddim yn lles i ti, yn bendant. Mae o'n cynyddu'r perygl o ganser, a ...'

Dechreuodd Fenws An chwerthin yn isel, dim llawer mwy na phiffian.

'Ti'n gwybod be sy'n eironig? Roedd o, fy nhad, wastad yn cega arna i am beidio gofalu am fy iechyd – ond ei gorff o sy'n oeri rŵan. Beth bynnag, dwi ddim yn derbyn y syniad o farw. Dwi wrthi'n creu rhaglen sy'n meddwl yn union fel dwi'n meddwl, a bydd y feddalwedd yn byw'n dragwyddol. Dim ots gen i am y corff yma na be sy'n digwydd iddo fo. Tydi o ddim byd mwy na sgrin sydd – ar hyn o bryd – yn dangos y rhaglen y mae pobol yn ei galw yn "bersonoliaeth" ... ond y feddalwedd sy'n bwysig, nid y caledwedd.'

'Peidiwch â gwrando arni. Ma' hi off ei phen,' meddai Mel, oedd yn dal hances bapur ar ei boch fel petai ganddi glwyf oddi tani. 'Mae hi 'di treulio cymaint o amser efo'i gemau pathetig, dyw hi ddim yn gweld y ffin rhwng ffantasi a bywyd go iawn. Ry'n ni'n poeni amdani.'

'Paid â cheisio bod yn nawddoglyd efo fi, bitsh,' atebodd Fenws An. 'Dwyt ti erioed wedi meddwl am fy lles i. Na fynte, chwaith. A jest i ti ddeall, gen i mae'r dyfodol. Roedd Dad yn cerdded drwy ei gyfnos Celtaidd yn gwrando ar Merêd ar recordiau feinyl ond roedd y byd yn symud yn ei flaen. Mae'r ffin rhwng pobol a pheiriannau'n diflannu ... a ni sy'n deall hynny, ni sy biau'r dyfodol, y bobol ôl-ddynol.'

Er bod Daf yn cytuno â barn ei llysfam, roedd yn rhaid iddo gyfaddef bod geiriau Fenws wedi ennyn ei chwilfrydedd. Beth oedd ystyr y term 'ôl-ddynol' beth bynnag? Ond nid coridor tu allan i'r Uned Gofal Dwys oedd y lle priodol am sgwrs ddofn am ddyfodol y ddynoliaeth.

'Well i ni fynd â ti adre rŵan, Fenws An,' awgrymodd.

'Lifft i'r orsaf dwi angen – mae gen i ddarlith i'w rhoi am dri.'

'Ond mae dy dad newydd farw.'

'Nid bai myfyrwyr Coleg y Drenewydd ydi hynny. Petai un ohonyn nhw wedi lladd yr hen fastard, mi fyddwn i'n rhoi deg marc ychwanegol iddo am bob darn o waith cwrs. Ond beth bynnag, rhaid i fi fynd.'

'Mae Mrs Astley rhif un yn cael ei hascsu,' eglurodd Sheila. 'Mae'n rhaid i rywun fod yn y stesion i gwrdd â'r arbenigwr i drafod yr achos rheolaeth orfodol ... dyna ydi *coercive control*, ie? ... am ddau o'r gloch. Does neb ar ddyletswydd yna ar hyn o bryd ond Nev, ac o gofio sut mae o'r dyddie yma, beryg iddo godi braw arni hi.'

'Ydi o'n pwdu eto?'

'Paid â sôn. Mi wnes i dynnu'i goes o ddoe ac mi aeth o'n ofnadwy o flin. Dim ond jocian ynglŷn â rhyw barseli roedd o'n eu hanfon yn ôl i Sports Direct wnes i ... deud bod y *trackies* yn rhy fach iddo neu rwbeth dibwys felly.'

Edrychodd Daf ar ei ffôn – ugain munud wedi un. A Fenws

An ar ei ffordd 'nôl i'r coleg, ei mam dan ofal y tîm iechyd meddwl a chorff Illtyd yn barod am sylw Dr Jarman, dim ond Mel oedd ar ôl. Aeth Daf ati.

'Dynes ifanc go heriol ydi Fenws An, fyswn i'n dweud,' mentrodd.

'Mae hi'n hollol wallgo. Ry'n ni'n gorfod ei galw hi'n "va" ... peidiwch â gofyn ... ond nhw wnaeth hi felly, yn ei chadw'n gaeth yn y tŷ 'na yng nghanol y brwyn. Ddwedes i wrth Illtyd, petaen ni'n cael plant, bydden nhw'n mynd i'r ysgol.'

'Alli di ffonio rhywun i ddod i dy nôl di?'

'Fe fydda i'n iawn ar ben fy hun. Dwi wedi tecstio fy mam i ddod draw ata i. Dwi'n siŵr fod cymaint o bethau angen eu trefnu, ond ar hyn o bryd dwi jest yn teimlo braidd yn fflat.'

'Wrth gwrs. Cymer ofal.'

Camodd Mel at y ddesg i holi am y gwaith papur. Roedd drws yr ystafell aros ar agor a gallai Daf weld bod nyrs yn siarad yn dawel efo Enid, tra oedd honno'n crynu fel deilen ac yn canu'n isel iddi'i hun. Ochneidiodd Daf.

"Tyrd 'laen, bòs,' galwodd Sheila arno. 'A paid poeni, dwi 'di ffonio Adult Social Care. Maen nhw'n dweud bod Mrs Astley ar eu rhestr o oedolion bregus yn barod.'

'Dwi'm yn synnu.' Gyda theulu fel hwn, efallai nad oedd ryfedd bod Fenws An wedi cilio i fyd sicr, ffeithiol cyfrifiaduron.

Cododd Enid ei phen a gweld Daf yn y drws.

'Dewch efo fi unwaith eto, Mr Dafis, i'w weld o'n cysgu.'

Roedd y ward fach yn brysur, a'r tîm yn paratoi i symud Illtyd Astley i'r marwdy. Roedd rhywun wedi cau ei lygaid, a chyn i *rigor mortis* gael gafael arno roedd y corff yn gyfforddus lonydd – popeth heblaw ei geg. Roedd honno wedi'i hystumio yn grechwen ryfedd.

'Beth sy'n bod arno fo?' gofynnodd Enid mewn llais bach. 'Be maen nhw wedi'i wneud iddo fo?'

Roedd golwg ryfedd iawn ar ei wyneb, fel petai angau wedi dweud jôc ddoniol iawn wrth Illtyd Astley wrth iddo farw.

Pennod 4

Yn hwyrach ddydd Llun

Rhannodd Sheila a Daf olwg o dosturi wrth gerdded i mewn i dderbynfa gorsaf yr heddlu. Roedd Nev yn sefyll tu ôl i'r sgrin wydr a phla o blorod yn cuddio'i ên a'i fochau. Ar y ddesg o'i flaen roedd gwydr yn llawn hylif gwyrdd.

'Beth bynnag sydd yn y rwtsh yna, dydi o ddim yn gwneud smic o les iddo fo,' sibrydodd Sheila.

'Dim ond llysiau sydd yn ei *shakes* medde fo, sbigoglys a moron ac ati,' sibrydodd Daf yn ôl. 'A chwarae teg, mae o wedi colli pwysau.'

'Dwi'n hanner ystyried ffonio'i fam o. Mae ei wallt o'n waeth na'i groen, druan.'

Diflannodd pen Nev a daeth sŵn ei lais drwy'r twll crwn yng nghanol y gwydr.

'Un – dau – tri – *lunge*!'

Daeth ei ben i'r golwg unwaith eto, braidd yn goch.

'Chei di ddim gwneud dy *physical jerks* yn yr orsaf, lanc,' meddai Daf yn addfwyn.

'Sori. Dim ond cwpl o *lunges* tra dwi'n aros.'

'Dim eto, da fachgen. Ble mae Steve?'

'Piciodd draw i'r Wellington. Rhyw sôn am *stolen goods*. Ac mae'r ddynes 'na'n dod am ddau,' meddai Nev, yn pwyntio'i fys at y dyddiadur. 'Y ffeminist.'

'Paid â defnyddio tôn fel'na yn dy lais, Nev,' atebodd Sheila. 'Ti'n gwybod dim byd amdani hi – a beth bynnag, ydi bod yn ffeminist yn beth drwg?'

'Mae pobol fel hithe'n fy ngwneud i'n anesmwyth, dyna'r cyfan. Dwi'm yn gwybod sut i fod yn gwrtais. Alla i ddim agor drws iddyn nhw rhag ofn iddyn nhw ddal dig.'

Roedd gan Nev bwynt dilys, ond doedd gan Daf ddim digon o amser i drafod sefyllfa dynion cyfoes efo fo.

'Sheila, fyddi di'n iawn yn y cyfarfod dy hun? Rhaid i mi ddarganfod oes rhaid i ni ddechrau ymchwiliad i'r hyn ddigwyddodd i Astley.'

'Dim problem.'

Canodd ffôn Daf ac roedd o'n hanner disgwyl y llais ar yr ochr arall. Dirprwy Brif Gwnstabl Heddlu Dyfed Powys, Dilwyn Puw – oedd, ym marn Daf, yn llawer rhy gall i gael cystal swydd, yn wahanol i'r *top brass* arferol.

'Dafydd, pa mor dda oeddet ti'n nabod Illtyd Astley?'

'Fel wyneb cyfarwydd o'r teledu ... dim byd mwy, syr.'

'Ond roeddet ti'n cael paned efo fo neithiwr?'

'Yn swper y plygain oedden ni, ac roedd o'n holi am gyfraniad i ryw lyfr neu'i gilydd, atgofion heddwas y pentre neu rwbeth. Mi wrthodais.'

''Dan ni newydd dderbyn nodyn swyddogol gan Heddlu West Mercia fod ei farwolaeth o'n un amheus.'

'Ro'n i wedi amau.'

'Fuest ti draw yn yr ysbyty efo'r teulu, dwi'n clywed.'

'Do, syr. Digwydd bod yno.'

'Wyt ti'n fodlon cymryd cyfrifoldeb am yr achos?'

Ceisiodd Daf wneud y sỳms yn ei ben yn gyflym – fel Prif Arolygydd Dros Dro, byddai'n cael cryn dipyn mwy o gyflog. Ac roedd hynny'n ddigon teg, o ystyried yr holl gyfrifoldebau ychwanegol. A phethau mor dynn, gallai cwpl o gannoedd yn fwy y mis wneud byd o wahaniaeth, yn enwedig jest cyn y Dolig.

'Mi ddwedodd rhywun o HR efallai ei bod yn hen bryd rhoi rheng barhaol i ti, Dafydd.'

'Diolch yn fawr iawn, syr.'

'Ti ddim wedi clywed fy ateb i'r sylw yna eto. "Gawn ni weld sut mae'r achos yma'n mynd" ddwedes i. Rhaid i ti fod yn ofalus os wyt ti'n ffansïo bod yn Brif Arolygydd parhaol, Daf. Paid â gwneud gelynion, iawn?'

'Dwi erioed wedi ...'

'Jest cymer di ofal, ie? Yn enwedig efo'r wasg. Bydd cryn dipyn o sylw i achos fel hwn.'

'Iawn, syr. Dwi'n addo gwneud fy ngorau glas.'

'Jest cofia, Dafydd, dwyt ti ddim wastad yn gweld y byd o bersbectif rhywun arall, ocê? Meddylia cyn agor dy geg.'

'Dwi ddim yn *loose cannon*, syr.'

'Falch o glywed.'

Am sawl munud ar ôl siarad efo Puw, eisteddodd Daf yn llonydd wrth ei ddesg, yn cynllunio. Byddai'n rhaid cadarnhau efo Jarman nad oedd yn bosib i farwolaeth Astley fod yn ddamweiniol ond – yn enwedig ar ôl gweld y dicter a'r drwgdeimlad yn ei deulu – roedd Daf bron yn sicr fod rhywun wedi lladd y dyn bach sionc, a hynny'n fwriadol. Rhaid oedd dechrau efo swper y plygain, felly. Cofiodd Daf yn sydyn am gŵyn Astley am flas ei de. Beth oedd enw'r tocsin roedd Jarman wedi'i grybwyll? Roedd Sheila wedi sgwennu'r enw anghyfarwydd yn ei llyfryn.

Ond roedd Sheila yn yr ystafell gyfweld, yn trafod y posibilrwydd o erlyn achos hanesyddol o reolaeth orfodol. Petai'r bwli oedd yn gyfrifol yn cael ei gosbi'n gyhoeddus, efallai y byddai cannoedd o ferched oedd dan ormes yn eu cartrefi eu hunain yn elwa. I ryw raddau, roedd yr ymchwiliad hwnnw'n bwysicach na llofruddiaeth Astley. Roedd y wraig druan wedi dioddef bwlio ei gŵr ers dros ddegawd: wedi colli ei hunanreolaeth, ei holl ffrindiau a'i chyswllt â'i theulu, a'r cyfan heb i'w gŵr gyffwrdd bys treisiol ynddi. Dan y ddeddfwriaeth newydd, doedd dim angen prawf o drais corfforol er mwyn cosbi – ond byddai'n rhaid i'r dioddefwr roi tystiolaeth o sut y bu i'r partner geisio rheoli, rhwystro a newid ei ffordd o fyw. Hyd yn hyn, er gwaethaf dim llai na phymtheg ymchwiliad, doedd neb yn ardal Dyfed Powys wedi cael ei erlyn. Roedd yn rhaid i Daf gyfaddef y byddai'n falch iawn petai ei dîm o, gyda chyn lleied o adnoddau, yn gallu curo'r timau mawr fel Caerfyrddin i ennill yr achos cyntaf. Dro ar ôl tro roedden nhw wedi gorfod gadael merched, a phlant weithiau, mewn sefyllfaoedd erchyll gan eu bod yn anfodlon rhoi datganiad ffurfiol i'r heddlu. Petai'r ddeddfwriaeth newydd a'r achos yr oedd Sheila'n ei drafod yn mynd gam o'r ffordd i atal hynny rhag digwydd eto, byddai Daf yn ddyn balch iawn.

Penderfynodd beidio â styrbio Sheila, a dechreuodd restru mynychwyr swper y plygain. Ar ben y rhestr sgwennodd enwau teulu Pantybrodyr, a chofiodd am lais Miriam yn llenwi car Astley.

Gŵglodd Richard Diamond. Roedd cannoedd o erthyglau yn trafod ei yrfa lewyrchus, sawl gwaith y cafodd ei enwebu am Oscar a faint o arian wnaeth o o'i ffilm ddiweddaraf. Doedd o ddim yn un i osgoi themâu dadleuol: roedd ei ffilmiau'n cynnwys portread egnïol o fywydau pobol ifanc Chicago, ffilm wyddonias oedd â merched yn chwarae'r bobol dda a dynion fel yr ymerodraeth gas, ac yn fwy diweddar, ei brosiect am niwtraledd Iwerddon yn ystod yr Ail Ryfel Byd. Yn ôl un erthygl bu i'r stiwdio rybuddio Diamond i beidio â sarhau'r Gwyddelod, oedd yn gymuned bwysig yn America, ond brwydrodd ymlaen heb bryder. Hanes merch jest dros ugain oed oedd testun y ffilm newydd *Eye's Apple*: Gwyddeles oedd yn dysgu bod cynlluniau ar y gweill yn ei chymuned i gasglu gwybodaeth i'r Almaenwyr am y llongau Prydeinig oedd yn hwylio heibio arfordir Iwerddon ar eu taith i America. Pwy fyddai'n ennill ei theyrngarwch yn y pen draw? Ei brawd oedd yn helpu'r Natsïaid ar ôl clywed profiadau'r rhai gafodd eu harteithio gan y Black and Tans, ynteu ei chariad oedd wedi ymuno â'r Llynges Brydeinig? Roedd yn swnio'n ffilm dda, meddyliodd Daf, gan anghofio'r rheswm y tu ôl i'w ymchwil. Yn yr adolygiad ar wefan y *Washington Post*, a roddodd bedair seren a hanner i'r ffilm, roedd canmoliaeth benodol i'r gerddoriaeth. 'Ymhell ar ôl i fanylion y ffilm bylu o'ch cof, bydd yr alaw Geltaidd yn aros,' meddai'r adolygiad. Gwnaeth chwiliad arall: cerddoriaeth ffilm *Eye's Apple*. Erbyn hyn roedd y trac sain ar frig siart werin cylchgrawn *Billboard*, a phan chwiliodd Daf am fanylion yr albwm, gwelodd enw cyfarwydd iawn. Trac Un: 'Thema Oonagh', alaw gan Illtyd Astley. Trac Saith: 'Ffantasia ar Thema Oonagh', alaw gan Illtyd Astley, trefniant gan Pearse Reilly.

Illtyd Astley oedd wedi cyfansoddi prif thema un o ffilmiau mwya'r flwyddyn?

Chwiliodd Daf wefan You Tube am 'Thema Oonagh'. Doedd Daf ddim yn ddyn cerddorol o gwbl ond roedd cof da ganddo. Llifodd yr alaw fel mêl o'i gyfrifiadur: y garol plygain yr oedd wedi clywed Miriam Pantybrodyr yn ei chanu dro ar ôl tro ers eu dyddiau ysgol. Ac er nad oedd cof Daf yn ddigon da i fedru enwi'r holl garolau plygain – roedden nhw i gyd yn toddi yn un lobsgows yn ei ben – gwyddai heb os nac oni bai mai un o garolau Pantybrodyr oedd hi. Tybed beth oedd y drefn ynglŷn â hawlfraint carol o'r fath, dyfalodd Daf. Roedd teuluoedd lleol wedi perchnogi eu halawon ers cenedlaethau, ond a oedd perchennog ar gân werin mewn gwirionedd? Roedd yn amlwg fod Illtyd Astley wedi datgan ei hawlfraint yn yr achos yma – ynteu a oedd wedi gweithredu fel asiant rhwng Richard Diamond a theulu Pantybrodyr? Pe byddai un o ganeuon y teulu yn ennill cynulleidfa a chlod byd-eang, byddai Mr Parry wrth ei fodd, a phawb yn y filltir sgwâr yn trafod y peth.

Clywodd Daf sŵn lleisiau menywod – roedd cyfarfod Sheila yn dod i ben. Piciodd draw i weld sut aeth pethau, ac roedd yn amlwg fod Sheila'n falch iawn. Safai rhwng y cownter a dwy ddynes. Roedd un yn ffurfiol dawel ac yn ymddwyn fel athrawes garedig – hon oedd y ddynes o'r Ganolfan Gyfreithiol i Fenywod yn Aber. Merch leol, Julie, oedd y llall, un glên, ddiniwed oedd yn haeddu bywyd gwell. Gwyddai Daf ei hanes: ychydig dros ei deg ar hugain oedd hi, ac yn fam i gwpl o blant bach. Roedd hi'n fain ond ddim yn rhy denau, ac roedd ei gŵr wedi ceisio ei bychanu drwy ddweud ei bod hi dros ei phwysau. Felly, roedd yn rhaid iddi fynd i'r gampfa am ddwyawr bob dydd. Gwyddai Daf nad ar chwarae bach yr oedd hi wedi gwneud y penderfyniad i ddod i'r orsaf y diwrnod hwnnw.

'All good?' gofynnodd Daf.

Nodiodd Julie ei phen.

'Do you want to make that statement now then, Julie?' gofynnodd Sheila'n dyner.

'Can I pop in tomorrow? I've got to get from the Infants to the Juniors. Can't wait for the new school to be built. I think it's so important for them to go to a good school and speak Welsh ... even though I didn't get the chance to learn it myself.'

Gwthiodd y drysau yn agored, ond yn ei brys i nôl ei phlant gadawodd fag o siopa ar ei hôl.

'Wait there, Julie,' galwodd Sheila.

'I'd forget my own head if it wasn't sound on my shoulders. I'm hopeless.'

Ceisiodd guddio'r pecyn mawr o Coco Pops oedd ar dop y bag, ond rhoddodd y ddynes o'r Ganolfan Gyfreithiol law dyner ar ei llawes.

'No more talk like that, Julie. Don't run yourself down.'

Ar ôl i Julie ddiflannu, ochneidiodd y ddynes. 'Mae'n cymryd blynyddoedd weithiau,' meddai, 'i fenyw ddeall sut effaith mae geiriau sarhaus wedi ei gael arni hi. Ond mae hi am ei erlyn o, beth bynnag.'

'Newyddion da iawn.'

'A phluen yn dy gap di, Arolygydd Dafis? Mae Haf Gwydyr-Gwynne yn dweud dy fod di'n gefnogol iawn i achosion fel hyn ... gyda llaw, wyt ti wedi bod yn ei swyddfa newydd ar dir y Plas?'

'Ddim eto,' atebodd Daf.

'Lle hyfryd. Mi biciais i draw ar fy ffordd yma. Wrth gwrs, roedd yn rhaid iddi adael cwmni Morgan Jones.'

'Pam hynny?'

'Ti'n nabod Haf ... roedd hi am i *legal exec* newydd ddod atyn nhw i weithio, efo'r bwriad y byddai'n gyfreithiwr yn y pen draw. Ond *ex-con* oedd y llanc a phenderfynodd aelodau eraill y practis ei wrthod.'

'O.'

'Felly mae Haf wedi sefydlu ei busnes ei hun – dim ond hithe a'r *ex-con*. Roedd hi'n ffodus iawn fod ei gŵr yn fodlon rhoi cefnogaeth ariannol iddi hi, a rhoi bwthyn i'r llanc fyw ynddo hefyd.'

Cefnogaeth ariannol ynteu gadw llygad ar ei wraig ifanc,

hardd, gofynnodd Daf iddo'i hun, gan ddewis peidio ymateb yn uchel. Yn ei brofiad o, doedd tirfeddianwyr oedd hefyd yn Aelodau Seneddol Ceidwadol byth yn gwneud rhywbeth nad oedd o fantais iddyn nhw'u hunain.

'Da iawn, wir!' meddai Daf wrth Sheila ar ôl i'r gyfreithwraig fynd.

'Gawn ni weld. Dwi braidd yn siomedig na wnaeth hi ddatganiad heddiw, ond mae'n dipyn o ffordd iddi gerdded fyny i'r ysgol.'

'Does ganddi ddim car?'

'Nag oes, na leisans chwaith. Mi ddwedodd y bastard wrthi ei bod hi'n rhy dwp i ddysgu ... yn union fel y dwedodd o ei bod hi'n rhy anhrefnus i gael job. Efallai ddylen ni jecio sefyllfa pob dynes yn yr ardal sy heb basio'i phrawf gyrru, rhag ofn ei fod yn arwydd o reolaeth orfodol.'

'Dim bob tro,' meddai Nev, gan wenu am unwaith. 'Mae Mam wedi ffaelu'r prawf bob chwe mis ers i mi gael fy ngeni. A does neb yn ei bwlio hi – mae hi jest yn crap am yrru.'

'Gobeithio ddaw Julie 'nôl fory ...' meddai Daf.

'Dwi'n meddwl ei bod hi'n benderfynol o roi datganiad erbyn hyn. Dwi'n amau ei bod hi mewn perthynas newydd, a bod y *chap* newydd yn ei helpu hi.'

'Ydi hi'n cyd-fyw efo rhywun, Sheila?'

'Wn i ddim ... ond paid â meiddio dweud wrth neb, bòs. Mae hi'n chwilio am waith ond mae'r cyn-bartner yn gwneud ei orau i'w bychanu hi rownd y dre fel y mae hi.'

'Reit – hen ddigon am hyn rŵan,' meddai Daf yn uchel. 'Rhaid i ni gael cyfarfod i drafod yr achos 'ma o lofruddiaeth.'

'Mae Steve yn ôl ers rhyw hanner awr, a dwi 'di gofyn i gwpl o'r PCSOs ddod i mewn erbyn hanner awr wedi tri.'

'Da iawn, Nev. Dwi isie i ti ddechrau cyn gynted â phosib. Dwi angen manylion cyfrifon banc Illtyd Astley: gallan nhw roi gwybodaeth werthfawr i ni. Dwi isie gwybod sut roedd o'n byw, o ble roedd o'n cael ei bres – ac a oedd unrhyw gysylltiad ariannol rhyngddo fo a chwmni ffilmiau o'r enw Merit, iawn?'

'Merit? Ai cwmni Richard Diamond yw hwnnw? Dwi'n ffan mawr.'

'Mae cerddoriaeth ... wel, prif thema ... ffilm *Eye's Apple* wedi'i chyfansoddi gan Illtyd Astley.'

'No wê! Mae hynny'n ôsym!'

Pan oedd Nev fel hyn, roedd Daf yn ei weld o'n debyg iawn i Rhodri, yn frwdfrydig ac yn llawer ieuengach na'i ddauddegau hwyr.

'Sheila, wyt ti'n fodlon cymryd rôl y Cyswllt Teulu?'

'Dim problem, bòs. Mae'n help 'mod i wedi cwrdd â nhw heddiw.'

'Wyt ti'n gallu picio draw i Morfa Dyfi rŵan, i jecio ar gyflwr Enid?'

'Ble mae'r ferch yn byw?'

'Cefn Coch. Mi a' i draw yno yn hwyrach i weld sut mae hi'n gyrru mlaen.'

'Un od ydi hi,' eglurodd Sheila. 'Wir i ti, Nev, dwi erioed wedi gweld neb tebyg. Wedi siafio ei haeliau i gyd, gwisgo lensys i wneud ei llygaid fel rhai cath, gwisg ledr dynn, bŵts uchel, gwallt porffor ...'

Agorodd llygaid Nev yn llydan.

'Pwy sy'n od?' gofynnodd Steve, a ddaeth i mewn drwy'r drws mewn pryd i glywed diwedd disgrifiad Sheila.

'Merch y dyn gafodd ei lofruddio yn ein hachos newydd,' esboniodd Daf. 'Illtyd Astley – bu farw neithiwr ar ôl yfed gwenwyn.'

'Illtyd Astley o y teli? Fy Nain Llanfyllin yn ffan mawr.'

'Dwi isie i ti ddod o hyd i bopeth amdano fo: hanes, teulu, cefndir, gyrfa – y cwbl lot. A dos lawr i'r llyfrgell i weld oes ganddyn nhw gopïau o'i lyfrau o. Unrhyw beth sy ddim ar gael yn y llyfrgell, dos i Pethe Powys, wedyn Amazon.'

'Sut mae llyfrau fo yn helpu ni ffeindio pwy wnaeth lladd o, bòs?'

'Achos mae pob awdur yn rhoi dipyn o'i hunan yn ei lyfrau, Steve, bob tro.'

'Ti'm yn disgwyl i fi darllen *all of the* stwff? Dydi fy Nghymraeg ddim mor dda ...'

'Na, ti'n dod o hyd i'r llyfrau, a finne'n pori drwyddyn nhw.'

'Grand job.'

Cyn iddyn nhw i gyd anelu i gyfeiriadau gwahanol, gofynnodd Sheila:

'Ti'n cael dyrchafiad dros dro eto, bòs?'

'Ydw.'

'Hen bryd iddyn nhw wneud y job yn deidi a'i rhoi hi i ti'n barhaol.'

'Dwi'n amau bod 'na rai yn y pencadlys yn meddwl yn wahanol ... ond mae'n rhaid i mi ddechrau ar y gwaith. Dwi'n picio fyny i Ddolanog – mae'r SOCOs ar eu ffordd yno. Nev, dwi isie i'r PCSOs eich rhyddhau chi i gyd – mae hwn yn mynd i fod yn ymchwiliad mawr i ni. A Steve, ti fydd yn rheoli lleoliad y drosedd, iawn? CSM?'

'Ocê, bòs.'

Cyn cyrraedd ei gar, cafodd Daf alwad ffôn gan Dr Jarman.

'Gest ti radd yn y Gymraeg a'r Saesneg, do, Dafydd?'

'Flynyddoedd maith yn ôl, syr.'

'Ti'n gyfarwydd â Homer?'

'Wel, mae'n amhosib astudio unrhyw fath o lên Ewropeaidd heb ddysgu am eu ffynonellau. Dwi'n cymryd nad Homer Simpson dech chi'n feddwl?'

Ochneidiodd Jarman fel petai'n siarad â phlentyn twp. 'Wyt ti'n cofio Llyfr Ugain yr *Odyssey*? Gwenodd Odysseus mewn modd arbennig ... ac efallai mai hwn oedd y tro cyntaf i'r gair gael ei ddefnyddio.'

'Sori, syr, does gen i ddim syniad, ac mae'n rhaid i mi fynd i weld rhai o'r tystion ...'

'Gwên sardonig, Dafydd. Sardonig. Beth yw ystyr y gair?'

'Coeglyd, syr?'

'Ddim yn ddrwg. Ond beth yw gwreiddyn y gair, hmm?'

'Dim syniad.'

'Gair diddorol iawn, Dafydd, a oedd yn arfer cael ei ddefnyddio i ddisgrifio math arbennig o *rictus post-mortem*. Ti wedi gweld digon o gyrff dros y blynyddoedd – welaist ti erioed y ffasiwn wên ar wyneb marw?'

'Erioed, cyn heddiw.'

'*Rictus* arbennig ydi o. Ti'n deall beth yw *rictus*, wyt?'

'Ydw, syr, rhyw fath o wên wedi ei chreu gan ofn yn lle hiwmor.'

'Hmm.'

Roedd chwys ar dalcen Daf, fel petai mewn arholiad llafar.

'Ysgol leol wnest ti ei mynychu? Ysgol ... gyfun?'

'Ie, Dr Jarman.'

'Hmm. Y math o *rictus* arbennig hwn sy'n achosi'r wên ydi'r *rictus sardonicus*. Yn ôl y sôn, cyn oes y Rhufeiniaid hyd yn oed, roedd arferiad ar ynys Sardinia – arferiad ymarferol iawn – o roi gwenwyn i'r henoed er mwyn iddyn nhw farw cyn defnyddio gormod o adnoddau. Be wyt ti'n feddwl o hynny, Dafydd?'

'Swnio'n greulon i mi, syr. Rhaid i bob cymdeithas barchu doethineb yr henoed.'

'Hmm. Ti wedi cael dy heintio gan foesau'r ysgol Sul. Byddai'r arferiad yn fendith yn y wlad hon ar hyn o bryd, a'r henoed yn llyncu pob ceiniog ... ond sgwrs arall yw honno. Mae sawl corff wedi'i ddarganfod gan archeolegwyr efo'r wên hon ar eu hwynebau – ac olion tocsin penodol, sef *oenanthotoxin*, yn eu cyrff.'

'Hwnnw wnaethoch chi ei grybwyll o'r blaen, ie, Dr Jarman?' Roedd yn rhaid i Daf chwarae gêm y patholegydd.

'I'r dim, Dafydd, i'r dim. Ac wyt ti'n gwybod o ble mae *oenanthotoxin* yn dod, hmm? Hmm?'

'Dim syniad, syr.'

'Y gysblys, sef *oenanthe crocata*. Neu, fel mae'r Sais yn ei alw, *hemlock water dropwort*.'

'A drowsy numbness pains my sense, as though of hemlock I had drunk ...'

'Bron iawn, Dafydd, ond dim cweit. Roedd Keats yn sôn am

y gegid, nid y gysblys ... dau blanhigyn hollol wahanol, ond y ddau yn aelodau o deulu'r Apiaceae.'

'Dwi'n gweld.'

'Na, dwyt ti ddim. Ond rwyt ti'n gwneud ymdrech, a hynny sy'n bwysig. Roedd yr arwyddion yn glir i mi cyn iddo farw, ond ar ôl i mi weld y wên ar ei wyneb, y *rictus sardonicus*, doedd dim amheuaeth o gwbl. I gadarnhau, dwi wedi gwneud sawl prawf ar gynnwys ei stumog: bu farw Illtyd Astley o effaith bwyta'r gysblys.'

'Ydi hi'n bosib i rywun fwyta digon i'w ladd ei hun drwy ddamwain, syr?'

'Ti yw'r heddwas, Dafydd. Rhaid i *ti* ateb y cwestiwn hwnnw.'

Pan gaeodd Daf ddrws ei gar, cofiodd am y bag a roddodd Mrs Morris y Wern iddo. Roedd arogl braf yn llenwi'i ffroenau, yn ei atgoffa na chafodd lawer o frecwast, a dim cinio heblaw'r fisged fach galed a ddaeth efo'i goffi oriau ynghynt. Estynnodd ei law i'r gofod o flaen sedd y teithiwr a chododd y bag. Yr holl ffordd fyny i Ddolanog, tynnodd eitemau ar hap ohono a'u bwyta, ac erbyn iddo barcio gyferbyn â'r gofeb roedd o'n teimlo'n well o lawer. Gyda brechdan ham, porc pei, dau *rocky road* a sgonsen yn ei fol, roedd o'n barod am yr her oedd o'i flaen.

Doedd y Swyddogion Archwilio Lleoliad Trosedd, y SOCOs, ddim wedi cyrraedd ond roedd drws y Ganolfan ar agor. Neithiwr roedd yr ystafell yn llawn bwrlwm a sgwrs, ond heddiw, yn haul gwan Rhagfyr, teimlai Daf awyrgylch dawel, bron yn drist. Roedd fel petai'r pentref cyfan yn dal ei wynt yn dilyn marwolaeth Illtyd Astley. Rhoddwyd pob bwrdd a chadair mewn pentyrrau wrth y waliau yn barod ar gyfer y digwyddiad nesaf, ond cofiai Daf yn iawn ble roedd popeth y noson cynt. Tynnodd ei lyfryn nodiadau o boced ei siaced a cheisiodd lunio map bach. Yn y gornel gyferbyn â'r drws roedd Doris a John Neuadd yn eistedd, ac ar y bwrdd nesaf, giang o bobol ifanc.

Teulu Pantybrodyr oedd agosaf i'r gegin, a pharti Cemmaes ger y piano yn y tu blaen. Yn sydyn, clywodd sŵn hollol annisgwyl: tegell yn berwi.

'Hen bryd i ti gael paned, Dafydd,' galwodd llais Mrs Morris o'r gegin. 'Siŵr dy fod di bron yn starfio yn yr oerni 'ma.'

Brysiodd draw i siarad efo hi.

'Sori, Mrs Morris, ond chewch chi ddim gwneud paned i mi yn y gegin yma nes bydd y Swyddogion Lleoliad Trosedd wedi archwilio bob dim. A dweud y gwir, ddylech chi ddim bod yn y Ganolfan o gwbl.'

'Mae'n rhaid i mi – fi sy'n cadw'r goriad.'

'Dwi'n deall hynny, ond mae llwyth o brofion angen cael eu gwneud.'

'Ddim yn y gegin, siŵr.'

'Mrs Morris, ydech chi'n gwybod be ddigwyddodd i Illtyd Astley?'

'Fe farwodd, ar ôl cael ffit fan hyn neithiwr.'

'Mae'n bosib nad oedd ei farwolaeth yn ddamweiniol. Mae 'na dystiolaeth gadarn i brofi effaith gwenwyn.'

Dechreuodd yr hen ddynes grynu.

'Rhywun wedi ei wenwyno? Fan hyn? Yn ein neuadd ni?'

'Mae'n wir, yn anffodus.'

'Roedd popeth yn hollol glên. Mae ganddon ni sgôr o bump ar gyfer glendid ...'

'Nid sôn am E. coli neu rwbeth tebyg ydw i. Mae rhywun wedi ei wenwyno fo'n fwriadol.'

'Llofruddiaeth?'

'Ie.'

'Ym mhlygain Dolanog?'

'Yn anffodus, ie.'

'Does dim modd cadw hyn yn dawel? Ers dros ddegawd, ryden ni fel cymuned wedi codi miloedd lawer o bunne i gadw'r lle 'ma ar agor – paid â dweud y byddan nhw'n ein cau ni i lawr wedi'r cyfan?'

'Mi fydd diddordeb gan y wasg yn yr achos, yn enwedig o

achos statws Mr Astley, a hynny'n ychwanegol i'r diddordeb arferol fyddai yn y llofruddiaeth.'

'A be yn union oedd ei statws, dwed?'

Dyna ryfedd, meddyliodd Daf. Doedd Mrs Morris ddim wedi dangos smic o dristwch na chydymdeimlad – fel petai'r Ganolfan yn bwysicach i'r gymuned na bywyd Illtyd Astley. A heb os, roedd min yn ei chwestiwn olaf.

'Wel, roedd o'n ryw fath o seléb, yn doedd, efo'r holl waith wnaeth o ar y teledu dros y blynyddoedd, yr holl lyfrau ac ati.'

'Debyg iawn.'

'Dech chi ddim yn ffan?'

'Mi *oeddwn* i'n ffan mawr.'

'Ond ddim rŵan?'

'Mae o wedi marw. Dwi'n methu bod yn ffan o ddyn marw.'

Roedd y gegin yn dawel am funud.

'Mrs Morris, dech chi'n fy nabod i'n iawn. Dwi'm yn fusneslyd o gwbl, ond mae'n rhaid i ni gynnal ymchwiliad. Dech chi wedi newid eich barn am Illtyd Astley – pam hynny?'

'Mi welais rwbeth neithiwr ... ond dwi'm isie i neb ddod i wybod am y peth.'

'Be welsoch chi?'

Daeth ei hateb mewn llais mor isel, bu bron i Daf fethu â'i chlywed.

'Wyddost ti 'mod i wedi colli fy chwaer, Dafydd?'

'Do, dro yn ôl, os dwi'n cofio.'

'Dim ond am gyfnod byr y bu hi'n sâl, ond mi gafodd gyfle i ffarwelio efo fi. Gofynnodd ... gofynnodd i mi ofalu am ei phlant. Nid plant bech oedden nhw, ond dwi'n dal i wneud be alla i i'w helpu. Mae Dewi Wyn yn stryglo efo'i dad ond alla i ddim helpu llawer efo hynny. Does neb yn fwy penstiff na Richard Pantybrodyr. Ond Miriam ...'

Bu saib hir, a gwelodd Daf y straen yn llygaid Mrs Morris wrth iddi geisio dewis rhwng cadw cyfrinach a dweud y gwir.

'Lodes lyfli ydi Miriam, wastad wedi bod.'

'Dwi'n ei chofio hi yn yr ysgol gynradd. Mi faglais yn yr iard ryw ddiwrnod a hi oedd y gynta i redeg draw i 'nghodi i.'

Daeth goleuni newydd i lygaid Mrs Morris, fel petai hi'n derbyn ei bod hi a Daf ar yr un tîm, fel petai.

'Dyna ti – Miriam i'r carn.'

'Mae hi 'di bod yn canlyn efo Roy ers bron i chwarter canrif, yn do? O be dwi wedi'i weld, maen nhw'n hapus iawn efo'i gilydd.'

Penderfynodd Mrs Morris edrych allan drwy ffenest y gegin er mwyn osgoi llygaid Daf.

'Mae'n anodd iddyn nhw. Methu fforddio tŷ. Dydi arian parod ddim yn llifo o dir Pantybrodyr. Mae Miriam wastad yn dweud fod pob ceiniog mae hi'n gymryd o'r fferm yn geiniog o boced Ceri.'

Rywsut, ni allai Daf roi wyneb i'r enw, ond roedd Ceri'n ddigon cyfarwydd, yn gyrru cwad y fferm yn rhy gyflym ar hyd y lonydd bach cul, wedi'i lapio fel parsel Dolig mewn sawl siwmper a chôt, i gyd wedi eu clymu â chortyn bêl. Wrth gwrs, ac yntau'n blentyn i Dewi Wyn Pantybrodyr, roedd Ceri hefyd yn hen ffasiwn. Credai Daf mai dim ond cwpl o flynyddoedd yn hŷn na Carys a Siôn yn yr ysgol oedd Ceri Pantybrodyr, ond gan mai i ysgol Llanfyllin yr aeth doedd eu llwybrau ddim wedi croesi rhyw lawer.

'Wedyn, wrth gwrs, bu farw mam Roy – ond gan ei bod wedi byw yn Nhrem y Machlud am gyfnod hir bu'n rhaid iddyn nhw werthu ei thŷ i dalu'r biliau gofal. Ac mae Miriam yn rhy hen i gael plant erbyn hyn, sy'n siom.'

'Mi fyddai hi wedi bod yn fam arbennig, mor hael a chynnes.'

'Ti'n ei deall hi'n iawn, Dafydd. Siom na wnaeth hi ddewis rhywun fel ti, ar gyflog da.'

Atgoffwyd Daf o'i broblemau ariannol gan eiriau Mrs Morris – a llanwodd ei galon â chywilydd pan gofiodd ei fod yn gofalu am blant a chartref dedwydd, a Miriam druan yn dal i aros i'w bywyd ddechrau o ddifrif.

'Mae Miriam yn rhy gall o lawer i ddewis ffŵl fel fi,' atebodd, gan faglu dros ei eiriau cyn newid y pwnc. 'Ddrwg gen i'ch rhuthro chi, Mrs Morris, ond bydd y Swyddogion Lleoliad Trosedd yma mewn deng munud ...'

'Jest paid â beio Miriam. Dynes o gig a gwaed ydi hi.'

'Ei beio hi am beth?'

'Fi fydd yn agor y Ganolfan, ac ar noson y plygain mi fydda i'n cyrraedd yn gynnar, toc ar ôl tri, neu mi fydda i'n colli'r gwasanaeth cyfan. Ddoe, mi welais gar Miriam - roedd hi'n gosod y blode yn yr eglwys fel y bydd hi'n gwneud bob tro. Welais i ddim car arall, ond yn ôl y sôn roedd Astley wedi parcio draw wrth y biniau ailgylchu.'

'Yn y maes parcio, ie.' Roedd yn rhaid i Daf chwerthin - roedd tôn llais Mrs Morris yn awgrymu mai dim ond pobol ecsentrig iawn oedd yn parcio yn y maes parcio.

'Does dim llawer o olau dydd yr amser yma o'r flwyddyn, felly switsiais y goleuade mlaen, fel maen nhw rŵan. Roedd Miriam wedi rhoi'r golau mlaen yn yr eglwys hefyd. Es i allan i nôl bocs o fins peis ... gest ti un, Dafydd?'

'Do, diolch, blasus tu hwnt.'

'Ac mi welais ddyn yn y fynwent efo tortsh, yn darllen y sgrifen ar y cerrig beddi. Astley oedd o. Dyna'r math o beth roedd o wastad yn wneud: potsian o gwmpas, sgwennu pethau yn ei lyfryn bech fel dwn i'm be. Ni sy biau'r eglwys 'na, ein teuluoedd ni sy'n gorwedd yno - pwy roddodd ganiatâd iddo fo gropian o gwmpas yn y gwyll?' Sugnodd lond ei hysgyfaint o aer cyn ailddechrau. 'Gwelais Miriam yn cerdded fyny'r llwybr a llond ei breichiau o gelyn a deiliach gwyrdd o bob math. Ro'n i ar fin galw arni, gofyn a oedd hi'n ffansïo paned, ond wnes i ddim. Wedyn, gwelodd hi Astley, a gollyngodd yr holl frigau fel petai rhywun wedi ei saethu yn ei braich. Roedd hi bron yn rhedeg draw ato a dwi'n cofio'r sgwrs rhyngddyn nhw'n iawn, bob gair. Roedd ei llais hi'n rhyfedd, braidd yn gryg. "Be ti'n wneud fan hyn?" gofynnodd efo cryndod yn ei llais, wedyn chwarddodd o, yn glên. Ro'n i'n gallu gweld ei wyneb o'n glir ond roedd cysgod drosti hi. "Dod i'r plygain, wrth reswm," atebodd Astley. Gan ei fod yn bnawn tawel roedd hyd yn oed llais tawel Miriam yn cario. "Wnest ti ddim dod i fy ngweld i, felly, Illtyd?" gofynnodd yn drist. "Wnest ti ddim ffonio na dim byd." Rhoddodd yntau ei fraich rownd ei chanol hi. "Wnes i addo ffonio?" atebodd, ac wedyn mi gawson nhw ryw goflaid. Camodd Miriam yn ôl a dweud, yn uwch, "Dwi wedi'i chlywed hi, ar y radio. Maen nhw'n dweud ei bod yn llwyddiant mawr. Gwerthu'n dda ledled y byd. A be gawson ni amdani hi? Fawr ddim, Illtyd, fawr ddim." Sori i gymryd cymaint o d'amser di, Dafydd, ond efallai fod hyn yn bwysig.'

'Na, dech chi'n help mawr, wir.'

'Am beth oedden nhw'n siarad, ti'n meddwl?'

'Dydi pethau ddim yn glir eto, sori. Newydd ddechrau mae'r ymchwiliad. Aeth Miriam yn ôl i'r eglwys wedyn, i ailafael yn yr addurno?'

'Naddo. Mi atebodd o, mewn llais ych-a-fi, "Ond gest ti rywbeth, Miri fech, a rhywbeth gwerth chweil hefyd." Roedd o'n gwatwar ei hacen, ac mi wnaeth hynny fi'n flin. Wedyn, mi wnaethon nhw gofleidio eto ond, y tro yma, roedd ei ddwylo bech yn brysur, yn datglymu ei chôt. Agorodd ei blows hefyd, ond rhedodd Miriam i ffwrdd. Arhosais i yn y cysgod ger wal y fynwent am sbel, cyn picio fyny i'r eglwys efo paned iddi hi. Roedd hi'n sefyll wrth y bedyddfaen pan gyrhaeddais i yno, ei chlipers yn ei llaw a chelyn ac eiddew ym mhob man, a dagrau'n powlio lawr ei bochau. Roedd hi'n falch iawn o'r baned ond yn anfodlon dweud pam ei bod hi wedi ypsetio.' Ochneidiodd Mrs Morris eto. 'Does gan neb hawl i wneud i fy nith grio fel'na.'

'Diolch i chi, Mrs Morris. Mae hyn yn help mawr i mi.'

Trwy ffenest y gegin gwelsant ddwy fan Transit wen efo logo Heddlu Dyfed Powys arnyn nhw yn cyrraedd. Estynnodd Mrs Morris ei llaw yn sydyn i ddal braich Daf.

'Paid â'i barnu hi, Dafydd. Mae ei bywyd ar stop, ti'n gwybod. A weithie, 'den ni i gyd yn gwneud pethe ffôl.'

'Dwi'm yn barnu neb,' atebodd Daf – ond celwydd oedd hynny. Roedd bai ar Illtyd Astley. Roedd ganddo wraig ifanc ac, os oedd Fenws An yn iawn, rhyw ffansi newydd hefyd, ond roedd o'n chwarae efo bywyd dynes mor neis â Miriam Pantybrodyr.

'A paid dweud gair wrth Roy, ie? Mae o wedi bod yn reit ddigalon yn ddiweddar.'

'Mrs Morris, mae'n rhaid i mi gadw sawl cyfrinach yn rhinwedd fy swydd. Ond mae'n amlwg fod yn rhaid i mi gael sgwrs efo Miriam.'

'Os wyt ti angen llonydd i siarad efo hi, mi allwch chi'ch dau gwrdd yn y Wern. Mae 'na wastad gymaint o fynd a dod draw yn Pantybrodyr.'

'Diolch am y cynnig. Rŵan, well i mi groesawu'r swyddogion 'ma: fe fyddan nhw'n flin iawn efo chi am lanhau'r Ganolfan mor dda.'

'Doedd gen i ddim syniad y bydde rhywun yn cael ei ladd fan hyn – a rhaid i mi gadw rhyw fath o drefn.'

'A pheidiwch â chynnig paned iddyn nhw nes byddan nhw wedi gorffen yn y gegin, iawn? I gadw'r dystiolaeth yn saff.'

Agorodd Mrs Morris ei cheg i ddadlau ond, wrth weld y siwtiau gwyn yn agosáu at ddrws y Ganolfan, penderfynodd beidio.

Gwelodd Daf sawl wyneb cyfarwydd ymhlith y SOCOs, oedd dan arweiniad sarjant o Lanelli.

''Wy erioed wedi gweld lle mor lân â hyn,' meddai un o'r swyddogion wrth Daf. 'Does unlle i dystiolaeth gwato. Rhaid i mi ddanfon fy wejen lan at ferched y Canolbarth i ddysgu shwt i lanhau.'

'Alla i ddim disgwyl llawer iawn o help gen ti, felly, Glyn?'

'Wel, smo ni wedi tsheco'r gegin 'to. Sut gafodd e'r gwenwyn?'

''Sgen i ddim syniad. Yn ystod y swper, mae'n bosib, ond roedd pawb yn bwyta'r un stwff. Mi wnes i fwyta fel Gwyddel neithiwr ond dwi ddim wedi diodde unrhyw sgileffeithiau.'

''Sen i ddim yn gweud hynny,' ymatebodd Glyn, gan brocio Daf yn ei fol uwchben ei wregys. 'O't ti 'ma neithiwr?'

'Oeddwn ... y plant yn canu.'

'Handi.'

'Ond tyden ni ddim yn sicr eto mai fan hyn y digwyddodd y gwenwyno.'

'Wel, mae HQ wedi gofyn i ni ddod fyny i jeco'r lle felly mae'n amlwg eu bod nhw'n ystyried hynny'n bosibilrwydd cryf.'

Fel yr oedd Daf yn agor drws ei gar i adael yn ddiweddarach, rhuthrodd Glyn draw i'w rwystro.

'Mae 'da ni rwbeth i'w ddangos i ti, wrth y drws. Tystiolaeth o ffrae. Ac mae 'na sawl blewyn ar y *defibrilator*.'

Eisteddodd Daf i lawr yn sedd y gyrrwr ac agor ffenest y car.

'Mi welais i'r ffrae neithiwr. Tri o ddynion lleol yn dadlau dros bwy oedd yn mynd i gael y fraint o ddefnyddio'r *de-fib*.'

'Dadlau neu baffio?'

'Paffio – fflat owt.'

'Dros bwy oedd yn cael defnyddio'r *de-fib*? 'Wy'n ffaelu deall chi o gwbl, yn tampan am beth fel'na ...'

'Dydi cyflymder y band eang ddim yn sbesial rownd ffordd yma – rhaid i ni wneud ein hwyl ein hunain.'

Deuai golau croesawgar drwy'r ffenest ger ei ddrws ffrynt, ac yn hytrach na dechrau poeni am yr holl wres oedd yn dianc drwy'r llenni a pha mor ddrud oedd coed tân, teimlodd Daf yn falch o fod adref.

'Wel,' meddai Gae, yn syth ar ôl rhoi cusan iddo, 'mae Illtyd Astley wedi marw.'

'Wedi'i wenwyno.'

'Nid yn swper y plygain? Be am bawb arall? Y plant ... Siôn, Rhod, Carys, Belle?'

'A finne?'

'Wrth gwrs, a tithe. Ond os oedd gwenwyn yn y bwyd ar ôl y plygain, pam nad wyt ti'n diodde? A phawb arall?'

'Tydan ni ddim yn hollol sicr, ond os gafodd o'i wenwyno'n fwriadol, falle fod rhywun wedi rhoi rwbeth ...' Yn sydyn, fel sioc drydan, cofiodd Daf. 'Yn ei de! Daeth rhyw hen ddynes draw efo paned iddo fo.'

'Pwy?'

'Dyna'r peth od. Doeddwn i ddim yn ei nabod hi.'

'Ond jest oherwydd mai hi roddodd y baned iddo fo, dydi hynny ddim yn golygu mai hi roddodd y gwenwyn yn y gwpan.'

'Os oedd gwenwyn yn y gwpan.'

'Ti sy'n arwain yr ymchwiliad?'

'Ie.' Roedd Daf ar fin dweud y byddai ei gyfrifoldebau newydd yn dod â thipyn mwy o arian amserol i'r tŷ, ond rhwystrodd ei hunan mewn pryd. Er nad oedd Gaenor yn un am fynd fel hwch drwy'r siop, petai Daf yn dweud wrthi y byddai cwpl o gannoedd yn fwy yn y banc ar ddiwedd y mis, byddai Gaenor yn eu gwario er mwyn rhoi Dolig braf i bawb ohonyn nhw. Felly safodd Daf yn fud, yn teimlo'n euog am ei ddiffyg gonestrwydd.

'Dad,' bloeddiodd Rhodri lawr y grisiau, 'alli di roi lifft i mi fyny i Riwhiriaeth heno?'

'Faint o'r gloch? Dwi'n gorfod gweithio.'

'Neu ofalu am Mali tra mae Gae yn rhoi lifft i mi?' Pan ddaeth Rhodri i'r golwg, roedd ei sylw wedi'i hoelio ar y ffôn yn ei law.

'Be ti'n wneud yn Rhiwhiriaeth?'

'Gyrfa chwist. Mae Carys yn mynd ond does dim lle i mi yn ei char, rhwng Siôn a'i ffrindie coleg hi.'

'Mae Carys yn mynd efo'i ffrindie coleg i chwarae chwist?'

'Maen nhw wedi bod yn ymarfer drwy'r pnawn, yn ôl y sôn.'

'Wel, mae gen i dyst i'w weld heno, yn anffodus.'

'Ble mae'r tyst yma'n byw? Alli di roi lifft i mi ar dy ffordd?'

'Dydi Rhiwhiriaeth ddim ar y ffordd i unman.'

Un o'r problemau efo plant, cofiodd Daf, oedd eu bod nhw'n arddangos rhai o rinweddau eu rhieni. O ganlyniad roedd Daf, dyn nodweddiadol am ei ddyfalbarhad, wedi magu mab styfnig. Tynnodd Daf ei ffôn ei hun o'i boced a danfonodd neges i Sheila, yn gofyn am rif ffôn Fenws An.

'Mi wna i ofyn i Rob, felly,' dywedodd Rhod yn bwdlyd. 'Do'n i ddim yn gwybod bod teulu Berllan yn chwarae chwist.'

'Dydyn nhw ddim. Ond mae Rob wedi cael ei leisans tractor rŵan – mi fydd o'n fodlon picio draw i roi lifft i mi.'

Chwarddodd Gaenor o ddrws y gegin.

'Ti 'di magu dy feistr fanna, Daf.'

Fel arfer, roedd hi'n iawn. Petai Daf yn cael dewis rhwng sglefrio i fyny i Riwhiriaeth neu adael i Rhodri deithio yng nghab tractor oedd yn cael ei yrru gan gòg un ar bymtheg oed, doedd dim dewis. Wedi'r cwbwl, yng Nghefn Coch roedd Fenws An yn byw ac os oedd Rhiwhiriaeth ym mhen draw'r byd doedd Cefn Coch ddim yn bell i ffwrdd. Ar ôl cael y rhif gan Sheila, ffoniodd.

'Hei, Fenws An. Daf Dafis o'r heddlu sy 'ma. Sut wyt ti'n teimlo?'

'Tsiampion, diolch. Ond "va" ydi f'enw i.'

'Brysur heno?'

'Heblaw am ddathlu absenoldeb y tad gwaetha yn hanes y byd? Na.'

'Alla i bicio draw i siarad efo ti?'

'Os lici di.'

'Hanner awr wedi saith yn rhy hwyr?'

'Dwi dipyn o *night owl*, felly tyrd.'

'Ocê, diolch.'

Cyn swper, cafodd alwad gan Sheila.

'Dal ar fy ffordd yn ôl ydw i, bòs. Ar ôl gweld Enid, es i lawr i weld Mel. Mae hi'n iawn, efo'i mam.'

'A sut oedd Enid?'

'Mae hi wedi colli arni ers blynyddoedd, 'swn i'n dweud. Roedd ei mam efo hi ond mae honno'n diodde o ddementia.'

'Mi wn i.'

'Daeth dynes draw i ofalu amdani – hipi o'r enw Gala. Ddwedodd hi ei bod hi yn yr ysgol efo ti.'

'Ydw, dwi'n nabod Gala.'

'Lot iau na ti yn yr ysgol, siŵr.'

'Yn yr un flwyddyn, diolch yn fawr iawn, Sheila Francis.'

'Wel, mae'r blynyddoedd wedi bod yn hynod o garedig iddi. Beth bynnag, roedd Enid yn saff efo hi, felly es i lawr i Ddyffryn Aeron.'

'Sut dŷ oedd gan Illtyd Astley, felly?'

'Plasty bach hyfryd. Yn amlwg, roedd ein ffrind bach gwerinol yn byw fel bonheddwr.'

'Aha. Mae'n haws i ddyn cyfoethog ddod o hyd i wraig newydd ifanc.'

'Ond roedd awyrgylch ryfedd yno, fel petai o'n perthyn i'r National Trust neu rwbeth. Doedd dim llawer o bethau personol o gwmpas y lle.'

'Mae'n digwydd yn aml pan fydd pobol yn cael llwyddiant ariannol. Maen nhw'n newid eu dosbarth cymdeithasol a throi eu tai yn Downton Abbeys.'

'Ie, ond roedd o'n fwy na hynny. 'Swn i'n gwerthfawrogi dy farn di am y lle – wyt ti'n rhydd i fynd lawr yno bore fory?'

'Wrth gwrs. Diolch, Sheila, a sori am y diwrnod hir.'

'Na, diolch i *ti*, Daf,' ategodd mewn llais meddal. 'Ti 'di bod yn gefn i mi heddiw.'

'Ti'n haeddu dim llai, Mrs F. Cysga'n dawel – mi fydda i angen dy frêns di yn y bore.'

Erbyn iddo orffen yr alwad roedd Rhod wedi rhoi bwyd ar eu platiau – lasagne i Daf, Rhodri a Mali Haf, a salad i Gaenor. Cafodd Daf ei demtio i annog Gaenor i fwyta rhywbeth amgenach ar noson mor oer o aeaf, ond dechreuodd ei gariad siarad cyn iddo gael cyfle i agor ei geg.

'Ti'n cofio 'mod i'n mynd allan fory?' gofynnodd, a golwg o bleser pur ar ei hwyneb.

'Dim siopa eto?' ymatebodd Daf, yn falch ei fod wedi penderfynu peidio sôn am yr arian ychwanegol.

'Rhaid i mi helpu Daisy,' eglurodd, wrth lwytho ffa edamame ar ei fforc. 'Hwn ydi ei Dolig cynta yn bartner i Rhys, a does ganddi ddim syniad be i'w brynu iddo fo na'i deulu. Dwi'n eu nabod nhw'n iawn, felly mae hi wedi addo cinio yn y Grosvenor i mi fel tâl am ei helpu.'

'Ydi Mali Haf yn dod efo ti?'

'Mae Chrissie wedi cynnig ei chymryd, ond dwi'm yn hoffi gofyn iddi hi wneud am ddiwrnod cyfan, felly dwi'n mynd â hi fyny at Doris.'

Erbyn hyn, roedd Rhodri wedi gadael y bwrdd, a'i lygaid yn dal ar sgrin ei ffôn.

'Rhaid iddo bincio cyn y chwist,' meddai Daf ar ôl i'w fab ddringo'r grisiau i'r llofft. 'Rhoi *gel* yn ei wallt ac ati.'

'Y ferch o Gefn Coch – ydi hi'n chwarae chwist? Yr un yrraist ti adre neithiwr?'

'Jenna? Falle dy fod ti'n llygad dy le, Gae.'

Gwenodd Daf ar ei ferch fach, a phan estynnodd y fechan ei breichiau i fyny ato, cododd hi o gôl ei mam.

'Ti'n mynd i gael hwyl efo Doris fory, cariad siwgwr,' meddai Gaenor wrthi cyn ei gollwng. 'Mae Doris yn mynd i dy sbwylio di'n rhacs.'

'Gae, ti'n meddwl fod 'na rwbeth yn mynd ymlaen rhwng John a Doris?' gofynnodd Daf yn boenus.

'Be?'

'Neithiwr yn y plygain, wel, roedden nhw mor gyfforddus efo'i gilydd. Ac mae Mrs Jones, mam John, yn bendant yn meddwl bod rwbeth rhyngddyn nhw.'

'Pob lwc iddyn nhw os ydi hynny'n wir, ond rhaid iddo fo fod yn ofalus iawn.'

'Pam hynny? Rhag ofn iddi hi feichiogi?' chwarddodd Daf.

'Nage siŵr ... poeni am Belle ydw i. Os wnaiff John dorri calon ei howscipar hi, wel, *look out*!'

Dros y blynyddoedd roedd Daf wedi chwarae chwist yn Rhiwhiriaeth yn aml, a bron bob tro mewn tywydd garw. Yng ngoleuadau'r car roedd blodau'r barrug yn sgleinio ar y ffordd yn barod; erbyn deg byddai'r wyneb yn slic iawn.

‘Angen lifft adre?’ gofynnodd i Rhodri wrth iddo neidio allan o’r car.

‘Dwi’m yn ffansïo cerdded. Mae’n bedair milltir bron.’

‘Ocê.’

Wrth droi’r car yn ôl, canodd ffôn Daf. Parciodd cyn ateb.

‘Dafydd o’r heddlu?’ Llais va, wedi meddwi.

‘Ie. Dwi ar fy ffordd i dy weld di rŵan.’

‘Os wyt ti’n mynd heibio Londis, pryna gwpl o boteli o win coch i mi, plis. Unrhyw beth rhad, heblaw rhywbeth efo llun anifeiliaid jyngl ar y label. Tydw i erioed wedi cael gwin da mewn potel efo jiráff na sebra arni.’

‘Wyt ti wedi cael glasiaid neu ddau yn barod?’

‘Mae’r drydedd botel ar agor. Ty’d reit handi achos hon ydi’r botel olaf.’

‘Well i ti fynd i’r gwely, dwi’n meddwl. Mi bicia i draw fory.’

‘Dwi’n gweithio tan chwech fory.’

‘Be am saith nos fory?’

‘Pam na ddoi di draw rŵan?’

‘Ti angen pen clir. Mae cymaint o bethau i’w trafod.’

‘Wyt ti’n meddwl ’mod i ’di meddwi, Dafydd?’

‘Efallai gawn ni sgwrs fwy buddiol fory.’

Rhoddodd va y ffôn i lawr, a chanodd y teclyn eto. Rhif Dr Jarman.

‘Dafydd, dwi wedi gorffen fy mhrofion ar gynnwys stumog Astley. Gallaf gadarnhau ei fod o wedi bwyta neu yfed y gwenwyn ddim mwy na dwy awr cyn iddo gael ei ffit gyntaf. Doedd dim darnau o’r gysblys yn ei stumog – mae o’n teithio drwy system rhywun yn gyflym – felly mae’n debygol mai ar ffurf hylif y cafodd y gwenwyn.’

‘Sut flas fyddai arno?’

‘Dim fel llaeth a mêl, Dafydd. Ond dydi o ddim yn chwerw chwaith. Ei arogl sydd waethaf.’

‘Fel arogl llygod?’

‘Yn union. Dwi’n mynd adre am bryd o fwyd rŵan.’

‘A dwinna’n mynd i chwarae gêm o chwist. Diolch yn fawr iawn, Dr Jarman.’

Sylweddolodd Daf ei fod yn dyst i'r hyn ddigwyddodd yng Nghanolfan Dolanog felly, ac yn anffodus, doedd o ddim yn dyst da. Roedd o wedi gobeithio am unrhyw esboniad am farwolaeth Illtyd Astley heblaw'r un amlwg, sef ei fod o wedi cael ei wenwyno yn swper plygain Dolanog, o dan drwyn Daf. Rŵan byddai'n rhaid iddo gyfaddef bod ei gof o'r swper braidd yn niwlog. Cofiai ei sgwrs ag Astley, wrth reswm, ond doedd ganddo ddim ond brith gof o wyneb y ddynes a roddodd y te iddo. Byddai wedi gallu disgrifio'i llaw denau yn well na'i hwyneb, petai hynny o unrhyw fudd. Fore trannoeth gallai ddechrau o ddifrif ar yr ymchwiliad – ond cyn hynny, câi fwynhau un o'i hoff weithgareddau adloniannol: gyrfa chwist. Gobeithiai y byddai'n well partner chwist na ditectif.

'Fodlon chwarae fel leidi heno, Daf?' gofynnodd Brian y Felin iddo ychydig eiliadau ar ôl iddo groesi trothwy'r neuadd. 'Den ni braidd yn brin o leidis heno.'

Doedd hynny ddim yn wir, wrth gwrs – roedd dros hanner y bobol oedd wedi gwasgu eu hunain i mewn i'r neuadd fach yn ferched ond, yn amlwg, roedd yn well gan nifer ohonynt chwarae fel *gent*, er mwyn cymryd cyfrifoldeb am gasglu triciau a rhannu cardiau. Dewisodd sawl dyn chwarae fel leidi hefyd, a rhai o'r chwaraewyr gorau yn eu plith, sylwodd Daf. Ar y byrddau agosaf at y drws gwelodd Daf aelodau ifanc ei deulu. Roedd Rhod wedi eistedd gyferbyn â Siôn, ac ar letraws iddo roedd Jenna, a hithau heb ei cholur yn edrych ddegawd yn iau nag yr oedd hi noson y plygain. Ar y bwrdd agosaf atyn nhw roedd Carys yn chwarae *gent* efo'i ffrindiau coleg, dyn ifanc a dwy ferch. Siaradai un o'r merched efo Carys a gwên ffals ar ei hwyneb, ac eisteddai'r lleill yn fud, eu diflastod yn amlwg yn eu llygaid.

'Dadi,' meddai Carys, 'you didn't really get a chance to meet my friends last night. Laura, Rachel, Rollo, this is my dad.'

Estynnodd Daf ei law iddyn nhw. Roedd llaw Rollo yn fach ac yn wan o'i chymharu â llaw gref Siôn, oedd yn shyfflo'r cardiau.

'Ready for the whist?' gofynnodd Daf.

'Carys is keen for us to make the most of our Welsh safari,' atebodd Rollo mewn llais llawn dirmyg.

Safari! Gwnaeth Daf ymdrech i lyncu ei ddicter ac roedd o'n falch iawn o glywed chwiban Meistr y Seremonïau yn dechrau'r noson yn swyddogol. Cynigiodd Siôn y cardiau i Rhodri i'w torri a ffwrdd â nhw. Eisteddodd Daf ar fwrdd 14 am bedair gêm, nes iddo gwrdd â phartner penderfynol iawn: Mr Parry Pantybrodyr.

'Ti 'di eistedd fan hyn yn rhy hir, Daf Dafis,' meddai Mr Parry wrtho cyn iddyn nhw ennill y gêm olaf. Wrth iddyn nhw godi i symud ymlaen, sibrydodd Mr Parry:

'Busnes drwg yn y plygain.'

Nodiodd Daf ei ben.

'Wedi ei wenwyno? Yn ein swper plygain ni?'

'Wir ddrwg gen i, Mr Parry, ond alla i ddim trafod yr achos fan hyn. Ond mi fydd yn rhaid i mi ddod i siarad efo chi cyn bo hir – mae pob un ohonon ni'n dystion erbyn hyn.'

'Wrth gwrs, deall yn iawn. Siom fod y peth wedi digwydd yn Nolanog, yn tydi?'

Fel Mrs Morris, roedd Mr Parry yn poeni mwy am enw da'r plygain na llofruddiaeth Illtyd Astley. Faint oedd yr hen ddyn yn ei ddeall am y berthynas rhwng y dioddefwr a'i ferch, tybed? Eisteddodd Daf i lawr wrth y bwrdd nesaf.

'Helô, Dafydd,' cyfarchodd Miriam. 'Noson dda?'

'Dim o gwbl. Ro'n i'n sownd ar y bwrdd drws nesa am sbel hir cyn cael fy achub gan dy dad.'

'Mae Dad yn mynd fel trên heno. Gest ti gip ar ei gerdyn sgôr?'

'Fyswn i byth yn meiddio gwneud y ffasiwn beth. Ond mi gafodd ddeg efo fi.' Oedodd Daf am eiliad. 'Rhaid i ni'n dau gael dipyn o sgwrs ynglŷn â'r hyn ddigwyddodd yn swper y plygain.'

'Gafodd ... ddigwyddodd o'n sydyn, Dafydd? Lot o boen?'

'Anodd dweud. Mae ffitiau mor gryf â'r rhai gafodd o yn aml yn achosi niwed i'r ymennydd.'

'Dwi'n deall.'

'Miriam, dwi'n gwybod dy fod ti ac Illtyd yn agos.'

'Ond doedden ni ddim.' Roedd ei lais yn fflat.

'Dydi hynny ddim cweit yn wir. Alla i ddod i dy weld di nos fory?'

'Wrth gwrs.'

'Allwn ni gael sgwrs breifat fyny ym Mhantybrodyr?'

'Gawn ni sgwrsio yn y parlwr.'

'A Miriam – does dim rhaid i ti boeni am gyfrinachedd. Dwi byth yn cario clecs.'

'Ai ti sy'n arwain yr ymchwiliad, Dafydd?'

'Ie.'

'O. Dwi mor falch.'

Rhoddodd Miriam ei llaw ar lawes siaced Daf am eiliad, fel bod y diemwntau bach ar ei modrwy ddyweddïo yn fflachio yng ngoleuadau melyn Neuadd Rhiwhiriaeth.

Symudodd pawb yn eu blaenau ar gyfer y gêm nesaf, ac er bod dipyn o chwerthin rhwng Miriam a Roy Bryngrug, oedd yn falch o weld ei gariad er eu bod yn chwarae yn erbyn ei gilydd, gallai Daf weld bod cysgod o ryw fath wedi disgyn rhwng y ddau.

Ar ôl dwsin o gemau daeth yr egwyl, a thestun nifer o'r sgyrsiau dros frechdanau a bara brith oedd y noson Dadlapio Dolig y penwythnos canlynol. Roedd pawb i weld yn chwilfrydig, a synnwyd Daf pan ofynnodd dynes yn ei saithdegau iddo am hanner dwsin o docynnau iddi hi a'i ffrindiau yn Sefydliad y Merched.

'Well i chi ffonio Gaenor, Mrs Hughes,' atebodd yn swil.

'Dwyt ti ddim yn tynnu dy ddillad, Dafydd?'

'Rhy hen i'r gêm yna, Mrs Hughes, o lawer.'

'Rhy swil, dyna i ti'r gwir. Mae Mart yn hŷn na ti, siŵr.'

Gwgodd Daf, heb ateb. Edrychodd o'i gwmpas. Roedd Siôn yn cerdded tuag ato, gan stopio i sgwrsio â hwn a'r llall, bob amser yn gwrtais ac amyneddgar efo'r henoed oedd yn ei holi.

'Mae'r Rollo 'na, ffrind Carys, yn diodde dwi'n meddwl,'

meddai wrth Daf pan gyrhaeddodd ato. 'Mi gafodd o andros o bryd o dafod gan Mr Parry Pantybrodyr – a sbia pwy sy ganddo fo yn bartner ar gyfer y gêm nesa!'

Mona, mam Ivy Siop Trin Gwallt, oedd honno, hen ddynes sur â thafod miniog. Anadlodd Daf yn ddwfn cyn eistedd lawr wrth ei hochr.

'Dyle'r ffŵl bech 'na siarpio,' dywedodd Mona'n swta. 'Dwi ar ôl y twrci, a dwi'm isie rhyw lo o Sais yn sefyll rhyngdda inne a 'nghinio Dolig.'

Roedd llaw Rollo yn crynu wrth iddo ddosbarthu'r cardiau. Dechreuodd yn iawn ond erbyn iddo orffen roedd Daf un cerdyn yn brin.

'Dyna ddechrau da,' mwmialodd Mona.

Roedd partner Daf, ffermwr cyfeillgar yn ei saithdegau o ochrau Llanbrynmair, wedi darllen y sefyllfa ar unwaith gan ei fod wedi chwarae yn erbyn Mona ers dros hanner canrif. Roedd y tyndra wrth y bwrdd fel trydan. Pasiodd un tric, ac un arall. Ceisiodd Daf eu colli nhw, ond methodd. Wedyn, enillodd Rollo dric ac roedd y gêm yn y fantol – efo tri thric i fynd, rhoddodd y ffermwr ês i lawr. Fel cyw ansicr ar fin hedfan y nyth, trodd Rollo ei ben i gyfeiriad pen pella'r neuadd. Ar y wal roedd llun diemwnt coch. Rhoddodd Rollo ddiemwnt, y chwech, i lawr ar yr ês, wedyn dau ddiemwnt uchel: Mona ac yntau enillodd y gêm, o wyth i bump.

'That was a bit full on, wasn't it?' meddai wrth Daf yn llawn rhyddhad.

'Good job you had the trumps, lad, or you'd be stuffing Mona's turkey.'

Gwenodd Rollo, fel petai'r profiad wedi creu cysylltiad rhyngddyn nhw – dau filwr ar ôl brwydr.

Mona gafodd y sgôr uchaf, a'r twrci. Gwobr y dyn efo'r sgôr uchaf oedd ffowlyn mawr, nad oedd cweit yn ddigon o iawndal i Richard Parry. Edrychai'n dipyn hapusach ar ôl iddo ennill potel o wisgi yn y raffl. Enillodd Rollo lond sach o swêds ac roedd Daf yn falch o weld Carys yn chwerthin efo'i ffrindiau am y syniad o'r dyn ifanc teithio ar y trên i Lundain efo hanner can pwys o swêds ar ei gefn.

Yn y *knockout* daeth Rhodri a Jenna yn ail – roedd golwg benchwiban arni, meddyliodd Daf, ond roedd hi'n gallu darllen cardiau fel rhywun o Las Vegas. Gan ei fod yn ddyn ifanc cwrtais, rhoddodd Rhodri ei wobr, bocs o Milk Tray, iddi hi.

'Ti isie lifft adre, Jenna?' cynigiodd Daf, gan gofio'r daith lithrig a gafodd y noson cynt.

'Diolch, Mr Dafis, ond mi fydda i'n iawn efo Nain.' Aeth draw i helpu'r nain honno efo'i chôt: Mona.

'Mi gododd Mona ofn ar y Rollo 'na heno,' meddai Daf wrth ei fab.

'Mi rois i ddeg tric iddi,' atebodd Rhodri'n llon. 'Dwi'n *flavour of the month*.'

'Ac mae hi'n nain i Jenna?'

'Ydi. Mae mam Jenna'n chwaer i Ivy Siop Trin Gwallt. Mae Jenna'n gobeithio cymryd drosodd yn y siop ryw dro – dim ond bechgyn sy gan Ivy.'

Yn y tywyllwch yng nghefn y neuadd clywodd Daf lais cyfarwydd yn siarad, yn amlwg heb ystyried bod eraill yn gwrando.

'Pam na wnest ti geisio'r calonnau, hyd yn oed unwaith?'

'Dwi'm yn gwybod, Dad. Sori, Dad.'

'Petaen ni wedi ennill y gêm yna, byddai twrci yn y bag 'ma yn hytrach na rhyw sgilffyn o ffowlsyn.'

'Sori, Dad. O'n i'n brin o *diamonds*, ti'n gwybod, felly ...'

'O, paid â malu awyr, Miriam Parry. Dwi 'di clywed hen ddigon.'

Druan o Miriam, meddyliodd Daf, yn byw o dan y lach o hyd. Nid ei bai hi oedd anlwc ei thad. Os oedd yr hen ddyn yn siarad efo'i ferch fel hyn yn gyhoeddus, beth, tybed, oedd yn digwydd tu ôl i ddrws caeedig Pantybrodyr?

Pennod 5

Bore Dydd Mawrth

Roedd mantais i'r tywydd oer, sylwodd Daf am hanner awr wedi pump. Gan eu bod yn troi'r gwres i lawr yn ystod y nos i arbed arian, petai Gaenor yn deffro'n gynnar roedd hi'n fwy tebygol o aros yn y gwely i gadw'n gynnes efo fo.

'Paid â phoeni – wna i ddim gwario gormod heddiw, Daf,' cysurodd Gaenor ef, gan wasgu ei hun yn dynnach o dan ei gesail. 'Dwi ddim yn bwriadu cystadlu efo Daisy. Mae hi'n meddwl y byd o Rhys ac, ar hyn o bryd, mae ganddi hi ei phres ei hun i'w wario arno fo. Dydi hi ddim yn ffansïo mynd yn ôl i ddysgu ar ôl ei chyfnod mamolaeth felly mae hi'n manteisio ar ei chyflog rŵan. Gwario ei bres o fydd hi wedyn, fel dwi'n gwario dy bres di.'

'Paid â siarad fel'na. Ein pres *ni* ydi o, pres y teulu.'

'A dwi'n gwybod bod yr esgid yn gwasgu, cariad. Tan y byddwn ni'n symud draw i Hengwrt, mae pethau'n mynd i fod yn dynn. Dwi 'di bod yn ofalus iawn wrth siopa Dolig, a dwi'm yn bwriadu mynd yn hurt jest oherwydd 'mod i'n cael trip fyny i Gaer.'

Dros frecwast roedd pawb mewn hwyliau braf, a Rhodri'n falch iawn o'r cyfle i drafod ei lwyddiant yn y noson chwist. Penderfynodd Gaenor dynnu ei goes ynglŷn â Jenna.

'Dyna be dwi angen,' datganodd, 'modd i gael gostyngiad yn y siop trin gwallt. Paid â meiddio torri'i chalon hi, Rhods, neu fydda i ddim yn saff o dan y *dryer* byth eto!'

Wrth iddo chwistrellu *de-icer* ar sgrin wynt y car, gwyliodd Daf drigolion y dref fach yn dechrau prysuro o'i gwmpas. Roedd pob un, bron, yn wyneb cyfarwydd, ond faint oedd o'n ei wybod amdanyn nhw go iawn? Cofiodd am y pryd o dafod a gafodd Miriam druan gan ei thad, a'i pherthynas gudd. Os nad oedd o'n deall Miriam Pantybrodyr, ystyriodd, pa siawns oedd ganddo o fynd dan groen ymchwiliad difrifol i lofruddiaeth?

Ar ei daith i lawr i'r Trallwng, atseiniodd ei sgwrs olaf ag Illtyd Astley yn ei ben. Ceisiodd gofio pob manylyn, ond methodd. Roedd yn rhaid iddo gyfaddef nad oedd wedi talu sylw pan oedd Astley'n disgrifio'i brosiect newydd. Cofiodd sgwrs a gafodd flwyddyn ynghynt â Haf Gwydyr-Gwynne. A hithau'n gyfreithwraig, roedd hi'n rhannu teimlad Daf o rwystredigaeth pan oedd tyst yn methu cofio digon i helpu achos.

''Dan ni'n gofyn yn rhy aml am ffeithiau,' meddai, 'yn hytrach na gofyn iddyn nhw sut oedden nhw'n teimlo. Mae cyflwr meddyliol rhywun yn aml yn ei atgoffa o ddigwyddiadau arbennig.'

Efallai fod Haf yn iawn. Wrth yrru heibio'r troad i Gastell Caereinion, cofiodd Daf ei falchder pan ganmolodd Astley ei blant – a'i syched. Ar ôl bwyta dwy sgonsen llawn soda pobi roedd yn ysu am baned, a chofiodd ei genfigen pan gafodd Astley ei de yn gynt na phawb arall. Yn sydyn, daeth y manylion yn ôl: yr hen wraig dal yn gwisgo sgarff yn y Ganolfan, ei llygaid brown, Astley yn cwyno am flas ei de. Wedyn, ei deimlad o siom: doedd neb wedi dod â phaned draw iddo fo. Pam hynny? Achos nad oedd o'n un o selébs S4C? Neu oherwydd yr hyn oedd yng nghwpan de Astley?

Gwthiodd ddrws derbynfa gorsaf yr heddlu'n galed, a bu bron iddo â tharo Connor a Kev, dau o feibion Bitfel. Doedden nhw ddim yn falch o weld Daf, yn amlwg.

'Be sy, cogie?'

'Den ni 'di dod yma i wneud *complaint* ond ddwedodd rhyw ferch nad busnes *criminal* oedd o. Ond mae'n fusnes difrifol, rhedeg lladd-dy heb leisans. Rhaid cael leisans, a dwi'n gwybod fel ffaith nad oes ganddyn nhw 'run.'

'Mae pwy bynnag ddwedodd hynny wrthach chi'n hollol gywir, sori. Llywodraeth Cymru sy'n gofalu am bethau felly, nid ni.'

'Ond,' parhaodd Connor, 'mae'n beryglus yno, yn bendant. Maen nhw'n lladd ac yn cadw cig yno, mewn ffrij fawr, a does dim darn o waith papur ganddyn nhw.'

'Am bwy ti'n siarad, dwed?'

'Yr hipis 'na, y Taylors,' ategodd Connor, mewn llais bygythiol. 'Os ydi hi'n meddwl bod ganddi hi'r hawl i ymyrryd yn ein bywydau ni, fe fydda i'n talu'r pwyth yn ôl, wir i ti.'

Roedd yn anodd gan Daf gredu bod dyn ifanc mor chwerw yn blentyn i ŵr mor addfwyn â Jonas, a dechreuodd gydymdeimlo â Falmai. Nid tasg hawdd fyddai bod yn llysfam i hwn. Ddywedodd Kev fawr ddim, ond ceisiodd sefyll yn gadarn i ddangos pa mor galed oedd o.

Er bod y cyhuddiad yn ymddangos yn un chwerthinllyd – fyddai llysieuwraig fel Gala ddim yn debygol o agor lladd-dy – penderfynodd Daf bicio draw i weld Gala, ac â'r wybodaeth honno, martsiodd y ddau frawd allan drwy'r drws ffrynt.

Gwasgodd aelodau'r tîm i mewn i swyddfa Daf, pob un yn eiddgar am sialens yr ymchwiliad. Roedd hyd yn oed Nev, oedd wedi treulio'r mis blaenorol yn pwdu, wedi newid ei agwedd.

'Reit 'te, ffrindiau,' dechreuodd Daf, gan agor y ffeil oedd ar ei ddesg. 'Llofruddiaeth sy ganddon ni fan hyn. Illtyd Astley: awdur, academydd, darlledwr. You following, Steve?'

'Iawn, diolch, bòs.'

'Steve sy'n rheoli lleoliad y drosedd, y Crime Scene Manager, ie? Cer di fyny i Ddolanog efo cwpl o PCSOs i ychwanegu at y rhestr sy gen i fan hyn o'r bobol a fynychodd swper y plygain. Dos i weld Mrs Morris y Wern gynta – mae hi'n nabod pawb ac yn gwybod bob dim, ond paid â dweud wrthi dy fod ti'n sengl achos dwi'n amau ei bod hi'n chwilio am *toy boy*.'

'Dwi'm yn sengl dim mwy, bòs.'

'Ers pryd?' gofynnodd Sheila'n awchus.

'Ers sbel. Ond dwi ddim isie pawb yn busnesa, ie?'

Trodd Daf yn ôl at yr achos. 'Nev, dwi isie i ti ganolbwyntio ar faterion ariannol Astley, iawn?'

'Dwi wedi dechrau'n barod. Mae Merit Pictures wedi talu ffi o £70,000 iddo am thema'r ffilm *Eye's Apple*.'

Chwibanodd Sheila. 'Blydi hel,' ebychodd. 'Mae'n gwneud synnwyr rŵan.'

'Be?'

'Wel, wsnos diwetha, roedd mam Tom wedi clywed ryw sgwrs ar y radio. Mae hi'n nabod teulu Pantybrodyr, wrth gwrs. Roedden nhw'n trafod y ffilm newydd 'ma ar raglen Shan Cothi, dwi'n meddwl, ac roedd hi'n cyfweld ag Illtyd Astley. Ffoniodd rhyw hen foi o Ddinas Mawddwy i mewn i ddweud mai teulu Pantybrodyr oedd piau'r alaw – eu carol nhw ydi thema'r ffilm newydd. Ond gan eu bod nhw'n darlledu'n fyw, a bod dim tystiolaeth, mi dynnon nhw'r plwg ar yr hen ddyn.'

'Difyr iawn, Sheila.'

'Allai rhywun ladd dros garol plygain?' gofynnodd.

'Mae pobol wedi lladd dros lawer iawn llai o bres. Mae swm fel hwnna'n ddigon i drawsnewid bywyd rhywun.'

'Wyt ti'n siŵr, bòs? Dydi saith deg mil ddim yn ffortiwn y dyddie 'ma.'

'Wel, dwi'n gwybod bod Tom wedi prynu sawl tractor gwerth dwywaith hynny, ond i ni bobol gyffredin, mae'n ffortiwn, Mrs Francis Glantanat.'

'Wyt ti'n dal yn bwriadu mynd i weld ei weddw heddiw, Daf? Mae hi'n dweud ei bod hi'n brysur yn y bore ond yn rhydd ar ôl cinio.'

'Bendant. Oes 'na gopi o'r ewyllys wedi cyrraedd eto?'

'Ar ei ffordd,' atebodd Nev. 'Maen nhw wedi penderfynu ei rhoi hi ar DX.'

'Pam hynny?'

'Achos mai cyfreithwyr ydyn nhw. Roedden nhw'n go benstiff – y dewis oedd gyrru'r ddogfen drwy DX neu'r post, felly mi drefnais efo nhw i'r ddogfen fynd i swyddfa Mrs Gwydyr-Gwynne rhag i ni orfod aros am y post.'

'Roedden nhw'n fodlon ffacsio ei ewyllys fyw o draw i'r ysbyty ddoe,' cofiodd Sheila.

'Dim bwys. Danfon un o'r PCSOs fyny i swyddfa Mrs Gwydyr-Gwynne i'w nôl hi, ac os ga i bum munud sbâr, mi bicia i yma i gael pip arni. Pawb yn hapus?'

'*I'm* hapus, bòs,' atebodd Steve.

'Pwy sy'n delio efo'r wasg?' gofynnodd Sheila. 'Ydyn nhw'n danfon be-ti'n-galw, swyddog y wasg, fyny o Gaerfyrddin?'

'Yn ôl y sôn, mae'r un anfonon nhw tro diwetha wedi mynd ... swydd newydd lawr yn y Bae ... ond mi fyddan nhw'n siŵr o ddanfon rhywun,' eglurodd Daf. 'Ffwrdd â ni, felly. Cadwch mewn cysylltiad, plis. A Steve, rhaid i ti a'r tîm jecio'r fynwent a'r eglwys hefyd.'

'*Eglwys* is church but you've got me on *mynwent*.'

'*Graveyard*. Iawn?'

'Iawn.'

Dewisodd Daf yrru i Aberystwyth gan ddilyn afon Hafren a dros y topiau yn hytrach na mynd trwy Fachynlleth, ond pan welodd y tagfeydd yn y Drenewydd dechreuodd ddifaru. Edrychai ymlaen at weld y ffordd osgoi yn agor, gan fod y traffig wedi bod yn waeth nag arfer yn ystod y broses adeiladu. Ger Aldi, tra oedd yn gyrru tua phum milltir yr awr, gwelodd Daf un o'i ffrindiau ysgol yn cerdded ar y palmant. Agorodd ei ffenest a gweiddi:

'Terry! Ti isie lifft?'

'Jest lawr i'r coleg, os wyt ti'n mynd lawr 'na.'

Trodd Daf i mewn i fynedfa Wynnstay i aros amdano.

'Ti'n deall y galli di, mwy na thebyg, gerdded yno'n gynt?'

'Wrth gwrs, ond dwi'n clemio!' Neidiodd Terry i sedd y teithiwr gan dynnu ei het wlân.

'Car yn cael serfis yn W.R. Davies heddiw,' esboniodd. 'Fel arfer dwi'n lecio mynd am dro bach, ond esgob Dafydd, mae'n brathu heddiw.'

'Gan bo ti yma, Terry, wyt ti'n fodlon ateb cwpl o gwestiynau?'

'Am be, Daf? Dwi'n difaru derbyn lifft gen ti rŵan.'

'Dim byd i wneud efo ti, paid poeni. Dwi jest angen tipyn o wybodaeth ... cefndir os leci di ... ynglŷn ag un o dy gydweithwyr.'

'Mae'r coleg yn eitha mawr, Daf – dwi'm yn nabod pawb.'

'Merch o'r enw Fenws An Ferch Illtyd.'

'Enw od.'

'Mae hi'n lodes unigryw. Dysgu cwrs Cynllunio Gemau Cyfrifiaduron.'

'O, va ti'n feddwl?'

'Ie, dwi'n deall mai dyna be mae hi'n ei galw ei hun.'

'Mae'n hollol swyddogol erbyn hyn – dim ond fel va mae hi'n cael ei hadnabod. Dim priflythyren na dim.'

'Dwi'n gweld.'

'Ond dim jest enw ydi va – dyna ydi ei brand hi.'

'Ei brand? Be mae hynny'n olygu?'

'Mae'n golygu fod ei chwrs yn llawn dop, efo rhestr aros. I'r cogie sy'n hoffi cyfrifiaduron, does neb yn fwy cŵl na hithe.'

'Ydi hi'n athrawes lwyddiannus?'

'Bendant. Dim ond yn ei thrydedd flwyddyn efo ni mae hi, ond roedd canlyniadau ei BTEC cyntaf, y grŵp a orffennodd yn yr haf, yn dda iawn.' Chwarddodd Terry'n awgrymog. 'Mae si yn mynd drwy'r campws ei bod hi wedi addo shagio pob un gafodd *distinction* serennog. Os ydi hynny'n wir, mae hi 'di bod yn brysur iawn dros y gwyliau achos mi gafodd dros ugain ohonyn nhw'r radd ucha.'

'Oes enw ganddi hi, felly, am ... am gam-drin ei myfyrwyr?'

'Ddim o bell ffordd. Dynion ifanc ydyn nhw, cofia Daf, nid plant. Efallai nad oedd 'na wirionedd yn y stori ei bod hi'n eu gwobrwyo nhw efo noson i'w chofio – ond mae'n bosib coelio unrhyw beth amdani hi.'

'Oes ganddi bartner?'

'Dydi va ddim yn rhamantus: mae hi'n disgrifio serch fel "Alzheimer's bwriadol". Mae cariad, medde hi, yn troi pobol gall yn ffyliaid, felly "rhyw adloniannol" mae hi'n ei gael.'

'Wel, Terry, mae'n amlwg fod gen ti ddiddordeb mawr ynddi.'

'Mae hi mor wahanol i bawb arall, Daf. Fel chwa o awyr iach i'n bywydau diflas ni. Ddyle hi ddim bod mewn coleg fel hwn – mae hi'n rhy dalentog.'

'Ydi swyddi'n brin yn y maes yna, felly?'

'Dydyn nhw ddim yn brin i ferched fel hi. Roedd hi ynghlwm â phrosiect mawr yn Aber, prosiect hirdymor yn gwneud ymchwil heriol iawn, ond rywsut mi gollon nhw eu cyllid felly daeth hi yma.'

'Oes ffrindie ganddi ymhlith y staff?'

'Na, ond ei dewis hi yw hynny. Dydi'r merched ddim yn ei hoffi ac mae ganddi hi ddirmyg amlwg tuag atyn nhw. Dynion? Wel, mae hynny'n fater gwahanol.'

'Terry, rhyngddat ti a fi, wyt ti erioed wedi profi'r pleser o "ryw adloniannol" efo hi?'

'Tydi hi ddim wedi cynnig.'

'Ond petai hi'n cynnig ...?'

'Ti 'di cwrdd â hi?'

'Do.'

'Dyna i ti'r ateb felly. Mae hi'n fwy na phoeth, mae hi'n *smoking*!'

'Dwi'm cweit yn cytuno.'

'Daf, ti'n cofio pan oedden ni'n ifanc, yn gwylio *Star Trek* ac yn meddwl mai felly fyddai'r dyfodol? Wel, mae va yn ffantasi, yn ferch o'r dyfodol. Mae hi wedi cael tynnu asennau a chael *boob job*, ond nid i blesio dynion. Roedd hi isie newid ei chorff i'w phlesio'i hun. Mae ganddi hi *chip* o dan groen ei bys sy'n gweithio fel allwedd i bob un o'i gajets, ac mae hi'n eu switsio nhw ymlaen wrth bwyntio atyn nhw.' Ochneidiodd Terry. 'Fyddai dim rhaid iddi hi ofyn ddwywaith, wir, Daf.'

Erbyn hyn roedden nhw wedi cyrraedd maes parcio'r coleg a theimlai Daf yn euog braidd am gorddi teimladau Terry, oedd yn briod a chanddo dri o blant. Ar ôl iddyn nhw ffarwelio, rhedodd Terry yn ôl at y car, gan guro ar y ffenest.

'Paid meddwl 'mod i'n ffôl amdani na dim, Daf – mae pob dyn yn yr adeilad yma'n teimlo jest 'run fath â fi. Mae va wedi creu stŵr fan hyn, yn bendant. O, ac roedd yn grêt gweld y còg acw yn niwrnod agored y coleg wsnos diwetha. *Chap* clên iawn o be welais i.'

Yr ochr arall i'r coleg dechreuodd y traffig ysgafnhau. Wrth deithio'n gyflym lawr i Langurig, cafodd Daf ddigon o amser i fyfyrio ar eiriau Terry. I ddechrau, ac yn hollol ragrithiol i ddyn oedd wedi gadael ei wraig am ddynes arall, roedd Daf braidd yn siomedig ag agwedd ei gyfaill. Lodes glên oedd gwraig Terry, ac roedd teimladau ei gŵr tuag at ei gyd-weithwraig ifanc yn oer ac yn ddiflas. Wedi dweud hynny, roedd hi'n amlwg wedi swyno carfan fawr iawn o'r dynion. Pwy oedd hi, y ferch o'r dyfodol? A beth yn union oedd ei pherthynas â'i thad, oedd yn gorwedd ym marwdy Dr Jarman a gwên annaturiol ar ei wyneb?

Nid oedd Daf yn deall chwaith pam roedd Rhodri wedi mynd i ddiwrnod agored y coleg ac yntau'n bwriadu mynd i'r chweched dosbarth ac yna'r brifysgol. Mae'n rhaid mai cadw cwmni i rai o'i ffrindiau ysgol oedd o, penderfynodd Daf.

Roedd o lai na hanner milltir o Lanbadarn pan ffoniodd Nev.

'Mae'r cyfreithwyr wedi danfon yr ewyllys anghywir. Mewn camgymeriad, medden nhw. Hen ddogfen sy gen i, bòs, o'r nawdegau. Maen nhw wedi ymddiheuro ond ro'n i'n meddwl, os oes deg munud rhydd gen ti ...'

'Mae gen i hen ddigon o amser, Nev. Mi bicia i draw i'w swyddfa nhw i weld be sy.'

Fel miloedd o gyn-fyfyrwyr, roedd Daf yn hoff iawn o Aber. Ar ôl llwyddo i ddarganfod lle i barcio, cerddodd i lawr y prom a rhoi cic go dda i'r bar cyn troi ei gefn ar y môr llwyd er mwyn chwilio am swyddfa Garton, Gethin, Hughes. Dywedodd ei ffrind, Dr Mansel, wrtho un tro fod symudiad y môr yn creu trydan positif yn yr awyr ac mai dyna pam roedd pobol yn teimlo'n fwy positif wrth y glannau. Doedd Daf ddim yn gwybod digon i allu dadlau yn erbyn ei theori, ond roedd yn rhaid iddo gyfaddef bod y môr wastad yn codi ei hwyliau.

Tu ôl i ddesg fawr derbynfa Garton, Gethin, Hughes roedd dynes yn ei chwedegau, wedi ei gwisgo'n smart.

'Bore da,' dechreuodd Daf, gan sylwi ar yr arwydd bach ar y wal yn datgan fod y cyfreithwyr yn hapus i gyfathrebu yn y Gymraeg. 'Y Prif Arolygydd Daf Dafis ydw i, o Heddlu Dyfed Powys. Dwi'n ymchwilio i farwolaeth amheus un o gleientiaid Garton, Gethin, Hughes.'

Doedd dim angen sgiliau ditectif craff iawn i sylwi ar y newid yn ei hwyneb. Llanwodd ei llygaid â phryder ... ofn, hyd yn oed.

'Illtyd Astley?' gofynnodd mewn llais gwan.

'Ie. Pwy oedd yn gyfrifol am ei faterion busnes?'

'Mr Huw Howyn-Jones.'

'Felly efo Mr Huw Howyn-Jones dwi angen siarad. Mae'n bwysig.'

'Wrth gwrs. Eisteddwch i lawr. Paned?'

'Diolch.'

Tra oedd o'n aros, syllodd Daf drwy ffenest tuag at y môr, yn union fel y gwnaeth flynyddoedd ynghynt o ffenestri'r llyfrgell yn adeilad Hugh Owen ar y bryn. Hyd yn oed yng nghanol gaeaf, roedd lliwiau amryliw y dŵr symudol yn hyfryd, ac yn gyferbyniad ffres i'r tirlun barugog.

'Mae Mr Howyn-Jones ar ei ffordd lawr,' meddai'r dderbynwraig, gan agor drws mewnol efo'i phenelin gan ei bod yn cario ffeil yn un llaw a chwpan a soser yn y llall. Gollyngodd hanner y te ar lawes siaced Daf.

'O, dwi mor sori, mor sori.'

'Peidiwch â meddwl ddwywaith am y peth. Dwi wastad yn gwisgo dillad yr un un lliw â the, rhag ofn.'

Rhedodd y ddynes nerth ei thraed i'r tŷ bach i nôl tyweli papur i sychu siaced Daf, gan adael y ffeil ar ei desg. Ac yntau'n poeni dim am ei siaced, manteisiodd Daf ar ei habsenoldeb i bori drwy'r ffeil. Agorodd y drws mewnol eto a chododd Daf ei ben i weld dyn tal, moel mewn siwt ddrud yn syllu arno.

'Sori, Mr Howyn-Jones, mi wnes i ollwng te ar y Prif

Arolygydd Dafis, a ...' meddai'r dderbynwraig o'r tu ôl iddo.

'Mrs Wilson,' atebodd y cyfreithiwr mewn llais sych, 'well i chi fynd adre, dwi'n meddwl. Mae'n amlwg nad ydych chi wedi dod dros y sioc.'

Nodiodd ei phen ac, wrth roi'r tyweli papur i Daf, cododd ei chôt a'i bag oddi ar y bachyn a sleifiodd drwy'r drws ffrynt heb air arall.

'Mae'n anodd iddi hi, Chief Inspector. Gŵr ei merch oedd Mr Astley.'

'Dwi'n gweld.'

'Dewch i'm swyddfa i, i ni gael sgwrs go iawn.'

Nid sgwrs go iawn oedd hi, yn nhyb Daf. Gan fod y cyfreithiwr yn dewis ei eiriau mor bwyllog ofalus, ddysgodd Daf fawr ddim. Dim ond unwaith y gwelodd Daf y mwgwd proffesiynol yn llithro – a hynny pan adroddodd Daf hanes yr ewyllys anghywir a anfonwyd.

'Hollol annerbyniol, Mr Dafis. Mae'n wir ddrwg gen i. Mae pwy bynnag a ymatebodd i'ch cais wedi disgyn islaw'r safon a ddisgwylir gan y cwmni hwn.'

'Mae pob un ohonon ni'n gwneud camgymeriad bob hyn a hyn, Mr Howyn-Jones. Os oes copi o ewyllys bresennol Mr Astley yn y ffeil yma, fe fydd popeth yn iawn.'

'Fel arfer, ar ôl popeth sy wedi digwydd yn y teulu yna, dwi'n ceisio sicrhau nad yw Mari Wilson yn dod yn agos at waith papur Mr Astley.'

'Dwi'n deall.'

'Wrth gwrs, roedd yn anodd i ni, fel pobol broffesiynol, dderbyn beth ddigwyddodd rhwng y diweddar Mr Wilson a Mr Astley, ond roedd o'n ddyn sâl iawn ar y pryd. Ac wrth gwrs, roedden nhw fel teulu yn dibynnu'n llwyr ar gyflog Mrs Wilson. Ac i roi perffaith chwarae teg iddi, mae ei hymddygiad yn y gweithle wastad wedi bod yn broffesiynol tu hwnt.'

'Be ddigwyddodd rhwng Mr Wilson a Mr Astley?'

'Wel ... tydw i ddim yn torri cyfrinachedd wrth ddweud wrthoch chi ... roedd yn fêl ar fysedd trigolion Aberystwyth am gyfnod. Roedd Mr Astley yn darlithio, yn yr Adran Astudiaethau Gwerin, pan ddaeth Mr Wilson i mewn ac ymosod arno. Doedd o ddim yn cymeradwyo'r berthynas rhwng Mr Astley a'i ferch, mae'n amlwg.'

'Gafodd Mr Wilson ei erlyn?'

'Doedd Mr Astley ddim yn fodlon tystio yn ei erbyn. Dyn gwael iawn oedd Mr Wilson ar y pryd, yn diodde o ganser difrifol, mesothelioma. Bu farw ymhen chwe mis.'

'Teulu lleol?'

'Mae gwreiddiau Mrs Wilson yn yr ardal, ond yn y Cymoedd roedden nhw'n byw nes iddo fynd yn sâl. Roedden nhw'n gobeithio y byddai gwynt y môr yn gwneud lles iddo fo. Ond wnaeth o ddim, yn y pen draw.'

'Diolch yn fawr am y cefndir, Mr Howyn-Jones. Nawr 'te, beth am ewyllys gyfredol Mr Astley?'

Ochneidiodd y cyfreithiwr, ac edrych ar ei watsh.

'Mae gen i gleient ymhen pum munud, Mr Dafis, ond mae'n werth i chi gofio pa mor ecsentrig oedd Illtyd Astley. Roedd yn rhaid ei atgoffa weithiau ei fod yn byw yn yr unfed ganrif ar hugain. Roedd ei fywyd personol yn ... yn gymhleth. Mel Wilson oedd ei ail wraig, ond cafodd sawl perthynas rhyngddi hi a'i wraig gyntaf. Felly, ar gyfer ei ewyllys, dewisodd eirfa hen ffasiwn, y math o eirfa does neb arall yn ei defnyddio'r dyddie yma.'

'Roedd o'n ddyn cyfoethog?'

'Rydyn ni'n ymwneud ag ystadau mawr yn rheolaidd, Mr Dafis, ac mewn cymhariaeth â rhai o'n cleientiaid eraill, nid oedd Mr Astley yn ddyn cefnog. Ond roedd o wedi prynu hanner dwsin o dai yn y dref, i'w gosod i fyfyrwyr; roedd ei eiddo yn Nyffryn Aeron yn un sylweddol, ac ers dwy flynedd roedd yr arian yn llifo i'r cyfrif hawlfraint. Fel arfer, dim ond ychydig gannoedd roedd o'n ennill o'i lyfrau. Wrth gwrs, roedd o'n cael cyflog gweddol dda gan S4C ond dwi erioed wedi cwrdd â miliwnydd a wnaeth ei ffortiwn o'r ffynhonnell honno. Yn ddiweddar, gwerthodd alaw i rywun draw yn America, ac enillodd hynny swm sylweddol iddo. Dyna pam y daeth o'n ôl aton ni chwe wythnos yn ôl, i newid ei ewyllys.'

'Sut newidiadau wnaeth o?'

'Rhai oedd yn golygu na fyddai ei wraig bresennol yn elwa cymaint, mae'n ddrwg gen i ddweud. Cyn hynny, hi oedd i gael y gyfran fwyaf o'i gyfoeth, ond mae hynny wedi newid. Nawr, ar ôl rhoi rhodd sylweddol mewn arian parod i ryw ddynes o'ch ardal chi, Mr Dafis, ar amodau braidd yn od, mae ei eiddo i gyd i fynd i – a dyma i chi'r eirfa hen ffasiwn – "etifeddion fy nghorff a genhedlwyd yn gyfreithlon ar gorff fy ngwraig briod gyfreithlon". Mae'n anghyffredin iawn i neb sôn am fastardiaeth y dyddiau hyn, Mr Dafis.'

'Beth mae hynny'n ei olygu, yn union?'

'Bydd ei ferch, Fenws An, yn etifeddu stad gwerth tua thair miliwn. Os nad yw'r Mrs Astley bresennol yn feichiog, wrth gwrs.'

'Ond dwi'n siŵr fod gan y wraig hawl ar y stad mewn achos fel hwn, oes?'

'Dyw'r ddeddf, sef yr Inheritance (Provision for Family and Dependants) Act 1975 ddim ond yn rhoi hawliau i wragedd sy wedi bod yn briod â'u gwŷr ers dros ddwy flynedd. Mynychais briodas Illtyd Astley a Mel Wilson, fel ffrind i'r teulu, dros y Flwyddyn Newydd yn 2015.'

'Difyr.'

'Deddf ddoeth, yn fy nhyb i. Mae gan ddyn hawl i roi ei eiddo fel y myn, ac eithrio'i ddyletswydd i'w deulu. Does ganddo ddim llawer o ddyletswydd i ferch fel Mel, oedd wedi chwilio am drefniant dros dro gyda dyn efo gwendid am wynebau hardd.'

'Ond roedd hi'n wraig iddo fo.'

'Oedd. A chyn hynny roedd ganddo bartner arall, ac yn y blaen. Dim ond unwaith yn ei fywyd mae Mr Astley wedi creu unrhyw beth tebyg i deulu, a gydag Enid oedd hynny.'

'Ac ... y fflings eraill?'

'Chawson nhw ddim math o ddylanwad ar ei ewyllys.'

‘Diolch yn fawr am eich amser, Mr Howyn-Jones. Bydd y ffeil yn ôl yma ymhen cwpl o ddyddie.’

‘Dwi’n falch o allu helpu, ac mae’n wir ddrwg gen i am y busnes efo’r ewyllys arall.’

‘Fel dwedes i, gall unrhyw un wneud camgymeriad.’

Ond ar ei ffordd i lawr y staer, gwyddai Daf nad camgymeriad oedd o. Roedd rhywun yn swyddfa Garton, Gethin, Hughes am arafu’r ymchwiliad – ond pam? Efallai mai yn Nyffryn Aeron y câi’r ateb.

Pan oedd y plant yn ifanc, bydden nhw fel teulu yn arfer mynd am dro bach i’r traeth – Ynyslas neu Aberdyfi fel arfer. Ond pan gyrhaeddodd Carys ei harddegau, datblygodd Falmai ryw obsesiwn ag Aberaeron. Yn nhyb Falmai, roedd rhywbeth braf am bopeth a ddeuai o’r dref – roedd hyd yn oed y petrol o’r garej gyferbyn â’r troad i Lambed yn well nag unrhyw danwydd arall. Pob siop yn llawn nwyddau chwaethus, pob tafarn yn cynnig gwledd o gynnyrch lleol. O ganlyniad, roedd Daf wedi dod i gasáu’r lle fwyfwy wrth i’w briodas dynnu at ei therfyn. Ond erbyn hyn gallai weld y dref yn glir heb ragfarn, yn berl o le oedd yn croesawu’r byd a dathlu ei Gymreictod ar yr un pryd.

Fel arfer byddai Daf yn stopio am baned pan fyddai’n pasio trwy Aberaeron, ond heddiw doedd ganddo ddim amser. Prynodd bastai o’r garej Murco a pharciodd mewn cilfan er mwyn darllen yn union beth roedd Illtyd Astley wedi penderfynu ei ewyllysu i Miriam Pantybrodyr.

Yn amlwg, roedd Astley wedi mwynhau geirio’r ddogfen, a mwynhau’r syniad fod ganddo rym o’r tu hwnt i’r bedd. Roedd y rhestr o’i ddymuniadau olaf yn hir ac yn hirwyntog. Fel awdur, roedd y sgiliau ganddo i ddefnyddio’r gair perffaith yn y lle perffaith, ond hefyd, roedd ystyr y tu ôl i bob llinell.

Roedd y ddogfen yn gosod amserlen, ac amodau. Petai Mel yn parhau’n wraig iddo am ddeng mlynedd, byddai’n derbyn rhan o’i bensiwn, i gynyddu bump y cant bob blwyddyn hyd at hanner y pensiwn. Enid fyddai’n derbyn yr hanner arall, a’r cyfan pe byddai Illtyd yn marw cyn bod yn ŵr i Mel am ddegawd. Hefyd, petai'n marw cyn ymddeol, Enid fyddai'n derbyn y taliad marwolaeth mewn gwasanaeth. Danfonodd Daf neges tecst i Nev: byddai'n rhaid ymchwilio i sefyllfa ariannol Enid. Sut wahaniaeth fyddai pensiwn Illtyd yn ei wneud iddi hi? Digon i drawsnewid ei bywyd?

Wedyn, Miriam. Roedd cyfanswm o £70,000 i gael ei dalu iddi hi petai Illtyd yn marw cyn *premiere* y ffilm *Eye's Apple*. Hefyd, roedd Astley yn trosglwyddo 75 y cant o hawliau thema'r ffilm iddi hi, ar un amod – ei bod yn addo canu 'Y Gwir yn y Gwair' yng ngwasanaethau plygain Sir Drefaldwyn o leiaf deirgwaith bob blwyddyn, os byw ac iach. Roedd rhywbeth yn fwy na hen ffasiwn am ewyllys Illtyd Astley: roedd hi'n ddogfen ystrywgar oedd â'r bwriad o greu trafferthion. Cofiodd Daf ei sgwrs olaf efo Astley. Casglu straeon oedd o, fel roedd o wastad yn ei wneud, ond hefyd roedd yn ceisio plesio Daf er mwyn sicrhau ei gyfraniad i'w brosiect newydd. Doedd ganddo ddim smic o ddealltwriaeth na pharch tuag at Daf na'i deulu, ond, ar ôl deng munud, roedd wedi gwneud i Daf deimlo fel hen ffrind iddo. Casglu pobol oedd o, nid yn unig eu straeon, fel yr oedd pobol yn arfer casglu ieir bach yr haf i'w rhoi mewn ffrâm, o dan wydr. Hyfryd i edrych arnyn nhw, ond yn cael eu lladd er mwyn creu'r casgliad.

Synnodd Daf, wrth yrru drwy'r dyffryn hardd, ei fod wedi treulio tair blynedd yn byw mor agos i'r ardal heb fentro yno fwy na chwpl o weithiau. Trodd i lawr wtra gul oedd yn cael ei gwarchod gan res o goed bedw noeth, yn awgrym o statws y tŷ oedd wedi ei guddio tu hwnt. Pan gafodd Daf ei gip cyntaf ar y lle, stopiodd y car – yng nghanol y dolydd a ger yr afon, safai mewn llecyn bendigedig. Gwelsai Daf sawl tŷ mawr a chrand yn ei ddydd ond doedd o erioed cyn hyn wedi teimlo'r fath genfigen. Roedd yn gartref perffaith i Gymro cyfoethog, ei dalcen cerrig wedi'i beintio'n wyn ac yn edrych dros y dyffryn. Roedd un ffenest uwchben y drws yn siâp gwahanol i'r lleill, a bwa pigfain ar ei thop, fel petai rhyw hen ficer wedi ei dwyn o'i eglwys. Sylwodd Daf ar res o ffenestri yn y to – doedd neb yn y tŷ hwn yn baglu dros sedd car babi bob pum munud. Petai o'n fodlon llyfu tin rhyw fymryn a chydweithio yn lle tynnu'n groes o hyd, myfyriodd Daf, byddai ganddo siawns go dda o gael ei ddyrchafu, lawr i'r pencadlys, efallai. Gallai brynu tŷ fel hwn ar gyflog dirprwy brif gwnstabl; mwynhau swper yn yr Harbourmaster efo Gae bob nos Wener a nosweithiau diwylliannol yn Aber neu Lambed yn ôl ei ffansi. Wedyn, cofiodd am bobol Llanfair, yr hwyl ar y stryd noson y carnifal, y gofal gafodd ei dad yng nghartref Hafan Deg, y basgedi llawn bwyd a adawyd ar y trothwy am wythnosau ar ôl genedigaeth Mali Haf, ac anghofiodd am fywyd Ceredigion.

Agorodd Mel y drws cyn iddo guro.

'Mr Dafis? Dewch i mewn.'

Fel y diwrnod cynt, roedd hi'n gwisgo dillad Joules o'i chorun i'w sawdl. Rywsut, doedd y lliwiau llachar ddim yn addas i un a wnaed yn weddw mor ddiweddar, ond roedd ei hymarweddiad yn dawel ac yn gwrtais.

'Oeddet ti'n iawn neithiwr?'

'Am be chi'n sôn?'

Dim ond eisiau holi oedd Daf a gawsai gwmni'r noson cynt, ond roedd Mel yn amddiffynnol.

'Ddaeth dy fam draw?'

'Do, diolch. Yn yr ysbyty ro'n i'n ceisio bod yn ... drefnus, ond mae'n dal yn andros o sioc i mi.'

'Dwi'n siŵr.'

Tu ôl i'r drws llydan roedd cyntedd mawr â waliau melyn calchog. Roedd llun enfawr o'r pregethwr Hywel Harris yn gwylio dros bob un a ddeuai dros y trothwy, ac ar wal arall roedd rhes o fframiau bach yn llawn ieir bach yr haf a chwilod.

'Mae'r rhain yn hardd,' sylwodd Daf.

'Mae'n gas gen i'r cyfan,' atebodd Mel yn swta. 'Ben bore fory mae dyn o'r cwmni arwerthwyr yn Amwythig yn dod draw i brisio'r cyfan. Neu sgip amdani.'

'Ai ti sy biau holl eiddo Illtyd, felly? Wnaeth o ddim gadael rhai pethau i Fenws An?'

'Byddai hi'n eu malu nhw beth bynnag.'

'Awn ni i eistedd?'

Trodd Mel ei chefn ar Daf a'i arwain i'r lolfa. Yno, roedd cymysgedd o ddylanwadau, a'r modern ymysg hen bethau. Sylwodd Daf yn syth ar lun enfawr o flodau ac wyneb gwelw plentyn yn pipian drwy'r deiliach. Gwaith cyfarwydd, a gwaith drud i'w brynu hefyd, nododd. Yn atseinio lliwiau'r llun roedd *chaise longue* mewn defnydd cyfoes, efo dau glustog du arni. Hyd yn oed i philistiad fel Daf, roedd yr effaith yn hyfryd. Roedd rhywun â chwaeth dda wedi addurno'r lle. Dilynodd Mel lygaid Daf.

'Y ffansi o 'mlaen i gynlluniodd y cyfan.'

'Beth oedd ei henw hi?'

'Lauren, dwi'n meddwl. Wedi mynd 'nôl i Loegr ers dipyn nawr.' Eisteddodd Mel ar un o'r cadeiriau, a golwg feddylgar ar ei hwyneb.

'Mel, wyt ti wedi gweld ewyllys Illtyd?'

'Do.'

'Felly pam wyt ti'n siarad fel petaet ti'n berchen ar y lle? Aer Illtyd yw Fenws An.'

'Nage wir. Mae pob un o blant cyfreithlon Illtyd yn rhannu ei stad. A 'wy'n feichiog.'

Rhoddodd ei llaw ar ei bol, ond yn llawer uwch na'i chroth.

'Llongyfarchiadau, Mel.'

'Wel, dyw'r sefyllfa ddim yn ddelfrydol, wrth gwrs, ond gyda help Mam fe fydda i'n dod i ben.'

'Faint o wythnosau, os ga i ofyn?'

'Newydd sylwi ydw i.' Snwffiodd. 'Ches i ddim dweud wrth Tyds. Wnes i brawf echdoe.'

'Sut oedd pethe rhwng dy ŵr a tithe, Mel?'

'Iawn.'

'Iawn? Ddim yn grêt?'

'Dyn cymhleth oedd e. A dyn ofnadwy o brysur hefyd,

cymaint o wahanol brosiectau ar y gweill o hyd. Os y'ch chi'n dewis priodi dyn fel fe, chi ddim yn mynd i gael y bywyd Siôn a Siân ystrydebol, perffaith.'

'Ond, oeddet ti'n hapus?'

'Drychwch ar y lle 'ma, Mr Dafis. Mae e'n baradwys.'

'Ti byth ... yn teimlo'n gaeth yma? Fel yr ieir bach yr haf yn y cyntedd?'

'Y pili palas 'na? Dim peryg. Fe fues i'n gaeth am gyfnod, ar ôl symud i ardal Aber. Oedden ni'n byw ar dop Penparcau, yn nabod neb, ac roedd Dad yn sâl, wrth gwrs.'

'Dyna pam wnaethoch chi symud i'r ardal?'

'Ie, i fod. Wnaeth awel y môr fawr o wahaniaeth i'r canser, a dweud y gwir.'

'Ddrwg gen i.'

'A finne 'fyd. 'Wy ddim cweit mor sicr am Mam.'

'Pam hynny?'

'Hi oedd yn gwneud y gwaith nyrsio. Chi'n iawn, Mr Dafis – ro'n i'n falch o gael dianc o'r sefyllfa. Dim ond ni mewn tŷ bach diflas ar stad ddiflas, Dad yn diodde, Mam yn ofidus bob eiliad a finne'n nabod neb. Fe welais gyfle, ac os y'ch chi'n fy meio i am hynny, ewch i grafu.'

'Beth am gariad Illtyd ar y pryd?'

'Mae hi wedi hen fynd. Wedi gadael – a 'wy ddim yn ei beio hi am hynny chwaith. Dyn od oedd Tyds. Roedd ochr hawddgar a chlên iawn iddo fo, ond ...'

'Ond be?'

'Chi'n gofyn i mi ladd ar fy ngŵr annwyl, Mr Dafis? Rhag cywilydd ichi.'

'Mel, gwranda. Mae Illtyd wedi marw, wedi cael ei ladd. Mae gen i ddyletswydd i ddarganfod yn union pa fath o ddyn oedd o, a phwy oedd yn dal dig yn ei erbyn. Efallai nad ydi cyfrinachau'ch priodas yn berthnasol o gwbl ond mae'n rhaid i mi greu darlun clir. Dwi'm isie busnesa, ond ar y llaw arall, dwi angen y gwir.'

Cododd Mel ar ei thraed a cherddodd at y ffenest i edrych i lawr ar yr ardd.

'Dwi am aros fan hyn, os alla i. Petai va yn cymryd y tai yn Aber a finne'n cadw fan hyn, fe fydden ni'n sgwâr. Fi sy wedi bod yn eu rheoli nhw ers blynyddoedd nawr ac mae'n dipyn o waith. Mae'n gas gen i fyfyrwyr – baw isa'r domen, wir.'

'Ond fuest ti yn y coleg?'

'Naddo. Ddechreues i weithio pan o'n i'n un ar bymtheg oed.'

'Ro'n i wedi cymryd mai yn y coleg y cwrddest ti ag Illtyd?'

'Na. Gweithio yn swyddfa ei gyfrifydd o'n i. Mae'n well ganddo ferched y dre na merched coleg ... roedd diffyg hyder wastad yn *turn on* iddo fe.'

Ymunodd Daf â hi wrth y ffenest a syllodd ar y lawntiau barugog a'r iâ trwchus dros y pwll.

'Mel, weithie ti'n siarad amdano fel petaet ti'n ei gasáu, ond ar y gwynt nesa ti'n anfodlon siarad yn blaen. Os oes rhaid, mi alla i holi pawb sy'n dy nabod di am gyflwr dy briodas, ond byddai'n llawer haws petaet ti'n fodlon bod yn fwy agored efo fi.'

Byseddodd Mel ddefnydd un o'r llenni fel petai'n asesu gwerth y melfed.

'Roedd Tyds yn garedig iawn 'da fi, ac yn onest. Roedd o'n fodlon cyfadde mai fy ieuenctid sbardunodd ei ddiddordeb. Jest dros fy neunaw oeddwn i pan ... wel, roedden ni'n canlyn am gwpl o flynyddoedd. Gwrandwch, chi isie cerdded yn yr ardd am sbel?'

'Iawn,' atebodd Daf, yn cofio'i fod wedi gadael ei fenig ym mhoced y gôt a wisgodd i'r plygain.

Wrth ddilyn Mel allan drwy'r drws cefn, gwelodd Daf fwy o'r tŷ. Doedd y gegin ddim cystal â'r un yn Neuadd ac roedd yr hen grât ddu a'r pantri yn rhoi naws Sain Ffaganaidd iddi, ond ni welodd Daf arwyddion fod llawer o goginio'n digwydd yno. Cofiodd sylw Sheila am y lle: yn debycach i set ar lwyfan na chartref.

Hyd yn oed a hithau'n brynhawn, roedd hi'n dal i rewi. Cuddiodd Daf ei ddwylo yn ei bocedi rhag yr oerni ond, yn amlwg, roedd Mel wrth ei bodd. Ar ôl munud neu ddau yn yr awyr iach roedd ei bochau wedi cochi a daeth sglein deniadol i'w llygaid.

'Chi'n gwybod pa mor hen ffasiwn oedd o, Mr Dafis?'

'Roedd o wastad yn parchu hen draddodiadau, wrth gwrs.'

'Yn cynnwys ei agwedd tuag at ferched.'

'Tydi newid dy bartner mor aml ddim yn hen ffasiwn iawn.'

'Chi ddim yn deall y sefyllfa o gwbl. Roedd o'n ŵr i Enid am flynyddoedd, ac yn ffyddlon iddi tan iddo gyfarfod Nolwenn. Chwalodd hi bopeth, torri calon Tyds, ac allai e ddim cyd-fyw ag Enid wedyn. Roedd yr euogrwydd yn ormod iddo fe. Wedyn, ar ôl chydig, fe gwrddodd â Nina, merch ddaeth draw o'r Wladfa i weithio yn yr Adran. Dychwelodd hi i'r Ariannin ar ôl llai na blwyddyn. Yn siop Canolfan y Celfyddydau y daeth e ar draws Lauren. Arhosodd hi 'da fe fan hyn am dair blynedd cyn rhedeg bant 'da'r garddwr. Clasur o stori Lady Chatterley.'

'Felly doedd Illtyd ddim yn ferchetwr – dyna ti'n ddweud?'

'Ddim o bell ffordd.'

'Ond ers iddo adael ei wraig, cafodd berthnasau efo merched llawer iau na fo?'

'Peidiwch â dweud nad y'ch chi'n deall, Mr Dafis. Mae pob dyn dan haul yn lico merched iau.' Am y tro cyntaf, roedd tinc nawddoglyd yn llais Mel.

Ffurfiodd brawddeg amddiffynnol yng ngheg Daf, ond penderfynodd ildio. 'Debyg iawn.'

'Felly, gan ei fod yn ddyn sengl â digon o arian yn ei boced, roedd yn hollol naturiol iddo fe edrych i gyfeiriad rhywbeth llawer mwy ffres na'r hen wrach 'na, Enid.'

'Gair rhyfedd yw "ffres", Mel. Dwi'n defnyddio'r gair i ddisgrifio wyau, nid pobol.'

Erbyn hyn roedd Mel ac yntau wedi cyrraedd glan y pwll, pant yn y tir ar y ffin rhwng y lawntiau ffurfiol a'r goedwig. Ar un ochr i'r dŵr roedd glaswellt llyfn ond o amgylch hanner arall y pwll, dan gysgod coed mawr, tyfai nifer fawr o blanhigion tal a chwlwm o ffrwythau bach pigog arnyn nhw. Plygodd Mel a chododd garreg.

'Roedd agwedd Tyds yn Fictorianaidd. Roedd e'n disgwyl caru morwyn.' Lluchiodd y garreg i'r pwll a chwalodd yr iâ yn sitrwns.

'Be? Yn yr unfed ganrif ar hugain?'

'Dyna oedd ei flas e. Roedd e'n hoff iawn o ... roi gwersi, ac nid dim ond yn ei ddarlithoedd ond yn ei wely hefyd.'

'A sut oeddet ti'n teimlo am hynny, Mel? Mae'n swnio braidd yn ych-a-fi i mi.'

'Doedd dim llawer gen i i'w gynnig iddo. Fe oedd yr un â'r statws, yr arian a'r cartre ffantastig. Dim ond fy niniweidrwydd oedd gen i. Bargen, felly. Roedd e wastad yn dweud fod yn gas ganddo gymryd gwraig oedd wedi cael ei sbwylio gan rywun arall.'

'Sbwylio?'

'Ie. Hefyd, petai e'n fy nysgu, fe fyddwn i'n siŵr o ddatblygu chwaeth debyg iddo fe, sy'n rysáit am hapusrwydd.'

Beth bynnag arall oedd o, roedd Daf yn ddigon o ffeminist i gasáu'r syniad o hen ddyn yn hyfforddi merch ifanc i fod yn bartner rhywiol perffaith iddo.

'A sut oedd pethau, yn y pen draw?'

'Wn i ddim. 'Sda fi ddim i'w gymharu 'da fe.'

'Wel,' mentrodd Daf yn ofalus, 'oeddet ti'n edrych mlaen i fynd lan staer bob nos?'

Cododd Mel ei hysgwyddau. 'Weithie. Weithie ddim. Ond drychwch o'ch cwmpas, Mr Dafis. Wnes i fargen. Ro'n i'n cael byw fan hyn, 'da cymaint o bethe braf o'm cwmpas – allen i ddim disgwyl iddo fod yn stalwyn hefyd. Roedd e'n gwneud y tro, ocê?'

'Ac roeddech chi'n ceisio am fabi?'

'Ddim cweit. Roedd yn wahanol iddo fe – roedd 'da fe blentyn yn barod, hyd yn oed os yw hi'n lloerig.'

'Beth bynnag, mae babi ar y ffordd.'

'Oes. Ro'n i'n bwriadu dweud wrtho fe ar ôl iddo ddod gartre o blygain Dolanog. Ond ... ddaeth e ddim yn ôl.'

'Pryd glywaist ti am salwch Illtyd?'

'Ben bore wedyn. Es i i'r gwely tua hanner awr wedi naw, a throi fy ffôn bant.'

'Braidd yn gynnar.'

Cododd Mel ei hysgwyddau unwaith eto.

'Doedd dim llawer i 'nghadw i lawr staer. 'Wy'n mwynhau cysgu.'

Erbyn hyn roedd y ddau ohonynt wedi troi yn ôl at y tŷ. Agorodd Mel ddôr bren yn y wal gerrig oedd yn arwain i'r clos y tu ôl i'r tŷ. Gyferbyn â drws cefn y tŷ roedd sgubor fawr garreg wedi'i hadnewyddu fel bod drysau gwydr llydan yn arwain iddi.

'Be 'di hwn?' gofynnodd Daf.

'Llyfrgell. Dyma lle roedd e'n arfer gweithio.' Tynnodd Mel fwnsiaid mawr o allweddi o boced ei siaced gwiltiog, rhai ohonynt yn gyfoes ac eraill yn rhai mawr, hen ffasiwn.

Ailgododd cenfigen Daf fel chwd wrth iddo gerdded drwy'r llenni melfed trwm i ystafell fawr oedd â silffoedd llyfrau o'r llawr i drawstiau trwchus y nenfwd. Ar un wal sylwodd ar stof losgi coed enfawr, a gyferbyn â'r stof roedd balconi efo cwpl o gadeiriau cyfforddus. Dychmygodd Daf ymlacio yno ar bnawn Sul, yn darllen mewn perffaith heddwch. O dan y balconi roedd dau ddrws derw bychan. Tu ôl i un o'r drysau roedd ystafell gawod, a thu ôl i'r llall roedd ystafell fach heb ffenest, wedi ei leinio â phaneli lladd sŵn. Roedd desg gymysgu fach, sawl meicroffon a silffoedd llawn CDs, nifer fawr ohonynt mewn cloriau gwyn a'r teitlau wedi eu hysgrifennu arnynt â llaw. Yn y gornel roedd sinc fach a chwpwrdd o bren pinwydd ac arno hambwrdd, sawl mŵg a thegell. O dan y ffenest roedd gwely soffa a'r dillad gwely yn dal i fod arno.

'Pwy sy'n cysgu fan hyn?' gofynnodd Daf.

'Tyds. Fe fyddai e'n aros fan hyn pan oedd e'n gweithio'n hwyr.'

'Oedd o yma nos Sadwrn?'

'Oedd.'

Agorodd Daf ddrôr y cwpwrdd. Sawl llwy de, siswrn a phecyn bach papur a chyfeiriad meddygfa yn Aberaeron arno. Yn ofalus, gan ddefnyddio'i hances fel na fyddai'n gadael ôl ei fysedd ar y papur, agorodd y pecyn. Tu mewn roedd pecyn arall, un glas a gwyn ac un gair arno: Sildenafil. Rhoddodd Daf y pecyn yn ôl yn ei le.

'Roedd Illtyd yn sâl, Mel?'

'Pam chi'n gofyn gymaint o gwestiynau?' Roedd ei bochau'n fflamio. 'Mae fy ngŵr i wedi cael ei ladd, ac yn lle dal y llofrudd, chi'n fy mwydro i tan 'wy o 'nghof!'

'Mae'n gwestiwn digon syml. Mi alla i gŵglo Sildenafil yn go hawdd.'

Syllodd Mel ar y llawr, gan osgoi llygaid Daf. ''Wy wedi dweud nad stalwyn o'dd e. Wnes i ddim cwyno erioed, ond ... Wel, Sildenafil yw'r cyffur generig chi'n ei gael gan feddyg – mae Viagra'n rhy ddrud i'w roi ar y gwasanaeth iechyd.'

'A sut oeddet ti'n teimlo am y peth?'

'Well, o'dd e'n well o lawer na'r *shit* gafodd e gan yr *herbalist* 'na. Roedd yn rhaid i mi gymryd y stwff hwnnw 'fyd.'

'Ac oedd o'n gweithio, y driniaeth gafodd o gan y meddyg?'

Cododd ei hysgwyddau unwaith eto. 'Weithie. Weithie roedd e jest yn troi'n goch fel betys.'

'Mel, den ni'n sôn am dy briodas rŵan, nid rhyw fater dibwys.'

'Falle mai mater dibwys *oedd* fy mhriodas.'

'Lodes, mae'n amlwg i mi nad oeddet ti'n hapus o gwbl.'

'Ffor ffyc's sêc, Mr Plismon,' atebodd, ei llais wedi codi'n sgrech, bron. 'Y'n ni byth yn ffycin hapus. Bob un ohonon ni – rhaid i ni wneud cyfaddawd ar ôl cyfaddawd, jest i gael byw. Os y'n ni ferched yn gweithio, ni byth yn cael ein talu'n iawn. Ac ar ôl i ni gael eich plant chi, ry'ch chi'n ein gadael ni am buteiniaid ifanc. Neu, ac mae hyn yn waeth, ry'ch chi'n troi'n chwerw a throi'n deyrn ar eich teuluoedd, yn chwalu plentyndod y plant.' Cymerodd Mel anadl ddofn. 'Fe ddes i o hyd i ddyn eitha neis oedd yn gadael i mi fyw fan hyn 'sen i'n gadael i'w fysedd bach tewion grwydro dros fy nghroen i. Nawr, wnewch chi ffycio ffwrdd?'

Roedd ei llygaid yn llosgi a'i chorff yn crynu gan ddicter, a dechreuodd Daf ystyried am y tro cyntaf y gallai Mel fod yn llofrudd.

'Rhaid i ni siarad eto, ond dwi'n deall dy fod ti 'di blino.'

''Sai wedi blino, 'wy'n gynddeiriog, sy'n hollol wahanol. Ewch o'ma nawr.'

'Dwi jest isie mynd drwy beth ddigwyddodd ddydd Sul. Ble oedd Illtyd yn cysgu?'

Martsiodd Mel drwy'r drws i'r ystafell fawr a thywys Daf i fyny i'r balconi. Suddodd i un o'r cadeiriau cyfforddus ac eisteddodd Daf yn y llall.

'Oeddech chi'n darllen fan hyn efo'ch gilydd?' gofynnodd yntau, yn teimlo rhyw sentimentaleiddrwydd annisgwyl.

''Sai'n hoff o lyfrau.'

'Awn ni drwy'r penwythnos?'

'Ddydd Sadwrn, es i fyny i Morrisons yn Aber, wedyn i Ultracomida am chydig o tapas.'

'Ar ben dy hun?'

'Ie. Ro'dd Illtyd wedi mynd i Abertawe i roi darlith am draddodiadau Nadoligaidd Cymreig. Wedyn ddes i 'nôl fan hyn, ac i'r goedwig am dro. Taniais y stof iddo fe rhag ofn iddo ddod 'nôl yn fuan ... gwylio'r teledu am dipyn, swper – dim ond caws neis a bara haidd. Ddaeth e gartre tua saith.'

'Oedd o mewn hwyliau da?'

'Siriol iawn. Wedi bod yn siopa Dolig ar ôl y ddarlith, medde fe, ac wedi prynu anrheg go sbesial i mi.' Efo bysedd ei llaw chwith roedd hi'n pigo darn bach o groen ger ewin ei bawd dde. 'Fel arfer, roedd e'n disgwyl i mi fod yn ddiolchgar, felly aethon ni i'r gwely'n gynnar.'

'A?'

'Roedd o'n hoffi tynnu fy nillad a chreu dipyn o ffars ble ro'n i'n chwarae rhan yr un llawn chwant. Felly, fi fydde'n rhoi'r tabled bach glas o dan ei dafod. Wedyn, dipyn o ffidlan – ond ar ôl hanner awr sylwodd 'i fod e'n methu 'i gael e lan, a sleifiodd 'nôl i'r stiwdio i wylio'i born Fictorianaidd.'

Roedd ei llygaid ar gau yn dynn wrth iddi siarad. Dros y blynyddoedd, roedd Daf wedi siarad â dros ddwsin o ferched oedd wedi cael eu cam-drin yn rhywiol, a chlywodd Daf yr un dôn yn llais Mel ag a glywodd yn lleisiau pob un o'r merched hynny. Siaradai'n dawel ac undonog, fel petai'n ceisio gwasgu pob tamaid o ystyr o'i geiriau.

'A tithe?'

'Es i i gysgu. Yn y bore, roedd e wedi mynd cyn i mi ddeffro.'

'Oedd hynny'n digwydd yn aml?'

'Oedd, yn enwedig os oedd e wedi cysgu yn y stiwdio. Ar ôl methu yn y gwely byddai wastad yn flin – ond, chwarae teg iddo fe, doedd e byth yn fy meio i. Felly roedd e'n cadw draw nes byddai ei dymer yn well.'

'Y tro diwetha welaist ti dy ŵr, roedd o'n gadael y llofft ... tua faint o'r gloch?'

'Jest ar ôl deg.'

'A chest ti ddim neges ganddo fo?'

'Ges i neges tecst tua thri y prynhawn, yn f'atgoffa i beidio â gwneud swper iddo fe.'

'Dim byd wedyn?'

Siglodd ei phen.

'Ocê. Dwi'n gwybod 'mod i wedi dy fwydro di fflat owt, Mel, ond dim ond un peth bach arall. Ei di i nôl dy basbort i mi, plis?'

'Fy mhasbort? Pam?'

'Ti'n dyst mewn ymchwiliad difrifol. Dydi hwn ddim yn gyfnod addas i fynd ar dy wyliau.'

'Iawn.'

Tra oedd hi'n nôl y pasbort, piciodd Daf yn ôl i'r stiwdio. Roedd pob CD wedi eu gosod yn nhrefn yr wyddor felly cymerodd lai na munud iddo ddod o hyd i gasgliad o CDs teulu Pantybrodyr. Roedd dros ddwsin ohonyn nhw, rhai'n hŷn na'r lleill. Roedd dwy efo'r is-deitl 'Teulu Pantybrodyr: Miriam'. Estynnodd Daf un o'r bagiau tystiolaeth plastig y byddai wastad yn eu cadw ym mhoced ei siaced a rhoi'r CDs yn ofalus yn un ohonynt, ac yna yn ei boced.

Sylwodd Daf fod Mel wedi rhoi lipstig lliw cwrel ar ei gwefusau a mwy nag un tropyn o Chanel No. 5 y tu ôl i'w chlustiau tra oedd yn y tŷ. Roedd hi'n ôl mewn trefn, a golwg benderfynol, galed yn ei llygaid. Byddai'r ddynes hon yn goroesi, waeth beth daflai bywyd ati.

'Llawer o bobol wedi gofyn pryd fydd yr angladd,' meddai mewn llais hamddenol. 'Gan ei fod yn ddyn mor uchel ei barch, bydd yn ddigwyddiad sylweddol.'

'Mae'n rhy gynnar o lawer i feddwl am ryddhau ei gorff, mae gen i ofn, Mel.'

Heb air arall, trodd y weddw ifanc ar ei sawdl a diflannu yn ôl i'r tŷ, gan gau'r drws ar ei hôl â chlep. Edrychodd Daf ar ei ffôn: roedd o wedi treulio dros awr yng nghwmni Mel heb ddysgu fawr ddim amdani.

Yn ystod ei daith yn ôl i Sir Drefaldwyn, ceisiodd Daf roi CD yn y chwaraeydd heb adael olion ei fysedd arni. Roedd y canlyniad yn werth y drafferth. Llanwyd ei gar â llais hyfryd Miriam yn canu pymtheg o ganeuon – ei charolau, wrth gwrs, ond hefyd alawon lleyg, cwpl ohonynt yn sôn am hiraeth rhywun oedd wedi gadael Cymru, ond y rhan fwyaf yn ganeuon serch. Wrth ganu 'Y Deryn Du' neu 'Deio'r Glyn', roedd tinc gwahanol i'r arfer yn ei llais, tôn gyfoethocach nag arfer, yn addewid o natur nwydus. I'r rhan fwyaf o ddynion yr ardal, roedd Roy yn destun sbort am ddewis merch heb bres, heb fronnau na chymwysterau, y rhinweddau pwysicaf i wraig yn Sir Drefaldwyn. Ond wrth wrando ar Miriam yn canu 'Pa Le Mae 'Nghariad i?' gwyddai Daf fod Roy yn ddyn lwcus iawn.

Pan stopiodd ym Mach i brynu Twix yn y Co-op, gwelodd ei fod wedi methu wyth o alwadau ffôn. Roedd Gaenor wedi gadael chwe neges, ynglŷn â rhyw greisis fyny yn Neuadd, ac roedd un gan Sheila yn trosglwyddo neges gan va na fyddai hi ar gael tan y bore. Ond cododd yr alwad olaf fraw ar Daf. Yr un llais a fu'n gwmni iddo ar ei daith o Ddyffryn Aeron, ond yn llawn hast a phoen.

'Dafydd, plis, Miriam sy 'ma. Rhaid i ti ddod fyny i Pant yn syth – dwi 'di derbyn neges ganddo fo. Gan Illtyd.'

Pennod 6

Toc ar ôl pump, pnawn Mawrth

Galwodd Daf yn Nolanog ar ei ffordd i fyny i Bantybrodyr. Roedd popeth wedi ei drawsnewid gan y goleuadau roedd Steve a'r tîm wedi eu codi ar gornel y fynwent a'r tu ôl i'r Ganolfan. A golau gwyn pwerus yn llifo drosto, roedd y pentref fel hen ffotograff oedd wedi colli'i liw. Erbyn hyn, edrychai fel petai'r gwaith o archwilio'r Ganolfan ei hun wedi gorffen, a bod y SOCOs bellach yn canolbwyntio ar y tu allan, yn cropian ar eu pedwar yn y fynwent fel rhyw fath o braidd rhyfedd o ddefaid yn eu siwtiau gwynion. Tu allan i'r Ganolfan roedd cerbyd dieithr wedi'i barcio: Audi 4x4 coch, ei liw yn gyferbyniad gwaedlyd i'r tirlun gwelw. Synnodd Daf pan welodd Steve yn agor drws y car.

'*Pool car*, bòs, pedwar bai pedwar,' eglurodd Steve pan welodd Daf. 'Sheila wedi sortio fo. Un yn Welshpool i chi.'

Roedd o'n syniad doeth iawn – roedd y rhew du eisoes wedi cau ei ddwrn dros y bryniau, a rhagolygon am eira cyn y penwythnos. Ar ôl y slalom i fyny i Gefn Coch nos Sul, roedd Daf yn ddigon ymwybodol o wendidau ei gar ei hun.

'*I'm going* cartref rŵan, ond y SOCOs yn gweithio.'

Byddai bratiaith unrhyw un arall yn gwylltio Daf, ond roedd o mor falch o glywed y dyn ifanc o'r Trallwng, oedd wedi bod mor wrth-Gymreig, yn mentro siarad yr iaith. Cododd Daf ei law i ffarwelio â Steve, gan ddal i ryfeddu at ei dröedigaeth.

Nid lleoliad trosedd oedd y Ganolfan mwyach ond pencadlys yr ymchwiliad. Ar y waliau roedd rhywun wedi gosod sawl map o'r ardal a rhestr o'r partïon a ganodd yn y gwasanaeth plygain. Gosodwyd tri bwrdd yn barod fel y gellid cyfweld â nifer o dystion ar yr un pryd, a gwenodd Daf pan welodd fod ffôn ar bob bwrdd. Mewn ardal â chyn lleied o signal, roedd llinell ffôn ddaearol yn holl bwysig. Roedd aelodau'r tîm ymchwil yn brysur yn barod, yn rhoi lluniau ar gloriau ffeiliau brown ac yn gweithio ar gyfrifiaduron. Teimlai Daf yn chwithig wrth weld wynebau cyfarwydd yn cael eu gludo ar ffeiliau heddlu: Mrs Morris, Gwil Bysys, Mrs Evans Dolwastad, a wnâi'r sosej rôls gorau yn yr ardal, a hyd yn oed y ficer, dyn oedd yn enwog am ei natur addfwyn – oll wedi eu tynnu i mewn i storm bersonol Illtyd Astley.

'Be ti'n feddwl o'n Hystafell Ymchwiliad ni, bòs?' gofynnodd Nev. 'Doedd hi ddim yn gwneud synnwyr i redeg 'nôl a mlaen i'r Trallwng o hyd, a nifer go helaeth o'n tystion ni fan hyn.'

'SOCOs wedi gorffen?'

'Fan hyn, do, ers amser cinio. 'Den ni wedi trefnu amserlen i gyfweld y tystion o'r plygain fory. A dwi'n gwybod dy fod ti 'di bod yn cysuro'r weddw ifanc, ond os oes gen ti eiliad, mae Gae wedi ffonio Sheila ... a dydi hynny ddim yn digwydd yn aml iawn.'

'Ocê.'

Roedd Daf wedi deall digon o'r neges a adawodd Gaenor ar ei ffôn i wybod nad oedd y creisis yn ymwneud â hi na'r plant, felly doedd o ddim yn orbryderus pan gododd dderbynnydd y ffôn ar y bwrdd agosaf ato a deialu'r rhif cyfarwydd.

'O, Daf, diolch byth. Mae 'na helynt mawr fyny yn Neuadd. Mae Belle i ffwrdd a tydi Siôn a John ddim yn gwybod be i wneud am y gorau.'

'Cymer dy wynt, cariad. Be sy 'di digwydd?'

'Mae Doris wedi diflannu. Ar ôl gwneud brecwast i Carys a'i ffrindiau, tra oedd y dynion yn godro.' Doedd Gae ddim wedi disgrifio'i mab a'i chyn-ŵr fel 'y dynion' ers iddi adael Neuadd.

'Diflannu? Ydi hi wedi mynd â'i stwff efo hi?'

'Wn i ddim. Ches i ddim cyfle i holi llawer, achos ro'n i ar gychwyn i Gaer.'

'Ond roedd Doris wedi cytuno i ofalu am Mals, oedd?'

'Dim bwys am hynny – ddaeth yr un fach efo ni ac mi gawson ni ddiwrnod hyfryd – ond piciais draw i Neuadd tua awr yn ôl. Dydi hi ddim wedi dod yn ôl, na danfon neges chwaith.'

'Rhyfedd. Mae hi'n ymddangos yn ddynes mor stedi.'

'Yn union.Tydi Doris erioed wedi'n gadael ni lawr, erioed.'

'Digon teg ... ond cofia di, Gae, wyddon ni ddim byd amdani hi. Be os ydi hi wedi clywed bod aelod o'i theulu'n sâl neu rwbeth?'

'Ie ... ond mae John yn bihafio'n od 'fyd, yn euog bron. Ti'm yn meddwl ei fod o wedi gwneud rwbeth twp?'

'Megis?'

'Ti'n ei nabod o. Dydi o ddim yn hiliol yn fwriadol ond mae'r eirfa mae o'n ddefnyddio weithiau ...'

'Mae gan Doris lond ei phen o synnwyr cyffredin, hyd yn oed os ydi John fel mae o. Fydd 'na esboniad syml, dwi'n siŵr. Ydi Belle yn dod adre heno?'

'Na – mae hi'n aros yn Ardal y Llynnoedd tan ddydd Iau. Ac mae Siôn yn anfodlon cysylltu â hi am ryw reswm.'

Cofiodd Daf ddisgrifiad Rhodri o berthynas ei gefnder fel un â llawer iawn o reolau iddi.

'Os leci di, mi alla i jecio'r ysbytai ac ati, ond dwi ddim yn credu bod rheswm i boeni, wir.'

'Ie, plis. A dwi'n gwybod pa mor brysur wyt ti, Daf, ond wnei di bicio draw i weld John?'

'Wrth gwrs. Ond dwi'n dal yn gweithio rŵan.'

'Unrhyw amser, os fydd gen ti ugain munud yn rhydd.'

'Wnei di gadw swper i mi?'

'Iawn. Diolch, Daf.'

'Am be? Dwi ddim wedi gwneud dim byd eto.'

'Am ddeall. Am fod yn ti. Ac am wybod pam mae hyn yn bwysig i mi, hefyd.'

Roedd o'n deall yn iawn. Roedd Gaenor yn dal i boeni am John, er gwaethaf popeth oedd wedi digwydd rhyngddyn nhw. Doedd Gaenor ddim yn un am ddal dig, a phan adawodd Neuadd a'i phriodas, gadawodd oerni John, a'i ffordd israddol o siarad â hi, ymhell ar ei hôl hefyd. Roedd hi'n drysor o ddynes, meddyliodd Daf, wrth iddo gychwyn o'r pentref i fyny i Bantybrodyr.

Pan oedd Daf yn ifanc, treuliai bob dydd Sadwrn yn fan siop ei dad, yn mynd o un fferm i'r llall i ddanfon nwyddau – ond fyddai o byth yn galw ym Mhantybrodyr, serch y ffaith fod y teulu Parry yn gwsmeriaid da. Oedodd ar dop wtra'r fferm i agor y giât gyntaf, ac edrychodd i lawr y rhiw ar yr wtra, yn gortyn tywyll, diddiwedd drwy'r caeau gwynion, dros y nant a fyny i'r goedwig. Ni fyddai wedi bod yn hawdd dosbarthu nwyddau i fferm unig i lawr wtra a chanddi dair giât a phont fach beryglus heb ganllaw, felly roedd yn fanteisiol fod yr hen Mrs Parry yn mwynhau ei thaith fach wythnosol i lawr i Lanfair, i hel clecs yn ogystal â negeseuon. Felly, dim ond gwpl o weithiau, ar nosweithiau canu carolau efo Aelwyd Penllys, roedd Daf wedi ymweld â Phantybrodyr. Ac ar y nosweithiau hynny roedd o wedi meddwi cymaint, fyddai o ddim wedi sylwi petai o'n canu ym Mhalas Buckingham. O ran diddordeb, gosododd gloc cyfri milltiroedd ei gar wrth gychwyn i lawr yr wtra igam-ogam. Hanner milltir i gyrraedd y dolydd. Erbyn hyn roedd y lleuad wedi codi, gan lenwi'r cwm bach ag arian pur, a dringodd Daf allan o'r car a sefyll i wylio'r ddisg enfawr yn codi'n urddasol dros ochr y bryn. O ddyfnder y goedwig clywodd sŵn 'ci-fic, ci-fic' a hwyliodd cysgod tywyll uwch ei ben. Gwdihŵ yn hela. Rhedodd ias oer i lawr asgwrn cefn Daf a theimlodd rywbeth anfad yn y llonyddwch, fel petai rhywun, neu rywbeth, yn ei wylio. Neidiodd yn ei ôl i'r car a gyrrodd yn ofalus dros y bont fach bren. Wrth basio'r goedwig, gwelodd foncath yn sefyll ar bostyn. Ni fyddai Daf yn meiddio'i gymharu ei hun ag Iolo Williams, ond fel dyn oedd wedi treulio'i fywyd mewn ardal wledig roedd o'n gyfarwydd ag adar a'u harferion. Doedd o erioed wedi gweld boncath yn hela ar ôl y machlud o'r blaen ond roedd hwn yn amlwg yn aros am rywbeth. Dechreuodd dychymyg Daf grwydro – ai gwarchodwyr oedd yr adar, yn rhybuddio'r teulu fod dieithryn ar y ffordd? Efallai mai Avril y gath oedd eu sarjant.

Wrth fynd rownd y tro olaf, gwelodd Daf y tŷ yng nghesail y bryn, a dwy res o sguboriau ar ongl wrth ei ymyl. Roedd y sgwaryn bach carreg o dŷ yn gartref i'r teulu oll, ac atgoffwyd Daf o'r plasty mawr mewn stad eang roedd Mel yn byw ynddo ar ei phen ei hun. Edrychodd Daf o'i gwmpas i geisio darganfod y sied – yn ei brofiad o, roedd gan bob fferm adeilad mawr a godwyd yn y saithdegau, yn eglwys gadeiriol i'r grefydd o amaethu; adeilad enfawr â tho sinc. Yn Neuadd, oedd yn fferm lewyrchus, codwyd dim llai na phedair sied gan John a'i dad: y sied ddefaid, y sied dractors, y parlwr godro a'r sied wair. Doedd dim byd tebyg i'w weld ym Mhantybrodyr. Agorodd y giât a gyrrodd i'r buarth.

Roedd yn rhaid i Daf gyfaddef, er y diffyg buddsoddiad, fod y buarth bach yn drefnus. Clywai sŵn gwartheg yn brefu ac roedd arogl melys silwair da ar yr awel oer. O flaen y tŷ, mewn rhes, safai Land Rover a dau gar bach hynafol oedd wedi cael gofal da. Roedd mwg yn codi o'r simdde a golau cynnes y tu ôl i'r llenni.

Cnociodd ar y drws plastig, oedd yn frown gan ddwylo budron o amgylch yr handlen: dim ateb. Clywodd sŵn hwfer pwerus rywle yn y tŷ, a chnociodd Daf eto. Tawelodd yr hwfer ac agorodd y ffenest fach uwchben y drws. Fel cwningen yn mentro o'i thwll, ymddangosodd wyneb Heather, gwraig Dewi Wyn.

'Wel, wel, wel. Dafydd. Ty'd i mewn, a lan staer.' Diflannodd am ennyd cyn ymddangos drachefn. 'A thynna dy sgidie, plis.'

Agorodd Daf y drws. Ymlwybrodd rhwng dwy res o fŵts a welintons, gan adael ei sgidie wrth ymyl pâr o dreiners oedd wedi gweld dyddiau gwell, a dringodd y grisiau serth. Roedd y waliau i fyny'r staer yn llawn fframiau – sawl llun o deirw a rhubanau mawr arnyn nhw, cwpl o ffotograffau o'r tyddyn, gan gynnwys un o'r awyr, a lluniau o'r teulu wedi'u tynnu dros ganrif a hanner. Roedd y Parrys yn eu crysau T a'u crinolins, yn gweithio, yn tywys ceffylau, yn priodi yn eglwys Dolanog ac, yn fwy na dim, yn canu – eu cegau ar agor, eu dwylo mawr yn cydio yn eu llyfrau emynau, eu llygaid dwfn ar agor fel gwdihŵs. Doedd y stoc ddim wedi newid llawer dros y degawdau, sylwodd Daf, er bod Heather wedi cyfrannu gwallt melyn ac wyneb mawr, braidd yn fflat, i'r brid. Roedd yr unig aelod o'r genhedlaeth ddiweddaraf, Ceri, yn esiampl bur o deip Pantybrodyr: gwallt coch a thrwyn fel pig eryr – yn y llun ysgol ar y wal, oedd wedi'i dynnu dros ddegawd ynghynt, roedd yn union fel ei dad a'i daid.

'A, dyma ti!' ebychodd Heather, fel petai Daf yn hwyr i gyfarfod oedd wedi'i drefnu. 'Dwi angen help efo'r Kirby.' Fel sawl gwraig fferm, roedd Heather Pantybrodyr wedi cael ei swyno gan y peiriannau arbennig oedd ar werth yn y Royal Welsh. 'Dwi 'di llosgi fy llaw neithiwr yn gwagu'r lludw o'r Rayburn felly dwi'n methu cael gafael arno fo'n iawn. Mi gariodd Ceri o fyny i mi ar ôl cinio ond dwi isie cael y peth lawr cyn iddyn nhw ddod i mewn am swper.'

Roedd Mrs Parry neu'r Kirby, neu'r ddau, wedi gwneud gwaith da. Roedd y carped yn ddigon glân i fod yn newydd sbon ond doedd Daf ddim wedi gweld y ffasiwn batrwm ers yr wythdegau, yn chwyrliadau oren a brown. Ar y landin roedd gwely dwbl a chwpwrdd mawr, a dau ddrws agored. Wrth symud y Kirby, gwelodd Daf fod gwely difán a dim llawer mwy yn y llofft fach, a siwt ddu yn hongian ar rêl ar wal y talcen. Deuai arogl baco a Glade drwy'r drws, fel petai rhywun yn ysmygu yno a rhywun arall yn ceisio cuddio'r ffaith.

Roedd y llofft arall yr un hyd â'r llall ond ddwywaith mor llydan, ac ynddi ddau wely bach, un a charthen babwyrgotwm arno. Yn y pen pellaf roedd sawl llun mewn fframiau ar y wal, ond yn nes at y drws roedd poster mawr o Gareth Bale. Roedd yr arogl lafant a Lynx yn awgrymu bod Ceri'n rhannu llofft efo'i fodryb Miriam. Dyn ifanc dros ei ugain oed yn rhannu llofft efo'i fodryb? Trefniant anghyffredin – ond eto, roedd teulu Pantybrodyr yn griw anghyffredin. Llanwodd calon Daf â chydymdeimlad tuag at Miriam druan, fel y gwnaeth yn yr yrfa chwist. Dynes mewn oed, ac erioed wedi cael eiliad o breifatrwydd yn ei chartref ei hun.

Nid tasg hawdd oedd symud hwfer trwm i lawr grisiau cul, serth, yn enwedig yn nhraed ei sanau, ond llwyddodd Daf i roi'r peiriant gwerthfawr yn saff ar lawr wrth y drws ffrynt.

'Diolch yn fawr iawn i ti, wir, Dafydd. Ty'd i gael paned.'

'Diolch i ti, Heather, ond dwi angen gair efo Miriam, os yn bosib.'

'Rhaid i ti siarad efo ni i gyd, dwi'n tybio, gan ein bod ni'n dystion erbyn hyn.'

'Debyg iawn, ond dwi angen dechrau efo Miriam, os ydi hynny'n iawn?'

'Ti'n gwybod dy fusnes yn well na fi, Dafydd. Mae hi'n bwydo'r stoc rŵan. Fyddan nhw'n ôl toc.'

Dilynodd Daf y wraig fferm i'r gegin, oedd fel petai wedi dod yn syth o'r pumdegau. Heblaw am y teledu bach a'r meicrodon ger yr oergell, gellid defnyddio'r ystafell yn set i ffilm o un o nofelau Islwyn Ffowc Elis. Nid fel Lleifior, wrth gwrs, ond cartref un o gymdogion llai breintiedig y teulu Vaughan. I Daf, y peth mwyaf hen ffasiwn oedd yr arogl: cig yn rhostio, tarten afalau a mwg baco. Pan oedd Daf yn ifanc, roedd bron pawb yn ysmygu ond erbyn hyn roedd o wedi dod i gysylltu tai oedd yn gwynto o faco efo teuluoedd anhrefnus stadau'r trefi, nad oedden nhw, fel arfer, yn bwyta cinio rhost yn ddyddiol. Yn amlwg, nid oedd Heather wedi mentro cynnig i'w thad-yng-nghyfraith y byddai'n syniad da iddo ysmygu tu allan. Wrth y Rayburn roedd cadair fawr dderw yn debyg i gadair eisteddfod, ac ar y cefn, wedi'i gerfio rywsut rywsut, roedd 'DP 1713'. Gosodwyd y bwrdd hir pren ar gyfer swper, ac nid oedd Daf yn sicr ble i eistedd heb roi'r argraff ei fod o'n chwilio am wahoddiad i fwyta efo nhw.

'Stedda di lawr ar y fainc, Dafydd,' gorchmynnodd Heather. 'Mi ro i fatsien yn nhân y parlwr – gei di siarad efo Miriam yn fanno.' Tynnodd y tegell mawr i flaen y Rayburn, a sefyll yn stond am eiliad. 'Mae Mirs wedi bod yn od yn ddiweddar. Mae hi wastad mor siriol, ond ers y busnes efo'r gân 'ma ... wel, a dweud y gwir, roedd etifeddiaeth ddiwylliannol Dewi Wyn yn un o'r pethe ddenodd fi ato flynyddoedd maith yn ôl, ond erbyn hyn 'sen i'n falch o allu treulio noson heb glywed sôn am garolau plygain.'

'Be oedd y busnes efo'r gân?'

'Mae ganddyn nhw sawl carol, fel ti'n gwybod. Pethe sy 'di dod lawr yn y teulu ers oes Noa. Ond roedd gan Mrs Parry un hefyd, yr un mae Miriam wastad yn ei chanu, "Y Gwir yn y Gwair". Ac mi roddodd hi'r holl hawliau i Illtyd Astley. Erbyn hyn, mae'r alaw wedi cael ei defnyddio yn rhyw ffilm, a'r *chap* bech 'na wedi gwneud ffortiwn o'r ffaith fod Mirs mor naïf. Ffortiwn o bres! A hithe wedi bod yn ceisio safio am ddeposit ar dŷ ers ugain mlynedd bron. Hollol hurt.'

'Oedd aelodau eraill y teulu'n gwybod be oedd hi'n wneud?'

'Dim tan glywson ni'r gân ar y radio. Ond ryw dro, ddwy flynedd yn ôl, diflannodd hi dros nos. Rhyw ddigwyddiad canu gwerin ger Aber. Ddaeth hi'n ôl efo CD o'i llais hi, un braf iawn. Ond ... wel, fi sy'n golchi'r dillad yma, ac roedd staen *port wine* ar ei blows hi, ac arogl *aftershave* hefyd.'

'Be ti'n meddwl ddigwyddodd?'

'Mae hi 'di cael ei sediwsio, fel mae'r Sais yn dweud. Dynes ddiniwed fel hithe – fydde'n ddigon hawdd ei pherswadio hi i roi unrhyw beth i ddyn fydde'n dangos diddordeb ynddi hi.'

'Be am Roy?'

'Erbyn hyn, maen nhw'n fwy fel brawd a chwaer, bron. Dwi'm yn deall o gwbl.' Cochodd Heather a throdd ei chefn ar Daf am eiliad gan ddefnyddio'r tegell fel esgus. 'Ar ôl dyweddïo, dech chi'n, fel arfer, symud pethe mlaen. Byw fel gŵr a gwraig, wyddost ti.'

'Ti'n sôn am yr ochr gorfforol?'

'Ie. Mae fel petai pethe wedi oeri rywsut rhwng hithe a Roy. Tua deng mlynedd yn ôl, dwed, roedd o wastad yn eistedd efo'i fraich dros ei hysgwyddau, a dwi'n cofio pan oedd Ceri'n fabi, bydden i'n dod lawr yn hwyr yn aml i nyrsio, a gweld y ddau ohonyn nhw'n smŵtsio yn y gegin.' Rhoddodd Heather fŵg ar y bwrdd o flaen Daf. 'Cymryd mantais oedd Astley. Ac mae Mr Parry yn flin dros ben.' Cododd liain i lanhau briwsion dychmygol oddi ar y bwrdd. 'Wnes i ddim dweud gair wrtho fo am gyflwr dillad Miriam – ei busnes preifat hi oedd hynny. Ond mi wnaeth hi lofnodi'r ddogfen, a rŵan, fo sy 'di ennill ffortiwn a ninnau efo fawr ddim.'

Fel petai angen saib ar ôl ei datganiad, diflannodd Heather am eiliad. Cyn iddi ddychwelyd, agorodd y drws cefn. Y cyntaf drwy'r drws oedd Ceri, yn cicio'i welintons a thynnu'i legins lawr, cyn sylwi bod rhywun dierth yn y gegin. Heb air, aeth at y sinc. Cododd y bowlen golchi llestri o'r sinc a golchi ei ddwylo budron, cyn troi at y tywel ar roler tu ôl i'r drws i'w sychu. Roedd yn anodd felly i Miriam ddod i mewn – roedd yn rhaid iddi wasgu ei chorff main, a'r haenau o ddillad a wisgai rhag y tywydd oer, drwy gil y drws.

'Dafydd,' meddai'n syth. 'Mi welais i dy gar di.'

'Mi ddois i cyn gynted ag y gallwn i. Ro'n i lawr yng Ngheredigion heddiw.'

'Wrth gwrs. Ddrwg gen i dy alw di.'

'Paid poeni, lodes.'

Canolbwyntiodd Daf ar ei baned wrth i Miriam dynnu'i legins yn swil, ac eisteddodd Ceri yn drwm ar y fainc wrth ei ochr heb ddweud gair. Fel yn achos sawl mab fferm, gwyddai Daf mai diffyg hyder oedd wrth wraidd ymddygiad anghwrtais fel hyn, yn hytrach na natur ddigywilydd. Ac yntau'n dal, yn gryf, dros ei bwysau ac yn dawel, roedd Ceri'n esiampl berffaith o'i siort. Yn wahanol i nifer o'r cogie ifanc, doedd o ddim wedi tyfu barf, ac roedd ei wyneb yn esmwyth ac yn goch.

'Sori i dorri ar draws dy swper, Ceri,' mentrodd Daf. 'Rhaid i mi gael gair efo Miriam.'

'Mae'n iawn,' atebodd Ceri'n swta. Roedd ei lais yn ysgafnach na'i olwg, a rhyw ffresni ynddo fo – doedd o'n amlwg ddim yn un o faswyr enwog Pantybrodyr eto.

Pan ddychwelodd i'r gegin roedd tamaid bach o bryder ar wyneb Heather, ac roedd yn ddigon amlwg nad oedd hi'n hoff o'r syniad fod Daf yn oedi eu trefniadau swper.

'Cer di i'r parlwr rŵan, plis, Dafydd – mae'r trŵps i gyd angen bwyd.'

Roedd Heather bron yn gwthio Daf drwy'r drws, a chlywodd lais Richard Parry yn ei ddilyn i'r parlwr:

'Car Dafydd oedd hwnne? Ydi o'n wir fod rhywun wedi lladd y bastard bech ...?' Wedyn, sŵn sgrech cath fawr.

Ystafell fechan ffurfiol oedd parlwr Pantybrodyr, a braidd yn damp, ond roedd Daf yn ddigon cyfforddus yn agos i wres y tân. Eisteddodd yn y gadair freichiau a thynnodd Miriam stôl y piano yn nes at y tân er mwyn iddi allu siarad efo Daf mewn llais isel. Cyn eistedd, cododd gaead sedd y stôl a thynnu amlen o'r bocs oddi tani.

'Dydi'r post ddim yn dod aton ni tan amser cinio, bron. Pan ddois i i mewn, dyna lle roedd hwn, ar y bwrdd.'

Cyn gadael y Ganolfan roedd Daf wedi rhoi sawl maneg blastig ychwanegol yn ei boced rhag ofn, a gwisgodd un ohonynt cyn derbyn yr amlen gan Miriam. Tynnodd ei chynnwys allan – cerdyn a llun blodau arno, a'r tu mewn, neges fer:

'Os wyt ti'n darllen hwn, Miriam, ffarwél. Rhoddaist i mi fwy nag un peth gwerthfawr ac, i gofio'r canu a'r briallu dan yr onnen, bydd neges i ti yn swyddfa cyfreithwyr Garton, Gethin, Hughes yn Aberystwyth.'

Oddi tan y neges roedd llinellau addurniadol oedd â rhyw debygrwydd i'r llythrennau I ac A. Sylwodd Daf fod wyneb main Miriam wedi gwelwi a'i dwylo, oedd wedi'u plygu yn ei chôl, yn crynu. Roedd y neges yn y cerdyn yn esiampl arall o natur ystrywgar Astley.

'Be ... be mae hyn yn olygu, Dafydd?'

'I ddechrau, ti'n lodes gyfoethog. Yn ei ewyllys, mae Illtyd wedi gadael saith deg mil o bunnau i ti, a'r breindal sydd i ddod o'r hawlfraint i dy garol di.'

'Be?'

'Dwi 'di bod yn swyddfa twrnai Illtyd heddiw bore. Mae gen i gopi o'i ewyllys yn y car.'

Cuddiodd Miriam ei hwyneb yn ei dwylo.

'Na, na.'

'Paid poeni, lodes. Dwi 'di clywed y stori, ac mae'n amlwg fod Illtyd wedi dy dwyllo di. Dyma ei gyfle i roi iawndal i ti, dyna'r cyfan.'

'Ond ... ond nid dyna'r cyfan, Dafydd,' sibrydodd Miriam. 'Ddwy flynedd yn ôl, daeth Illtyd i blygain Mallwyd ac roedden ni'n sgwrsio yn y swper wedyn. Rhoddodd wahoddiad i mi i fynd lawr i'w stiwdio, er mwyn recordio rhai o'r caneuon den ni'n eu canu ers blynyddoedd, a rhai roedd Mam yn eu canu ar ei phen ei hun hefyd. Doedd gen i ddim syniad mai yn ei dŷ o oedd y stiwdio ... ac yn digwydd bod, roedd ei gariad, ei wraig – beth bynnag – wedi mynd i ffwrdd am y penwythnos. Dwi ddim yn berson drwg, wir i ti, Dafydd. Mi wyddwn i fod partner ganddo fo, a dwi'n gwybod yn iawn pa mor ffodus ydw i yn Roy ...'

'Ond?'

'Ond roedd y diwrnod mor braf, a ninnau'n cerdded efo'n gilydd yn yr ardd ac yn sgwrsio am oriau. Wedyn, pan o'n i'n dechrau recordio, agorodd botel o bort. Yn y pen draw ... mi wnaethon ni gysgu efo'n gilydd.'

'Mae pethau fel hyn yn digwydd weithiau, Miriam. Ti'n siarad efo dyn a redodd i ffwrdd efo'i chwaer-yng-nghyfraith, cofia.'

Daeth gwên fach i'w gwefusau. 'Ond nid peth serchus oedd o, chwaith, Dafydd. Ti'n deall yn iawn sut mae pethe rhwng finne a Roy, dim tŷ ac ati, ond weithie, ro'n i ar fin byrstio isie caru efo fo.'

'Pam wnaethoch chi ddim, Miriam?'

'Achos ... o achos Ceri. Petawn i'n priodi ac yn cael plant heb fod gen i ddigon o arian, byddai'n rhaid i mi gymryd pres gan Dad, sy'n golygu arian y fferm, sy'n golygu llai i Ceri yn y dyfodol. Ond beth bynnag, roedd beth ddigwyddodd rhwng Illtyd a finne fwy fel ... wel, alla i ddim ei ddisgrifio fo. Fel cyfeillgarwch sy wedi mynd yn rhemp, bosib.'

'A'r bore wedyn, sut oeddet ti'n teimlo?'

'Wn i ddim. Roedd o mor neis efo fi, ond rywsut doedd pethe ddim fel yr oedden nhw.'

'Ac mi wnest ti lofnodi cytundeb?'

'Roedd o'n trafod ei holl brosiectau, oedd yn cynnwys CD i ddathlu lleisiau gwerin traddodiadol Cymru, reit 'nôl i'r gwreiddie. Roedd o am ddewis y rhai gore, dwedodd, gan enwi Siân James a Gwenan Gibbard ... dim ond purdeb lleisie Cymreig. Ro'n i wedi cyffroi'n lân, achos nid cantores ydw i, o bell ffordd. Petai Mam wedi gweld fy enw i ymhlith pobol fel nhw ...' Erbyn hyn roedd Miriam yn llefain heb gywilydd. 'Dwi 'di bod yn ffŵl – mae Dad yn iawn. Dwi'n simpil, dyna'r peth.'

'Dim o gwbl. Den ni i gyd wedi cael ein camarwain ryw dro. Yn enwedig ynglŷn â phethau rhamantus.'

'Ond dyna beth oedd yn od, Dafydd. Dwi'n gwybod 'mod i braidd yn hen ffasiwn ond dwi'n deall be ydi chwant. Roy dwi isie'i gofleidio, Roy dwi isie'i gael yn fy ngwely ...'

Roedd gwrid ar ei bochau, a'r un tinc yn ei llais ag a glywodd Daf pan oedd hi'n canu'r caneuon serchus rheini ar y CD yn ei gar. Waeth pa mor addfwyn oedd Miriam, roedd rhywbeth yn llosgi o dan yr wyneb.

'Dyn bach clên yw... *oedd* Illtyd, ond dwi erioed wedi ei ffansïo fo. Roedd o wedi 'ngweld i'n dod o bell, doedd?'

'Dwi'm cweit yn siŵr o hynny, Miriam. Dyn cymhleth oedd o, o'r hyn dwi wedi'i ddysgu hyd yma, dyn oedd â'r potensial i yrru pobol i eithafion. Ond o leia bydd digon o bres gen ti i brynu tŷ rŵan.'

'Ond efo pwy? Pan fydd Roy yn clywed yr holl hanes, fe fydda i'n sengl, siŵr.'

'Oes raid i ti roi'r manylion iddo fo? Jest dwed fod Illtyd Astley wedi dy berswadio di i lofnodi cytundeb oedd yn rhoi'r hawliau dros dy garol iddo fo. Ar ôl i'r alaw wneud llwyth o bres iddo fo, gadawodd yr arian i ti yn ei ewyllys i gymodi.'

'Ond, Dafydd, mae'n anodd cuddio unrhyw beth oddi wrth rywun ti'n garu, yn tydi?'

Gan feddwl am y llythyr roedd o wedi'i guddio rhag Gaenor, cytunodd Daf.

'Hefyd,' meddai Miriam yn ddryslyd, 'sut ddaeth y neges

yma ar ôl iddo farw? Ti'm yn meddwl ei fod o wedi lladd ei hun ar ôl postio'r llythyr?'

'O be dwi wedi'i ddysgu am ei ymddygiad, mae'n fwy tebygol ei fod o wedi gadael yr amlen efo'i gyfreithwyr, i'w danfon petai o'n marw.'

'Ond mae o fel llais o'r bedd.'

'Gwranda, Miriam. Dyn cymhleth oedd Illtyd Astley, a thuedd ganddo i chwarae gemau gyda phobol. Cafodd sawl un ei effeithio ganddo fo.'

'Falle.' Am eiliad, siriolodd ei hwyneb. 'O leia, efo saith deg mil, mi alla i dalu am y ffrog dwi wedi'i hurio o siop swanc yng Nghaer.'

'Pa ffrog?'

'I mi ei gwisgo i'r *premiere*. Roedd Illtyd wedi hanner addo i mi, petai o'n gallu sgwario pethe efo'i wraig, y bysen i'n cael mynd i Lundain efo fo.'

'Efallai y galli di fynd ar ben dy hun. Mae o wedi cyfaddef mai dy alaw di ydi hi, beth bynnag.'

'O, ffantasi ydi'r *premiere*, dwi'n ymwybodol o hynny. Ges i eiliad wan pan o'n i'n hurio'r ffrog, ac alla i ddim canslo. Mae jest yn siom na cha i esgus i'w gwisgo – mae'n sidan, a'r un lliw â phlu sguthan.'

'Does gen ti ddim byd sbesial ymlaen dros y penwythnos sy'n addas?' gofynnodd Daf yn gellweirus.

Clapiodd Miriam ei dwylo fel merch ifanc.

'Mi alla i ei gwisgo i'r noson stripio yn y Ganolfan Hamdden!'

'Pam lai?' cytunodd Daf, wedi'i synnu unwaith yn rhagor cyn lleied roedd o'n ei ddeall am ferched.

Roedd y ffordd gyflymaf o Ddolanog i Lanfair yn pasio'n agos iawn i Bitfel Bach, cartref Gala. Roedd Daf yn rhy hwyr i gael golwg iawn o gwmpas y lle, ond roedd digon o amser ganddo i holi Gala am y nonsens roedd meibion Jonas wedi ei adrodd yng ngorsaf yr heddlu'r bore hwnnw. Hefyd, doedd o ddim yn awyddus iawn i dreulio oriau maith efo John yn trafod diflaniad Doris.

Pan gyrhaeddodd ben wtra Bitfel Bach, diolchodd Daf ei bod mewn gwell cyflwr nag un Pantybrodyr. Gwelodd fod arwydd newydd wedi'i osod yng ngheg y lôn: doedd dim enw arno, dim ond llun mawr o flodyn yr haul. Delwedd syml a chofiadwy, ac roedd yn ddigon i helpu cwsmeriaid newydd Gala i ddod o hyd iddi.

Roedd y buarth wedi newid yn gyfan gwbl dan law Gala, efo toeau newydd ar y siediau a'r stabl ac adeilad newydd wedi'i ffurfio o sgerbwd yr hen laethdy. Roedd awyrgylch groesawgar yno, hyd yn oed cyn i'r goleuadau mawr ddod ymlaen wrth iddo nesáu at y buarth. Cyn i Daf ladd yr injan roedd Gala ar y trothwy, a'r cylch o olau aur o'i chwmpas yn gwneud iddi edrych fel duwies.

'Daf, ty'd i mewn. Den ni ar fin cael swper – wyt ti 'di bwyta?'

Dilynodd Daf hi drwy'r drws i'r gegin enfawr. Roedd o, dros y blynyddoedd, wedi gweld pob math o boptai ond dim byd tebyg i'r un a safai gyferbyn â drws y gegin yn nhŷ Gala. O ran golwg, efo'i ochrau dur sgleiniog, roedd o'n debycach i'r *Starship Enterprise* nag i Rayburn Pantybrodyr, ond y tu ôl i un o'i ddrysau gwydr roedd tân coed.

'Paid â synnu, Daf – does dim rhaid i dechnoleg gynaliadwy edrych fel petai rhywun wedi ei wau o.'

'Mae'n anhygoel ... am stafell grêt,' rhyfeddodd Daf.

Roedd digon o le yn y gegin i ddim llai na thri bwrdd: un i baratoi bwyd, un i fwyta a'r llall yn un amlbwrpas. Roedd un o feibion Gala yn eistedd wrth hwnnw, yn ddwfn yn ei waith cartref. Cododd ei ben am eiliad i weld pwy oedd yr ymwelydd ond trodd ei sylw'n ôl at ei waith yn syth. Bachgen rhwng oedran Carys a Rhodri oedd o – un galluog iawn, cofiodd Daf, gan fod athrawon yr ysgol uwchradd yn siomedig ei fod wedi dewis mynd i'r coleg yn y Drenewydd yn hytrach nag aros yn chweched dosbarth yr ysgol.

'Dwed helô wrth Dafydd, Tancred. Roedden ni'n ffrindiau ysgol.'

'Helô,' dywedodd y llanc mewn llais araf. 'Ti 'di dad Carys a Rhodri, ie?'

Roedd Daf wedi ei weld sawl tro o'r blaen, wrth gwrs, ond ddim yn ddiweddar. Yn ei lasoed roedd wedi datblygu'n ddyn ifanc deniadol, llawn hyder tawel.

'Ie.'

Tra oedd Daf yn siarad â'i mab, tynnodd Gala ddysgl o'r ffwrn.

'Does dim pwrpas smalio gwrthod,' meddai gyda gwên. 'Ti 'di clemio – dwi'n gweld ar dy wyneb di.'

Ar ôl deng munud a thri chwarter plât o *quinoa* a chorbwmpen, roedd Daf yn teimlo'n llawer gwell. Ymunodd Tancred â nhw i fwyta ond dychwelodd yn syth at ei waith ar ôl gorffen. Roedd yr ystafell yn ddigon mawr iddyn nhw allu siarad yn breifat wrth un bwrdd tra oedd Tancred wrth y llall.

'Gwranda, Gala, ges i ymweliad bore 'ma gan ddau o gogie Bitfel.'

'Wyt ti'n gwybod eu bod nhw wedi mynd trwy dŷ Jonas fel corwynt?'

'Yndw. Dwi 'di cynnig eu herlyn nhw, ond doedd o ddim yn cîn.'

'Es i fyny neithiwr ar ôl y plygain, i chwilio am Falmai.'

'Pam hynny?'

'Ddeudes i wrthat ti 'i bod hi wedi dod fan hyn am driniaeth? Wel, dwi'n ffyddiog yn yr hyn dwi'n wneud, ond os ydi rhywun yn feichiog, meddyg ydi'r dewis gorau.'

'Be? Fal yn disgwyl?'

'Paid edrych yn syn, Daf – ti newydd gael babi ac mae Fal yn iau na ti.'

'Wrth gwrs, wrth gwrs. Mae'n syrpréis, dyna'r cyfan.'

'Mae'n syrpréis iddyn nhw hefyd, dwi'n meddwl. Beth bynnag, doedd Fal ddim yn Bitfel neithiwr, na Jonas chwaith, felly ges i gyfle i roi pryd o dafod go iawn i'r bastards ifanc.

Fase'u mam nhw'n troi yn ei bedd petai hi'n gweld eu hymddygiad.'

'A. Dyna pam ddaethon nhw lawr i'n gweld ni heddiw bore. Maen nhw'n dweud bod gen ti ladd-dy fan hyn heb leisans.'

Achosodd sŵn ei fam yn chwerthin i Tancred godi'i ben am eiliad.

'Daf, ti newydd fwyta llond plât o be mae Richard Parry'n ei alw'n "fwyd adar". Den ni ddim yn bwyta cig am sawl rheswm. Wyt ti'n nabod lot o lysieuwyr sy'n rhedeg lladd-dai?'

'Na.'

'Mae'r cyhuddiad yn hollol abswrd, Daf.'

'Wrth gwrs 'i fod o. Ond dwi'n amau y bydd Environmental Health yn galw heibio i jecio. Jest isie rhoi rhybudd bach i ti, dyna'r cyfan.'

'Diolch am hynny. Y bastards bech ...'

'Mae o'n gyhuddiad go benodol, Gala ...'

'Dwi'm yn gwastraffu amser yn ceisio dyfalu be sy'n digwydd ym mhennau ffyliaid fel nhw, Daf.'

'Digon teg. Dwi'n bwriadu picio 'nôl yma fory yng ngolau dydd.'

'Pam hynny?'

'Fel ffrind. Os wela i rwbeth y galli di ei sortio'n sydyn, alla i roi cyngor i ti, ocê?'

''Swn i'n meddwl dy fod ti'n rhy brysur yn datrys busnes y bastard bach Astley.'

'Pa mor dda oeddet ti'n ei nabod o, Gala?'

'Dwi 'di bod yn gofalu am ei wraig, Enid, ers deng mlynedd, bron. Mae hi 'di cael ei chwalu ganddo fo, ei chwalu. A drwy ffrindiau yn Aber, dwi'n gwybod ei fod o'n fygythiad i ferched.'

'Ro'n i'n meddwl, y dyddie yma, fod systemau i warchod merched yn y coleg rhag unrhyw un sy'n cymryd mantais ...'

'Oes, mae 'na systemau, ond roedd o'n ddyn clyfar a chyfrwys, oedd â'r Deon yn ei boced ...'

'Dwi'n gweld.'

'Roedd yn rhaid i rywun ei stopio fo, cyn iddo frifo rhywun arall.'

Yn llygaid ei ffrind gwelodd Daf fflach o anwariaeth. A ddylai o ei hamau o lofruddio Astley, tybed? Efallai nad oedd ganddi berthynas ddigon agos â fo i'w ladd, ond ar y llaw arall, roedd hi'n gyfarwydd iawn ag effeithiau planhigion ar gyrff pobol.

Cododd Daf ar ei draed, ac er mwyn troi'r sgwrs camodd draw i weld gwaith mab Gala.

'Ti'n brysur, lanc. Gobeithio y bydd dy ganlyniadau'n adlewyrchu'r holl waith caled 'ma. Pa gwrs wyt ti'n ddilyn?'

'Cynllunio Gemau Cyfrifiadurol, mae'n gwrs gwych.'

'A ti'm yn colli dy Gymraeg, gobeithio?'

'Cymraes ydi ein tiwtor ni.'

'va?'

'Ie. Mae hi'n wych.'

'Mae Tancred hefyd yn gwneud gwaith dylunio i va, yn ychwanegol i'w waith cwrs,' broliodd Gala, oedd wedi ymuno â nhw. 'Mae hi wrthi'n creu gêm ac mae Tancred yn gweithio ar y graffeg – sbia.'

Ymestynnodd Gala ei braich hir i gyffwrdd yn sgrin MacBook Tancred. Sylwodd Daf ar enw'r ffeil roedd hi'n ei hagor: 'Kill Dad'. Llanwodd wyneb cartŵn y sgrin, caricatur o wyneb Illtyd Astley.

'Be ydi thema'r gêm?' gofynnodd Daf.

'Hen slebog cas yw'r tad, a bwriad y gêm yw ei ladd o. Mae va mor glyfar – mae hi 'di dod o hyd i dros gant o ffyrdd gwahanol i'w ladd o, ond mae'r creadur yn ffodus iawn, felly mae o'n cael dianc yn aml. Mae hi'n mynd i wneud ffortiwn, ac mae hi'n bwriadu rhoi siâr o'r elw i mi fel tâl am fy ngwaith.'

'Ti'n dalentog iawn, còg.'

'Mae'n braf cael y cyfle i weithio efo rhywun fel hithe. Wir i ti, mae hi'n gallu sgwennu cod yn ei chwsg, bron, ac mae ei synnwyr digrifwch hi mor dywyll a rhemp. Bydd Kill Dad yn glasur, fel Call of Duty neu GTA. Mae va yn wallgo, a'i dychymyg hi'n anhygoel.'

'Dwed wrtha i eto sut mae'r gêm yn gweithio.'

'Ti'n dewis dy gymeriad, bachgen o'r enw Oedipus neu ferch, Freuda, ac wedyn ti'n dilyn y tad – sy'n goryfed, yn pyrfio dros bobol ifanc, yn bwrw'r fam ac yn dwyn pres ei ffrindiau – ac yn ceisio'i ladd o. Ti'n ennill pan mae ei gorff o yn y drôr yn y marwdy.'

Roedd gwên braf ar wyneb y llanc diniwed. Chwarae plant oedd y gêm iddo fo, ond roedd tad ei chynllunwraig yn gorwedd yn labordy'r patholegydd. Roedd Daf yn falch iawn ei fod wedi cael y sgwrs hon â Tancred cyn cyfweld va fore trannoeth.

Tra oedd Daf yn troi ei gar ym muarth Bitfel Bach, daeth fan wen i lawr yr wtra. Parciodd ger drws y tŷ a neidiodd dyn ifanc allan ohoni – mab hynaf Gala, a gododd ei law yn gyfeillgar ar Daf. Ceisiodd gofio ei enw, ond methodd.

Cawsai beth bynnag oedd yn y *quinoa* effaith bositif ar Daf, ac erbyn hyn roedd ychydig yn barotach i ymweld â Neuadd.

A Doris a Belle yn absennol, roedd Daf wedi rhagweld na fyddai gwledd yn ei ddisgwyl yn y tŷ mawr du a gwyn – ac roedd yn llygad ei le. Pan agorodd y drws cefn roedd arogl sglodion drwy'r lle a Siôn a John yn bwyta'n dawel wrth y bwrdd. Fel hyn fyddai hi bob nos heb y merched, meddyliodd Daf. Cododd John i gyfarch Daf.

'Diolch o galon am ddod. Dydi Doris erioed wedi peri gofid i mi, a dyma hi, wedi mynd. A den ni'n gwybod yn iawn pa mor brysur wyt ti, wir.'

Daliodd John ei afael yn llaw Daf a dechreuodd bwmpio'i fraich i fyny ac i lawr, gan atgoffa Daf o dad Wil Cwac Cwac yn defnyddio'r pwmp dŵr yn y buarth. Nid oedd John yn brifo Daf yn fwriadol ond roedd ei law fawr fel feis, ac roedd yn anodd iddo ddianc heb fod yn anghwrtais. Ar ôl dau funud a deimlai fel deg, gollyngodd John ei afael, ac roedd Daf yn falch o weld ei fod o'n dal i allu symud ei fysedd.

'Be sy, John?'

'Wel, dwi'm yn deall, siŵr. Roedd pethau braidd yn siang-di-fang yma neithiwr. Daeth Fal a Jonas 'nôl i'r byngalo nos Sul am ryw reswm, ac roedden nhw'n dal yno neithiwr. Rhyw drafferth efo'r ffenestri draw yn Bitfel.'

Cododd Siôn ar ei draed yn ara deg. Roedd o'n dal fel ei dad, dipyn dros ei chwe throedfedd, ac ers iddo ddechrau canlyn Belle roedd o wedi newid siâp ei gorff drwy godi pwysau yn ogystal â'r gwaith caled a wnâi ar y fferm. Er ei fod y cymeriad mwyaf addfwyn ar wyneb y ddaear, roedd golwg anarferol o beryglus ar ei wyneb.

'Daf,' meddai yn ei lais araf. 'Ydi bois y Bitfel wedi malu'r tŷ? Dyna be glywes i gan Tom Tancar heddiw bore.'

'Maen nhw'n flin iawn efo Jonas, mae'n debyg.'

'Wel,' atebodd Siôn, gan blygu'r papur a'r bocs sglodion, 'dwi'm yn fodlon i neb sarhau Anti Fal, dyna'r cyfan.' Caeodd ei law fawr a dyrnodd y bocs sglodion. Wedyn, rhoddodd y cyfan yn y bocs ailgylchu priodol, a diflannodd.

'Mae o fel ci bach ar goll hebddi hi, wir, Daf.'

Ci sy'n gallu brathu, meddyliodd Daf.

'Be ddigwyddodd neithiwr, John? Roedd y bobol ifanc i gyd allan yn y chwist ...'

'A Doris a finne'n gwylio'r teledu fel arfer. Roedd y bobol ifanc o Loegr yn peri gofid braidd – roedd Doris yn deall pa mor bwysig i Carys oedd bod popeth yn berffaith iddyn nhw. Paratôdd y bwffe erbyn iddyn nhw ddod adre o'r chwist, a doedd hi'm yn gallu setlo wedyn. Mi awgrymais ein bod ni'n picio lan staer i wylio *Ffermio* mewn llonyddwch, heb neb yn torri ar draws.'

Cododd Daf ei aeliau.

'Nid fel'na oedd hi, Daf ... wel, ddim yn y dechrau. Does dim cadair yn fy llofft i, ti'n gweld.' Oedodd am eiliad. 'Sori, Daf, mi anghofiais pa mor gyfarwydd wyt ti efo dodrefn fy llofft i.'

'Hen hanes yw hynny, John. Be sy'n bwysig rŵan yw Doris,' atebodd Daf yn syth. Roedd o'n deall John yn iawn – roedd yn tynnu sylw at gamweddau Daf fel math o darian.

'Lodes deidi iawn ydi Doris, wyddost ti, arferion neis. Tynnodd hi'i sgidie, a ... gwranda, Daf, paid ag ailadrodd hyn wrth neb, hyd yn oed Siôn, iawn?'

'Ti'n fy nabod i'n ddigon da, John.'

'Ie, ie, dwi'n gwybod. Wel, wrth eistedd efo'n gilydd yn ddedwydd ar y gwely, mi roddais fy mraich dros ei sgwydde hi – a ges i ymateb lyfli. Cwtchodd hi reit i fewn a chododd ei wyneb am sws. Dyna sut oedd hi, wir, Daf.'

'Dwi'n dy goelio di, John, paid poeni.'

'Mi wn i'n iawn nad Brad Pitt ydw i, ond mae Doris a finne wedi gyrru mlaen mor dda, dod i nabod ein gilydd. Dwi bron yn sicr ei bod hi'n tynnu fy nghrys i cyn i mi ddechrau ar fotymau ei chardigan, wir. Ac wedyn, wel, roedd pethau'n tsiampion rhyngddon ni. Well, na ... wel, jest tsiampion. Wnaeth hi rwbeth reit ryfedd, sef fy neffro fi efo sawl sws tua dau o'r gloch y bore. Pan godais am chwarter i bump, fel arfer, roedd hi'n cysgu'n braf yn fy ngwely i. Do'n i'm isie'i deffro hi gan ein bod ni ar ddihun am hanner y nos, yn caru ac yn siarad. Roedden ni'n gwneud cynllunie – pethe bach dibwys, fel trafod fydde'n syniad iddi hi symud ei phethau i'm llofft i, achos mae 'na gwpwrdd mawr yno. Wir i ti, Daf, roedd hi'n fy hoffi fi. Roedd hi'n dal fy llaw yn ei chwsg. Dwi erioed wedi bod mor sicr am unrhyw beth ... ac wedyn, pan ddois i 'nôl o'r llaethdy, roedd hi wedi diflannu.'

'Ydi hi wedi mynd â'i phethau?'

'Dwi'm yn meddwl. Dim ond ei handbag. Dim dillad, dim byd.'

'Oes gen ti syniad be sy wedi digwydd iddi hi?'

'Dwi'n meddwl bod rhywun wedi ei chipio hi, neu wedi'i brifo hi. Rhywun hiliol, falle. Maen nhw'n dweud bod ymosodiadau hiliol ar gynnydd, yn tydyn nhw?'

'Ydi Doris wedi cwyno am unrhyw beth felly? Rhywun yn galw enwau, yn ei dilyn hi?'

'Naddo. Ond sut arall allwn ni esbonio be sy wedi digwydd? Dwi'n meddwl ... na, dwi'n ceisio peidio meddwl – ydw i wedi'i gyrru hi i ffwrdd efo be ddigwyddodd neithiwr?'

'Wnest ti ddim rhoi pwysau arni hi mewn unrhyw ffordd, John?'

'Ddim o gwbl. Oedd y peth mor naturiol.'

'Wel, dwi'n amau ei bod wedi cael galwad ffôn gan ffrind, neu aelod o'i theulu, yn gofyn am ei help.'

'Wel, mae hynny'n bosib ...'

'Dynes ofalgar a charedig iawn ydi Doris. Mewn argyfwng byddai'n un naturiol i gysylltu efo hi.'

'Digon teg. Ond yn Sierra Leone mae ei theulu hi'n byw. Mae hi'n danfon pres i'w mam yn fisol.'

'Ffrindiau, felly.'

'Ond tydi hi ddim wedi cysylltu efo fi, heb ddweud gair.'

'Efallai ei bod hi'n brysur. Anghofia am y peth tan ddaw Belle yn ôl. Fydd hi'n gallu helpu, siŵr.'

'Dyna beth arall. Mae Belle a finne'n iawn, ond petai hi'n dod i wybod 'mod i ... wedi cysgu efo Doris, a bod Doris wedi diflannu ar ôl hynny, fydde 'na ffrae fawr wedyn.'

'Sut fyddai hi'n cael gwybodaeth breifat fel'na, John? Dwi'm yn mynd i ddweud gair, a tydi Siôn ddim yn gwybod.'

'Ond be os ydi Belle yn clywed gan Doris?'

'Wel, o leia fyddet ti'n gwybod ei bod hi'n saff.'

'Ti isie wisgi bech, Dafydd? Dwi ddim wedi cynnig un i ti, sori.'

'Dwi'n iawn, diolch.'

'Dwi angen joch.'

Wrth ei wylio'n tynnu'r botel o'r cwpwrdd, gwelodd Daf bryder ym mhob un o'i symudiadau. Roedd yn amhosib peidio cydymdeimlo â fo, yn enwedig wrth ystyried natur Belle – byddai'n dychwelyd fel digofaint Duw petai hi'n credu bod John wedi sbarduno ymadawiad ei howscipar. A byddai mwy nag un llofruddiaeth i Daf ymchwilio iddi petai'n rhaid i Belle ofalu am y gwaith tŷ neu olchi'r boilars.

Roedd Daf yn falch iawn o gyrraedd stepen drws ei gartref, ond oedodd ar y trothwy am eiliad i feddwl sut fyddai pethau ar ôl i'r landlord newydd godi'r rhent. Rhaid mwynhau byw yma os yden ni ar fin colli'r lle, myfyriodd wrth agor y drws.

'Mae cyrri i ti,' galwodd Gaenor wrth glywed y drws yn cau ar ei ôl, 'ond gawson ni andros o job i rwystro Rhods rhag bwyta'r cwbl lot.'

Croeso hyfryd ar ôl gwacter Neuadd, meddyliodd Daf yn falch.

Yn nes ymlaen, pan oedd y plant i gyd yn ei gwlâu, dywedodd Gaenor wrtho mewn llais isel:

'Daf, mi gafodd y cerdyn credyd ei wrthod mewn siop yng Nghaer heddiw.'

'O.'

'Pa mor ddrwg yw pethe, cariad?'

'Mae'r esgid fach yn gwasgu, does dim dowt, ond dim ond dros dro fydd hynny.'

'Ond pam ydan ni'n *maxxed out*, Daf? Dwi ddim wedi bod yn gwario'n hurt, dwi'n addo.'

'Roedd yn rhaid i mi dalu costau llety Carys y tymor nesa ar y cerdyn, a'n bil ffôn ni. Fyddwn ni'n iawn, jest y bydd pethau braidd yn llwm tan den ni'n symud.'

'Alla i fynd i weithio, ti'n gwybod. Mae Wynnstays yn chwilio am bobol yn y swyddfa.'

'Na, Gae, ti'n haeddu amser efo'r un fach rŵan, ac mae Mali dy angen di.'

'Be am gwpl o shifftiau gyda'r nos draw yn y Goat? Fydd Mals yn cysgu, ac os fydd Rhodri adre, alli di bicio dros y ffordd i fflyrtio efo'r barmêd.'

'Does dim rhaid i ti weithio, wir.'

Oedodd Gae am eiliad a chaeodd ei llygaid cyn siarad – arwydd ei bod ar fin trafod rhywbeth oedd wedi bod yn ei phlagio ers tipyn.

'Ti wedi ystyried gofyn am gyfraniad gan Fal, i Carys neu i Rhodri? Mae hi ar gyflog mawr ac mae Jonas yn graig o arian – bydde hi'n gallu fforddio cwpl o gannoedd yn fisol, dwi'n siŵr.'

'Na, dim siawns. Fi sy wedi ei gadael hi, ddim y ffordd arall rownd. Dydi o'm yn deg o gwbl.'

'Ocê. Iawn.'

'Cofia, dwi'n gweithio mewn rôl Prif Arolygydd ar hyn o bryd – bydd hynny'n ychwanegu rhywfaint mwy i'r coffrau.'

'Wrth gwrs y bydd o.'

'Dim ond dros dro y bydd hyn, tra den ni'n talu rhent a morgais, a chostau Carys. Cwpl o fisoedd, dyna'r cyfan.'

'Ocê, cariad. Bydd pethe'n dynn eto pan fydd Rhods yn mynd i'r coleg, bydd.'

O'r llofft, daeth llais annisgwyl:

'Paid poeni, dim ond i Goleg Powys dwi'n mynd beth bynnag.'

Neidiodd Daf ar ei draed.

'Be?'

'Dwi 'di rhoi fy enw lawr ar gyfer cwrs yng Ngholeg Powys.'

'Pa ... pa gwrs?'

'Gofal Plant.'

'Y?'

'Does dim meithrinfa cyfrwng Cymraeg yn yr ardal. Mae'r Cyngor Sir yn codi oedran mynediad ysgolion. Mae'r cynllun busnes yn *no-brainer*, Dadi.'

'Ti'n mynd 'nôl i'r chweched. Ti'n mynd i brifysgol, i deithio ...'

'Dy freuddwyd di yw hynny. Dwi isie gwneud rwbeth dwi wir yn fwynhau, sef gofalu am blant bach a gwneud *shedloads* o bres wrth 'i wneud o.'

'Ond mae 'na fyd mawr yna i ti ...'

'Dwi'n bwriadu mynd i deithio, wrth gwrs – gwyliau braf efo 'ngwraig.'

'Pa ... pa wraig? Paid â dweud dy fod ti 'di dyweddïo?'

'Paid bod yn wirion, Dadi. Yn y dyfodol, dwi'n debygol o gael gwraig, yn tydw i?'

'Ond sut wyt ti am sefydlu'r feithrinfa 'ma, a ble?'

'Dwi am drawsnewid hen adeiladau Hengwrt. A dwi 'di trafod buddsoddiad efo Wncl John.'

'Ti 'di trafod dy gynlluniau efo John cyn i mi glywed gair am y peth?'

'Do'n i ddim yn meddwl y byddet ti'n ffan mawr o'r cynllun. Hefyd, cyn dechrau, roedd yn rhaid i mi fod yn sicr y gallwn i ei weithredu o. Cyflwynais gynllun busnes i Wncl John ac mae o wedi cynnig y pres i mi o ymddiriedolaeth y teulu.'

'Pa ymddiriedolaeth teulu?' gofynnodd Daf, yn teimlo fel petai mewn dyfroedd dyfnion iawn.

Cymerodd Gaenor ei chyfle i ymuno yn y sgwrs.

'Modd i osgoi treth ydi o. Mae sawl un ynghlwm â busnes Neuadd, ond mae'r plant yn elwa ohonyn nhw i gyd – 80 y cant i Siôn, 10 i Carys a 10 i Rhodri.'

'Felly mae John wedi gweithio'n fflat owt dros y blynyddoedd i safio pres ar gyfer fy mhlant i?' Roedd tymer Daf yn berwi.

'Mae John yn meddwl amdanyn nhw i gyd fel plant Neuadd, Daf.'

'Ond dydyn nhw ddim! Plant Defi Siop ydyn nhw, a den ni ddim yn gofyn am elusen gan neb. Den ni'n gwrthod bob ceiniog.'

'Rhy hwyr yn y dydd, Dadi. Mae Carys wedi cael mil gan yr ymddiriedolaeth yn barod er mwyn rhoi blaendal ar ei fflat flwyddyn nesaf. Ac nid dy benderfyniad di ydi o, beth bynnag. Os wyt ti'n teimlo'n ddrwg am haelioni Wncl John, mae'r ateb yn ddigon syml: dechreua dy gronfa dy hun ar gyfer Siôn. O, sori, 'nes i anghofio – ti bron yn methu cadw to dros ein pennau ni a ti'n ystyried mynd at Mami i ofyn am bres cinio i mi.' Erbyn hyn, roedd Rhodri hefyd wedi colli'i dymer. 'Wel, os nad oes croeso i fi fan hyn, mae 'na wastad ddigonedd o bob dim yn Neuadd. A ti'n gwybod be, Dadi? Ti 'di ceisio'n magu ni i feddwl nad ydi pres yn bwysig, ac mae hynny'n ffycin celwydd noeth, fel Siôn ffycin Corn.'

'Paid â meiddio siarad efo fi fel'na,' dechreuodd Daf, ond rhedodd Rhodri lan staer. Agorodd Carys ddrws ei hystafell.

'Caewch eich pennau, plis. Dwi'n ceisio Skypio ac mae

Garmon yn gallu clywed eich nonsens chi'r holl ffordd draw yng Ngwlad Pwyl.'

Disgynnodd Daf i'r gadair agosaf, y dagrau'n pigo.

'Dwi'm yn deall, wir. Ydi o'n mynd i setlo fan hyn am byth, yn pydru?'

Daliodd Gaenor ei law.

'Ydi'n bywyd ni mor ddrwg â hynny, Daf?'

'Nac ydi, ddim o bell ffordd, ond ...Wel, iddo fo gynnal busnes bach lleol a phriodi'n lleol a bridio'n lleol ac ...'

Torrodd Gaenor ar ei draws.

'Paid bod yn snob, Daf Dafis. Ti'n gwybod be ti 'di ddisgrifio? Bywyd Jeff, fy mrawd, neu fy mywyd i. Dydi o ddim yn beth braf dy glywed di'n bychanu bywydau pobol sy'n agos i ni, heb sôn am ein bywydau ni'n hunain. Falle i ti gael rhyw ffantasi am gerdded lawr strydoedd Paris neu lle bynnag, ond fan hyn yn Llanfair ti 'di byw gydol dy oes. Y gwahaniaeth mwya rhwng Rhodri a tithe yw ei fod o wedi tyfu fyny'n gynt.'

Heb air arall, martsiodd Gaenor i fyny'r grisiau. Arhosodd Daf wrth y stof am bum munud cyn dilyn ei gariad, y ferch oedd â dawn arbennig am ddweud y gwir.

Pennod 7

Bore Mercher

Deffrodd Daf am bedwar y bore ac roedd yr oerni'n boenus. Wrth gwrs, roedd o'n methu dod o hyd i'w slipers yn y tywyllwch ac roedd llawr yr ystafell molchi fel rhew. Rhodri oedd yn iawn – roedd arian yn beth braf. Methodd fynd yn ôl i gysgu, ac yn hytrach na gadael i ddigwyddiadau'r noson cynt droi yn ei ben, ceisiodd feddwl am yr achos.

Roedd yn sicr mai yn y gwpan roedd y gwenwyn a laddodd Illtyd Astley, ond pwy a'i rhoddodd yno? Gwyddai Daf mai'r hen ddynes ddieithr a roddodd y gwpan i Illtyd, ond pryd rhoddwyd y gwenwyn ynddi? Ym mwrlwm y gegin ynteu yn ystod ei thaith o'r gegin? Efallai y byddai Mrs Morris yn cofio'r ddynes. Yn y cyfamser, roedd yn rhaid iddo ganolbwyntio ar y rhai hynny fyddai'n cael budd o farwolaeth Illtyd Astley. Erbyn hyn, roedd honno'n rhestr hir. Gan ei fod wedi marw cyn bod yn briod i Mel am ddwy flynedd, roedd Enid a va yn elwa. Hefyd, roedd y saith deg mil yn cael ei roi i Miriam ar yr amod ei fod o'n marw cyn y *premiere*, oedd i gael ei gynnal drannoeth. Roedd Daf bron yn sicr nad oedd gan Miriam syniad am gynnwys ewyllys Illtyd – ond a oedd ganddi reswm arall i ladd y dyn oedd wedi ei chamarwain? Cadw ei chyfrinach a thalu'r pwyth yn ôl? Allai Daf ychwaith ddim diystyru aelodau ei theulu. Cyn treulio amser ym Mhantybrodyr y diwrnod cynt, doedd o ddim wedi sylweddoli pa mor anodd oedd eu bywydau. Efo chydig o arian, byddai'n bosib i Miriam symud allan, a bod yn wraig i Roy Bryngrug. O ganlyniad i'w sgwrs efo Heather, roedd Daf yn sicr fod ymddygiad Illtyd Astley wedi bod yn bwnc trafod yn y cartref, felly roedd gan bob aelod o'r teulu reswm i ladd Astley. Trodd Daf ei feddwl at Gala, a'r ffordd roedd hi'n siarad amdano. Yn sicr, roedd hi yn y plygain, ynghyd â theulu Pantybrodyr, ac roedd ganddi hi, o bawb, yr wybodaeth angenrheidiol i greu'r gwenwyn. Doedd gan Mel ddim modd o gadarnhau ei bod yn Nyffryn Aeron yn ystod swper y plygain – a ble oedd Enid a va nos Sul? Roedd gormod o gwestiynau o lawer.

Canodd ei ffôn toc cyn saith, a chlywodd lais annisgwyl: Falmai.

'Plis, ty'd fyny i Neuadd, Daf. Mae'r lle yma fel ... fel dwn i'm be.'

'Be sy'n digwydd?'

'Mae fan fawr wedi cyrraedd yn llawn o ... nid heddweision, ond rhywbeth tebyg. Maen nhw'n gwisgo dillad du ac mae John wedi mynd yn gynddeiriog. Dwi erioed wedi'i weld o fel hyn. Maen nhw'n dweud bod ganddyn nhw'r hawl i ddod i mewn i'r tŷ, ond ar hyn o bryd tydi John ddim yn eu gadael nhw fewn. Dwi'n meddwl bod 'na siawns dda y byddan nhw'n ei arestio fo.'

Ddeng munud yn ddiweddarach roedd Daf, heb eillio, yn dangos ei gerdyn gwarant i ddynes dal a chanddi wallt melyn ac wyneb a allai suro hufen dros hanner milltir i ffwrdd.

'We're from the Immigration Enforcement Service and we're looking for a Doris Bangura.'

'She isn't here. She left suddenly yesterday morning and no-one here has any idea where she went.'

'With the greatest respect, Inspector, that's what they all say. I have a warrant to search the premises.'

'Of course. But I should warn you that Mr Jones here is a very wealthy and well-connected man: please treat his family and belongings with respect.'

Wrth gwrs, roedd pob dyn a phob tŷ yn haeddu'r un parch ond dyma ffordd Daf o geisio rhybuddio'r ddynes. Petai un o'r swyddogion yn torri hyd yn oed bot jam yn Neuadd, byddai John a Falmai yn eu herlyn drwy'r llysoedd barn heb feddwl ddwywaith. Ar ôl siarad â hi, blaenoriaeth nesaf Daf oedd John. Roedd o'n sefyll yn ei foilars, yn gweiddi ac yn chwyrnu fel fersiwn glas o'r Incredible Hulk. Wrth ei ochr, yn mwynhau'r ffwdan, safai Siôn, yn cyfieithu heb geisio tawelu ei dad o gwbl.

'Does gennoch chi ddim hawl i ddod fan hyn, wir Dduw. Dech chi, fastards o Saeson, dech chi'm yn cael galw neb yn fewnfudwyr achos beth ydech chi, dwedwch? Almaenwyr i gyd, wedi dod draw yn eich llongau penddraig! Ein gwlad ni ydi Cymru a fy nhir i ydi Neuadd. Mae gen i berffaith hawl i groesawu pwy bynnag lecia i fan hyn. Fi, nid chi, sy'n gosod y rheolau fan hyn.'

Roedd rhywbeth godidog yn ei ddicter Quixotaidd, ym marn Daf.

'My father reminds you that, being English, you are all immigrants who came over here from Germany in boats with the heads of dragons on them.'

'A pheth arall, den ni angen godro a dech chi wedi torri ar draws, ac mae pyrsie'r Holsteins bron â byrstio. Maen nhw'n anifeiliaid gwerthfawr ac os fydd un ohonyn nhw'n datblygu gwres y llaeth, fe fyddwch chi'n cael gwybod am y peth.'

'We were milking when you interrupted and the purses of the Holsteins are almost bursting. They are very valuable animals and if one of them gets milk fever, you will know all about it.'

Rhwng y pyrsiau llawn a'r llongau penddraig, roedd y swyddogion wedi drysu'n lân. Rhoddodd Daf law ar fraich John: roedd ei wyneb yr un lliw â hen frics ac roedd o wedi gweiddi tan oedd o'n gryg fel brân.

'Dafydd, falch o dy weld ti,' dywedodd yntau, gan geisio cael ei wynt yn ôl. 'Wnei di plis ddweud wrthyn nhw am fynd rŵan? Os ydyn nhw'n aros, mae siawns y bydda i'n mynd yn flin efo nhw, wir Dduw.'

Roedd o'n anadlu fel tarw, ei ffroenau'n lledu, a disgwyliai Daf glywed sŵn sodlau ei fŵts yn clatsio ar goncrit y buarth fel carnau tarw cyn iddo ruthro. Os nad oedd John yn meddwl ei fod o'n flin, a'i fod ar fin codi gêr, doedd Daf ddim eisiau gweld canlyniad hynny.

'Mae ganddyn nhw'r hawl i chwilio drwy'r tŷ, yn anffodus, John. Maen nhw'n dweud nad oes gan Doris hawl i fod yma.'

'Ac ers pryd gafodd giang o Brummies mewn fan fech yr hawl i ddweud pwy sy'n ciêl aros yn Neuadd a pwy sy ddim?' Yn ei ddicter, roedd acen John yn cryfhau a'i debygrwydd i'w dad yn dod yn fwy amlwg bob eiliad. 'Os dwi'n dymuno, dwi'n ciêl gwahodd pob person sy'n byw yn Affrica gyfan i ddod draw i Neuadd.'

'Yn anffodus, John, dydi hynny ddim yn wir. Rhaid i rywun o dramor gael yr hawl i aros yn y wlad 'ma.'

'Ond mae'r Trallwng yn sneifio 'fo pobol dramor, a Doris yn dod i'r wlad efo cysylltiad cryf efo Prydain. 'Nillodd ei thaid fedal y Burma Star. Sarjant oedd o, yn yr Artillery.' Cododd ei lais eto a gwaeddodd: 'Hundred and Second Light West African Artillery. Burma Star. Bridge over the River Kwai, cofiwch?'

Synnwyd Daf unwaith yn rhagor. Un o gŵynion Gaenor am ei chyn-ŵr oedd ei ddiffyg diddordeb yn unrhyw beth heblaw'r fferm. Yn amlwg, roedd o wedi dysgu gwers y tro hwn, ac wedi gwrando ar straeon Doris. Llwyddodd Daf i'w ddarbwyllo i fynd yn ôl at ei wartheg.

'We get some nutjobs,' meddai'r prif swyddog wrth Daf, 'but that is my top crazy so far. We tried him with the line about being the appointed representatives of Her Majesty's Home Office and he snapped his fingers and told us he was king of this kingdom. Is he getting help?'

'I keep an eye,' atebodd Daf, gan ddweud dim ond y gwir.

Roedd o'n croesi'r buarth i'r tŷ, i sicrhau bod trefn ar y broses o chwilio, pan welodd Fal yn brysio'n ôl i'r byngalo. Glaniodd sawdl ei hesgid ar ddarn o rew, a rhedodd Daf nerth ei draed i'w dal cyn iddi gwympo, gan afael yn ei braich.

'Waw, ti'n fonheddig iawn heddiw bore, Daf,' meddai, ei llygaid yn sgleinio yn yr awyr oer. 'Diolch o galon, ond dwi ddim mor fregus â hynny.'

Edrychodd Daf arni. Roedd ei gwallt yn fwy sidanaidd nag

arfer, a'i chroen yn hufennog. Fel hyn yn union roedd hi'n edrych ym misoedd cyntaf ei beichiogrwydd â Carys a Rhodri.

'Rhaid ti fod yn ofalus o'r teithiwr bach, cofia.'

'Teithiwr bach?' gofynnodd, a rhewodd Daf. Pan ddywedodd Gala fod Fal yn disgwyl, roedd o'n cymryd yn ganiataol bod Fal ei hun yn gwybod hynny hefyd. 'Be ti'n feddwl, "teithiwr bach"?'

Camodd Daf yn ôl yn y gobaith o achub y sefyllfa.

'Ti ... ti'n edrych mor ... Dwi'n cofio ... Sori os dwi'n anghywir.'

'Daf!' Roedd ei llais yn llawn llawenydd. 'Ti'n fy nabod i'n well na neb. Ro'n i'n meddwl mai'r Newid oedd o, ond ...' Rhoddodd ei breichiau o gwmpas gwddf Daf a'i wasgu'n dynn. Efallai ei fod yn dychmygu'r peth, ond roedd Daf yn bendant ei fod o'n gallu teimlo'r tyfiant yn ei bol. 'Gwranda, alla i ddim aros am y meddyg, felly wnei di fynd i Boots i mi, i brynu prawf, plis?' Gollyngodd ei gafael arno a chwilio ym mhoced ei siaced am ei phwrs. Rhoddodd bapur ugain iddo.

'Fal, doedd gen i'm syniad nad oeddet ti wedi sylweddoli, dwi mor sori. Dwi'm isie busnesa o gwbl.'

'Paid poeni – a dwi'n falch dy fod ti'n meddwl 'mod i'n edrych yn dda. Ddwedodd Jonas rywbeth tebyg neithiwr.'

Gwyliodd Daf ei gyn-wraig yn cerdded dros y buarth slic, yn ysgafn droed ond hefyd yn ofalus. Peth rhyfedd oedd bywyd. Roedd hi mor hapus ac yn haeddu ei hapusrwydd, ond teimlai Daf ddyletswydd tuag ati. Byddai'n rhaid iddo geisio rhoi dipyn o drefn ar gogie Bitfel – fydden nhw, o bosib, ddim yn falch iawn o groesawu chwaer neu frawd bach arall.

Hyd yn oed mewn tŷ mor fawr â Neuadd, dim ond hanner awr gymerodd y tîm o bedwar i archwilio pob twll a chornel, o'r atig i'r seler. Roedd rhywbeth ingol am ystafell Doris, a'i thrysorau bach, y brwsh gwallt a'r drych ar y bwrdd gwisgo, yn dal yn eu lle. Dim ond hanner y droriau oedd yn llawn.

'She's taken most of her stuff, then,' sylwodd un o'r swyddogion.

'I'm not sure she ever had much more than this,' atebodd Daf, gan gofio gwely cul Miriam Pantybrodyr. Roedd o'n flin iawn, fel John, efo'r system. Beth bynnag ei statws a waeth beth am y gwaith papur, roedd Doris yn haeddu cael aros yn Neuadd. Doedd hi ddim yn gofyn am lawer ac roedd hi'n rhan o drefn y cartref.

Gwyliodd John y fan yn gadael.

'Oedd hi'n gwybod eu bod nhw'n dod, ti'n meddwl, Dafydd?'

'O bosib. Mae gan fewnfudwyr eu rhwydweithiau, ti'n gwybod.'

'Felly, dim ymateb i'r ... i'r noson oedd o?'

'Pwy a ŵyr. Roedd ganddi reswm i bryderu, beth bynnag.'

'Sut alla i helpu, Dafydd? Oes leisens ar gael iddi hi gael aros efo ni?'

'Mae'n system hollol wahanol i'r un pan est ti draw i Ddenmarc i nôl dy Holsteins. Yr unig leisens sy'n gallu rhoi caniatâd i Doris aros yn Neuadd yw tystysgrif briodas.'

Cochodd John yn sydyn, a dywedodd mewn llais swil, fel bachgen chwech oed:

'Petawn i'n gofyn, fyse hi'n dweud "ie", ti'n meddwl?'

''Sgen i ddim clem, sori, John. Ond mae'n werth gofyn.'

'Wedyn, all popeth fynd yn ei flaen fel roedden ni.'

'Rhaid ei ffeindio hi gynta. Os ydi hi'n gwybod eu bod nhw'n chwilio amdani, falle ei bod hi wedi cuddio yn rhywle dros dro.'

'Dwi angen cyngor ynglŷn â hyn. Well i mi siarad efo twrne. A rhaid i mi ddod o hyd i un newydd hefyd, ers i ti arestio twrne teulu Neuadd, Dafydd.'

'Am gynllwyn go ddifrifol – nid ar fympwy.'

'Wel, diolch am dy gymorth. Dwi'n cofio'r tro cynta ddest ti yma. Roedden ni yn y gwair, a tithe ddim yn gwybod pa ben o'r bicwarch i'w ddefnyddio. Ddwedodd Dad bryd hynny dy fod di gystal iws â chath fenthyg, ond dwi wastad wedi dweud dy fod ti'n glyfrach na ni i gyd, ac yn dda iawn mewn unrhyw greisis.'

Cath fenthyg, wir! Cofiai Daf y diwrnod hwnnw'n iawn; chwalwyd pob un o'i ffantasïau Laurie Lee yn y chwys, y blinder a'r ysgall. Ond gan fod Falmai ar ei ffordd i'r cae efo picnic hyfryd bu'n rhaid iddo wneud ymdrech.

'Rhaid i mi fynd rŵan, John, i siafio cyn gweld y tystion.'

'Wrth gwrs. Dwi'n meddwl, o ran chwilio amdani hi, y byse'n well i mi aros tan ddaw Belle yn ôl fory.'

'Syniad da.'

Ar ei ffordd adref, sylwodd Daf ar Rhodri yn cerdded i'r ysgol ymhlith giang o bobol ifanc hwyliog. Cododd ei law i'w gyfarch a wafiodd y còg ei law'n gyfeillgar fel ymateb. Doedd o ddim yn dal dig ar ôl eu cweryl neithiwr, felly. Efallai mai Rhods a Gae oedd yn iawn – beth oedd ei freuddwydion ond esgus i fychanu bywyd da ei filltir sgwâr? Tu allan i'w ddrws ffrynt roedd esiampl berffaith o rywbeth da yn ei ardal: Chrissie Berllan, a llond ei breichiau o fabis mawr.

'Wel, wel, Mr Dafis,' dywedodd, yn wên i gyd. 'Maen nhw'n mynd i ddiportio ffansi du John Neuadd.'

'Paid disgrifio Doris fel'na.'

'Wel, fydd hi'n siom os gaiff hi ei danfon yn ôl, beth bynnag. Mae hi'n haeddu bywyd neis. Cafodd Anni Mai sgwrs efo hi yn Ffair Hydref yr ysgol gynradd, ac ar ôl hynny aeth hi ati i Gŵglo Sierra Leone. Duwcs, Mr Dafis, mae'n swnio'n lle diawledig. Rhyfel cartref, plant deg oed yn filwyr – digon i wneud iddi ffansïo John Neuadd os mai hynny oedd y dewis arall. Ac mae rhywun wedi'i fwrdro ym mhlygain Dolanog hefyd, oes? Dech chi'n andros o brysur, Mr Dafis.'

'Lladd nadroedd ar hyn o bryd, Chrissie, wir.'

'A finne. Dwi ar fy ffordd i gyfarfod efo stad fawr ger Aberriw – mae ganddyn nhw fil a hanner o erwau ac angen cytundeb pum mlynedd efo contractwr. Ydw i'n ddigon smart, Mr Dafis?'

Rywsut, a mab o dan bob cesail, llwyddodd Chrissie i agor

ei chôt i ddangos siaced o frethyn drud a chrys gwyn efo'r tri botwm top ar agor.

'Smart iawn. Os wyt ti'n cwrdd ag unrhyw ddyn o gig a gwaed, fe fyddi di'n cael dy gontract.'

'Gobeithio nad ydi o'n hoyw,' atebodd Chrissie gyda winc.

Agorodd Gaenor y drws i'w croesawu nhw ac roedd y bechgyn yn amlwg yn awyddus iawn i fynd i mewn. Aeth Daf lan staer i siafio, a phan ddychwelodd i'r lolfa roedd Mali Haf yn eistedd rhwng yr efeilliaid fel brenhines fach. Roedden nhw'n estyn sawl tegan i'w diddanu hi ac roedd Gaenor, a chwpan yn ei llaw, yn eu gwylio.

'Oes gen ti amser am baned, cariad?' gofynnodd.

'Nag oes, sori. Dwi braidd yn hwyr yn dechrau, efo'r holl helynt yn Neuadd.'

'Mae Siôn wedi ffonio. Oedd Doris yn gwybod eu bod nhw'n dod, ti'n meddwl?'

'Bosib. Ac mae John isie'i phriodi hi er mwyn iddi gael aros efo nhw.'

'Druan ohoni hi. Mae'n rhaid bod pethe'n ddrwg yn Sierra Leone.'

Wrth roi cusan ar ei thalcen llyfn, roedd Daf yn bendant mai hi oedd yn iawn y noson cynt. Doedd dim rhaid teithio i ben draw'r byd i fwynhau bywyd braf.

Yn Boots, gwelodd Nev, oedd yn llenwi'i fasged â Clearasil.

'Wyt ti'n iawn, còg?' gofynnodd Daf iddo.

'Be?'

'Dy ... dy groen, a dy wallt. Wyt ti 'di wedi gweld y meddyg? Ti braidd yn hen i gael ...'

'Be wyt ti, rŵan, bòs, yr Heddlu Harddwch? Dwi ddim yn dweud wrthat *ti* pa mor foliog wyt ti.'

'Na, ond mae gen i ddyletswydd bugeiliol tuag atat ti, lanc.'

'Ti'n gwybod ble alli di roi dy ddyletswydd bugeiliol, bòs.'

Nid jôc oedd ei sylw. Trodd Nev ar ei sawdl a martsiodd at y cownter, gan anwybyddu cydymdeimlad nawddoglyd merch y siop yn ei chôt wen. Efallai fod Sheila'n iawn, meddyliodd Daf – roedd yn hen bryd iddyn nhw ddarganfod beth oedd yn cnoi Nev.

Roedd yr orsaf yn dawel gan fod y rhan fwyaf o'r tîm ar eu ffordd i Ddolanog. Dim ond Sheila a chwpl o'r PCSOs oedd yno. 'Mae'r adroddiad llawn gan Dr Jarman wedi cyrraedd, a nodiadau meddygol Mrs Enid Astley. Maen nhw ar dy ddesg di.'

Ar ei ddesg hefyd roedd pentwr o lyfrau, dros ddwsin ohonynt a'r mwyafrif â nod y llyfrgell ar eu meingefn. *Enwau Tafarndai Cymru*, *Caneuon y Porthmyn*, *Dywediadau Dyffryn Dyfi* ac yn y blaen. Maes bychan oedd arbenigedd Illtyd Astley, ond roedd o wedi'i aredig dro ar ôl tro. Dim ond un o'r pentwr, llyfryn o'r enw *Cymariaethau Patrymau Dawnsfeydd Cymru a Llydaw yn y 19eg Ganrif*, oedd wedi ei gyd-ysgrifennu, gyda Nolwenn Kerjean. Agorodd Daf y clawr: doedd neb wedi ei fenthyg o lyfrgell y Trallwng. Ar y dudalen gyntaf roedd y diolchiadau – rhestr hir fel oedd yn arferol yng ngwaith Astley, ac mewn paragraff ar wahân: 'Hoffai'r Athro Astley a Dr Kerjean ddiolch yn arbennig i'r Bureau des Langues Minoritaires am eu cefnogaeth hael, a'r Adran Astudiaethau Celtaidd ym Mhrifysgol Aberystwyth a'r Department de Folkore, Université de Rennes, am ryddhau'r ymchwilwyr i gwblhau'r prosiect hwn.' Yng nghanol y llyfryn roedd dwsin o luniau du a gwyn, y rhan fwyaf ohonynt o'r 19eg ganrif, ond roedd un wedi ei dynnu y tu allan i'r Cann Offis, ar Ddiwrnod William Jones, digwyddiad i ddathlu bywyd dyn a gafodd ei ddisgrifio fel 'Voltaire Cymru'. Ymhlith wynebau cyfarwydd Dawnswyr Llangadfan safai Illtyd Astley, yn syllu i gyfeiriad y merched. Roedd y llun hwn ar ei ben ei hun, heb damed arall o dystiolaeth, yn ddigon i chwalu unrhyw briodas. Roedd lygaid Astley wedi eu hoelio ar ddynes dal a chanddi wallt du. Roedd hi'n gwisgo gwisg draddodiadol Lydewig – brat mawr dros ffrog ddu lawn brodwaith, a chap gwyn wedi'i startsio. Roedd hi'n ddel heb fod yn berffaith ond, o'r olwg yn llygaid

Astley, hi oedd y ddynes fwyaf rhywiol iddo ei gweld erioed. Cofiodd Daf beth ddywedodd Enid Astley am sut y daeth ei phriodas i ben – roedd y llun yn cadarnhau ei stori. Cododd y ffôn.

'Nev, wnei di plis ffeindio dynes o'r enw Nolwenn Kerjean? Roedd hi'n agos i Astley ar un adeg.'

'Dim Cymraes ydi hi, efo enw fel'na?'

'Llydawes.'

'Ocê. Ti'n cwrdd â rhyw dyst yn Nolanog am hanner awr wedi deg, bòs. Merch sy 'di cael ei henwi ar ôl rasel siafio coesau. Fenws, wir! Ac os wyt ti'n mynd syth fyny i Ddolanog, mae *chap* yma sy angen lifft.'

'Pwy?'

'Rhyw foi sy 'di dod fyny ar y trên o Aber. Botanegydd fforensig, beth bynnag mae hynny'n olygu.'

'Rhywun sy'n gwybod am blanhigion yng nghyd-destun trosedd. Os ydi Steve wedi dod o hyd i un, chwarae teg iddo fo, achos maen nhw'n bobol brin iawn.'

'Beth bynnag mae o'n wybod am chwain, does ganddo fo ddim llawer o wybodaeth am fywyd cefn gwlad. Mi ofynnodd o am fŷs i Ddolanog!'

Casglodd Daf y ffeiliau roedd Sheila wedi eu rhoi iddo ac aeth i'r cyntedd i gwrdd â'r botanegydd. Roedd gan y dyn ifanc oedd yn ei ddisgwyl farf enfawr fel blaenor capel o'r 1870au. Roedd ei groen braidd yn welw a'r cyferbyniad rhwng y farf ddu a'i wyneb gwelw yn sylweddol. Yn y farf, wedi'i chlymu'n ofalus â chortyn coch, roedd pêl fach sgleiniog goch: addurn Nadolig.

'Yr Arolygydd Dafis? Hywel Emlyn. Wedi dod fyny o Aber i gael pip ar leoliad y drosedd.'

'Diolch yn fawr, a chroeso. Wyt ti'n gyfarwydd efo'r gysblys?'

'Digon cyfarwydd. Aelod o deulu'r Apiaceae. Dydi o ddim yn blanhigyn prin ac mae'r gwreiddyn, sy'n gloronen, yn wenwynig iawn, yn enwedig yn y gaeaf.'

'Awn ni i gael sgwrs yn y car, ie?'

'Well i ti gymryd y car pŵl, bòs,' atgoffodd Sheila ef. 'Os wyt ti'n gwrthod, fydd Steve yn edrych yn ddrwg.'

Range Rover mawr glas oedd yn aros amdanyn nhw heddiw. Hoffai Daf y persbectif newydd a gâi o'r sedd uchel – yn ei gar ei hun, hyd yn oed yng nghanol y gaeaf, roedd y tirlun wedi'i gyfyngu gan sietins trwchus.

'Swydd ddiddorol, botanegydd fforensig, ydi?' gofynnodd i'w gyd-deithiwr.

'Gwaith hynod o ddifyr, ond prin yw'r achosion sy'n galw am fy sgiliau. Dydi llawer o heddweision ddim yn ymwybodol o'r hyn y gallwn ni ei ddysgu o dystiolaeth planhigion.'

'Yn yr achos hwn, den ni'n sôn am wenwyn sy'n dod o'r gysblys. A ti'n dweud mai yn y gwreiddyn mae'r drwg?'

'Ie, a dyna'r rheswm mae'r gysblys mor beryglus. Efo llysiau'r gingroen, er enghraifft, mae pawb yn deall faint o ddrwg y gallan nhw ei wneud i geffylau, felly maen nhw'n gwneud ymdrech i glirio'u tir ohonyn nhw. Ond mae gwartheg yn gallu pori ar y gysblys heb sgileffeithiau. Felly, mae o'n tyfu'n rhemp.'

'Ocê. A pha mor anodd ydi cael y drwg allan o'r gwreiddyn?'

'Go syml. Ei dorri'n ddarnau a'u berwi, a bydd y dŵr yn llawn gwenwyn. Os wyt ti angen hylif cryfach, mae'n ddigon hawdd ei ddistyllu.'

'Y broses yma, ydi hi'n rhwydd?'

'Dim mwy cymhleth na gwneud powlen o gawl.'

Roedd y syniad o bobol yn gwneud cymysgedd angheuol jest fel petaen nhw'n paratoi swper yn peri gofid mawr i Daf. Ond roedd un peth oedd yn braf am yr wybodaeth – os nad oedd yn rhaid defnyddio unrhyw dechnegau na theclynnau arbennig, nid oedd yn rhaid iddo roi enw Gala mor uchel ar y rhestr o bobol oedd dan amheuaeth.

Cyn iddyn nhw basio troad Glascoed, tawelodd y botanegydd. Nid oedd Daf wedi'i synnu'n ormodol pan ofynnodd, mewn llais cryg, i Daf stopio'r car. Tynnodd Daf y Range Rover i mewn i gilfan fawr jest mewn pryd. Gwagiodd y dyn ifanc gynnwys ei stumog cyn dod yn ôl i'w sedd, yn crynu. Pasiodd Daf baced o gwm cnoi iddo, gan ystyried peth mor anghyfleus oedd chwydu ar ôl tyfu'r ffasiwn farf.

'Noson fawr neithiwr?'

'Parti Dolig IBERS, yr adran. Do'n i ddim yn disgwyl gweithio heddiw – ro'n i wedi cymryd y diwrnod ffwrdd fel *duvet day*.'

'Bydd awyr iach Dolanog yn gwneud byd o les i ti, lanc.'

'Gobeithio.'

'A jest i ti gael gwybod, mae gen ti addurn Dolig yn dy farf.'

Roedd yn rhaid iddo chwerthin. Cododd Hywel Emlyn ei law ac anwesu ei farf yn orffwyll nes iddo ffeindio'r bêl fach.

'Nel, fy nghariad ... mae hi'n wallgo am y Dolig. Ti 'di trimio eto, Inspector? Mae'n coeden ni 'di bod fyny ers mis Tachwedd.'

'Mae gen i achos i'w ddatrys cyn codi'r trimins, yn anffodus,' atebodd Daf, gan gofio, am y tro cyntaf, nad oedd ganddyn nhw 'run addurn yn y tŷ. Roedd holl drysorau Gae, yr addurniadau gwydr bregus roedd hi wedi'u casglu dros y blynyddoedd, wedi eu gadael yn yr atig yn Neuadd, i Belle gael trimio'r goeden enfawr ddeuai o blanhigfa'r fferm ar Fryn Bedw. Yn union fel cariad y botanegydd, roedd Gaenor yn hoff iawn o bopeth Nadoligaidd – ond sut gallen nhw brynu set newydd o dlysau chwaethus efo cerdyn credyd heb gredyd arno fo?

Nid oedd digon o le ger y Ganolfan, felly parciodd Daf ym maes parcio'r pentref. Roedd yn werth gofyn oedd y SOCOs wedi archwilio'r fan honno, meddyliodd. Cerddodd draw i'r Ganolfan efo'r botanegydd bregus, ond cyn iddyn nhw groesi'r ffordd daeth Land Rover i lawr y ffordd o gyfeiriad Llanfihangel. Pwysodd y gyrrwr ar ei gorn i gyfarch Daf a chododd Daf ei law ar Richard Parry. Yn eistedd yn sedd y teithiwr, bron yn ddigon mawr i wisgo gwregys diogelwch, roedd Avril.

'Ai cath oedd yn y Land Rover 'na?' gofynnodd y botanegydd.

'Ie, ac un fawr hefyd.'

'Diolch byth am hynny: ro'n i'n meddwl 'mod i'n colli arni.'

'Paid poeni, lanc, cath go iawn oedd hi, ddim arwydd o'r DTs.'

'Blydi hel.'

'Well i ti gael paned cyn dechrau ar dy waith.'

Roedd brechdanau bacwn yn ogystal â phaned ar gael yn y Ganolfan, gan fod Mrs Morris wedi'i hapwyntio'i hun yn rheolwraig arlwyo i'r ystafell ddigwyddiad. Roedd y tîm yn amlwg yn falch iawn, a Steve yn gwneud ei rownds efo hambwrdd a'i lond o gwpanau te.

'O ble daeth y te 'ma?' gofynnodd Hywel Emlyn.

'O Tesco, siŵr,' atebodd Mrs Morris, 'neu'r Spar yn Llanfyllin.'

'Well gen i ddŵr, felly. Fydda i ddim yn yfed te na choffi na siocled poeth, heb fod yn hollol sicr o'i hanes, a sut bydd o'n blasu. Dwi'n dipyn o *micro-connoisseur*,' eglurodd efo gwên fach o hunanfalchder.

'Dipyn o twat,' mwmialodd Steve o dan ei wynt.

'Reit, ffrindiau,' dechreuodd Daf, 'dyma Mr Emlyn, sy'n arbenigwr ar blanhigion. Steve, dwi isie i ti ddanfon dy SOCOs draw i'r maes parcio ger y bins ailgylchu, ie? Hefyd, den ni angen holi o dŷ i dŷ – wnaeth unrhyw un weld neu glywed unrhyw beth anarferol ar noson y plygain, iawn?'

'Den ni wedi clywed gan sawl tyst yn barod, bòs, pobol sy'n dweud eu bod wedi clywed peth anarferol iawn nos Sul,' eglurodd Steve.

'Be oedd hynny?'

'Ti, yn canu.'

Roedd Steve, yn amlwg, wedi paratoi ei jôc efo cymorth rhywun oedd yn siarad Cymraeg yn rhugl.

'Ffraeth iawn. Mae Sheila ar ei ffordd fyny – den ni angen cyfweld â'r gynulleidfa i gyd. Yn benodol, dwi angen pob tamed o wybodaeth am ddynes yn ei saithdegau a chanddi lygaid brown. Hi roddodd y gwpan de i Illtyd Astley. Roedd hi'n gwisgo sgarff trwchus hyd yn oed yn y gwres fan hyn. Dwi angen rhoi enw iddi hi, ac mae hynny'n flaenoriaeth. Hefyd, unrhyw wybodaeth am Astley ei hun, a chefndir teulu Parry Pantybrodyr. Amdani!'

'Ac mae merch Illtyd Astley yn dod draw mewn chwarter awr, ie?' atgoffodd Steve ef.

'Amser am baned, felly.'

Yng nghyntedd bach y Ganolfan roedd hanner dwsin o'r tystion newydd gyrraedd. Wynebau cyfarwydd, eu llygaid yn llawn pryder, pob un yn siarad yn isel. Agorodd drws y gegin a daeth Mrs Morris allan, yn cario hambwrdd arall yn llawn mygiau.

'Rŵan 'te, bawb,' dywedodd gyda gwên gyfeillgar ond â golwg yn ei llygaid oedd yn ddigon cryf i dawelu pawb yn yr ystafell, 'rhaid i chi aros fan hyn nes mae'ch enw chi'n cael ei alw. Peidiwch â thrafod yr achos – eich gwybodaeth chi mae'r heddlu ei hangen, nid rhyw hanner lobsgows o sibrydion a straeon ail-law. Ymhen hanner awr bydd paned arall. Dafydd Dafis ydi'r bòs, a bihafiwch.'

Yn amlwg, roedd yn amhosib cynnal unrhyw beth yng Nghanolfan Dolanog heb gyfraniad gan Mrs Morris, hyd yn oed ymchwiliad heddlu. Roedd Daf yn yfed ei de a thrafod y tywydd gydag aelod o barti plygain Mallwyd pan agorodd y drws. Gyda chwa o wynt oer daeth va i mewn.

Roedd hi wedi newid ei lensys – yn lle llygaid cath roedd ei llygaid erbyn hyn yn wyrdd metelaidd. Roedd hi'n gwisgo côt drwchus o'r un lliw ond, er gwaetha'r oerni, doedd hi ddim wedi cau'r sip. Gwisgai drowsus lledr tyn mewn lliw tebyg i gefn chwilen, yn wyrdd a phorffor symudliw, bŵts Dr Marten porffor a siwmper cashmir, yn dynn dros ei bronnau. Cafodd effaith sylweddol ar y dynion yn yr ystafell fach. Dychrynodd y mwyafrif, fel petaen nhw wedi gweld ysbryd, ond roedd dau aelod ifanc o barti Cemmaes yn amlwg wedi'u swyno.

'Mr Dafis?' gofynnodd, a sylwodd Daf am y tro cyntaf fod

teclyn clywed yn ei chlust. 'Mae'r lle 'ma fel ffair. Ty'd am dro: allwn ni sgwrsio ar ein ffordd fyny'r Allt.'

Cytunodd Daf ar unwaith, ond ar ôl pum munud yn yr oerni roedd o'n hiraethu am gynhesrwydd y Ganolfan. Roedd va wedi paratoi'n dda i gerdded yn y tywydd barugog efo menig, het a sgarff, ond roedd yn rhaid i Daf wthio'i ddwylo i waelod pocedi ei siaced.

'Tystion ydyn nhw i gyd?' gofynnodd va, gan frasgamu'n gyflym.

'Ie. Fel tithe.'

'Yn union. Sut hwyl gest ti hefo Mel, druan?'

'Sut oeddet ti'n gwybod 'mod i wedi mynd i weld Mel?'.

'Go amlwg ... chwilio am y bobol sy'n mynd i elwa fwya o'r farwolaeth. Dwi erioed wedi darllen 'run nofel dditectif ond dwi'n sicr fod y weddw ifanc wastad yn y ffrâm, yn tydi?'

'A be am y ferch gynlluniodd gêm efo'r bwriad o ladd cymeriad o'r enw "Dad"?'

Dringodd va heb drafferth dros gamfa, ac ar yr ochr arall arhosodd i chwerthin.

'Gêm ydi hi. 'Sneb yn cael ei anafu drwy gêm.'

'Ond wnest ti ofyn i Tancred lunio'r cymeriad efo wyneb dy dad.'

'Debyg iawn.'

'Pam hynny?'

'Mae'n gas gen ... na, *roedd* yn gas gen Dad dechnoleg o bob math. Ches i erioed y cyfle i chwarae 'run gêm electronig ... dim Nintendo na PS na dim byd. Ond roedd ganddo fo gyfrifiadur yn y tŷ ar gyfer ei waith, felly yn ystod y dydd, tra oedd o yn y Brifysgol a Mam yn yr ardd, mi ddysgais sawl peth. I ddechrau, sut i hacio, wedyn sut i greu cod.'

'Pryd oedd hynny?'

'Cyn iddo fo adael, wrth gwrs. Fi wnaeth ddarganfod be oedd yn mynd ymlaen rhyngddo fo a Nolwenn. Swnio mor *retro* rŵan, ond roedden nhw'n danfon negeseuon e-bost i'w gilydd – rhai digon poeth hefyd.'

'Faint oedd dy oed di yn y cyfnod hwnnw?'

'Rhyw dair ar ddeg.'

'A sut oeddet ti'n teimlo, wrth ddysgu bod dy dad yn anffyddlon i dy fam?'

'Wel wir, Mr Dafis, ti'n swnio'n hen ffasiwn! Anffyddlon!'

'Gall geirfa newid, ond mae'r teimladau 'run fath. Peth erchyll oedd darganfod bod dy dad yn cael affêr.'

Roedden nhw'n dilyn llwybr a grwydrai i fyny ochr yr Allt, ac roedd hi'n fore braf i fynd am dro gan fod plu o niwl yn gorwedd mewn sawl pant a'r haul yn cryfhau yn yr awyr las. Rywsut, roedd Daf wedi disgwyl y byddai merch oedd yn treulio oriau bob dydd tu ôl i sgrin ei chyfrifiadur yn anesmwyth yn yr awyr iach, ond roedd va yn symud yn hyderus, yn troedio'r arwyneb anwastad heb faglu.

'Ti 'di bod fan hyn o'r blaen?' gofynnodd Daf iddi.

'Sawl tro. Efo Dad pan oedden ni'n dod i ganu yn y plygain flynyddoedd yn ôl, a rŵan yng nghwmni Tancred neu ar ben fy hun. Os wyt ti'n methu clirio dy ben ar gopa Allt Dolanog, does dim gobaith.'

'Tancred?'

'Ie. Còg clên, yn tydi?' Roedd hi'n gor-wneud yr acen leol yn nawddoglyd.

'Wyt ti'n mynd am dro efo pob un o dy fyfyrwyr?'

'Na, ond mae Tancred a finne'n cydweithio ar brosiect mawr. Dim byd i wneud efo'i gwrs.'

'Rwbeth mwy personol hefyd?'

'Ti'n gofyn a ydan ni'n ffwcio? A sut mae'r cwestiwn yna'n berthnasol i'r ymchwiliad, os ga i ofyn?'

Stopiodd va am eiliad. Ymysg y rhedyn ger ei thraed roedd pant bychan, a gwyrddni'r mwsog ynddo yn drawiadol yn y pridd rhewllyd. Yng ngwaelod y pant roedd ffynnon. Tynnodd va ei maneg a chracio'r rhew er mwyn codi llond llaw o'r dŵr oer. Cynigiodd ddiod i Daf, ond gwrthododd yntau. Llowciodd va bob diferyn heb wingo, wedyn tynnodd ei ffôn o'i phoced a defnyddio'r camera i jecio'i lipstig. Sylwodd Daf am y tro cyntaf fod rhywbeth yn ei ffroen chwith, darn bach o blastig lliw croen, yn debyg i'r teclyn yn ei chlust ond yn llai.

'Mae dy dad wedi cael ei ladd, a dyna'r rheswm am bob cwestiwn. Wyt ti 'di clywed gan Garton, Gethin, Hughes?'

'Ydw, newyddion braf! Dwi'n lodes gyfoethog rŵan – yn werth ei bachu.' Roedd ei llais eto'n llawn dirmyg.

'Mae hi'n etifeddiaeth sylweddol.'

'Dim digon i fod yn iawndal, yn anffodus. Mi gollais rywbeth oedd yn werth llawer mwy i mi na'r hofelau mae o wedi eu rhoi i mi rŵan.'

'Ti'n sôn am hapusrwydd dy blentyndod?'

Atseiniodd sŵn chwerthin va dros y tirlun tawel, gwyn fel cloch.

'Hapusrwydd fy mhlentyndod? Am rwtsh sentimentalaidd! Na, dwi'n sôn am golled fwy diweddar a llai haniaethol o lawer. Ges i swydd yn y brifysgol, gwaith ymchwil.' Roedd ei hwyneb wedi goleuo ac roedd Daf yn ysu i weld ei llygaid tu ôl i'r lensys ffals. 'Wyt ti'n gwybod beth yw Deallusrwydd Artiffisial?'

'Sori, lodes, y cyfan dwi'n wybod yw mai rhywbeth o fyd ffuglen wyddonol ydi o.'

'Cwestiwn digon syml: ydi hi'n bosib i gyfrifiadur feddwl, fel rwyt ti'n meddwl? Mae'n ddigon posib creu rhaglen i ofyn pob cwestiwn ti wedi'i ofyn i mi hyd yn hyn, ond byddai'n rhaid i rywun greu'r rhaglen honno, a does neb wedi creu patrymau dy feddwl.'

'Heblaw Duw, fydde rhai'n dadlau.'

'Neu gallai tylwythen deg eistedd ar dy ysgwydd a sibrwd yn dy glust! Beth am i ni anwybyddu ffantasi a throi'n ôl at bethau gwyddonol? Mae gwahaniaeth rhyngddat ti a chyfrifiadur: ti'n deall dy fod ti'n meddwl, ti'n ymwybodol. Dyna beth oedd testun yr ymchwil, creu Ymwybod Artiffisial. Roedd tîm o chwech ohonon ni, ond roedd yn rhaid i ni geisio am gyllid gan y Deon, a gwrthododd yntau ein cais. Roedd o'n sôn am ffocws newydd yr adran ar brosiectau mwy ymarferol, a phartneriaeth efo diwydiant a bolycs tebyg, ond roedd ganddo agenda gudd. Mae o wedi cyfadde ers hynny mai fy nghosbi i oedd y bwriad, a thrwy hynny, gosbi fy nhad. Roedd adran Dad wedi ei hariannu'n dda, a sawl elusen yn cyfrannu ffortiwn yn flynyddol, felly doedd hi ddim yn bosib i'r Deon dynnu ceiniog oddi wrtho fo. Doedd y Deon ddim yn deall 'mod i a Dad ... wel, byddai dweud nad oedden ni'n agos yn danosodiad y flwyddyn. Yr holl waith roedden ni'n ei wneud wedi mynd, tîm rhagorol wedi ei wasgaru, a'r cyfan er mwyn cosbi dyn oedd ddim yn ddigon *tech savvy* i ddefnyddio Fitbit. Mae o'n annheg, Arolygydd Dafis, yn hollol annheg.'

'Ond pam oedd y Deon isie cosbi dy dad?'

'Fel'na mae pobol academaidd. Maen nhw'n gallu ffraeo dros stamp ail ddosbarth. Ond yn benodol, roedd perthynas Dad efo Mel wedi amharu ar enw da Prifysgol Aberystwyth. Mêl ar fysedd gelynion Dad. Roedd sylw yn y wasg yn anffodus – pennawd yr *Express* oedd y gorau yn fy marn i: "I'll Die in Jail to save my Girl from College Pervert says Cancer Dad." Ty'd draw i'w weld o ryw dro – mae gen i gopi mewn ffrâm ar fy wal.'

'Ti 'di fframio pennawd fel'na?'

'Y gwir oedd o. Ar ôl Nolwenn, cafodd Dad broblemau rhywiol dwfn, a dyna ble dechreuodd ei obsesiwn â phurdeb. Hynny ydi, os oedd merch yn forwyn cyn mynd i'r gwely efo fo, fyddai hi ddim callach pa mor wael oedd o.'

'Ti wedi trafod bywyd carwriaethol dy dad efo'i gyn-feistres?'

'Hi oedd yr unig un oedd yn fodlon bod yn onest efo fi. Roedd Mam yn rhaffu celwyddau, yn byw mewn ffantasi, a doedd Dad ddim yn deall ei hun yn ddigon da i esbonio ei ymddygiad. Doedd tyfu fyny efo tad fel fo ddim yn beth braf. Lwcus nad oedd gen i 'run ffrind, achos roedd o wastad yn glafoerio dros bob merch ifanc. Dwi'm yn mynd i guddio'r ffaith mai pleser pur oedd darganfod ei fod ar fin marw. Roedd o'n haeddu marw. Yr unig siom oedd ei fod o'n gwenu fel giât.'

'Nid gwên naturiol oedd honno, ond sgileffaith y gwenwyn.'

'Difyr,' meddai'n araf. Os nad oedd yr wybodaeth hon yn newydd iddi, roedd hi'n actores benigamp. 'Pa wenwyn, felly?'

'Alla i ddim dweud ar hyn o bryd. Ond cyn iddo fo farw, roedd o'n falch iawn o weld dy fam. Roedd hi'n canu iddo fo, a phan oedd hi ar ei ffordd allan o'r ward, dechreuodd hymian yn isel. Wyt ti'n meddwl eu bod nhw'n cyfathrebu drwy ganeuon?'

'Debyg iawn. Pa ganeuon oedden nhw?'

'"Deio'r Glyn" ganddi hi, ond doeddwn i ddim yn nabod yr un hymiodd dy dad.'

'Sut oedd hi'n mynd?'

'Dwi'n methu canu, ond rhywbeth fel hyn.' Gydag ymdrech, gwthiodd Daf yr alaw allan.

'Unwaith eto, plis,' gofynnodd va.

Ar ôl ei ail ymgais, clapiodd ei dwylo'n llon cyn canu, mewn llais hyfryd:

'Ble fuost ti neithiwr, fab annwyl dy fam?' cyn dechrau chwerthin.

'Be ydi'r jôc?'

'Ti'n bendant ddim yn ffan o alawon gwerin. Ti'n siŵr nad wyt ti wedi clywed hon o'r blaen? Mae hi ar CD Merêd.'

'Fel ddwedais i, dwi'm yn gyfarwydd â'r maes o gwbl.'

'Diolch byth am y we felly. Gall hyd yn oed yr heddwas mwya anwybodus ddysgu rhywbeth yn fanno.'

Erbyn hyn roedd Daf wedi dechrau arfer â dirmyg va, ond roedd o hefyd yn cydymdeimlo â hi. Doedd neb wedi ceisio'i hamddiffyn rhag agweddau cas natur ei thad; oedd bai arni felly am dyfu i fod yn berson mor hunanol?

'Sori am ofyn hyn, ond wnaeth dy dad ymddwyn yn anaddas tuag atat ti o gwbl?'

'Erioed. Ac nid ti ydi'r person cyntaf i ofyn y cwestiwn: rhybuddiodd Nolwenn fi amdano. Ar ôl gorffen efo fo, roedd hi'n poeni amdana i. Ond roedd o'n fy nabod i'n ddigon dda i beidio meiddio ffidlan efo fi.' Roedd golwg benderfynol iawn ar ei hwyneb ac roedd Daf yn sicr, hyd yn oed yn ferch ifanc, ei bod yn gymeriad penstiff.

Roedden nhw wedi dringo'n uchel i'r waun wastad islaw copa'r Allt ac roedd yn rhaid i Daf aros i gymryd ei wynt. Doedd va ddim wedi colli'i gwynt hyd yn oed – roedd hi ugain mlynedd yn iau na fo, rhesymodd Daf, ac yn amlwg wedi arfer cerdded y bryniau. Tynnodd hi ei het i lawr dros ei thalcen, ac wrth iddi ei hailosod cafodd Daf gip arall ar y teclyn yn ei chlust.

'Rhaid i mi ddweud,' sylwodd, 'mae gen ti lais hyfryd, i feddwl dy fod ti'n drwm dy glyw.'

'Trwm fy nghlyw? Mae fy nghlyw i'n berffaith, diolch yn fawr.'

'Ond ti'n gwisgo teclyn yn dy glust.'

'O, Mr Dafis bach, mae'n amlwg dy fod ti'n anghyfarwydd â datblygiadau gwyddonol. Mae gen i rywbeth yn fy nghlust, felly ti'n meddwl 'mod i'n fyddar. Duw a ŵyr sut alli di ddatrys achos efo cyn lleied o resymeg. Ti isie chydig o help?'

'Ond os ydi dy glyw yn iawn, be sy gen ti yn dy glust?'

'Mae hwn yn bwnc diddorol. Gawn ni ei drafod o ar ôl cyrraedd y copa?'

Heb aros am ateb, rhedodd nerth ei thraed i'r boncyn caregog. Roedd hi'n neidio dros y rhedyn fel elain, gan droi bob hyn a hyn i weld oedd Daf yn ei dilyn. Roedd ei hegni'n heintus, a rhedodd Daf ar ei hôl fel còg ifanc, yn cofio chwarae yno efo'i blant. Roedd Carys wastad yn dychmygu mai tywysoges oedd hi ar y copa, a phan edrychodd Daf i fyny i weld va yn sefyll ar y graig, roedd hithau hefyd fel petai'n teyrnasu dros y tirlun.

'Ryden ni wedi datblygu'n ara deg,' dechreuodd heb ragymadrodd. 'Esblygu mewn ymateb i'n hamgylchiadau dros filoedd o flynyddoedd. Ond pam na allwn ni newid yn gyflymach? Does gen i ddim digon o amynedd i aros am brosesau Darwinaidd hamddenol. Dwi isie newid rŵan.'

Am lodes oedd yn agos i'w deg ar hugain, roedd ei hagwedd yn blentynnaidd iawn, meddyliodd Daf, ond rhywsut roedd ei meddwl praff yn haeddu gwrandawiad.

'Meddylia am dy waith fel heddwas. Ti'n hel gwybodaeth

efo technegau gwyddonol, timau fforensig ac ati, ond sut wyt ti'n hel gwybodaeth yn bersonol? Efo dy synhwyrau. A dim ond pump sy gen ti.'

'Dim ond pump sydd ar gael.'

'Ond erbyn hyn, mae pobol ledled y byd, drwy gymorth technoleg, wedi llwyddo i ddatblygu synhwyrau ychwanegol. Mae rhai'n gallu teimlo daeargrynfeydd yn eu cyrff neu'n gallu synhwyro'r gogledd, ond does gen i ddim diddordeb mewn pethau felly. Pethau ymarferol dwi'n ymchwilio iddyn nhw, ac erbyn hyn dwi'n gallu clywed *wi-fi*. Technoleg y teclyn clyw ydi'r man cychwyn, ac mae'n gweithio'n dda. Rhaid i mi ganmol dy dîm technegol di – dwi erioed wedi clywed *wi-fi* mor glir yn Nolanog.'

'Mae hynny'n anhygoel.'

'Wrth gwrs ei fod o, ond mae'r hyn sy gen i yn fy nhrwyn yn llawer mwy difyr.'

'Sef?'

'Ti'n gwybod beth yw fferomonau?'

'Wel, dwi'n gwybod ein bod ni'n gallu gwynto'n gilydd ac mae 'na rwbeth yn ein chwys sy'n ...'

'Cemegau yw fferomonau, ac maen nhw ymysg y cemegau pwysicaf rydan ni'n eu creu. Sut mae babi newydd-anedig yn ffeindio bron ei fam? Pam yden ni'n gallu arogli gwahaniaethau mewn DNA pobol? Ac yn bwysicach byth, sut yden ni'n gwybod pan fydd rhywun yn ein ffansïo ni? Mae'r teclyn sy gen i yn fy nhrwyn yn synhwyrydd bach sy'n well na fy ffroen fy hun am ddarganfod fferomonau dynol, megis androsteron. Felly, dwi'n gwybod fel ffaith nad wyt ti yn fy ffansïo i. Os ydi'r synhwyrydd yn gwynto lefelau uwch o androsteron, dwi'n gwybod yn union ble dwi'n sefyll.'

'Blydi hel.'

'Ydw i'n iawn? Fyswn i'n dweud dy fod ti'n edmygu siâp fy nghorff ond dwi'm yn codi chwant arnat ti, ie?'

'Ie, ti'n hollol iawn. Dim nad wyt ti'n bert iawn ond, wel, mae gen i bartner, a ...'

'Does dim rhaid i ti wneud esgusodion – dyna sut mae'r byd yn gweithio. Dwi ddim yn cymryd y peth yn sarhad, ond mae'n braf gwybod be ydi'r sefyllfa.'

'Ydi o'n gweithio i ddynion hefyd?'

'Debyg iawn. Ond un cam yn y broses yw hynny. Wyt ti'n gwybod beth yw *neural pacemaker*?'

'Dim syniad, sori.'

'Mae cymaint o ymchwil wedi dangos bod sawl cyflwr, megis Parkinson's neu hyd yn oed iselder, yn ymateb i gynhyrfiad trydanol yn ddwfn yn yr ymennydd. Mae'n bosib hefyd creu chwant wrth gynhyrfu'r amygdala, ardal yn dy ymennydd. Pan dwi'n gallu fforddio'r gwaith, dwi am gael rheolydd bach yn fy amygdala fydd wedi ei gysylltu â'r synhwyrydd yn fy nhrwyn. Felly, yn y dyfodol, y bobol dwi'n ffansïo fydd y rhai sy'n fy ffansïo fi. Am rysáit am hapusrwydd!'

'Ond mae 'na fwy i gariad na thrydan a chemegau, siŵr?'

'Ystyria ŵr a gwraig ar ôl pymtheg mlynedd o briodas. Mae ei lygaid o wedi dechrau crwydro ac os nad ydyn nhw'n ofalus bydd y teulu'n chwalu. Ond petai'r wraig yn cael y cyfle i reoli ei chwant a'i fodloni, byddai hynny'n fendith fawr.'

Trafod ei phlentyndod oedd hi. Os oedd y graith yn dal i bigo digon iddi ystyried triniaeth lawfeddygol ar ei hymennydd, a fyddai hi'n ystyried camau eithafol eraill, megis lladd ci thad?

'Allwn ni fynd yn ôl i'r hyn ddigwyddodd ddydd Sul? Be oeddet ti'n wneud trwy'r dydd?'

'Mi gysgais tan toc ar ôl hanner dydd. Peth hyfryd yw sgwennu cod. Mae fel barddoniaeth – os ydi'r awen yn llifo, ti'n tueddu i gario mlaen. Mi orffennais tua phump o'r gloch y bore.'

'Ac ar ôl deffro?'

'Ges i frecwast, rhyw awr o waith coleg, edrych dros brosiectau rhai o'm myfyrwyr, wedyn es i draw i weld Tancred.'

'Jest i mi gael deall yn iawn, ti'n ei ddysgu o yn y coleg a dech chi'n cydweithio ar y gêm yma, ie?'

'Ac yn ffwcio bob hyn a hyn. Dwi'm yn siŵr os ydi ei fam wedi rhoi sêl bendith ar y peth. Fel arfer, mae hi'n ddynes agored, ond ddyfynnodd hi rywbeth un tro ynglŷn ag anfoesoldeb cariad pan mae bwlch mewn statws ... Buddha, Confucius neu rywun.'

'Mae o'n dipyn iau na ti.'

'Bron i ddeng mlynedd. Ond doedd dim rhaid i mi ddefnyddio owns o berswâd.'

'Goelia i. Ydi Tancred yn bwysig i ti?'

'Rydan ni'n ffrindiau da. Deall ein gilydd. Dyna'r cyfan.'

'Man cychwyn.'

'Man cychwyn i be? Dwi'm isie ffrog fel paflofa a gwasanaeth rhagrithiol yn unrhyw eglwys, diolch yn fawr iawn. Dwi'm am fridio, byth.'

'Ti ddim awydd i dy DNA di barhau, datblygu i'r dyfodol?'

'Dwi 'di trefnu i gael fy rhewi. A dwi hanner ffordd drwy'r broses o lanlwytho fy mhatrymau meddyliol i greu rhaglen ar gyfrifiadur sy'n union yr un fath â fy mhersonoliaeth. Pan fydd y rhaglen yn synhwyro cyfnod diddorol, bydd yn danfon neges i'r cwmni sy'n cadw fy nghorff i ddweud ei bod hi'n amser dadmer. A dyna i ti fywyd tragwyddol.'

'O. Dwi'n gweld. 'Nôl i ddydd Sul, felly,' atebodd Daf, wedi drysu'n llwyr.

'Ar ôl gweithio am gwpl o oriau, mi awgrymais i Tancred y dylen ni fynd i chwilio am *geocache*.'

'Roedd hi'n nosi erbyn hyn, oedd? A be ydi *geocache*? Peth fel helfa drysor, ie? Ti'm yn medru gwneud hynny yn y tywyllwch.'

'O, na – mae'n hwyl mynd allan efo tortsh ar dy dalcen yn chwilio am y bocs. Ond roedd Tancred ar ei hôl hi braidd efo'i waith dylunio felly es i ar ben fy hun.'

'A ble oedd y bocs?'

'Ger yr afon yn Nolanog, ddim ymhell o'r gored.'

'Be wedyn?'

'Picio i'r eglwys, i weld oedd y gwasanaeth yn dal ymlaen.'

'Pam hynny?'

'Ro'n i'n arfer mynd i blygeiniau a dwi ddim wedi mynychu un ers tair blynedd. Jest ffansi oedd o.'

'Cyn penderfynu dod i Ddolanog, oeddet ti'n gwybod bod y plygain ymlaen?'

'Dim syniad. Dwi'm yn dilyn y plygeiniau bellach.'

'Cyd-ddigwyddiad?'

'Llwyr.'

'Pryd siaradaist ti efo dy dad ddiwetha?'

'Mis yn ôl. Mwy, falle.'

'Ynglŷn â be oedd y sgwrs honno?'

'Nolwenn.'

'Pam?'

'Rhaid i ti wneud dipyn bach mwy o waith Gŵglo. Ond mi ddwedais i wrtho fo nad oedd gen i ddiddordeb mewn aildwymo unrhyw hen sgandal, hyd yn oed i'w frifo fo.'

'Sut mae dy berthynas efo dy fam?'

'Mae fy mam wedi mynd, flynyddoedd yn ôl. Dynes ecsentrig ond cariadus oedd hi. Dwi'n hoffi ei chofio cyn ... cyn i'r cymylau ddod. Y peth cyntaf fyddwn i'n ei glywed bob bore oedd ei llais hi'n canu fel mwyalchen. Roedd hi'n canu drwy'r dydd, wir i ti. Bywyd od oedd o, wrth gwrs, heb deledu nac ysgol, dim cymdogion na theulu, ond pan oedd hi'n hapus roedd ganddon ni sleisen fach o baradwys yno ymysg y brwyn.'

'Ond?'

'Fe dorrodd ei chalon hi, yn sitrwns. Daeth y newid fel gaeaf droston ni i gyd. Dydi fy mam ddim yn bodoli mwyach, ac mae'n gas gen i'r creadur sy'n llenwi'r siâp lle oedd hi.'

'Be am weddill dy deulu?'

'Pan oedd Dad efo ni, roedd Taid a Nain Ceredigion, ochr Mam, yn cadw draw. Mi fuon nhw'n gefn iddi hi wedyn tan gafodd Taid gyntaf, ac wedyn Nain, ffycin Alzheimer's. Doedd Dad ddim isie dim i'w wneud efo'i rieni o, rhag ofn iddyn nhw sbwylio'i ddelwedd werinol Gymreig – nid mab fferm oedd o, na phlentyn i bobol academaidd. Pobol bob dydd oedden nhw, Gran a Gramps Caerdydd, pobol *bourgeois*, fel ddwedodd Nolwenn. Ar ôl i mi fynd i'r coleg, mi benderfynais chwilio amdanyn nhw, ac roedden nhw falch iawn o gael dod i fy nabod i. Yno ro'n i'n aros yn ystod gwyliau'r coleg. Roedd Dad yn ffyrnig ond doedd o ddim yn gallu fy stopio fi.'

'Ti isie i ni gysylltu efo nhw, i ti gael dipyn o gefnogaeth?'

'Maen nhw wedi symud i Sbaen ers pum mlynedd, a chwarae teg iddyn nhw. Ddylech chi gysylltu efo nhw i dorri'r newyddion, ond doedd o ddim wedi bod yn agos atyn nhw ers dros ddeng mlynedd ar hugain. Ffugiwr llwyr oedd fy nhad annwyl. Dysgu Cymraeg yn y coleg wnaeth o – doedd dim diferyn o waed Cymro yn ei gorff o. Cafodd Gramps ei eni ym Mryste ac mae Gran yn dod o Swydd Efrog.'

'Dydi hanes y teulu ddim yn bwysig: ti'n Gymro neu'n Gymraes os ti'n dymuno bod.'

'Ond nid felly roedd Dad yn gweld pethau. Cofia di'r purdeb oedd mor bwysig iddo fo, ac yntau'n Jac Sais llwyr. Newidiodd ei enw, o Derek Carver.' Tynnodd becyn o *mint imperials* o boced ei siaced. 'Dyna ddigon o siarad. Cymer fintys.'

Roedd Daf yn falch o'r seibiant, iddo gael meddwl.

'Beth welest ti yn y fynwent, felly?'

'Roedd yr eglwys yn dawel, heblaw am gwpl ifanc yn cusanu yn y portsh.'

'Fy mab oedd un, mae'n debyg. Ymlacio ar ôl canu yn y plygain.'

'Chwarae teg. Mi glywais rywfaint o helynt tu allan i'r neuadd, ac wrth i mi adael mi welais i ti, wrth y giât.'

'Ti oedd yr wyneb welais i?'

'Debyg iawn.'

'Roeddet ti'n edrych yn welw.'

'Effaith yr oerni.'

'Ocê. Hen bryd i ni fynd 'nôl, lodes.'

Ar eu taith i lawr, synnodd Daf pa mor rhwydd oedd y sgwrs efo dynes mor od. Roedd o'n dal yn awyddus i drafod cwpl o bethau ond methodd gael unrhyw wybodaeth bellach ganddi ynglŷn â Nolwenn.

'Ar ôl gadael y fynwent?'

'Es i 'nôl adre i Dy'n yr Onnen. Rhoddais bryd cyw iâr yn y meicrodon ac ar ôl bwyta swper agorais botel o Shiraz. Gwyliais Netflix am awr, wedyn dwyawr o sgwennu cod cyn mynd i'r gwely. Roedd yn rhaid i mi roi'r larwm ymlaen i f'atgoffa fy hun i fynd i'r gwely cyn dau – tydi diwrnod llawn o waith ar ôl noson o sgwennu cod ddim yn gweithio'n dda.'

Arhosodd am eiliad ger yr arwydd siâp llyfr oedd wedi'i ysbrydoli gan yr emynydd lleol.

'Petai hi'n fyw rŵan, codio fyddai Ann Griffiths, dwi'n siŵr,' datganodd. 'Ti'n gallu gweld y patrymau yn ei cherddi.'

'Gwranda,' atebodd Daf, 'ti'n gwybod bod gen i gwestiwn arall i'w ofyn, cyn i ni fynd yn ôl i'r Ganolfan am baned.'

'Nid fi laddodd o. Yn y pen draw, ar ôl yr holl ddrwg wnaeth o i mi, dwi wedi goroesi. Dwi'n bendant y bydd y byd yn well lle hebddo, ond nid fi roddodd y gysblys yn ei de.'

'Sut wyt ti'n gwybod sut fu o farw, va?'

'Ar ôl ei weld o yn yr ysbyty, mi Gŵglais y symptomau. Mae'r *rictus* yn ddigon anarferol. Ac yn swper y plygain, be wyt ti'n yfed ond te? Rhesymeg, dyna'r cyfan.'

Doedd hi ddim wedi rhoi alibi iddo o gwbl, fel petai o ddim yn ddigon pwysig iddi greu stori ar ei gyfer. Ac yn rhyfedd, dyna pam roedd Daf yn ei chredu – doedd hi ddim wedi rhaffu celwyddau na chreu stori.

'Oes gen ti amser am baned?' gofynnodd iddi.

'Paned yn yr un lle ag y cafodd fy nhad ei wenwyno? Dydi hynny ddim yn swnio'n ddeniadol iawn. Diolch am y tro, a'r sgwrs – mae gen i waith i'w wneud.' Oedodd am ychydig eiliadau, cyn ychwanegu, 'Ac os wyt ti angen help i ddatrys yr achos, coda di'r ffôn. Dwi'n eitha ffansïo rôl Sherlock Holmes, efo ti fel Watson ... neu Lestrade. '

'Yn anffodus, dwi'm yn siŵr fydd hynny'n bosib. Ond diolch yn fawr am y cynnig.'

Yng nghyntedd y Ganolfan, sylwodd Daf pa mor oer oedd ei ddwylo. Pan ddaeth Mrs Morris ato efo paned, gwnaeth ymdrech fawr i reoli ei fysedd lletchwith a pheidio colli'r hylif poeth dros y lle. Un arall oedd yn edrych yn oer oedd Hywel Emlyn, ei farf yn edrych yn fwy sylweddol byth dros ei siwt wen SOCO.

'Mae 'na ddigon o gysblys i'w weld o gwmpas,' meddai wrth Daf. 'Dipyn yn tyfu wrth yr afon, wrth reswm, ond ro'n i'n synnu ei weld o yn yr eglwys ei hun.'

'Yn yr eglwys?'

'Ie – penderfynodd pwy bynnag a osododd y blodau ar gyfer y Nadolig addurno'r allor efo planhigyn gwenwynig iawn ymysg y celyn a'r eiddew.'

Pennod 8

Yn hwyrach ddydd Mercher

'Ti'n jocian,' ebychodd Daf, ei de poeth yn mynd i lawr y ffordd anghywir. 'Pwy fyse'n defnyddio'r gysblys i addurno eglwys?'

'Mae synnwyr y tu ôl i'r peth,' esboniodd y botanegydd, gan estyn napcyn papur i Daf. 'Yn y gaeaf, mae ffrwythau'r gysblys yn hardd. Ac roedd fy nain, oedd yn gosod blodau, yn dweud eu bod yn rhoi strwythur da i drefniant. Mae'r gysblys yn yr eglwys wedi cael ei sychu, ac yn gweithio'n dda efo'r planhigion bythwyrdd eraill.'

'Ond rhoi rhywbeth gwenwynig yn yr eglwys ...'

'Fel dwi wedi dweud yn barod, Inspector Dafis, yn y gwreiddyn mae'r drwg. A welais i 'run gwreiddyn cysblys yn yr eglwys. A cofia, fyddai eiddew ddim yn gwneud lles i ti chwaith petaet ti'n ei fwyta.'

Miriam. Hi oedd yn gosod y blodau, felly hi – a chanddi reswm digon cryf i gasáu Illtyd Astley – oedd â'r cyfle i'w ddefnyddio fel arf i'w ladd o. Roedd yn rhaid i Daf siarad efo hi eto, cyn gynted â phosib. Ond cyn mynd yn ôl i Bantybrodyr byddai'n rhaid iddo holi sut roedd pethau'n mynd efo'r tystion: tra oedd o'n cerdded fyny'r Allt, roedd sawl un wedi cael ei gyfweld ac roedd nifer yn dal i aros yn y cyntedd, dan ofal Mrs Morris.

'Wel bòs,' meddai Sheila ar ôl gorffen cymryd set arall o olion bysedd, 'mae pawb wedi gweld dy hen ddynes di, ond does neb yn ei nabod hi.'

'Mae hynny'n amhosib. Gwasanaeth plygain oedd o – a tydi pobol ddierth byth yn mynychu'r plygain.'

'Mae'n bosib bod pob un o'r tystion yn dweud celwydd er mwyn ei hamddiffyn hi ... ac mae pawb yn dweud yn union yr un peth. Hen ddynes, dros ei hwyth deg falle, het wlân, sgarff drwchus, côt hir, dywyll. Rhai'n dweud côt ddu, eraill yn dweud glas tywyll.'

'Faint o dystion sy ar ôl i'w holi?'

'Dros dri deg, ond dwi ddim yn rhagweld y byddan nhw'n dweud unrhyw beth gwahanol.'

'Oes llun wedi ei greu ohoni eto?'

'Fydd un yn barod ar gyfer dy sgwrs efo'r wasg yn nes ymlaen.'

'Oes 'na lawer o ddiddordeb?'

'Yn anffodus, mae rhywun sy'n danfon straeon lleol fyny i'r *Telegraph* wedi canolbwyntio ar y ffaith ei fod wedi ei lofruddio yn y gwasanaeth carolau, ac mae'r *Mail* wedi cysylltu efo'r weddw ifanc. Yn sydyn reit, mae pawb isie clywed hanes Illtyd Astley.'

'Ti 'di siarad efo Mrs Morris, brenhines y pentre, eto? Dwi'n methu credu fod rhywun dierth i Mrs Morris yn swper plygain Dolanog.'

'Mae Mrs Morris wedi cael ei chyfweld. Mae hi'n cofio'r ddynes yn iawn, yn enwedig oherwydd ei bod hi wedi mynnu cael ei phaned yn y gegin yn hytrach nag aros i rywun ddod draw ati efo'r tebot. Dim ond hi, y ddynes ddierth, oedd wedi mynnu cael ei the yn syth.'

'Y baned roddodd hi wedyn i Illtyd Astley.'

'Debyg iawn.'

'Ond heb wybod pwy ydi hi, does ganddon ni ddim syniad be oedd ei chysylltiad efo fo.'

'Efallai nad hi roddodd y gwenwyn yn y gwpan.'

'Ond hi fynnodd gael ei the o'r gegin, a hi roddodd y gwpan o'i flaen o. Ti'n gwybod be, Sheila, mae'n warthus os na all holl adnoddau Heddlu Dyfed Powys lwyddo i ddod o hyd i un hen leidi. Nid Lord Lucan ydi hi, wedi'r cyfan.'

'Ond mae'n werth cofio, bòs, nad oes neb byth yn rhoi smic o sylw i'r henoed. Mae Mam wastad yn dweud bod merched yn diflannu ar ôl iddyn nhw droi'n chwe deg.'

'Digon teg. Ac yn y cyfamser, mae'n rhaid i ni ddilyn sawl trywydd arall, yn cynnwys y teulu a'i gyn-gariad, Nolwenn Kerjean. Oes rhywun wedi dod o hyd iddi eto?'

'Dwi'n synnu atat ti, bòs – ti wastad yn brolio dy ddiddordeb mewn materion cyfoes. Mae'r Nolwenn 'na'n ddynes enwog yn Ffrainc erbyn hyn.'

'Enwog am be? Gwaith ymchwil diflas ar ddawnsio gwerin?'

'Ti'n gwybod pwy yw Marine Le Pen?' gofynnodd Sheila, fel petai'n siarad â phlentyn.

'Wrth gwrs 'mod i.'

'Wel, mae ganddi hi gefnogwraig selog sy wedi addo tynnu Llydaw o afael y Sosialwyr. Maen nhw'n ei galw hi'n Evita Lydewig: Nolwenn Kerjean-Moreau.'

'Hen gariad Illtyd Astley?'

'Yn gwmws. Yn ôl y sôn, dydi ei gwrthwynebu hi ddim yn beth doeth i'w wneud. Llynedd, yn Quimper, cynhaliodd hi rali fawr, a tra oedd hi'n areithio am y mewnlifiad ac ati roedd rhai'n heclo. Landiodd saith o'r heclwyr yn yr ysbyty a chafodd tri o'i chefnogwyr, yn cynnwys ei gŵr, eu herlyn. Treuliodd ei gŵr chwe mis yn y carchar.'

'Ond doedd hi ddim yng nghyffiniau Dolanog dros y penwythnos, siawns?'

'Roedd hi'n aros yng Ngwesty Llyn Efyrnwy efo'i gŵr ... rhyw gynhadledd academaidd yng Ngregynog.'

'Mi fydd yn rhaid i mi bicio fyny i'r Lakes felly – rhaid i mi gael sgwrs efo hi.'

Roedd amserlen cyfweliadau'r tystion wedi ei threfnu i ganiatáu dipyn o doriad dros ginio, ond doedd y tîm ddim wedi disgwyl cinio rhost cig oen gan Mrs Morris y Wern. Dechreuodd Hywel Emlyn, oedd wedi treulio'r rhan fwyaf o'r bore yn yr awyr iach fel y gwnaeth Daf, lowcio'i fwyd fel blaidd.

'Faint o bobol sy'n gwybod am rinweddau'r gysblys, còg?' gofynnodd Daf, gan godi fforcen llawn maip.

Rhoddodd y botanegydd ei gytleri i lawr ar ei blât a syllodd ar wyneb Daf.

'Gyda phob parch, Arolygydd Dafis, sut mae disgwyl i mi wybod beth mae pobol eraill yn ei wybod?'

Roedd Daf yn dechrau colli ei amynedd efo fo. Efallai mai camgymeriad oedd ei rybuddio am yr addurn Dolig yn ei blydi barf, ystyriodd, ond codwyd ei ysbryd gan bowlen o bwdin cyflaith Mrs Morris.

'Os ydi'n gyfleus i ti, Mr Emlyn, dwi isie i ti ddod efo fi i ymweld â fferm ar ôl cinio. Cartref y lodes a osododd y blodau yn yr eglwys.'

'Iawn gen i. Does dim llawer o olau dydd ar ôl.'

'Mae gen i gwpl o alwadau i'w gwneud, wedyn awn ni'n syth fyny i Bantybrodyr.'

Cerddodd Daf yn ôl i'r ystafell fawr mewn pryd i weld Sheila'n codi ei dwrn mewn arwydd o fuddugoliaeth.

'Mae hi'n dod i mewn jest ar ôl dau o'r gloch, bòs,' galwodd Sheila, ei hwyneb yn gymysgedd o lwyddiant a rhyddhad. 'Y *coercive control*. Mae hi'n barod i ni erlyn y bastard.'

'Bastard ydi'r gair,' ychwanegodd Steve. 'Mae hi wedi cael dim *shoes* am flwyddyn un tro.'

Edrychodd Sheila arno.

'Sut wyt ti'n gwybod hyn, Steve?' gofynnodd mewn llais isel. 'Doedd hynny ddim yn y ffeil.'

Cochodd Steve. '*Common knowledge* yn Welshpool,' mwmialodd dan ei wynt.

Roedd Daf ar fin gofyn cwestiwn arall pan ganodd ei ffôn: John Neuadd.

'Dech chi wedi'i ffindio hi eto, Daf?'

'John, dydi Doris dim yn berson sydd ar goll, yn swyddogol. Ac mae'n rhaid i ni gymryd pwyll – petai Doris yn cerdded i mewn i orsaf yr heddlu rŵan, byddai'n rhaid i ni rannu'r wybodaeth efo'r gwasanaeth mewnfudo.'

'O, den ni'n byw yng ngwladwriaeth yr heddlu erbyn hyn, yden ni, Dafydd? Nid troseddwr ydi Doris ond dynes weithgar a dymunol.'

'Sy'n digwydd bod yn y wlad yma heb unrhyw statws swyddogol.'

'Ond all hi gael y ... statws 'ma drwy fod yn wraig i mi?'

'Gyda phob parch, John, dwi yng nghanol cymaint o bethe fan hyn. Gawn ni sgwrs nes ymlaen?'

'Wrth gwrs. Sori. Dwi'n despret am newyddion. Wedi gofyn ym mhob siop, a tydi hi ddim wedi dal y bws ...'

'Nes mlaen, plis, John.'

'Iawn 'te.'

'Jest un peth, tra den ni'n siarad – be wyt ti'n wybod am blanhigyn o'r enw y gysblys?'

'Stwff drwg. Does gennon ni 'run coes o'r stwff ar dir Neuadd, alla i addo i ti. Mae'n tyfu ger nentydd a llefydd gwlyb. Dydi'r blodau'n gwneud dim drwg ond os fasc'r gwartheg yn bwyta'r gwreiddie does dim modd eu hachub. A dydi o ddim ar dy siwrans di chwaith.'

'Felly dydi o ddim yn blanhigyn anarferol?'

'Mae 'na rai sy'n gadael llonydd i'w tir, yn cadw porfeydd llawn chwain ac yn derbyn pob math o grant am eu diogi.'

'Ac mi fyse pobol sy wedi eu magu ar fferm yn gyfarwydd â'r gysblys?'

'Ddylen nhw fod, Dafydd, ond wrth edrych dros y sir dyddie 'ma, pwy a ŵyr be mae pobol yn wybod am ffermio, wir ...'

'Mi ddo i fyny nes mlaen heno, John.'

'Well gen i gwrdd â ti yn y Goat. Mae'n gas gen i'r lle 'ma hebddi.'

Doedd John Ncuadd erioed wedi dweud unrhyw beth negyddol am ei gartref o'r blaen. Roedd y sefyllfa'n dod yn gliriach bob awr – roedd John wedi syrthio mewn cariad.

Ar eu ffordd i fyny i Bantybrodyr, roedd Daf yn ofalus ynglŷn â faint o wybodaeth roedd o'n ei rhannu efo Hywel Emlyn.

'Den ni'n gwybod bod rhyw ddrwgdeimlad rhwng y teulu yma a'r dioddefwr. Ac aelod o'r teulu yma osododd y blodau yn yr eglwys. Felly, tra dwi'n siarad efo nhw, dos di i gael pip o gwmpas, i weld ydi'r gysblys yn tyfu ar dir y fferm.'

'Dim problem.'

O'i gymharu ag ymweliad y noson cynt, roedd Pantybrodyr

yn edrych yn hollol wahanol i Daf. A chanddo rywun i agor y gatiau, car 4x4 a heulwen glir canol gaeaf yn llifo dros y bryniau, doedd y tyddyn ddim yn ymddangos mor llwm. Ar lethr uwchben y tŷ roedd Ceri'n gweiddi ar y defaid, yn eu gwahodd at gratsh llawn gwair. Yng nghornel bella'r cae, ger y goedwig, roedd Miriam yn gweithio'n dawel ac yn fedrus wrth ochr ei thad i blethu sietin, gan arwain y ceinciau â dwylo profiadol. Fel tirlun gan Brueghel, roedd y bobol, y tir a'r tywydd yn uno i greu delwedd ddiddorol, a sylweddolodd Daf mor braf oedd y teimlad o berchnogaeth, o gael byw mewn lle mor hyfryd. Nid oedd Hywel Emlyn yn cytuno.

'Am dwll o le!' barnodd. 'Ddylen ni glirio'r bobol i gyd o'r bryniau a'u gadael i fynd yn wyllt. Fe fysen nhw'n diolch i ni yn y pen draw – pwy fyddai isie byw gydol ei oes mewn lle mor anial?'

'Teulu Pantybrodyr, dyna pwy. Hwn ydi eu cynefin nhw, a dyma lle maen nhw am aros.'

'Dim ond oherwydd nad oes ganddyn nhw syniad am fywyd gwahanol.'

'Ond petaen ni'n tynnu pobol o gefn gwlad,' dechreuodd Daf, yn falch iawn na fyddai'r botanegydd yn debygol o gwrdd â John Neuadd, 'beth am yr iaith Gymraeg?'

'Fel iaith y trefi mae dyfodol i'r Gymraeg,' atebodd Hywel Emlyn, cyn agor y drydedd giât.

Gwyddai Daf nad oedd diben dechrau dadl, ond byddai'n drychineb petai neb yn canu rhwng muriau cerrig Pantybrodyr byth eto, waeth pa mor llesol fyddai hynny i bob cen neu bry dan haul.

Parciodd Daf y car ar dro yn yr wtra a bloeddiodd:

'Mr Parry! Miriam! Gawn ni air?'

Cododd y ddau eu pennau. Rhoddodd yr hen ddyn ei filwg a bwyell fach Miriam mewn bag hesian cyn codi'r strap dros ei ysgwydd lydan. Symudai'n gryf a phwrpasol, fel dyn ifanc.

'Be sy, Dafydd?' gofynnodd. 'Ti 'di cael sgwrs efo Mirs neithiwr, ac mae ganddon ni waith i'w wneud fan hyn.'

Roedd ei ferch yn sefyll tu ôl iddo fel petai angen iddo ei hamddiffyn.

'Mae tystiolaeth newydd wedi dod i'r amlwg, ac mae'n rhaid i mi ei thrafod efo Miriam. Hefyd, bydd rhaid i 'nghyd-weithiwr edrych o gwmpas.'

'Dwi'm yn hoff iawn o gael pobol ddierth yn sbrwtio o gwmpas ein fferm ni.'

'Botanegydd fforensig yw Mr Emlyn,' esboniodd Daf, gan obeithio y byddai teitl ei swydd yn ddigon i'w dawelu.

'Dr Emlyn,' cywirodd y dyn.

'Meddyg wyt ti?' gofynnodd Mr Parry. 'Ro'n i'n meddwl mai môr-leidr oeddet ti, efo'r ffasiwn wisgars. Ti'n f'atgoffa i o dad fy hen daid, wir – mae llun mawr ohono fo yn y parlwr acw.'

'Dwi'n astudio planhigion Cymru.'

'I ba asiantaeth?' gofynnodd y ffermwr yn ddrwgdybus.

'Yn llawrydd, ond dwi'n gweithio i Heddlu Dyfed Powys heddiw.'

'Does ganddon ni ddim diddordeb mewn unrhyw beth heblaw'r achos,' meddai Daf, i geisio tawelu meddwl Mr Parry.

Tynnodd Dr Emlyn hen getyn hir o boced ei siaced, un wedi'i wneud o glai. Dim ond mewn amgueddfa roedd Daf wedi gweld rhai felly o'r blaen. Llanwodd y botanegydd y bowlen â rhyw ddeunydd llysieuol o fag bach lledr. O ddyfnderoedd ei oelscin, tynnodd Mr Parry yntau ei getyn ei hun, un â phowlen fawr bren.

'Fy hen daid gerfiodd hwn o ddarn o hen goeden geirios a chwythodd lawr mewn storm y noson farwodd yr hen frenhines,' esboniodd yr hen ddyn. 'Fictoria,' ategodd, i sicrhau na fyddai neb yn camddeall.

Rywsut, roedd cystadleuaeth wedi datblygu: pwy oedd y mwyaf hen ffasiwn ac ecsentrig – yr hipster neu'r hen ffermwr.

'Dwi'n tyfu baco fy hun,' broliodd Hywel Emlyn, gan bacio'i getyn yn dynn, 'ac mae'r ebolgarn a'r ysgellog yn tyfu'n wyllt ar fryniau Ceredigion.'

'Ready Rubbed Plus sy gen i fan hyn,' ymatebodd Parry.

Beth bynnag oedd yn ei bwrs baco, roedd o'n drewi hyd yn oed cyn cael ei danio.

Estynnodd y botanegydd flwch tân. Bocs bach pren oedd o, gyda chylch o ddur a fflint yn un pen a darn o fwsog sych yn y pen arall. Edrychodd Daf ar Miriam, a chododd hithau ei haeliau. Doedd dim dwywaith fod y blwch tân wedi creu argraff fawr ar Mr Parry.

'Heb weld un o'r rhein ers oes pys,' cyfaddefodd, yn chwarae â'r pecyn o Swan Vesta oedd yn ei law. Taniodd fatsien ar sip ei oelscin. Ymhen sbel, llwyddodd Hywel Emlyn i greu sbarc a gollyngodd y mwsog sych bluen denau o fwg. Sugnodd Parry yn ddwfn a daeth cwmwl du o bowlen ei getyn. Er ei fod ddeg llath oddi wrtho, roedd yn rhaid i Daf besychu.

'Be ddiawl mae dy dad yn smygu?' gofynnodd i Miriam.

'Baco buarth mae o'n ei alw fo. Cymysgedd o faco siop, te a thriog du. Mae'n stwff ffiaidd.'

Am eiliad, safodd Hywel Emlyn yn stond, gan syllu ar ei wrthwynebydd drwy'r mwg trwchus. Wedyn, fel petai wedi derbyn na allai neb fod yn fwy hynod na Richard Parry Pantybrodyr, camodd draw i gyfeiriad y nant.

'Mae'r còg 'ma'n ceisio'n rhy galed, yn tydi o?' meddai Miriam yn isel, ac er mwyn codi'i chalon adroddodd Daf hanes yr addurn Dolig wrthi cyn cynnig lifft iddyn nhw draw i'r tŷ.

'Allen ni byth fod mor anghwrtais, Dafydd Dafis. Mae'r lodes a finne yn ein dillad gwaith a tithe efo car mor smart. Welwn ni ti yna – a dwed wrth Heather am dynnu'r tegell i flaen y stof.'

Yn nrych y car, gwyliodd Daf y tad a'r ferch yn cyd-gamu heb ddweud gair, a'r mwg o'i getyn yn eu dilyn. Roedd harmoni dedwydd rhyngddyn nhw, ac roedd yn amlwg iddo pa un oedd hoff blentyn Mr Parry Pantybrodyr.

Ei blentyn arall a atebodd y drws, yn ei ddillad tŷ a sbectol rad ar ei drwyn.

'O, helô, Dafydd.'

‘Pnawn da, Dewi Wyn. Mae gen i fwy o gwestiynau i’w gofyn, mae’n ddrwg gen i ddweud.’

‘Paid poeni – well ganddon ni siarad fan hyn na mynd lawr i fwrlwm y Ganolfan.’

Ar fwrdd y gegin roedd carped o bapurau, yn cynnwys map mawr o’r fferm. Roedd Heather yn croenu tatws.

‘Ti’n brysur, Dewi Wyn,’ sylwodd Daf.

‘Duwcs, yndw, Dafydd. Den ni’n brysur, yn tyden ni, missus?’

‘Gwaith papur,’ cytunodd ei wraig. ‘Os na wnewn ni ddal fyny efo pethe bob hyn a hyn, fe fydden ni’n boddi, wir.’

‘Ie, boddi,’ ailadroddodd ei gŵr. ‘Paned, Dafydd?’

‘Tsiampion.’

‘Does ganddon ni ddim gwybodaeth i ti, siŵr,’ meddai Heather, gan sychu ei dwylo ar ei brat. ‘Wnaethon ni ddim sylwi ar ddim byd.’

‘Ond dech chi’n byw o dan y to ’ma – a dwi’n gwybod am fusnes y garol.’

‘Does gan Miriam ddim pen busnes, dim o gwbl,’ datganodd Dewi Wyn wrth geisio symud digon o’r papurau i wneud lle i fŵg Daf.

‘Den ni wastad yn dweud hynny,’ ategodd Heather. ‘Dydi Miriam ddim yn gwybod be sy’n gwneud bargen.’

Peth braf oedd gŵr a gwraig yn cyd-weld, meddyliodd Daf, ond efallai fod perthynas Dewi Wyn a Heather yn mynd un cam yn rhy bell.

‘A den ni’n sôn am dipyn go lew o bres hefyd,’ oedd cyfraniad nesaf Dewi Wyn. ‘Dyma ni, yn crafu ar grant bech o ddwy fil, a Miri’n gollwng degau o filoedd drwy ei dwylo fel dŵr.’

‘A bydde dipyn o bres yn gwneud byd o les fan hyn. Mae Bòs wedi sôn am godi beudy go iawn ers degawde. Anodd rhoi pres i un ochr ar gyfer prosiect fel hyn.’

‘A does dim byd all neb wneud am y peth. Dwi wrth fy modd efo’r Pethe wrth gwrs, ond fyse’n gwneud dim drwg cael dipyn o bres i godi sied to sinc. Mi allen ni ganu ynddi hi, y sied newydd, yn ogystal ag yn y bing.'

'Yn gwmws. Does dim byd yn eich stopio chi ganu fel adar yn y sied, wir Dduw.'

Roedd Daf yn enwog am ei amynedd – yn enwedig, yn ôl Steve, ei amynedd efo rhai sy'n siarad lol – ond roedd lol stereo Dewi Wyn a Heather wedi ei ddiflasu'n syth. Cododd ei galon pan glywodd y drws cefn yn agor. O'i basged o dan y gadair fawr ger y Rayburn, cododd Avril. Cerddodd yn urddasol at ei meistr, gan sefyll yn stond i aros iddo dynnu ei fŵts trwm a'i legins.

Newidiodd awyrgylch y gegin yn syth. Doedd Dewi Wyn a Heather ddim wedi cynhyrfu o gwbwl ar ddyfodiad heddwas yn ymchwilio i lofruddiaeth, ond pan gyrhaeddodd y meistr cododd Dewi Wyn ei bapurau'n syth a chliriodd Heather ddarnau o groen winwns oddi ar y bwrdd bach ger y Rayburn. Jest mewn pryd – rhedodd llygaid yr hen unben dros y gegin fel golau Colditz.

'Heb wneud paned i'r ymwelydd, Heather?'

'Tegell bron â berwi, Mr Parry.'

'Digon teg.'

Gadawodd ei gôt, legins, bŵts a menig rywsut rywsut ar y llawr. Erbyn hyn roedd Miriam hefyd wedi tynnu ei dillad gwaith a chododd stwff ei thad hefyd, gan osod popeth ar fachyn ger y drws cefn. Ddywedodd neb air nes y tywalltwyd y te.

'Rho fatsien ar dân y parlwr, Miriam,' gorchmynnodd ei thad. 'Ac arhosa di yno, i ti gael sgwrs efo Dafydd wedyn. Fan hyn, ger y stof, fydda i'n siarad efo fo, felly cerwch rywle i wneud rwbeth, Dewi Wyn a Missus.'

'Dwi angen y papure 'ma, Dad, i wneud y cais ar gyfer ...'

'Gei di wneud dy gais pwt a dime nes mlaen, Dewi Wyn.'

Fel plant drwg oedd yn gobeithio y byddai'r athro'n meirioli petaen nhw'n bihafio'n well, aeth Dewi Wyn a Heather drwy'r drws – ond i ble, meddyliodd Daf. I'r llofft, i eistedd ar y gwely law yn llaw i aros am ganiatâd i ddod i lawr? Cofiodd Daf eiriau Gala: 'Druan o Dewi Wyn.'

'Symuda di i'r gadair 'gosa i'r stof, Dafydd. Hyd yn oed i rai sy'n gyrru ceir mor ffansi â hwnne sy 'di'i barcio'n ein buarth ni, mae'r tywydd yn go ffres. Mae gwynt traed y meirw wedi bod efo ni ers wsnos, ond mae hi 'di troi rŵan – fydd hi'n bwrw eira, bendant.'

'Debyg iawn.'

Cododd Parry ei fŵg ond oedodd cyn ei godi i'w geg, fel petai'n ystyried ei gynnwys.

'Dwi ddim wedi bod lawr i'r Ganolfan eto, ond maen nhw wedi gofyn i mi fynd lawr ben bore.'

'Yno mae tystion arferol yn cael eu cyfweld, Mr Parry, ond roedd cysylltiad arbennig rhwng y teulu yma ac Illtyd Astley, yn doedd?'

'Mae hi 'di bihafio fel ffŵl bech. A dydi hi ddim yn ffŵl, erioed wedi bod. Does gan neb yr hawl i'w thwyllo hi, manteisio ar ei natur.' Llowciodd lond ei geg o de gwynias cyn bwrw mlaen. 'Hi ydi fy nhrysor i, Dafydd, ti'n deall hynny'n iawn. Mae pobol yn dweud mai fi sy wedi'i rhwystro hi rhag priodi ond tydi hynny ddim yn wir ... ond mae'n bleser i mi gael treulio bob dydd yn ei chwmni. Lodes siriol a charedig ydi hi; mae hi'n gweld yr heulwen o dan bob cwmwl. Hebddi hi, be fyddai fy mywyd, dwed? Gwaith a phryder, i gyd yng nghysgod angau, sy'n agosáu'n ddyddiol.'

Roedd rhywbeth diniwed yng ngeirfa'r hen ddyn, ond roedd cyferbyniad rhwng ei ddisgrifiad o'i ferch a'r pryd o dafod a roddodd iddi ar ddiwedd yr yrfa chwist.

'Ti'n rhy ifanc i gofio merched y Fawnog yn eu gogoniant, Dafydd. Dwi'n gwybod bod gen ti lygad am y leidis – wel, roedden nhw, merched y Fawnog, fel dwy dywysoges, wir. Yn smart, yn siarp, ac yn ffefrynnau ym mhob man. Jên oedd yr un a ddenai sylw pawb o hyd, a Joe Morris fachodd hi, ond y chwaer fech o'n i'n hoffi, Menna.' Cododd ei siwmper Army Surplus a thynnu llun o boced ei grys. Llun bach o ddynes ifanc oedd o, yn aneglur ar ôl blynyddoedd o rwbio yn erbyn defnydd y crys. Roedd o'n dwym a braidd yn seimllyd, fel petai wedi cael ei fodio'n rheolaidd gan fysedd budron. 'Dyma hi. Y peth pwysicaf wnes i yn fy mywyd cyfan oedd ei pherswadio hi i ddod yma efo fi. Dwi'n dy nabod di ryw chydig, Dafydd, a dwi'n gyfarwydd efo dy hanes: ti'n gwybod be ydi cariad. Hi roddodd reswm i mi weithio bob dydd, a duwcs, roedden ni'n chwerthin! Weithie, mi fydde hi'n dweud rwbeth doniol cyn i mi godi o'r gwely ben bore, ac roedden ni'n dal i chwerthin fin nos. Doedd dim sbeit ynddi hi o gwbl, ond roedd hi'n gallu dynwared pob un o'r cymdogion, y fet, y reps. Clust mor dda, wyddost ti. A'i llais hi ... roedd hi wastad yn canu wrth goginio, a dyna i ti braf oedd agor y drws cefn a chael fy nghyfarch efo cân. Aeth hi'n rhy gynnar, Dafydd, dim ond hanner cant. Ond adawodd hi Miriam i mi, sy'n debyg iawn iddi. Ddim mor ddel a dim cystal sbarc, ond hi ydi'r un, y dyddie yma, sy'n rhoi ystyr i bethe. Chaiff neb ei brifo hi, neb.'

Roedd elfen o hunandosturi yng ngeiriau Richard Parry, ond gwyddai Daf eu bod yn wir bob gair.

'Be dech chi'n wybod am yr hyn ddigwyddodd rhwng Miriam ac Illtyd Astley?'

'Roedd o angen hawliau i gân – nid ein cân ni, ond carol teulu'r Fawnog, "Y Gwir yn y Gwair" – cân Menna. Efo dipyn o weniaith, roedd o wedi'i pherswadio hi i lofnodi cytundeb. Es i lawr i Aber i chwilio amdano fo, ac mi ffeindiais y bastard, yn parablu o flaen cant o bobol ifanc. Siarad am hanes harmonïau oedd o, a'r bobol ifanc yn sgwennu pob gair i lawr. "Be am harmonïau 'Y Gwir yn y Gwair'?" gwaeddais o gefn y stafell fawr. Rhedodd fyny wedyn ar ei goese bech i siarad efo fi, achos doedd dyn fel fo ddim isie i ddyn y werin fel fi dorri ar draws ei waith pwysig.' Agorodd Richard Parry ddrws y Rayburn a daeth ton o wres allan; roedd y bocs haearn yn llawn dop o goed yn llosgi. Poerodd yn syth i mewn i'r tân a chaeodd y drws. Eisteddodd yn dawel a gadael i Avril ddringo i'w gôl. Roedd hi'n rhy fawr i orwedd yno'n gyfforddus, ac roedd un o'i phawennau trymion yn hongian i lawr ei goes. Dechreuodd ganu grwndi a chododd y sŵn yn uwch ac yn uwch fel bod rhaid i Richard Parry godi'i lais i gael ei glywed dros sŵn y gath.

'Cynigiodd brynu cinio i mi, y bastard bech, mewn rhyw westy swanc ar y ffrynt. Dros stecsen, esboniodd fod cân Menna, "Y Gwir yn y Gwair", wedi cael ei defnyddio i ryw ffilm. Peth braf, dywedodd, i alaw werin cefn gwlad gael y ffasiwn sylw ledled y byd. Ond mi ddwedais wrtho fo mai diwedd pob cân ydi'r geiniog – ni sy biau'r alaw. Ches i ddim ateb ganddo fo, heblaw'r ffaith fod Mirs wedi cytuno iddo fo wneud fel fynno fo efo'r gân. Rhodd hael, dyna sut y disgrifiodd o'r peth, ond rhodd o wirfodd calon. Pwy roddodd hawl iddo fo drafod calon Miriam, wir?'

'Gall dipyn o bres wneud llawer iawn o wahaniaeth i Miriam.'

Am y tro cyntaf yn ystod y sgwrs, disgynnodd llygaid Richard Parry.

'Den ni'n iawn fan hyn, wyddost ti, ond does dim modd i ni godi cyfalaf. Mae pawb yn galw ni'n "deulu Pantybrodyr", ond dim ni sy biau'r lle. Does gen i ddim rheswm i gwyno, ac mae Mr Gwydyr-Gwynne yn deg iawn efo ni, ond mae'n anodd codi pres pan mae dyn arall yn berchen ar dy fferm. Dwi wedi dweud wrth Roy a Miriam o'r dechre nad oes modd tynnu pres o'r fferm iddyn nhw. Maen nhw wedi ceisio safio rhyw dipyn ond mae un peth wedi digwydd ar ôl y llall: roedd yn rhaid i Roy dalu am fan newydd, doedd Miriam ddim yn gallu gwrthod mynd ar benwythnos iâr ei ffrind gorau o'r ysgol i Ibiza, ac yn y blaen. Y tro diwetha iddyn nhw fynd lawr i weld Penri Maesglappiau, roedden nhw'n dal ugain mil yn brin.' Ymgynghorydd ariannol oedd Penri, yn llenwi rôl rheolwr banc hen ffasiwn. 'Hen bryd iddyn nhw gael tŷ iddyn nhw'u hunain, wir. A byddai llwyddiant y gân wedi rhoi siawns iddyn nhw, heblaw am y bastard bech. Fo sy'n gwneud y pres, y pres mae hi'n haeddu'i gael.'

'Dwi'n deall. Mae gen i un cwestiwn arall i chi, Mr Parry. Be ydi'r gysblys?'

Dros y blynyddoedd roedd Daf wedi dod i adnabod arwyddion euogrwydd. Gwelodd Richard Parry yn codi ei law oddi ar gefn y gath i rwbio ochr ei drwyn mawr.

'Pam ti'n siarad am chwain rŵan, Dafydd?' gofynnodd.

'Oes 'na dipyn o gysblys ar dir Pantybrodyr?'

Roedd Richard Parry'n amddiffynnol yn syth. 'Den ni'n gadael y tir i fagu ei blant fan hyn, Dafydd. Den ni'n dibynnu ar grantiau ac maen nhw'n dweud sut allwn ni ffermio. Oes, mae 'na dipyn o gysblys ger y nant – pam wyt ti'n gofyn?'

'Dyfalwch, Mr Parry.'

'Gwenwyn. Dyna sut gafodd o'i ladd?'

'Chi sy'n dweud.'

'Mae 'na dipyn o ddrwg yn y gysblys. Iawn uwchben y ddaear ond o dan ... wel, mae ganddo wreiddiau trwchus ac maen nhw'n gallu gwneud unrhyw anifail sy'n ei fwyta yn sâl iawn. Maen nhw'n marw'n ddigon aml.' Fel petai'n gallu darllen meddyliau Daf, ategodd: 'Dwi'n gwybod yn iawn nad oes brigyn o gysblys i weld lawr ym mhorfeydd perffaith John Jones Neuadd. Ond dim fel'na den ni'n ffermio, ac os ydi'r bobol efo clipbôrds yn dweud bod y gysblys yn rhan bwysig o'n hecosystem ni, mae'n rhaid i ni fyw efo'r gysblys.'

'Dwi'n deall. Diolch yn fawr iawn, Mr Parry. Mae'n hen bryd i mi gael gair efo Miriam.'

'Bydd yn addfwyn efo hi, Dafydd – dydi hi'm yn haeddu unrhyw drafferth.' Cymerodd Parry law Daf a gwasgodd hi'n dynn. 'Rhaid i ti fod yn glên efo hi. Lodes ddiniwed ydi hi.'

'Does gen i ddim diddordeb mewn unrhyw beth heblaw'r gwir,' atebodd Daf, gan droi ei law i'w rhyddhau o afael yr hen ddyn.

Yn y parlwr roedd Miriam yn eistedd yn llonydd, ei dwylo yn ei chôl. Roedd y tân yn taflu golau cynnes dros ei hwyneb, gan amlygu'r ffaith nad oedd hi wedi cael noson dda o gwsg.

'Dwi wedi derbyn llythyr, Dafydd, gan y cyfreithiwr. Mae o'n gyfanswm sylweddol.'

'Mae'r alaw'n cael ei darlledu ym mhob cornel o'r byd erbyn hyn. Ti'n haeddu'r pres.'

'Ond nid fi gyfansoddodd y gân. Ei chael hi gan Mam wnes i.'

'Dim ots am hynny, Miriam, rwyt ti wedi etifeddu'r pres.'

'Mae 'na ddigon i dalu deposit ar dŷ bech. I finne a Roy gael cyd-fyw, priodi, hyd yn oed. Ar ôl yr holl amser. Dwi'n methu deall y peth, wir i ti, Dafydd.'

Os oedd hi wedi lladd Illtyd Astley, roedd hi'n actores o fri neu'n diodde o ryw fath o salwch meddwl, casglodd Daf. Ond roedd yn rhaid iddo gael ateb i'r cwestiwn a ddaeth â fo'n ôl i Bantybrodyr.

'Gwranda, Miriam, ti osododd y blodau yn yr eglwys cyn y plygain, ie?'

Daeth gwên fach i'w hwyneb.

'Ie. Mam ddysgodd fi, a dwi wrth fy modd yn gwneud. Mae 'na dair ohonon ni'n rhannu'r gwaith ac mae wastad yn neis cael y cyfle i wneud rwbeth sbesial yr amser yma o'r flwyddyn. Dwi'n addurno sawl capel hefyd, yn cynnwys Capel Ann Griffiths fan hyn yn Nolanog a Chapel John Hughes draw ym Mhontrobert.'

'Sut wyt ti'n dewis be i'w ddefnyddio?'

'Ar gyfer y Dolig, brigau bythwyrdd, wrth gwrs, ond mae'n bwysig cael amrywiaeth o fewn gosodiad. Dwi'n torri a sychu sawl planhigyn sydd â siâp diddorol iddyn nhw, fel llysiau'r geiniog, neu gollen gnotiog. Sbel yn ôl, prynodd Roy goeden fech i mi, collen gnotiog, mewn potyn. Y bwriad oedd ei chario efo ni pan fydden ni'n cael tŷ ein hunain, ond dwi wedi gorfod ei hailbotio dair gwaith erbyn hyn. Mae'r goeden wedi tyfu a den ni heb symud ymlaen.'

'Fedri di gofio pob planhigyn wnest ti ei ddefnyddio?'

'Celyn, wrth gwrs, peth plaen a pheth brith o ardd y Felin. Eiddew, brigau pinwydd, llysiau'r geiniog fel ddwedes i, chydig o rosmari o'r twb mawr sy gan Heather ...'

'Be am y gysblys?'

'O ie. Mi wnes i eu sychu nhw ddechre'r mis, ac maen nhw'n hongian yn y cwpwrdd bach dan y grisie.'

'Oes 'na beth ar ôl?'

Cododd Miriam ar ei thraed ac agorodd y drws bach ger y piano. Nid oedd golau yno ond gallai Daf weld y Kirby, sawl brwsh, pecyn mawr o bowdwr golchi ac, ar fachyn uwchben popeth arall, pedwar tusw o blanhigion sych wedi'u clymu efo cortyn bêls. Roedd Daf yn falch iawn o gamu'n ôl i ganol y parlwr gan ei fod bellach yn bendant nad Miriam Pantybrodyr laddodd Illtyd Astley. Os oedd hi wedi creu'r gwenwyn, fyddai hi ddim wedi cadw'r dystiolaeth oedd yn ei chysylltu â'r planhigyn mewn lle mor amlwg.

'Diolch yn fawr, Miriam. Alla i ddim addo na fydda i'n dod yn ôl i dy holi di eto ryw dro, ond dyna ni am heddiw.'

Cymerodd Miriam gipolwg drwy'r ffenest. 'Does dim llawer o'r dydd ar ôl. Rhaid bwydo'r gwartheg toc. Gobeithio nad ydi Dad isie mynd yn ôl i'r sietin eto.'

'Miriam, ti 'di cael dipyn o sioc. Gwna'n siŵr dy fod ti'n gofalu amdanat ti dy hun.'

'Dwi'n hoffi gweithio, Dafydd. Mae'n gas gen i fod yn ddiog. Os wyt ti'n eistedd yn ddiog, mae pethe'n dod i dy ben.'

'Pa fath o bethau?'

'Pethe ti'n meddwl dy fod ti wedi'u hanghofio. Fel cysgodion o'r gorffennol.'

'Megis?'

'Mae'n rhyfedd, Dafydd. Den ni'n cadw'r hen draddodiade yma, a dwi 'di ymgeleddu cyrff tri aelod o'r teulu – Taid, Nain a Mam – gan dalu'r deyrnged ola iddyn nhw. Ond er y pethe da dwi wedi'u gwneud, yr hyn sy wastad yn dod yn ôl i mi, fel pry yn suo yn fy mhen, ydi'r holl bethe dwi ddim wedi eu gwneud yn iawn, neu ddim wedi eu gwneud o gwbl. Pethe mor ddibwys â dod yn drydydd yn Steddfod Seilo a Dad yn dweud yn y car ar y ffordd adre fod gen i lais cystal ddwywaith â phob un ohonyn nhw, ond hefyd pethe ... pwysicach. Bob tro dwi'n iste'n llonydd, dwi'n cofio nad oes neb yn eistedd yn fy nghôl, neb yn rhoi ei freichiau bach rownd fy ngwddf. Dwi 'di bod yn canu "Si Hei Lwli" ers degawde, Dafydd, ond does gen i 'run babi yn y crud i wrando.'

Roedd dagrau'n powlio lawr ei bochau ac roedd yn rhaid i Daf gymryd gwynt mawr ei hun cyn cynnig ei hances iddi.

'Efallai nad ydi hi'n rhy hwyr, Miriam. Rŵan mae gen ti gyfle, cyfle i gyd-fyw efo Roy, a ...'

'Mae'n rhy hwyr i ni gael babi, Dafydd. Mae'r llong honno wedi hwylio.'

Llanwodd ceg Daf â geiriau, addas ac anaddas, ond ni ddaeth yr un ohonyn nhw allan. Roedd wyneb Miriam yn feddal, fel petai ei dagrau wedi golchi'r cnawd o'i bochau fel y llanw'n golchi tywod oddi ar draeth.

'Dwi'n gwybod pa mor ffodus dwi 'di bod, Dafydd, efo cariad yn lapio drosta i fel carthen gydol fy oes. Mae'r teulu'n glên iawn i mi, a dwi wir yn caru Roy. Ges i'r cyfle hefyd i rannu'r gwaith o fagu Ceri – dydi pawb ddim mor lwcus â finne. Ond weithie ... wel, weithie dwi'n ysu am fynd allan ar noson oer, dringo fyny'r Allt ac udo fel rhyw hen ast loerig. Achos falle mai dyna ydw i – hen ast loerig.'

'Paid â meiddio siarad amdanat dy hun fel'na, Miriam.'

'Dyna pam dwi'n canu weithie, Dafydd, i gael rhyddhau'r sŵn udo sy'n berwi tu mewn. Wyt ti'n meddwl y dylen i fynd at y meddyg i gael tabledi?'

'Cer di at asiant tai yn hytrach na'r meddyg, da lodes.'

Clywodd y ddau sŵn injan yn y buarth. Camodd Miriam draw at y ffenest, ac wrth weld fan fach wen yn parcio ger ei char hi, chwythodd ei thrwyn yn sydyn. Er bod ei llygaid yn llawn dŵr, roedd sbarc ynddyn nhw, fel trysor yn disgleirio ar waelod pwll. Agorodd drws y fan a neidiodd Roy allan, yn dal yn ei oferôls gwaith a'i siaced *hi-vis*. Brysiodd Miriam i'r gegin i'w gyfarch, a cherddodd Daf ar ei hôl, yn awyddus i weld sut fyddai Roy yn effeithio ar ddeinameg y teulu. Roedd ei sirioldeb yn heintus.

'Wel helô, bawb,' cyfarchodd, gan osod ei ben ôl ar y bar ar flaen y Rayburn. 'Maen nhw'n disgwyl eira mawr dros y dyddie nesa felly den ni wedi cael dod adre'n gynt heddiw, er mwyn cael digon o oriau sbâr i wneud ein siâr o'r *overtime* sy'n dod efo eira. Felly mi feddylies y bysen i'n picio draw i helpu. Oes paned i'w chael cyn i ni ddechrau efo'r seilej 'ma?'

'Oes, tad,' atebodd Richard Parry. 'Paned arall, Dafydd?'

'Well i mi fynd. Dwi angen siarad efo sawl tyst arall.'

'Ti ddim wedi siarad efo fi eto,' meddai Roy, ei ddwylo mawr yn chwilio am ddwylo main Miriam. 'Os wyt ti'n fy holi fi rŵan, gei di baned. Ac mae Miriam wedi gwneud cacen sbwnj gwerth ei blasu.'

Felly aeth Dafydd yn ôl i'r parlwr efo Roy tra oedd y tegell yn berwi eto.

'Cyn i ti ofyn, Dafydd, dwi'n gwybod am yr holl lol efo'r garol. Hen ddyn bech slei oedd Astley, ond cyn iddo fo wneud beth bynnag wnaeth o efo'r alaw, doedd Miriam ddim yn ennill ceiniog ... ddim yn elwa o'r alaw, dyna dwi'n geisio'i ddweud. Es i efo giang i weld rasys ceffyle yn Bangor-on-Dee ryw dro a rhoddodd un o'r bois *accumulator* ar chwe ras. Roedd ei bum ceffyl cynta wedi ennill, felly cyn y ras olaf roedd yr arian fyny dros gan mil o bunne. Pan gollodd bob ceiniog, dwedodd wrtha i nad oedd ots ganddo fo. Pres siawns, ti'n deall.'

'Wyt ti wedi siarad efo Miriam heddiw, Roy?'

'Yndw – mi ffoniodd fi amser paned, ynglŷn â'r llythyr ddaeth o Aberystwyth. Yn y pen draw, hi sy'n cael y pres.'

'A sut wyt ti'n teimlo am hynny, Roy?'

'Roedd hi'n haeddu'r elw o'i charol ei hun, ond fel ddwedes i, bonws yw hynny.'

'Dy gariad yn cael pres yn ewyllys dyn arall?'

'Ei thalu hi am ei heiddo ei hun, dyna oedd o. Dwi'n falch ei bod hi 'di cael cyfiawnder, a'r pres, ond weles i ddim pwrpas mewn mynd yn flin am y peth, fel gwnaeth Mr Parry a Ceri.'

'Ceri?'

'Roedd Ceri'n gynddeiriog. I Ceri, roedd Astley wedi dwyn pres y teulu ... ond doedd "Y Gwir yn y Gwair" ddim yn werth ceiniog goch nes iddo fo ei gwerthu i'r dyn Hollywood 'na.'

'Digon teg, Roy.'

'Ond rŵan, mae'r pres yn reit handi. Un o'r bois yn y depo

yn y Trallwng, Winci Wilber maen nhw'n ei alw fo – wel, mae nain Winci wedi marw ac mae'r teulu 'di gofyn i finne a Mirs ganu yn y cynhebrwng. Ac roedd ganddi fyngalo clên iawn hanner milltir tu allan i Pont ... fyset ti byth yn cael *planning* yna dyddie 'ma. Beth bynnag, mae angen tipyn o waith twtio arno, cegin newydd ac ati, felly maen nhw'n sôn am ryw gant tri deg – dim asiant, dim ffwdan. A dwi 'di clywed hefyd fod gan Mr Gwydyr-Gwynne ryw hanner can erw ger Pont yn chwilio am denant newydd ar tac. Alla i gymryd taliad diswyddo a byw, Mirs a finne, ar fy mhensiwn ac elw fferm fech.'

'Fyset ti'n colli bwrlwm giang y gwaith, bendant.'

'Ti'n rong. Yr unig beth dwi isie ydi tŷ bech, fferm fech a chwmni Mirs o fore tan nos.'

Doedd Daf ddim yn hollol sicr o hynny. Creadur diniwed oedd Roy, ond roedd Astley wedi brifo Miriam. Allai Roy anwybyddu hynny?

Yn ôl yn y gegin, roedd Dewi Wyn wedi ailosod ei bapurau ar y bwrdd. Eisteddai'r hen benteulu yn ei gadair fawr yn darllen cylchgrawn *Y Tir*, tra oedd Heather a Miriam yn paratoi brechdanau. Camodd Roy draw i sefyll tu ôl i Miriam, gan edrych dros ei hysgwydd i fusnesa. Mewn symudiad annisgwyl, estynnodd ei law rownd ei chanol i fachu llwyaid o wyau a hufen salad, a rhoddodd hi yn ei geg fel bachgen bach drwg. Ymatebodd Miriam drwy roi slap chwareus iddo, a chyn pen dim roedd y ddau'n pwnio'i gilydd fel dau yn eu harddegau. Anwybyddodd aelodau eraill y teulu eu fflyrtian a dychwelodd Roy i'w le wrth y Rayburn. Yn sydyn, agorodd y drws cefn a daeth Ceri i mewn heb dynnu ei sgidiau gwaith.

'Mae'r *chap* yma'n potsian o gwmpas,' meddai drwy wefusau oedd yn welw gan oerni. 'Roedd o'n tynnu lluniau a pwy a ŵyr be arall lawr wrth y sarn.'

Gwthiwyd Hywel Emlyn drwy'r drws, ei wyneb fel taran.

'Dwi'n ddyn proffesiynol,' protestiodd mewn llais uchel. 'Does gan neb hawl i fy hambygio fel hyn.'

'Mae Dr Emlyn yn gweithio i'r heddlu, Ceri,' esboniodd Daf. 'Mae ganddo fo hawl i fod yma.'

'Pa fusnes sy gan yr heddlu yma?' chwyrnodd Ceri.

'Ers y llofruddiaeth yn swper y plygain,' eglurodd Miriam yn ei llais addfwyn. 'Nid busnesa maen nhw, ond gwneud eu gwaith.'

'Rhaid i chi ddod i weld beth dwi wedi'i ddarganfod, Arolygydd Dafis. Ac yn sydyn, cyn i ni golli golau dydd.'

Er ei fod yn anfodlon i adael y gegin gynnes, dilynodd Daf y botanegydd drwy'r drws cefn. Dilynodd Ceri nhw, yn dal i gwyno o dan ei wynt. Roedd cylch coch yr haul yn agosáu at gopa'r bryniau a'r awyr i gyd yn binc. Gan grensian dros y buarth, cerddodd y tri drwy'r giât rhwng dau feudy carreg ac ar draws y cae.

'Dyma ni,' meddai Hywel Emlyn yn hunanfodlon, gan bwyntio'i fys at y nant.

Gwelodd Daf nifer o blanhigion brown, sych a ffrwythau siâp rhyfedd arnynt. Roedden nhw'n tyfu ar lan y nant ond roedd llif y dŵr wedi erydu'r lan i greu ceulan, gan ddadorchuddio gwreiddiau'r planhigion. Yn amlwg, roedd rhywun wedi bod yno o'u blaenau, gan fod sawl coesyn o'r gysblys wedi eu torri efo rhywbeth tebyg i siswrn tocio.

'Sbia di o dan y geulan,' mynnodd Emlyn. 'Mae rhywun wedi palu yno a thorri pob gwreiddyn ... ac mi fyddai digon o ddrwg ynddyn nhw i ladd byddin.'

O'r awyr uwch eu pennau daeth sŵn fel cŵn yn cyfarth. Cododd Daf ei ben i weld haid o wyddau yn ddu yn erbyn yr awyr rosliw. Roedd yn ddelwedd berffaith, ond yn lle'i gwerthfawrogi, cododd Ceri ei ddwrn uwch ei ben.

'Ffyciwch o'ma, y ffycin locustiaid.'

'Ti'm yn ffan mawr o adar, felly?' gofynnodd Daf, wedi synnu at y dicter a'r casineb yn ei lais.

'Mae 'na adar a ffycin adar, Mr Dafis. Llygod mawr efo adenydd ydi'r bastards yna. Allan nhw stripio cae'n foel mewn hanner awr. Wedyn, yr amser yma o'r flwyddyn, bydd y pridd i gyd yn chwythu yn y gwynt ac mae'n anoddach bob tro cael porfa gwerth chweil ar ôl ailhadu. Ac, wrth gwrs, mae 'na fwy o reolau i'w hamddiffyn nhw na fi, o bell ffordd. Dyna sut mae hi yn y wlad 'ma ar hyn o bryd – pethe o dramor yn cael bob dim a'r wlad yn cynnig bron dim i'w phobol ei hun.'

Ddwy flynedd yn ôl fyddai neb wedi siarad fel hyn, ddim yn agored beth bynnag. Bai blydi Farage, ym marn Daf – ond roedd yn dal i fod yn siomedig yn agwedd ddiflas Ceri.

'Ti'n gwybod be ydi'r planhigyn yma, Ceri?'

'Ydw. Y gysblys. Suddodd y lan ar ôl stormydd dechrau'r mis ac roedd yn rhaid cael gwared â'r gwreiddiau.'

'Pam na wnest ti godi'r cyfan?'

'Achos mae'r cae yma'n ddarn o'r SSSI. Petawn i'n tynnu pethau o'ma, byddai rhyw ddyn barfog efo clipbôrd yn rhoi cosb i ni yn go sydyn.' Ciledrychodd Ceri ar Hywel Emlyn. 'Sori, paid â digio. Dim ti o'n i'n feddwl ... y rhai eraill sy'n dod fyny i sicrhau ein bod ni'n gwneud y job yn iawn.'

'Be wnest ti efo'r gwreiddiau, Ceri?'

'Eu llosgi nhw. Dwi'n falch na ddigwyddodd hyn yn yr haf – mae'r gwartheg wastad yn yfed fan hyn ger y sarn a fydden nhw'n siŵr o fentro draw i flasu'r gysblys.'

'Dwed wrtha i eto yn union be ddigwyddodd efo'r gysblys.'

'Roedd Anti Mirs wedi dod â pheth ohono fo i mewn i'r tŷ iddi hi gael ei ddefnyddio i addurno'r eglwys dros y Dolig. Mae hi'n gwneud hyn yn reit aml ond wastad yn ceisio cadw'r peth yn ddirgel, rhag i Taid fynd yn wallgo. Mae o mor ofergoelus – mae hyd yn oed y ffordd ti'n troi dy de yn gallu dod ag anlwc i'r tŷ. Ond gwelodd y gysblys yn y cwpwrdd ac wedyn aeth draw i'r sarn. Ar ôl hynny, dwedodd wrtha i am gael gwared o'r gwreiddiau heb wneud y peth yn amlwg ... den ni ddim yn gwybod efo'r ffycin SSSI pa rai o'r chwain sy'n cael eu gwarchod a pha rai sy ddim, felly den ni'n ofalus iawn.'

'Polisi call iawn,' datganodd Hywel Emlyn. 'Mae ecosystem fregus fel hon yn dibynnu ar reolau cadarn i'w gwarchod.'

'A dwedodd Taid fod yn rhaid i mi wisgo menig hefyd, rhag

y drwg sy ynddo fo. Dech chi wedi sylwi ein bod ni'n gwneud dipyn go lew o blethu ar hyn o bryd? Wel, mi gasglais yr holl docion i wneud coelcerth a rhoi'r gysblys yn ei chanol.'

'Dech chi ddim wedi cysylltu efo unrhyw arbenigwr i ofyn am gyngor?' gofynnodd y botanegydd.

'Duw annwyl Dad, nac'den! Den ni 'di bod yn ffermio fan hyn ers canrifoedd – den ni'n gwybod sut i ddelio efo'n chwain ein hunen erbyn hyn.'

Yn ôl yn y car, gofynnodd Daf gwestiwn i'r botanegydd: 'Ydi o'n beth call i'w wneud, torri'r gwreiddiau?'

'Mae'n dibynnu be oedd eu bwriad nhw. Byddai hynny'n lladd y planhigyn heb wneud y peth yn rhy amlwg – ond hefyd, petai rhywun wedi bwriadu eu casglu nhw am unrhyw reswm, hwn fyddai'r dull gorau o gael cymaint â phosib o'r gwenwyn allan o'r gwreiddiau.'

Wrth y giât rhwng yr wtra a'r ffordd, edrychodd Daf ar ei ffôn. Tair neges tecst, yn cynnwys un gan Steve: 'SOCOs wedi ffindo potel yn y maes parcio, fel potel tabledi. Label blodyn haul arno fo.'

Pennod 9

Hwyrach byth ddydd Mercher

Roedd Hywel Emlyn yn awyddus i ddechrau ar ei siwrne am adref, ond doedd gan Daf, yn bendant, ddim digon o amser i roi lifft yn ôl i'r Trallwng iddo. Er mai dim ond toc wedi pedwar oedd hi, roedd yr haul yn suddo o dan elltydd Coedwig Dyfnant, ac roedd hi fel y fagddu erbyn iddyn nhw ddychwelyd i Ganolfan Dolanog. Yn y drws safai Steve, yn aros amdano.

'Fi angen sticer Seren yr Wythnos tro 'ma, bòs,' meddai, gan ddangos y botel fach ar gledr ei law.

Gwelsai Daf flodyn tebyg i'r un ar y label yn ddiweddar, ar yr arwydd ar dop wtra Gala. Doedd neb yn yr ardal â chystal gwybodaeth â hi am berlysiau a'u heffeithiau, a doedd dim rhaid i Daf ofyn a fyddai Gala'n gallu dod o hyd i'r gysblys. Roedd hi'n amlwg yn dal dig tuag at Astley o ganlyniad i'w chydymdeimlad at Enid, ond a oedd egwyddorion ffeministaidd yn ddigon cryf i ladd er eu mwyn? Yn sydyn, cofiodd Daf am y berthynas rhwng va a Tancred. Beth petai Gala yn casáu va ac yn gobeithio y byddai etifeddiaeth fawr yn ddigon i'w themtio i fynd yn ddigon pell oddi wrth Tancred? Byddai'n rhaid iddo siarad efo Gala eto.

Ers iddo adael y Ganolfan, tynnwyd yr holl wyrddni o'r eglwys a'i osod ar fwrdd mawr yng nghanol yr ystafell. Dim ond dau fwrdd cyfweld oedd yn aros am y tystion nesaf ac roedd nifer y lluniau ar y wal wedi cynyddu. Gosododd Steve y botel fach wrth ymyl y ceinciau persawrus.

'Reit ta, bawb, mae cwpl o bethau reit ddifyr wedi dod i'r golwg heddiw,' dechreuodd Daf. 'Nev, dwi isie ti bicio fyny i Bantybrodyr efo sawl polyn a chydig o dâp i gadw lleoliad y gysblys mae Dr Emlyn 'ma wedi ei ddarganfod ger y sarn yn ddiogel. A tra ti wrthi, Nev, cymra olion eu bysedd nhw i gyd, iawn? Steve, dwi isie gwybod yn union be sydd yn y botel 'na. Mi gysyllta i efo Gala Taylor, sy'n defnyddio logo'r blodyn haul ar ei chynnyrch – efallai mai un o'i chwsmeriaid hi sydd wedi lladd Illtyd Astley.'

'Ond fyddai Mrs Blodyn Haul ddim yn gwerthu gwenwyn, siŵr?'

'Pwy a ŵyr: efallai fod 'na rwbeth llesol ti'n gallu'i wneud efo'r gysblys.'

'Dim siawns,' torrodd y botanegydd ar ei draws. 'Mae'r gysblys yn llawer rhy beryglus i hynny.'

'Ocê, ond efallai fod pwy bynnag laddodd Astley wedi ailddefnyddio'r botel. Sheila, wyt ti wedi cysylltu â'r Nolwenn 'na?'

'Well na hynny. Mae hi wedi dy wahodd i gael te pnawn efo hi yng Ngwesty Llyn Efyrnwy. Pump o'r gloch.'

'Faint o'r gloch dwi'n siarad efo'r wasg?'

'Dwi 'di drefnu i ti eu cyfarfod nhw yn yr orsaf am wyth o'r gloch heno. Roedden nhw'n gwichian am golli cyfle i "greu pecyn ar gyfer y chwech", fel petai'n ddiwedd y byd, ond does dim amser rhydd gen ti tan wyth.'

'Steve, os wyt ti 'di gorffen yn y fan hyn, alli di roi lifft 'nôl i'r Trallwng i Dr Emlyn?'

'Dim probs, bòs.'

'Diolch am dy gymorth, Dr Emlyn. Ga i gysylltu efo ti eto os fydda i angen mwy o wybodaeth?'

'Iawn.'

'Oes 'na siawns i ti fynd draw i weld tŷ yn Nyffryn Aeron fory, efo un o 'nghyd-weithwyr o orsaf Aberystwyth?'

'Dwi'm yn dysgu tan ddau, felly bydd hynny'n iawn.'

'Gwych.'

Yr eiliad y diflannodd Steve gyda'r botanegydd, brysiodd Sheila draw at Daf.

'Ty'd i'r cyntedd am eiliad, bòs,' dywedodd. 'Dwi isie gair bach preifat.'

'Wrth gwrs, lodes.'

Ar ôl sicrhau nad oedd Mrs Morris yn dal i fod yno, camodd Sheila i'r gegin.

'Sori i fod mor paranoid, ond mae hwn yn fater sensitif iawn,' esboniodd.

'Be sy?'

'Ro'n i ar y bwrdd drws nesa i Nev drwy'r bore, ac nid jest ei wallt, ei groen a'i dymer sy wedi newid – mae o'n drewi fel ffwlbart hefyd, wir i ti. Roedd y tystion yn gwingo drwy'r amser. Beth bynnag, amser cinio, pan oedd o'n nôl rhwbeth o'i gar ger yr afon, mi jcciais ei fag.'

'Sheila, does gen ti ddim hawl i ...'

'Chwilio am becyn o'r *shit* gwyrdd 'na mae o'n ei yfed yn lle bwyta o'n i, i weld oedd un o'r cynhwysion yn effeithio arno fo – ond drycha be ffeindiais i.' Estynnodd ei llaw i Daf. Ar ei chledr roedd pecyn sgwâr efo 'Nordic' wedi ei sgwennu arno mewn llythrennau glas. Mewn llythrennau llawer mwy roedd gair cyfarwydd i Daf: Virormone.

'Am goc oen!' ebychodd, gan geisio cuddio'r cydymdeimlad yn ei lais.

'Mae'n esbonio'r cyfan, yn tydi? Seimllyd, plorod ym mhob man, dig o hyd, drewi fel wn i ddim be ... doedd dim ateb arall ond yr hen *gym candy*. Ond pam rŵan? Ocê, mae o'n stryglo efo merched, ond ...'

'Dwi'm yn siŵr heb ofyn iddo fo, ond dwi'n amau mai'r busnes stripio ydi'r broblem.'

'Nev? Yn stripio?'

'Mae 'na giang ohonyn nhw o'r Gwasanaethau Brys. Dwi'm yn hoffi'r peth o gwbl, dweud y gwir, a rŵan dyma dystiolaeth gadarn o'r drwg mae o'n wneud. Un o'm swyddogion fy hun yn defnyddio steroids. Cyffuriau.'

'Ond Class C yden nhw, bòs. A heblaw bod Nev am ddangos ei hun fel paun, fyse Gaenor a'i ffrindiau ddim yn gallu codi cymaint o bres at achos da.'

'Hmm ... ond mae'n siom nad ydyn nhw wedi dod o hyd i ddull dipyn bach llai anweddus i lenwi'r gronfa.'

'Mae o wedi newid ei siâp, yn bendant. Druan ohono fo – ydi hyn yn golygu rhyw fath o gosb?'

'Sut alla i gosbi'r còg am geisio paratoi ei hun ar gyfer ryw lol sy'n cael ei drefnu gan fy mhartner? Pryd o dafod, dwi'n meddwl.'

'Os ydi o isie cael gwared o'r stwff o'i gorff, rhaid iddo yfed digon o ddŵr efo beicarb, mêl, sudd lemon a finegr seidr ynddo fo. Es i ar hyfforddiant Hidden Drug Use in Rural Areas, cofio?'

'Dwed wrtho fo 'mod i isie iddo fo aros ar ôl cynhadledd y wasg, ie?'

'Ocê. A cyn i ti fynd fyny i gael sgonsen efo Evita Llydaw, wyt ti wedi dweud wrth Gaenor y byddi di'n hwyr adre?'

'Mae hi'n deall fod hwn yn ymchwiliad cymhleth.'

'Gwranda. Ti 'di chwalu un berthynas, paid chwalu un arall. Ffonia hi.'

'Wrth gwrs.' Cymerodd Daf anadl ddofn. 'Diolch am y cyngor, Sheila.'

Atseiniodd ei geiriau yn ei ben drwy gydol y daith fyny i'r gwesty. Roedd Gaenor wedi synnu ei fod wedi ffonio ond roedd hi'n amlwg yn falch o dderbyn yr alwad. Plethodd rhybudd Sheila â chynnwys y ffrae neithiwr. Wrth weld cip ar ei wyneb yn y drych, sylweddolodd Daf ei fod yn edrych ar adlewyrchiad dyn nad oedd wedi gorffen aeddfedu. Ceisiodd anghofio'i drafferthion personol a pharatoi ei hun i gwrdd â Nolwenn Kerjean-Moreau.

Roedd Sheila wedi trefnu bod Daf yn cwrdd â Nolwenn yn yr ystafell fawr a'r piano ynddi, y Drawing Room. Pan gerddodd i mewn roedd hi'n aros amdano, yn eistedd ger y ffenest fawr a'i choesau wedi'u plygu o dan ei phen ôl fel cath. Y broblem gyntaf a wynebai Daf oedd dyfalu ei hoedran. Roedd ei gwallt yn wyn i gyd ond deuai'r lliw, yn amlwg, o botel. Ond os oedd ei gwallt yn awgrymu dynes yn ei chwedegau, roedd ei chroen mor llyfn ag wyneb merch ugain oed. Roedd yn anodd iddo bennu pa mor dal oedd hi, ond gallai Daf weld bod dipyn o gnawd ar ei hesgyrn. Gwisgai ddillad du fel petai'n galaru, ond roedd ei dewis o ddefnydd yn cyfleu neges hollol wahanol. O'i siwmper cashmir â choler ffwr i'w throwsus melfed, roedd ei dillad yn gwahodd rhywun i'w hanwesu. Pan gododd ei phen o'i llyfr, gwelodd Daf ei llygaid mawr brown, a deallodd yn syth ei bod yn ddynes beryglus, er ei bod yn hynod o ddeniadol.

'Druan o Illtyd,' meddai. Roedd ei hacen Ffrengig yn gryf, ei Chymraeg yn glir a'i llais yn ddwfn a chyfoethog. 'Doedd o ddim yn haeddu marw fel'na.'

'Mae amlwg ei fod o wedi byw bywyd eitha cymhleth. Dwi'n deall eich bod chi a'r Athro Astley yn agos iawn ar un cyfnod.'

'Tyrd i eistedd fan hyn ar y clustogau hyfryd,' meddai hi, gan baratoi lle iddo wrth ei hochr. 'Rwyt ti'n dalach nag o'n i'n meddwl y byset ti, ac yn iau hefyd, Brif Arolygydd Dafis.'

'Dim ond Prif Arolygydd dros dro ydw i.' Teimlai Daf fod yn rhaid iddo gyfaddef hynny.

'Ar ôl datrys yr ymchwiliad cymhleth hwn, fe fyddi di'n siŵr o gael dyrchafiad parhaol haeddiannol. Tro nesa fydda i'n siarad efo'r Comisiynydd, fydd dy enw ddim yn bell o 'ngwefusau.'

A gwefusau perffaith oedden nhw hefyd, rhai llawn ac ynddynt addewid o gusanau diddiwedd ar brynhawn o haf. Roedd rhywbeth amdani, rhyw wres anarferol oedd wedi'i gynhesu trwyddo ar ôl dau funud yn ei chwmni. Heb iddo hyd yn oed ysgwyd ei llaw roedd o'n teimlo'n anffyddlon. Nid chwant syml oedd o, fel yr hyn a deimlai bob tro y gwelai Chrissie Berllan – roedd rhywbeth tywyll, mwy anfad yn ymateb ei gorff i Nolwenn.

'Am gyfnod, roedden ni'n caru'n gilydd. Na, dydi hynny ddim yn hollol gywir. Roedd o'n fy addoli i, ac roedd ei ddiffygion wedi codi rhyw ddiddordeb, rhyw gydymdeimlad yndda i. Roedd o fel ci strae, yn cardota am sylw. Doeddwn i ddim yn ddigon caled i'w wrthod.'

Doedd dim rheswm o gwbwl pam roedd calon Daf yn curo'n gyflym, heblaw'r ddelwedd ohono'i hun yn penlinio wrth ei gwely, yn cardota am ei sylw. Roedd ei geg yn sych ac allai o ddim symud ei wefusau i siarad am eiliad neu ddwy.

'Ond roedd o'n ddyn priod?'

'Tydw i ddim yn chwilio am dy gymeradwyaeth di, Brif Arolygydd Dafis. Mae o wedi digwydd i mi ambell waith. Ga i esbonio?'

'Wrth gwrs.'

'Dyn tân oedd fy nhad, mewn pentre bach nid nepell o Pleyben. Gweithiai Mam mewn siop, ac yn ystod yr haf roedd hi'n brysur iawn yn gwerthu crochenwaith lleol i'r ymwelwyr. Ar ôl i Nain farw, weithiau roedd yn rhaid i Dad fynd â fi efo fo i'w waith – ac mi welais danau mor drawiadol, Brif Arolygydd Dafis, a'u tafodau mawr coch yn llyfu'r awyr las. Roedd hyn cyn i bobol droi at wneud silwair, a dwi'n cofio sawl tas o wair yn llosgi'n wenfflam. Dwi erioed wedi cynnau tân bwriadol ond ro'n i'n breuddwydio am wneud hynny. Flynyddoedd yn ddiweddarach mi sylweddolais fod cymaint o ddynion yn union fel y teisi gwair, yn aros am y fatsien.'

Roedd Daf wedi drysu'n lân. Ar un llaw, doedd o ddim yn hoff o'r syniad o gael ei gymharu â thas wair, ond roedd rhywbeth deniadol iawn am y syniad o gael ei danio ganddi. Tynnodd hances o waelod poced ei siaced er mwyn chwythu'i drwyn, ond wrth ei rhoi yn ôl byseddodd un o flociau bach pren Mali Haf yng nghornel ei boced. Roedd y tegan fel dŵr oer ar wyneb meddwyn. Neidiodd ei feddwl yn ôl i'r byd go iawn lle roedd o'n heddwas, yn bartner i Gaenor ac yn dad i dri o blant. Dyletswydd broffesiynol oedd ei ymweliad â Nolwenn, dim mwy.

'Pa mor hir oedd y berthynas?'

'Roedden ni'n cydweithio'n agos am chwe mis, wedyn dychwelodd Illtyd i Gymru. Cefais ysgoloriaeth i weithio yn Aberystwyth am dri mis y flwyddyn ganlynol, ond erbyn hynny roedd o wedi dechrau ymddwyn yn hurt.'

'Ym mha ffordd?'

'Gadael ei wraig, i ddechrau. Roedd o'n deall fy sefyllfa'n iawn – wnes i ddim addo dim iddo, ond roedd o wedi creu rhyw fath o ffantasi efo fi yn ei chanol. Hyd yn oed bryd hynny, bron i ugain mlynedd yn ôl, ro'n i'n gwybod y byddai fy mywyd yn dilyn llwybr pendant – tynged, os leci di – a doedd dim lle ar y siwrne honno i Illtyd.'

'Oedd o'n dal dig?'

'Illtyd bach yn dal dig? Byth!' Llanwodd ei chwerthiniad yr ystafell. 'Dyn bach siriol oedd o ... ac roedd o'n siom fawr na allai o oresgyn ei wendidau rhywiol.'

'Ddrwg gen i ofyn cwestiynau personol, ond be yn union dech chi'n feddwl wrth ddweud "gwendidau rhywiol"? Gall hyn fod yn bwysig iawn i'r ymchwiliad.'

'Neu gall fod yn hollol amherthnasol, ond gan dy fod di'n ddyn cwrtais, fe geisia i esbonio heb godi embaras. I ni ferched, mater o dderbyn yw hi yn y pen draw, a chi'r dynion sy'n rhoi. Ond pan na all dyn wneud ei ran, hyd yn oed unwaith, mae ei hyder yn diflannu. Rydych chi'n bethau bach bregus, yn tydych?'

Rhoddodd ei llaw ar gefn llaw Daf. Teimlai ei chroen fel melfed ei throwsus a gadawodd hi yno am eiliad yn rhy hir cyn ei thynnu'n ôl. Byseddodd Daf y blocyn bach yng ngwaelod ei boced.

'Dwi wedi clywed rhywbeth tebyg o ffynhonnell arall.'

'Yr ast fach bresennol? Does dim rhaid i ti ateb – dwi'n gwybod be 'di be. Be ydi di farn di am theorïau Sigmund Freud?'

'Dwi ddim wedi darllen gair o Freud ers fy nyddiau coleg, ond dwi'n meddwl bod y rhan fwya o'i syniadau wedi cael eu gwrthbrofi erbyn hyn.'

'Rwyt ti'n iawn, wrth gwrs, ond weithiau mae achos yn dod i'r amlwg sy'n cadarnhau gwaith Freud i'r dim.'

'Illtyd Astley?'

'Tra oedden ni efo'n gilydd yn Llydaw, awgrymais enw therapydd Freudaidd llwyddiannus i Illtyd, ac roedd o'n mynd draw i St Malo yn wythnosol i'w weld am fisoedd. Roedd yn broses heriol a drud, ond yn y pen draw llwyddodd Dr Le Gall i ddod o hyd i'r hyn maen nhw'n alw'n *primal trauma*. Pan oedd o tua thair oed, gwelodd Illtyd ei fam a'i dad yn caru ac arhosodd y graith feddyliol efo fo gydol ei oes. Hyd yn oed efo Enid, ar ôl i Fenws An gael ei geni, roedd o'n pryderu cymaint y byddai hi'n eu gweld nhw efo'i gilydd yn y gwely fel y prynodd o gwch tir iddyn nhw garu ynddo.'

'Be ydi cwch tir?'

'Cwch neu long fach sy byth yn gadael ei hangorfa. Mae o'n dal gan Enid ac yno mae hi'n dianc weithiau.'

'Sut dech chi'n gwybod hyn?'

'Drwy va. Mae hi wedi dod i aros gyda ni yn Lorient gwpl o weithiau, ac rydyn ni'n cyfnewid negeseuon Snapchat bob hyn a hyn.'

'Dwi'n synnu, o gofio'ch cyfraniad chi i fethiant priodas ei rhieni.'

'Dydi va ddim yn meddwl felly. Mae hi'n hollol ddi-foes – os ydi hi'n mynnu gwneud rhywbeth, mae hi'n ei wneud o. Mae'n agwedd iach. Weithiau, yn enwedig yn yr Assembleé Nationale, dwi'n teimlo 'mod i'n nofio mewn môr o ragrith.' Fel cath, ymestynnodd ei choesau a'i breichiau. Roedd hi arogli'n hyfryd o egsotig. 'Maen nhw wedi addo te prynhawn i ni, Arolygydd Dafis. Ugain mlynedd yn ôl, te prynhawn oedd yr unig bryd gwerth ei fwyta yng Nghymru. Wnei di eu hatgoffa nhw, plis?'

Gan deimlo fel gwas bach, aeth Daf allan i'r dderbynfa i ofyn am y te. Yno, yn tynnu côt drwchus, roedd dyn tal, pwerus yr olwg â chroen tywyll a gwallt wedi ei dorri mewn arddull filwrol. Gwthiodd heibio Daf i'r ddesg.

'I wish for both my guns to be cleaned before tomorrow,' gorchmynnodd mewn acen Ffrengig gref.

'No problem at all, Mr Moreau.'

'And my wife and I will have a bottle of Armagnac in our room, to arrive for us to have an aperitif before dinner. The good Armagnac.'

'We like to think that all our Armagnac is good, Mr Moreau.'

Ymatebodd y dyn efo golwg ddirmygus, fel petai'r ferch yn gwybod dim. Bwli oedd o, bwli cyfoethog, cryf, golygus – y math o ddyn sy'n arfer cael ei ffordd ei hun.

'Sori i dorri ar draws, ond den ni'n aros am de yn y Drawing

Room,' mentrodd Daf. Trodd y Ffrancwr i edrych arno. Doedd ei Gymraeg ddim yn cymharu â safon iaith ei wraig ond gallai gynnal sgwrs.

'Ti yw'r plismon?'

'Ie. Y Prif Arolygydd Daf Dafis.'

'Ma femme et Astley,' disgynnodd yn ôl i'r Ffrangeg. 'Stori hen, hen.'

'Mae'n rhaid i ni ddarganfod popeth am y dioddefwr, yn cynnwys ei hanes.'

Plygodd y dyn er mwyn sibrwd yng nghlust Daf. 'Rydan ni'n nabod pobol. Mae Nolwenn yn ddynes bwysig. Gadewch lonydd iddi hi, rhag ofn.'

'Mae'n rhaid i mi ofyn ychydig o gwestiynau, dyna'r cyfan.'

Martsiodd y dyn tal drwy'r drysau mewnol heb air arall.

'Mr Dafis,' meddai'r ferch tu ôl i'r ddesg. 'Dech chi'n ymchwilio i farwolaeth Illtyd Astley?'

'Ydw.'

'Mi welais i o fan hyn – Mr Astley, yn gyrru i mewn i'r maes parcio ddydd Sul, wrth i mi orffen fy shifft. Y peth rhyfedd oedd bod digon o le yn agos i'r gwesty, ond penderfynodd barcio ym maes parcio'r dafarn, reit ar y top.'

'Golygfa well?'

'Mae golygfeydd hardd i bob cyfeiriad fan hyn. Roedd o jest yn od, gyrru heibio'r holl lefydd gwag i barcio.'

Doedd neb yn y gwesty yn gallu gweld maes parcio'r dafarn, yn enwedig y pen pellaf. Efallai fod Astley eisiau dod i'r gwesty heb gael ei weld.

Agorodd y drws mewnol a brysiodd dynes fach drwyddo a dilledyn dros ei braich. Daeth at y ddesg a phwyntiodd ei bys at farc ar y defnydd. Taenodd y dilledyn dros y gofrestr a dechreuodd drafod ei phroblem mewn Ffrangeg cyflym, gan ddrysu'r ferch tu ôl i'r ddesg. Roedd y dilledyn yn un sylweddol, mewn satin trwm lliw hufen, fel rhywbeth allan o ffilm gyfnod yn hytrach na rhywbeth i'w wisgo yn y byd go iawn. Drosto roedd staen gwin coch.

'Pour Madame Moreau, pour Madame Moreau,' ailadroddodd yr hen ddynes dro ar ôl tro.

Roedd blynyddoedd wedi mynd heibio ers i Daf ennill B yn ei arholiad TGAU Ffrangeg, ond ceisiodd helpu. Ymhen munud a hanner roedd y dderbynwraig wedi trefnu i un o staff y golchdy ddod i'w helpu. Trodd yr hen ddynes at Daf, gyda chyrtsi bach.

'Merci, monsieur, vous êtes très gentil.'

Gwenodd Daf ei ymateb wrth sylwi am y tro cyntaf ar ei llygaid mawr brown. Tu ôl i'r henaint roedd cysgod dynes ifanc hardd.

'Duwcs, mae'r Ffrancwyr 'na'n boen,' cwynodd merch y dderbynfa. 'Fo'n ymddwyn fel petai'n un o'r teulu brenhinol a hithe angen i bopeth fod yn berffaith bob amser. Mae eu bois diogelwch yn dechre trafferth yn y dafarn bob nos ac mae'r hen wrach wastad yn cropian o gwmpas yn chwilio am lafant neu rosmari neu pwy a ŵyr be i'w roi ym màth ei meistres. Petalau rhosod oedd hi angen ddoe, i wneud eli croen. Petalau rhosod yng nghanol Rhagfyr?'

'Ers pryd maen nhw yma?'

'Dydd Gwener.' Ychwanegodd mewn llais isel, 'Mae'r cipars yn dweud 'i fod o'n sbortsman go iawn, yn saethwr gwych. Bonheddwr ydi o, yn ôl y sôn, ond chaiff o ddim saethu ar ei stad ei hun ddim mwy, ar ôl iddo fod yn y carchar llynedd ... methu cael leisans gwn yn Ffrainc. Mae 'na si yn y dafarn fod rhyw foi wedi ymosod ar ei wraig, a phan oedd o'n ei hamddiffyn mi gafodd o'i arestio.'

'Difyr iawn. Diolch yn fawr.'

'Fydd y te efo chi toc – do'n i ddim yn sicr pryd i ddod mewn, rhag ofn eich bod chi'n siarad am bethau cyfrinachol.'

'Diolch yn fawr, lodes.'

Yn y Drawing Room roedd Nolwenn yn eistedd wrth y piano, ei llygaid ynghau. Roedd hi'n ei ganu'n iawn ond nid yn dda ond, yn amlwg, roedd hi'n ei diddanu ei hun gydag alaw brudd. Erbyn iddi orffen roedd dagrau ar ei hwyneb.

'Mi ddewisais y pafán yna ar gyfer cynhebrwng ryw dro,' eglurodd. 'Ddylwn i ddim mynd yn ôl ato: mae'n corddi'r dyfroedd.'

Cerddodd yn urddasol yn ôl i'r gadair yn y ffenest, pob cam yn bwrpasol ond hefyd yn sionc. Roedd Daf yn difaru nad oedd wedi cael digon o amser i wneud ei waith ymchwil cyn dod i gwrdd â hi: roedd wedi dechrau meddwl am ei hoedran unwaith eto ar ôl gweld ei gŵr. Yn ei dridegau hwyr oedd o, dipyn yn iau na hi, ystyriodd Daf, ond wrth i'r dagrau ddisgyn yn araf i lawr ei bochau daeth yn amlwg iddo nad effaith colur oedd ei gwedd ifanc.

'Dwi wedi cwrdd â'ch gŵr yn y dderbynfa, dwi'n meddwl.'

Cododd ei chalon yn syth.

'Ro'n i'n hanner ei ddisgwyl ers awr,' meddai. 'Mi ffonia i o, i weld os ydi o awydd ymuno â ni am de.'

'Ddim nes i ni orffen ein sgwrs, os gwelwch yn dda. Ers faint dech chi wedi bod yn y gwesty 'ma?'

'Ers nos Wener. Roedden ni braidd yn hwyr yn cyrraedd – tagfeydd traffig wrth ddod o'r maes awyr yn Birmingham.'

'A pwy ydi "ni", Madame Moreau?'

'Fi, Ambroise, Mademoiselle Bernard, Jean-Paul a Luc.'

'Ambroise yw eich gŵr, ie? Ond y lleill?'

Yn sydyn, trodd ei gwên yn nawddoglyd.

'Staff. Ers dwy flynedd, mae'n rhaid i mi fod yn ofalus: mae gen i gymaint o elynion, yn enwedig ymhlith Mwslemiaid. Mae Jean-Paul a Luc yn gofalu amdanon ni.'

'A Mademoiselle Bernard?'

'O, y greadures! Roedd hi'n famaeth i Ambroise a'i frodyr, ac ar ôl i ni ddychwelydd o'n mis mêl roedd hi'n torri'i chalon, yn ysu i ddod i fyw efo ni. Cynigiodd fod yn famaeth i'n plant ni, ond ...' Ochneidiodd yn ysgafn. 'Beth bynnag, mae hi'n gofalu amdanon ni, ein dillad, yn gwneud fy ngwallt ac ati.'

'Braidd yn hen i fod yn gweithio, yn tydi?' gofynnodd Daf, gan deimlo ei fod o wedi crwydro i mewn i bennod o *Downton Abbey*.

'Gofalu am y bechgyn oedd ei bywyd hi. Petai hi'n ymddeol i ryw fwthyn bach ar ei phen ei hun, be fyddai hi'n wneud drwy'r dydd?'

Roedd tôn ei llais yn hollol ddilornus, fel petai'n trafod anifail anwes. Os mai pethau fel hyn oedd y bonedd yn Ffrainc, meddyliodd Daf, diolch byth am Mostyn Gwydyr-Gwynne.

'Felly be wnaethoch chi nos Wener?'

'Gawson ni bryd o fwyd digon da – roedd Ambroise wedi ffonio i ddweud y bydden ni braidd yn hwyr. Y bore wedyn, es i draw i Gregynog tra oedd o'n saethu, wedyn cawsom bryd yn y bwyty. Roedd hi'n noson braf iawn, felly ar ôl bwyta aeth y ddau ohonon ni am dro bach i lawr y lôn a dros yr argae. Noson hudolus.'

'Braidd yn oer, dwi'n siŵr?'

'Does nunlle'n oer yng nghwmni dy gariad, Brif Arolygydd Dafis. Ac mae côt finc yn dipyn o help hefyd.'

'A dydd Sul?'

'Codi'n gynnar a mynd i'r gwasanaeth naw o'r gloch yn eglwys y Trallwng. Wedyn es i draw i Gregynog am ychydig. Rhaid i mi ddweud, doedd arlwy'r Sul ddim yn werth ei gyflwyno. Sgwrs ddi-sail am ddyfodol tafodiaith a chyflwyniad diflas gan CADW am bensaernïaeth werinol. A drwy'r cyfan roedd protestwyr tu allan yn chwifio'u placardiau ac yn fy ngalw i'n bob enw dan haul.'

Cyn i Daf gael cyfle i'w holi am ei brawddeg olaf, cyrhaeddodd y te. Dyn ifanc swil oedd yn stryglo efo'r hambwrdd, ei ddwylo'n crynu. Astudiodd Nolwenn gynnwys yr hambwrdd, fel petai'n chwilio am ddiffygion. Safodd y dyn ifanc yn fud.

'Apricot jam. Where is it?'

'I will fetch it now.'

Dilynodd hi'r llanc efo'i llygaid.

'Hyd yn oed fan hyn,' meddai, a min newydd yn ei llais. 'Paid â dweud nad oes pobol ifanc leol yn chwilio am waith, ac maen nhw'n ... Wel, rhyfedd iawn fod y cig eidion gorau yma'n dod o Gymru ond mae'r staff yn dod o pwy a ŵyr ble.'

‘Mae ’na ddigon o bobol leol fan hyn hefyd,’ dechreuodd Daf, ond roedd Nolwenn wedi cael gafael ar ei hoff bwnc trafod, fel ci yn cnoi asgwrn.

‘Does neb yn ddi-waith yn Sir Drefaldwyn? Ddylen nhw ddim rhoi hyd yn oed un swydd dros dro i neb o dramor nes bod gan bob Cymro waith, cyflog a dyfodol.’

‘Gyda phob parch, Madame Moreau, does gen i ddim llawer o ddiddordeb yn eich barn wleidyddol. Dwedwch wrtha i am y protestwyr.’

‘O, rhai o griw Illtyd oedden nhw, protestwyr o’r Brifysgol yn ceisio f’atal rhag mynychu’r gynhadledd. “Dim llwyfan i Ffasgiaeth” – dyna maen nhw’n ddweud, druan ohonyn nhw. Ond doeddwn i ddim yn gofyn am lwyfan beth bynnag. Yno i wrando oeddwn i. Doedd dim un wyneb brown i’w weld yno, gyda llaw, dim ond cywion dosbarth canol yn dangos pa mor neis ydyn nhw, pa mor groesawgar ... ond dim ond oherwydd nad eu swyddi nhw, na’u cartrefi nhw, sy’n cael eu dwyn gan fewnfudwyr.’

‘Criw Illtyd?’

‘Rhai myfyrwyr o’i adran o. Y math o bobol sy’n trafod hawliau pobol drawsrywiol tra bod eu hiaith nhw’n marw, yn cefnogi ffoaduriaid yn lle Cymry.’

‘Wnaeth neb alw’r heddlu ...?’

‘Doedd dim rhaid. Tydi gemau ysgol feithrin fel hyn ddim yn peri gofid i mi. Rhywle arall mae’r frwydr.’ Torchodd ei llawes er mwyn dangos craith i Daf, llinell goch dair modfedd o hyd ar groen hufennog ei braich. ‘Rhywbeth bach i’m hatgoffa o’m ffrindiau yn Clichy-sous-Bois pan fynychais ddigwyddiad cymunedol yno. Rhoddodd un o’r boneddigion tywyll fy llaw drwy ffenest am fy mod yn ddigon digywilydd i awgrymu bod gan ei ferch hawl i addysg yn ogystal â’i fab.’

‘Felly,’ torrodd Daf ar ei thraws, yn awyddus iawn i’w gadael hi a’i syniadau, ‘roedd Illtyd yn gwybod eich bod chi yn yr ardal?’

‘Fe ffoniodd, i geisio fy mherswadio i beidio mynychu’r

gynhadledd. Roedd un o'i ffefrynnau'n cyflwyno rhyw bapur a doedd o ddim eisiau i unrhyw beth dynnu sylw oddi wrth ei hymdrechion hi. Gwrthodais, wrth gwrs.'

'Pam hynny? Dech chi'n ddynes bwysig â gwaith i'w wneud – be oedd yn eich denu i Regynog?'

'Ro'n i'n academydd cyn bod yn wleidydd. Efallai, rhyw dro, pan fydd y gwaith pwysig wedi cael ei wneud, y gallaf gamu'n ôl i gysgodion cyfforddus bywyd preifat, fel eich Nigel Farage chi. Rydw i wedi treulio ugain mlynedd yn ymchwilio i ddiwylliant gwerin Celtaidd am fod gen i ddiddordeb mawr yn y pwnc. Rydw i'n gweithio'n galed iawn ar hyn o bryd, ar fy ymgyrch fy hun ac i gefnogi Marine Le Pen ... roeddwn i'n haeddu rhyw hoe fach am wythnos.'

'Glywsoch chi gan Illtyd wedyn?'

'Dim gair.'

'Faint o'r gloch oedd hi pan ddaethoch chi 'nôl fan hyn?'

'Dau o'r gloch. Mymryn cyn hynny, efallai.'

'Welsoch chi Illtyd wedyn?'

'Fan hyn?' Roedd ei syndod yn ddilys, a doedd yr olwg ar ei hwyneb ddim yn awgrymu y byddai fawr o groeso i'w chyn-gariad.

'Gwelwyd o gan dyst yn y maes parcio yn y pnawn.'

'Wnaeth o ddim cysylltu efo fi o gwbl.'

'Ond mae'n rhaid bod ganddo reswm i ddod yma.'

'Cinio Sul efallai? Mae'n flasus iawn.' Oedodd i estyn am y jam bricyll gan y gweinydd. Pan oedden nhw ar eu pennau eu hunain drachefn, dechreuodd daenu menyn ar sgonsen. 'Mae'n rhaid i ti ddeall, Arolygydd Dafis, mai dim ond llwch oer oedd ar yr hen aelwyd. Cefais gyfnod go wirion yn fy mywyd, pan ges i res o berthnasau arwynebol, dibwrpas – a does gen i ddim diddordeb mewn cnoi ar hen grystyn. Yr unig gysylltiad rhyngdda i ac Illtyd ers dros ddegawd oedd va, a'r ffaith ein bod, bob hyn a hyn, yn baglu dros ein gilydd mewn cynadleddau. Dyna'r cyfan.'

'Doedd dim cyfrinachau rhyngddoch chi ... y math o bethau allai godi embaras i rywun fel chi, efo proffil uchel?'

Cymerodd Nolwenn frathiad o'i sgonsen cyn ymateb, ac roedd hi rywsut yn gwenu ac yn bwyta ar yr un pryd.

'Wyt ti'n ddyn rhamantus, Brif Arolygydd Dafis? Wrth gwrs dy fod di; dwi'n gallu gweld y gwir yn dy lygaid. Wyt ti'n hoffi delweddau neu ferched go iawn, merched o gig a gwaed?'

Rywsut, dechreuodd pwl o chwerthin rhyngddynt, fel hen ffrindiau yn cael eu hatgoffa o ryw stori.

'Cig a gwaed bob tro,' atebodd.

'Wyt ti wedi bod efo dy bartner ers eich glasoed?'

'Na, dim ond ers llynedd, yn swyddogol.'

'A beth wyt ti'n wybod am hanes ei pherthnasau blaenorol?'

'Cryn dipyn.'

'Gwybod bob dim?' Roedd ei llygaid yn holi am ateb gonest.

'Dwi'n gwybod dipyn, ond falle'i bod hi'n cadw cwpl o gyfrinachau.'

'Yn union. Wnaeth Ambroise ddim fy newis yn briodferch forwynol. Ac mae digonedd o straeon amdana i yn y wasg ac ar y we – doedd gan Illtyd ddim byd i'w ddatgelu. Dechreuodd fy mherthynas ag Illtyd fel ffling mewn cynhadledd, ac mae bron bob academydd wedi gwneud peth tebyg. Ond – tydw i ddim yn falch iawn o hyn – roedd ei broblemau'n codi fy chwilfrydedd. Dwi'n gwybod fy mod i'n dda yn y gwely a cheisiais wneud chydig o *Sexual Healing*.'

'Dwi'n gweld.'

'Wedyn, wrth gwrs, roedd o fel baw ci ar sawdl fy esgid.'

'Oedd unrhyw ddrwgdeimlad rhyngddoch chi?'

'Fe ddanfonais e-bost iddo un tro, cyn cynhadledd yng Ngwlad y Basg, efo llun o Ambroise a gair o rybudd – doeddwn i ddim eisiau unrhyw nonsens ganddo. Heblaw am hynny, a'r protestwyr, roedden ni'n gyrru mlaen yn iawn.'

'Diolch yn fawr iawn am eich amser, Mrs Moreau. Plis peidiwch â mynd yn ôl i Ffrainc heb adael i ni wybod.'

'Ydw i dan amheuaeth, Arolygydd Dafis?' gofynnodd, gan ymestyn ei dwylo i'w gyfeiriad fel petai'n derbyn gefynnau llaw ganddo. Roedd hi'n chwarae rhyw gêm, yn sicr, ond teimlai Daf fel cyd-chwaraewr yn hytrach na tharged.

'Megis cychwyn mae'r ymchwiliad.'

'Wrth gwrs. Ydyn ni wedi gorffen, felly?'

'Alla i gael eich manylion cyswllt?'

'Â chroeso: maen nhw ar gael yn y dderbynfa. Wnei di fy esgusodi i, Arolygydd Dafis? Rydw i angen digon o amser i newid cyn dod lawr i'r bwyty.'

Cododd ar ei thraed yn urddasol, ac aros am eiliad wrth y drws i daflu gwên gyfeillgar dros ei hysgwydd. Rhoddodd Daf weddill y brechdanau mewn bag tystiolaeth a'i guddio yn ei boced – roedd ei swper yn edrych yn bell iawn i ffwrdd a doedd dim diben gwastraffu. Roedd yr ystafell fawr yn wag hebddi hi, ond er gwaethaf bron i awr o sgwrs doedd Daf yn ddim nes at ddod i adnabod Nolwenn Kerjean-Moreau. Y cyfan a wyddai oedd iddi wneud argraff ddofn arno, er gwaetha'r holl gwestiynau oedd heb eu hateb. Canodd ei ffôn gan dynnu ei sylw oddi wrthi.

'Dr Jarman?'

'Pan gwympodd Astley yn ystod ei ffit gyntaf, wnaeth o ddisgyn yn bell?'

'Dim ond o'r gadair i'r llawr.'

'Hmm. Wnaeth o daro rhywbeth ar ei ffordd lawr? Fel cornel ffendar, er enghraifft?'

'Mewn neuadd bentre oedd o – dim ond pobol, byrddau a chadeiriau oedd yno.'

'Heddiw, am sawl rheswm, edrychais ar y lluniau o'r corff a dynnwyd cyn y PM. Maen nhw'n cadarnhau beth o'n i'n gofio, sef chwydd ar ei foch dde. Pan es i'n ôl i'w weld rŵan, roedd clais mawr o dan ei wallt ac un o'i ddannedd yn rhydd. Cafodd un ergyd, un go galed.'

'Allai anaf fel hwn ddigwydd ar ôl iddo farw?'

'Rydan ni'n trin pob corff â'r parch haeddiannol, Dafydd. Wnaeth yr Athro Astley ddim cael y ffasiwn glais yn fy ngofal i, diolch yn fawr. I greu clais fel hyn ar ôl marwolaeth, byddai'n rhaid i'r corff gwympo o drên sy'n symud – tydi cnawd heb waed yn llifo drwyddo ddim yn adweithio fel cnawd byw.'

'Felly, cyn marw, rhoddodd rhywun andros o glec iddo fo?'

'Edrych yn debyg.'

'Unrhyw syniad pryd?'

'Meddyg ydw i, nid dewin, ond o'r dystiolaeth ar ei groen, roedd hi'n ergyd go ffres. Petai'n rhaid i mi ddyfalu, rhywbryd dros y penwythnos.'

Wrth roi ei ffôn yn ôl ym mhoced ei siaced, lluniodd Daf restr yn ei ben o bobol oedd â rheswm da i roi clec i Illtyd Astley. Roedd hi'n rhestr hir.

Pan oedd o hanner ffordd i lawr rhodfa'r gwesty, stopiodd Daf y car i werthfawrogi'r olygfa hynod o'r llyn, oedd yn adlewyrchu miloedd o sêr. Edrychodd yn ôl i gyfeiriad y gwesty, a gwelodd fflach fechan – y golau'n dal gwydr drws wrth ei agor. Roedd gan Daf wastad sbeinglas yn ei fag gwaith, a thrwy'r lensys gwelodd ddau berson yn camu o'u hystafell allan ar y balconi. Nolwenn ac Ambroise. Atgoffwyd Daf o'r hen ffilmiau du a gwyn y byddai'n arfer eu gwylio ar bnawniau Sul ei blentyndod – roedd Moreau yn cofleidio'i wraig a syllodd y ddau ar yr olygfa am sawl munud cyn iddo ei thynnu'n ôl i mewn. Am ddelwedd ramantus! Ceisiodd Daf gofio'r oerni oedd yn ei llais wrth iddi siarad â'r gweinydd, ond methodd. Arhosodd Nolwenn yn ei gof fel poster yn hysbysebu un o ffilmiau Ingrid Bergman.

Dangosai wyneb gwyrdd y cloc uwchben Neuadd y Dref yn y Trallwng ei bod wedi troi hanner awr wedi chwech – roedd cyfle am baned cyn cynhadledd y wasg. Penderfynodd Daf beidio siarad â Nev nes y byddai'r newyddiadurwyr i gyd wedi gadael. Roedd yn bwnc sensitif, ac er lles ei gyd-weithiwr ifanc byddai'n rhaid i Daf dorri sawl rheol. Yn ei brofiad o, byddai heddwas sy'n cuddio'r ffaith fod aelod o'i dîm yn defnyddio cyffuriau Dosbarth C yn stori well i'r wasg leol na llofruddiaeth.

'Nev, paid mynd adre cyn i mi gael gair efo ti, reit?'

'Iawn, bòs.'

'A rho'r tegell ymlaen, wnei di?'

'Ro'n i'n meddwl dy fod ti 'di cael te efo ... beth bynnag ydi ei henw hi? Mae hi'n dipyn o ddynes, yn tydi?'

'Be ti'n feddwl?'

'Dwi 'di gwneud dipyn o ymchwil, ac mae hi'n dweud pethe fel maen nhw, wir Dduw – os ydi pobol yn dod i fyw fan hyn, ddylen nhw addasu i fod fel ni. Dyna be sy angen yng Nghymru, rhywun fel hithe, sy'n rhoi Cymry ar y blaen yn lle pobol o dramor o hyd.'

'Nev, dwi'n gwybod bod gen ti duedd i fod yn dwat llwyr, ond ti wedi gweld yr holl geir a'r faniau tu allan? Mae'r lle 'ma'n sneifio efo'r wasg a ti'n siarad fel Nazi McNaziFace. Cau hi, plis.'

'Maen nhw'n aros i dy weld di, bòs,' atebodd Nev yn bwdlyd. 'Ac mae'n wlad rydd, i fod. Mae gen i hawl i 'marn.'

'Wrth gwrs, ond dwi ddim isie i ti bregethu am y mewnlifiad fel taset ti ar *Pawb a'i Farn* o ddesg fy ngorsaf i, ti'n deall?'

Yn ei swyddfa, roedd Steve yn edrych yn falch iawn ohono'i hun.

'Dwi wedi gofyn am canlyniadau'r potel bach o maes parcio Dolanog cyn cynted â phosib ond maen nhw'n methu *analysio*'r *contents* tan fory.'

'Ac?'

'Ond maen nhw wedi danfon yr olion bysedd 'nôl, ac mae gen i rai sy'n debyg, o'r fferm 'na, Pantybrodyr.'

'Waw – difyr iawn. Ti'n sicr?'

'Dwi'n edrych ar nhw *visually*,' esboniodd Steve. 'Fydd *confirmation* yn dod o'r lab fory ond sbia di, bòs.'

Rhoddodd Steve ffeil ar y ddesg ac ynddi roedd sawl darn o bapur a phatrymau chwyrlïog o linellau, fel y mapiau tywydd o'i wersi daearyddiaeth flynyddoedd ynghynt, arnynt. Hyd yn oed i lygaid Daf, roedd y tebygrwydd yn sylweddol.

'Pa aelod o'r teulu ...?' gofynnodd.

'Yr hen boi.'

Olion bysedd Richard Parry Pantybrodyr ar un o boteli bach

Gala? Ond chafodd Daf ddim amser i ystyried yr wybodaeth ymhellach oherwydd daeth cnoc ar y drws.

'Tyrd i mewn, *come in*,' galwodd Daf.

Daeth dyn ifanc digalon yr olwg yn ei ugeiniau hwyr drwy'r drws, a theimlad o flinder a diflastod o'i gwmpas.

'Prif Arolygydd Dafis? Macsen Efyrnwy ydw i, i'ch helpu chi efo'r wasg a ballu.'

Roedd ei wyneb yn hanner cyfarwydd, fel petai Daf wedi gweld ei lun yn rhywle, neu wedi ei weld mewn torf. Ac o ystyried ei enw, dylai fod, fel yr arferai mam Daf ddweud, yn gyw o nyth adnabod.

'Dwi'm yn meddwl y cawn ni drafferth efo nhw, còg. Does dim llawer i ddiddori Fleet Street yn achos Illtyd Astley.'

'Ond, yn anffodus, mae Nolwenn Kerjean-Moreau yn tynnu sylw efo pob anadl. Maen nhw'n holi be mae hi'n wneud yng Nghymru.'

'Ar ei gwyliau mae hi, dyna'r cyfan, ac yn mynychu cynhadledd sych ynglŷn â hanes, llên a thraddodiadau gwerin y gwledydd Celtaidd.'

'Neithiwr, crybwyllodd rhyw flogiwr fod ganddi hi amcan hollol wahanol, sef creu clymblaid rhwng yr asgell dde yng Nghymru a'r un yn Llydaw.'

'Ond academydd oedd Illtyd Astley – alla i ddim dychmygu y bydd y stori yma'n mynd i nunlle.'

'Tri o'r gloch brynhawn heddiw, dioddefodd y wefan a gyhoeddodd y blog ymosodiad seibr. Does dim byd ar ôl o'r blog, na'r wefan ... na hyd yn oed y cwmni tu ôl iddo.'

'Blydi hel.'

'Mae rhywun allan yn y gofod seibr wedi penderfynu amddiffyn Nolwenn Kerjean-Moreau.'

'Neu amddiffyn enw da Astley.'

'Dewch 'laen, Mr Dafis: roedd yr ymosodiad yma'n beth mawr. Pwy fyse'n mynd i'r holl drafferth i atal cyhuddiadau enllibus yn erbyn academydd o Ddyffryn Aeron?'

'Ei ferch. Dyna ei maes hi. Ac mae hi'n llawer mwy tebygol

o lansio ymosodiad seibr yn erbyn rhywun na chodi'r ffôn i siarad.'

'Beth bynnag, mae'r *Guardian* ar-lein wedi dod o hyd i'r stori ac yn bwriadu cyhoeddi *exclusive* bore fory.'

'Allan nhw ddim! Dwi ar ganol ymchwiliad yn fan hyn.'

'Mae'r pencadlys yn ystyried embargo rŵan, ond yr unig beth dwi'n ddweud ydi peidiwch â disgwyl cynhadledd rwydd. Mae gan y *Mail exclusive* hefyd: maen nhw wedi talu swm go fawr am hawliau stori'r weddw.'

'Rho embargo ar bob un wan jac ohonyn nhw, da fachgen! Mae'r weddw dan amheuaeth, yn bendant. Os mai fel hyn maen nhw'n chwarae, dwi'n hanner ystyried canslo'r blydi cynhadledd.'

Dechreuodd Steve guro'i ddwylo. 'Da iawn ti, bòs. Dweud wrthyn nhw i gyd am ffwcio ffwrdd a gadael i ni wneud y gwaith yn iawn.'

Daeth golwg bwdlyd dros wyneb Macsen Efyrnwy. 'Ond rydach chi angen cymorth y cyhoedd. Dach chi wedi creu llun o ryw hen ddynes, cofiwch, ac os fyddwch chi'n danfon y wasg o'ma achos eich bod chi'n flin, sut fyddwch chi'n dod o hyd i'r tyst hollbwysig yma? Rhoi hysbýs yn *Plu'r Gweunydd*?'

Cymerodd Daf wynt mawr.

'O ble ti'n dod, lanc?' gofynnodd.

'Nunlle. Caerdydd, Caernarfon, Caerfyrddin ... ble bynnag roedd fy nhad yn derbyn ei ddyrchafiad nesa.'

'Ond dy enw ...?'

'Roedd taid fy nhad yn dod o fferm ger Pontrobert. Dwi erioed wedi bod yn yr ardal 'ma o'r blaen, heblaw am Steddfod Meifod – a wnes i ddim mentro'n bellach na Maes B amser hynny.'

Dyna pwy oedd o, cofiodd Daf yn sydyn: gitarydd efo band eithaf newydd Cymraeg, y Vêps. Roedd eu CD gan Rhodri yn y car. Ochneidiodd Daf yn fewnol. Fyddai rociwr rhan-amser yn ddim llawer o iws iddo.

'Ydach chi wedi gweld hwn?'

Ers diwedd yr *Independent*, doedd Daf ddim wedi prynu 'run papur newydd heblaw'r *Montgomeryshire County Times*, ond roedd o'n ddigon cyfarwydd â ffont ac arddull y *Daily Mail*: roedd y llanc yn dal tudalen wedi'i hargraffu o'r wefan o'i flaen, yn dangos llun mawr o ryw actores yn gwisgo fawr ddim, o dan y pennawd syrfdanol 'Composer's Slaying Casts Shadow over London Premiere'. Yn yr erthygl roedd dyfyniad gan Richard Diamond oedd yn trafod ei alar yn dilyn marwolaeth cyfansoddwr mor dalentog a gyfrannodd gymaint i'r prosiect.

'Does dim modd i chi anwybyddu diddordeb y wasg, Brif Arolygydd Dafis. Be ydach chi'n bwriadu 'i wneud? Pa strategaethau ydach chi wedi'u hystyried?'

'Disgrifio lleoliad y drosedd a gofyn am dystion.'

'Dyna'r cyfan?'

'Wel, be am i ni gael *go* efo fy strategaeth fach i, a gweld sut mae pethe'n mynd?' Edrychodd Daf ar y cloc ar y wal. 'Ac os bydd pethe'n dechrau mynd yn lletchwith, gei di eu hatgoffa nhw am reolau IPSO, ie?'

Wrth gerdded lawr y coridor yn benderfynol, efo Steve ar un ochr iddo a Nev ar y llall, allai Daf ddim peidio meddwl amdanynt fel fersiwn Gymreig o *Reservoir Dogs* – yn barod am unrhyw beth. O ganlyniad, roedd y gynhadledd i'r wasg yn siomedig braidd – dim ond rhyw hanner dwsin o bobol oedd yno, yn cynnwys y *Shropshire Star* a'r *County Times*, a doedd ganddyn nhw, hyd yn oed, ddim llawer o ddiddordeb yn ei ddatganiad. Dangosodd Nev y llun yr oedd wedi'i baratoi efo'r system EvoFIT, ac roedd yn rhaid i Daf guddio'i sioc pan welodd y ddelwedd ddu a gwyn. Roedd yn llawer mwy manwl na'r hen luniau PhotoFit ac yn dangos hen ddynes efo sgarff dros ei cheg, gwallt gwyn a llygaid mawr tywyll.

'Mae pob tyst, hyd yn hyn, wedi disgrifio dynes debyg iawn i hon, yn ei saithdegau hwyr neu hyd yn oed ei hwythdegau, sydd â gwallt gwyn a llygaid mawr brown. Acen leol gref Sir Drefaldwyn sydd ganddi, ac mae'n ddynes eiddil, tua phum troedfedd. Ryden ni wedi dod o hyd i bawb a fynychodd blygain

Dolanog a'r swper wedyn, heblaw amdani hi, ac ryden ni'n awyddus iawn i siarad efo hi. Mae'n bosib bod ganddi wybodaeth fyddai o ddiddordeb mawr i'r ymchwiliad.' Ailadroddodd Steve y manylion yn Saesneg.

O ran siâp ei hwyneb, ei bochau a'i thrwyn, roedd y ddelwedd yn agos iawn ati. Ond nid oedd y rhaglen gyfrifiadurol wedi dal yr olwg a welodd Daf yn ei llygaid dwfn. Cofiodd lygaid yr hen ddynes a frysiodd i dderbynfa'r gwesty yn gynharach. Roedd ganddi hi lygaid tebyg, ond doedden nhw ddim yn ddigon tebyg. Ac roedd ei hacen yn hollol wahanol, wrth gwrs. Sut gallai hen Ffrances esgus dod o Sir Drefaldwyn? A pham fyddai hi'n gwneud hynny yn y lle cyntaf?

Roedd y gynhadledd bron ar ben pan gododd dynes ifanc ar ei thraed. Ar ei bathodyn roedd un gair, *Guardian*, felly synnwyd yr heddweision ar y panel gan iaith ei chwestiwn.

'Ffion Spancell. Beth yn union yw'r cyswllt rhwng Nolwenn Kerjean-Moreau a'r achos? Ac ydych chi'n fodlon cadarnhau fod Illtyd Astley yn aelod o fudiad eithafol?'

'Pa fudiad?' gofynnodd Daf.

'Adfer.'

'Hen, hen hanes ydi'r mudiad yna erbyn hyn, lodes. Doedd Illtyd Astley ddim yn wleidydd. Flynyddoedd maith yn ôl, cyn iddi ddechrau ar ei gyrfa wleidyddol, cafodd Madame Kerjean-Moreau affêr efo Illtyd Astley. Hyd yn hyn, does dim agwedd wleidyddol i'r ymchwiliad o gwbl.'

'Ond mae hi'n un o ffasgwyr mwya blaenllaw Ewrop, ac mae'n anodd credu y byddai hi, yn ystod ymgyrch hollbwysig, yn cymryd wythnos o wyliau.'

'Ryden ni i gyd angen gwyliau weithiau, lodes,' atebodd Daf, gan sylwi ar yr olwg ddiamynedd ar wyneb y ferch fain. O weld y styd yn ei chlust a'i siaced ddynol, byddai Carys yn disgrifio Ffion Spancell yn *indy*. Yn gyferbyniad iddi, roedd dynes y *Daily Mail* yn hawdd ei thrin, yn ddiog ac yn hapus i aros i Daf ddarllen y sgript arferol.

Arhosodd Daf yn y cyntedd i ffarwelio â'r gohebwyr wrth

iddyn nhw adael – mater o gwrteisi ond cyfle hefyd i sicrhau eu bod nhw i gyd yn gadael yn ddidrafferth.

'Go brin ydi siaradwyr Cymraeg yn y *Guardian*, fysen i'n tybio?' meddai wrth Ms Spancell.

'Fi ydi'r unig un, hyd yn hyn. Mae o'n ddefnyddiol iawn weithiau. Dwi'n aros yn yr ardal am dipyn gan fod gen i ddiddordeb mawr yn Nolwenn Kerjean-Moreau. Does neb eisiau i wleidyddiaeth Cymru gael ei heintio gan ei chasineb hi.'

'Den ni'n magu digon o ddrwgdeimlad yn lleol – does dim rhaid i ni ei fewnforio!'

Ar ôl iddi fynd, rhoddodd Macsen Efyrnwy rybudd i Daf.

'Cymer di ofal efo Ms Spancell. Un fawr am theorïau cynllwyn ydi hi, yn gweld ffasgwyr ym mhobman.'

Trodd Daf oddi wrth y drws ffrynt a gweld rhywun arall oedd angen ei sylw: Nev, a safai tu ôl i'r ddesg. Cafodd bwl o hiraeth sydyn am yr hen Nev, y bachgen diniwed a llawen a ymunodd â'r tîm fel Cwnstabl Arbennig, neu Hobby Bobby, chwedl Steve. O gael gwared ar effaith y cemegau ar ei gorff, gobeithiai Daf y byddai'n bosib cael yr hen Nev yn ôl.

'Ty'd i gael gair efo fi, lanc, a ty'd â phaned bob un i ni efo ti, iawn?'

Sylweddolodd Daf nad oedd wedi cael munud iddo'i hun i ystyried yr hyn a ddysgodd yn ystod y dydd. Ei sgwrs efo va, darganfod y gysblys ym Mhantybrodyr, Nolwenn a'i hanner gwirioneddau, y botel fach – roedd o'n teimlo fel milwr yn Oes y Tywysogion yn cael ei bledu gan saethau. Câi awr o lonydd gartref i osod darnau'r jig-so yn eu lle, ond dim ond ar ôl mynd i siarad efo John.

'Dyma ni, bòs.' Roedd Nev wedi paratoi hambwrdd efo bisgedi arno i Daf, ond dim byd iddo fo'i hun. 'Cyn i ni ddechrau, mae gen i gŵyn i'w gwneud. Tra oedden ni yn Nolanog, mae rhywun wedi bod drwy fy mag. Mae hyn yn annerbyniol.'

'Ddim hanner mor annerbyniol â heddwas yn cymryd cyffuriau Class C, lanc. Stedda di lawr a gawn ni sgwrs ddeche, ie?'

Crebachodd Nev, gan golli peth o'r te cyn rhoi'r hambwrdd ar y ddesg. Tynnodd Daf y pecyn o'i fag a'i osod ar y ddesg.

'Mae Virormone yn Class C. Ti'n gwybod hynny, yn dwyt ti?'

Nodiodd Nev ei ben.

'Ble gest ti'r stwff?'

'Oddi ar y we.'

'A'r cit i gyd? Rhaid cael nodwyddau a chwistrellau ac ati.'

'I gyd o'r un wefan.'

'Ers pryd ti 'di bod yn defnyddio'r stwff, y llo?'

'Ers ... dros fis.'

'Pam, yn enw rheswm?'

'I wneud i mi fy hun edrych yn well. Dwi isie *six-pack*.'

'Ac ydi o 'di helpu?'

'Rhywfaint.'

Cyn i Daf gael cyfle i ddweud gair i'w rwystro, agorodd Nev ei grys i ddangos bol crwn, oren. Nid oedd cyhyrau i'w gweld o gwbl, dim ond cnawd yr un lliw â chreision ŷd. Roedd o wedi colli pwysau, yn bendant, ond roedd o'n dal yn bell iawn o fod yn *ripped*, i ddefnyddio un o dermau Carys.

'Gwranda, còg, does dim rhaid i ti foddran efo nonsens fel hyn. Ti'n iawn fel yr wyt ti.'

'Ond gyda phob parch, bòs, dydi dy farn di ddim yn bwysig. Ti'n dod i'r digwyddiad nos Wener?'

'Dim ffiars o beryg.'

'Dwi'n aelod o'r grŵp sy'n tynnu eu dillad: Steve a finne, tri paramedic a chwe dyn tân. Nid jôc ydi o, ond cyfle i'r merched edmygu ein cyrff ... a does gen i ddim corff gwerth ei edmygu.'

'Mae 'na aelodau eraill o'r grŵp sy'n teimlo'n anesmwyth am yr holl fusnes hefyd, Nev, dwi'n gwybod hynny fel ffaith. A dydi merched ddim mor gas â ni'r dynion – maen nhw'n gweld y bersonoliaeth tu ôl i'r cnawd.'

'Does neb wedi dod i chwilio am fy mhersonoliaeth hyd yn hyn, bòs.'

'Beth bynnag, dim mwy o'r blydi steroids 'ma, ti'n deall?

Dim ond hwyl ydi'r noson wedi'r cyfan, a chyfle i godi pres at achos da.'

'Fysen i'n talu hanner canpunt i beidio gwneud y peth, ond tasen i'n jibio, byddai Steve yn edliw am fisoedd.'

'Anghofia am yr holl beth, reit? A Nev – os dwi'n gweld unrhyw arwyddion dy fod ti'n defnyddio steroids eto, mi fydda i'n dy roi di ar *disciplinary* cyn i ti droi rownd. Deall?'

'Iawn, bòs.'

'Gwaith cartre i ti heno: ymchwilio i ŵr Nolwenn Kerjean-Moreau, Ambroise Moreau. Mae ganddo fo record droseddol, a dwi isie gwybod ei hanes i gyd. A cau dy fotymau wnei di plis, Nev? Ti fel Oompa Loompa wedi gordyfu.'

Cerddodd Daf drwy ddrws ei gartref tua chwarter i naw ac roedd John yn aros amdano yn y gadair wrth y stof, ei gefn mor syth â phrocer.

'Ty'd draw i'r Goat efo fi, John,' awgrymodd Daf. 'Gawn ni sgwrs dros beint.'

'Ac mi wna i gynhesu dy swper yn y cyfamser,' meddai Gaenor. 'Ti 'di bwyta, John?'

Petai Gaenor wedi gwneud y ffasiwn gynnig dri mis ynghynt byddai John bron â boddi mewn môr o hiraeth, ond heno roedd ei feddwl ar ddynes arall.

'Gawson ni tships yn syth ar ôl godro, diolch.'

Roedd y Goat yn brysur – wedi'r cyfan, nos Fercher oedd Nos Sadwrn Bach – a dechreuodd rhai o'r selogion wrth y bar dynnu coes John ynglŷn ag ymweliad y Border Force. Wnaeth John ddim ymateb ac roedd yr olwg ar ei wyneb yn ddigon i gau eu cegau.

Roedd hi'n dawelach yn yr ystafell pŵl, ac eisteddodd y ddau yn y gornel ger y bwrdd dartiau.

'Dwi 'di meddwl am be ddeudest ti, Dafydd. Dwi'n fwy na bodlon gofyn, os fydd hi'n fodlon fy nghymryd i.' Doedd dim angen dweud enw Doris.

'Ond rhaid i ni ddod o hyd iddi gynta, does?'

'Dwi 'di meddwl am hynny. Mae gen i ffrind, Lloyd, sy'n ffermio fyny yn y Gogs, ger Bryn-crug. Cafodd ei ferch ieuenga ei sbwylio'n rhacs gan bawb gan mai hi oedd bach y nyth, ac yn y coleg, lawr yng Nghaerdydd, aeth hi'n hollol benwan ... cyffurie a bob dim ... ac ar ôl colli ei lle ar ei chwrs, rhedodd hi ffwrdd. Roedd y teulu cyfan mewn panics mawr a huriodd Lloyd ryw dditectif preifat. Un o Lerpwl oedd o, reit ryff yr olwg, ond daeth yn ôl efo Mared ymhen tridiau, yn berffaith iawn ac wedi dysgu rhywfaint o wers. Mae rhif ffôn y boi gen i. Mi ffonia i bore fory.'

'Wyt ti'n meddwl bod Doris isie i ti ei ffeindio hi?'

'Mae 'na siawns ei bod hi ddim, ond mae'n rhaid i mi, am unwaith yn fy mywyd, gymryd siawns.'

'Be am i ti aros nes cei di gyfle i siarad efo Belle? Mae hi'n dod 'nôl fory, ydi?'

'Dwi'n methu aros, Dafydd. Be os ydi hi'n cysgu yn nrws rhyw siop, yn cuddio fel llwynog rhag cŵn hela? Mi fydd hi'n oer, yn y tywydd garw 'ma. Yn bendant, fydd hi'n ypsét. Dwi isio iddi wybod y bydda i'n gofalu amdani, beth bynnag ddaw. Allwn ni fynd drwy'r llysoedd barn, waeth faint mae hynny'n gostio.'

'Iawn. Ond cofia di, John ...'

'Dwi'm am gofio dim, sori, Dafydd. Alla i wneud dim byd ond meddwl amdani. Ti'n cofio'r eira mawr tua chwe, saith mlynedd yn ôl? Roedden ni wedi llenwi pob twll a chornel o'r siedie efo defaid ond roedd yn rhaid gadael rhai tu allan. Es i fyny i'r bryn i'w hel nhw ond roedd hanner dwsin ar goll. Yn y pen draw, roedd yn rhaid i mi ddod adre hebddyn nhw. Dridie wedyn, mewn hiff mawr o eira, mi welson ni nhw, eu llygaid dal ar agor, wedi rhewi. Be os ydi Doris yn cysgu'n rhywle, yn cuddio rhag y bastards, ac yn rhewi?' Roedd ei law fawr yn crynu ar ei beint o Worthy's.

'Digon teg, John. Cysyllta di efo'r ditectif – ond be am i ti gael gair efo dy gyfreithiwr hefyd?'

'Mi ffoniais i nhw amser cinio. Maen nhw'n dweud, y snobs, nad oes ganddyn nhw arbenigedd yn y maes, byth yn delio efo achosion mewnfudo. Dwi 'di siarad efo dy ffrind Mrs Gwydyr-Gwynne – roedd hi'n awyddus iawn i helpu, chwarae teg iddi hi.'

Roedd yn rhaid i Daf guddio ei deimlad o ryddhad. Gallai Haf gymryd cyfrifoldeb dros John a Doris rŵan ... un peth yn llai iddo boeni amdano yn yr oriau mân.

'Wedi bod fel ffair fan hyn heddiw,' dywedodd Gaenor wrth sgeintio Parmesan dros ei risotto yn ddiweddarach. 'A dwi'm yn sôn am yr efeilliaid.'

Roedd Daf wedi anghofio am yr ymwelwyr bach.

'Ble mae Rhodri?'

'Canu carolau efo'r Ffermwyr Ifanc, a Carys wedi mynd i weld rhyw ffilm efo Mair. A sut mae'r hen John, dwed?'

Cafodd Daf holl hanes y dydd, ac ymhell cyn un ar ddeg roedd yn pendwmpian ar y soffa.

'Oes angen i mi fynd i nôl Rhodri i rwle heno, Gae?'

'Na – mae'r aelodau hŷn yn gyrru. Aeth Rhods lawr i'r banc i gwrdd ag Ed Mills. Ti 'di blino?'

'Wedi ymlâdd.'

'Awn ni i'r gwely, felly. Fydd Rhodri'n iawn.'

Dros awr yn hwyrach, dihunodd Daf yn sydyn. Roedd Mali Haf yn crio, a chlywodd lais Rhodri'n hanner bloeddio 'Si Hei Lwli'. Baglodd dros y landin i lofft fach ei ferch a chanfod y drws ar agor. Eisteddai Rhodri yn y gadair, wedi meddwi'n rhacs, yn ceisio tawelu ei chwaer fach wrth ei bownsio i fyny ac i lawr. Tawelodd y canu, a daeth rhywbeth gwahanol o'i geg: ton o chwd, dros ben ac ysgwyddau Mali Haf.

'Be ffwc ti'n wneud?' gwaeddodd Daf, gan gamu ymlaen i godi Mali.

'Jest ... jest ceisio'i thawelu hi, dyna'r cyfan.'

'Ar ôl i ti ei deffro hi drwy ddod adre'n *shit-faced*? Ti'n ffycin gwarthus.'

'Na, mae'r ddannoedd arni.'

'O ie, 'nes i anghofio – ti 'di'r arbenigwr sy'n gwybod bob dim am fabis, yntê?'

Nid oedd Mali Haf yn hapus ei bod yn cael bàth am hanner nos. Roedd y rheswm am ei noson aflonydd yn ddigon amlwg: wrth olchi ei gwallt hi, sylwodd Daf bod ei boch yn fflamgoch. Pan gododd hi yn ei freichiau roedd hi'n dal i ddrewi o chwd, brandi ceirios a Lynx Africa. Erbyn hyn roedd Gaenor wedi deffro, ac roedd Daf yn hanner disgwyl iddi ddod i'w helpu fo efo'r babi. Yn lle hynny, rhoddodd Rhodri yn ei wely a glanhau'r carped yn ystafell Mali Haf.

'Paid bod yn rhy galed arno fo, Daf,' meddai wrth roi ei merch yn ofalus yn ôl yn ei chot.

'Mae o wedi chwydu dros ei chwaer fach. Dwi erioed wedi gweld y ffasiwn beth.'

'Ceisio gofalu amdani oedd o, cofia.'

'Hmm.'

Hanner awr yn ddiweddarach daeth sŵn wylo eto i dorri ar lonyddwch y tŷ. Yn ei wely, roedd Rhodri'n beichio crio ond doedd Daf ddim yn fodlon codi i roi cysur iddo – os oedd ei fab yn llawn cywilydd, dyna'n union sut y dylai fod.

Pennod 10

Bore dydd Iau

Deffrodd Daf o hunllef lle roedd Nolwenn ac Ambroise Moreau, Miriam Pantybrodyr a Mali Haf yn un cwlwm annealladwy, a methodd fynd yn ôl i gysgu. Cododd i wneud chydig o waith ond roedd y tŷ'n rhy oer. Hanner awr wedi pedwar – rhy gynnar o lawer i roi'r gwres ymlaen, felly tanio'r stof amdani. Aeth i'r cwt bach ger y drws cefn a darganfod mai dim ond pedwar boncyff oedd ar ôl yno. Byddai'n rhaid iddo bicio draw i Hengwrt i nôl mwy.

Dros nos roedd y byd wedi newid, gan daenu clogyn gwyn dros Lanfair Caereinion a'r bryniau. Er bod y lleuad wedi hen ddiflannu, doedd hi ddim yn dywyll gan fod goleuadau'r stryd yn cael eu hadlewyrchu gan yr eira. Roedd Daf yn falch iawn ei fod wedi cytuno i yrru'r car *pool*: hebddo, byddai wedi gorfod cerdded i fyny'r allt i Hengwrt.

Pan gyrhaeddodd roedd y lle'n hollol dawel, a siâp yr hen dŷ yn wyn fel cacen Dolig, ond o'r tu ôl i'r shiten blastig dros y ffenestri gwelodd olau gwan. Roedd y drws ar gau, a'r clo clap yn dal yn ei le. Aeth Daf rownd y cefn, lle roedd y shiten blastig dros un o'r ffenestri wedi cael ei symud. Roedd rhywun wedi ei thynnu hi lawr, dringo i mewn i'r tŷ ac ailgodi'r plastig ar ei ôl. Nid oedd y syniad o wynebu'r tresmaswr yn poeni Daf o gwbl – rhyw drempyn oedd o, mwy na thebyg – ond roedd yn cydymdeimlo â phwy bynnag oedd wedi gorfod aros dros nos mewn tŷ gwag ar y fath dywydd. Cerddodd yn ôl i ffrynt y tŷ ac anadlodd dros wydr y ffenest fach ar y gornel nes bod cylch chwe modfedd wedi toddi yn y rhew. Rhoddodd ei dortsh ger y twll a gwelodd rywfaint o'r parlwr. Ar yr aelwyd roedd fflach annisgwyl o borffor llachar. Cofiodd Daf i garthen o'r un lliw achosi ffrae fawr yn Neuadd flynyddoedd yn ôl pan feiddiodd Gaenor ei symud i un o'r ystafelloedd sbâr lan staer o'i lle anrhydeddus ar soffa yn y lolfa. Trysor teuluol oedd o, chwedl Falmai, ond i Gaenor roedd hi'n hyll a hen ffasiwn. Bu mwy o stranc ynglŷn â'r blydi garthen honno na phenderfyniad Daf i droi'r teulu cyfan wyneb i waered wrth adael Fal am Gaenor. Erbyn hyn, gwyddai Daf yn bendant pwy oedd yn cysgu ar aelwyd Hengwrt. Roedd gwên fawr ar ei wyneb wrth iddo ffonio'r unig ddyn oedd yn debygol o fod ar ei draed mor gynnar yn y bore.

Cyrhaeddodd John mewn chwinciad. Roedd Daf wedi penderfynu peidio â dweud wrtho yn union pwy oedd yn cuddio yn Hengwrt, rhag ofn ei fod yn anghywir.

'Be sy, Dafydd?'

'Mae 'na rywun yma ... wedi torri mewn i gael aros dros nos.'

'Hen drempyn, siŵr. Dwi'm cweit yn deall pam ofynnest ti i mi ddod lawr 'ma, i fod yn hollol onest – ti'n delio efo sefyllfaoedd fel hyn bob dydd.'

'Ti'n codi'n gynnar, John, a dwi wedi arfer cael *back-up*.'

Heb oedi mwy, agorodd Daf y drws ffrynt. Camodd i'r cyntedd yng ngolau'r dortsh fach ac amneidio ar John i'w ddilyn. Roedd y cyntedd mor oer ag arfer ond yr eiliad yr agorodd Daf y drws i'r parlwr roedd yn amlwg fod rhywbeth wedi bod yn cynhesu'r ystafell y noson cynt. Ar yr aelwyd, a'i phen ar ei bag, roedd rhywun yn cysgu'n braf o dan garthen Neuadd. Pan welodd John y gwallt brown, camodd heibio i Daf a phlygodd i benlinio wrth ei hochr, ei wyneb yn goch fel bricsen.

'Doris ... Doris,' galwodd yn dawel. 'Rho'r tân ymlaen, Dafydd, wnei di?'

Roedd y tân yn esgus i Daf droi ei ben – roedd yr ennyd yn perthyn i John a Doris. Llwyddodd Daf i gynnau'r Superser, job astrus, ond cafodd gyfarwyddyd hollol wahanol gan John.

'Pam wyt ti'n potsian efo'r hen dân nwy 'na, Dafydd, yn enw rheswm? Mae Doris 'di clemio, bron â marw. All hi ddim aros fan hyn.'

Wedyn, mewn ystum bonheddig, cododd John y ddynes

roedd o'n ei charu yn ei freichiau a brasgamodd o'r tŷ, gan adael Daf i gasglu ei phethau a diffodd y tân roedd o newydd ei gynnau. Roedd gwên fechan ar wyneb cysglyd Doris. Gosododd John hi yn y Land Rover, gan lapio'r garthen yn dynn o'i chwmpas.

'Ond John,' meddai, 'mae'r bobol yna, yr *immigration police ...*'

'Dwi'm yn rhoi rhech amdanyn nhw, Doris fech. Ti'n dod adre efo fi rŵan, a dyna lle ti'n aros, ti'n deall?'

Lluchiodd Daf bethau Doris i gefn y Land Rover a phiciodd yn ôl i'r tŷ i sicrhau bod popeth yn iawn cyn gadael. Uwchben arogl y cerrig oer a'r nwy roedd rhywbeth arall, rhywbeth melys. Cnau coco a fanila – arogl hufen wyneb Doris. Caeodd y drws ffrynt a rhoddodd y clo clap yn ei le, er bod Doris wedi dangos mor hawdd oedd torri i mewn drwy'r cefn. Llwythodd saith bag plastig mawr o goed tân i gefn y car.

Roedd o adre toc ar ôl pump o'r gloch ac roedd y tŷ'n berffaith dawel o hyd. Cyneuodd y stof a thynnodd ei liniadur o'i fag. Y peth cyntaf i'w wneud, cyn dechrau edrych ar ei negeseuon e-bost, oedd gweld sut roedd y wasg yn trin y stori. Roedd hanes Mel Astley yn fêl ar fysedd criw'r *Daily Mail*. Merch ddel a thŷ smart – y stori ddelfrydol. Roedd rhywun, y cyfreithiwr roedd ei mam yn gweithio iddo, efallai, wedi rhoi cyngor da i Mel gan ei bod wedi osgoi unrhyw faterion dadleuol ac wedi canolbwyntio ar ddangos ei thŷ hyfryd iddyn nhw. Roedd ei beichiogrwydd yn ennyn cydymdeimlad, yn enwedig y llun olaf yn yr erthygl ddwy dudalen, oedd yn dangos y weddw ifanc yn syllu'n alarus i ddyfnder y pwll yn ei gardd, ei chôt Barbour ar agor fel petai eisoes wedi magu bol. Ac wrth y pwll, ymhlith y brwyn a'r rhedyn, roedd digonedd o'r gysblys.

Roedd Daf wedi ystyried canslo'i danysgrifiad i'r *Guardian* ar-lein i arbed arian, ond doedd o ddim wedi cael cyfle i wneud hynny. Heddiw, roedd yn falch o hynny: yn cyd-fynd ag erthygl fawr o dan y pennawd 'Academic's Death: Police Probe Far-Right Links', roedd deunydd ychwanegol ar gael i danysgrifwyr yn unig. Cliciodd Daf ar y linc a darganfod nad oedd ymchwil Ms Spancell lawer mwy na dyfaliadau am dueddiadau gwleidyddol Illtyd Astley, hen hanes y mudiad Adfer a rhai sylwadau enllibus ynglŷn â Saunders Lewis. Ochneidiodd Daf. Dynes gall ond darn arwynebol. Parodd diweddglo'r brif erthygl gryn dipyn o bryder i Daf – addawodd Ms Spancell i'w darllenwyr fod llawer mwy i ddod, a gallai hynny olygu llawer mwy o helbul iddo fo. Fel y dywedodd llanc y wasg, byddai'n rhaid iddo fod yn ofalus o'i chwmpas. Caeodd y wefan a throdd at ei gyfrif e-bost.

Canodd ffôn y tŷ toc ar ôl chwech: Siôn.

'Wncl Daf, rhaid i ti ddod fyny i helpu.'

'Efo be, dwed?'

'Efo'r godro. Dwi'n methu gwneud y cwbl lot ar ben fy hun.'

'Ble mae dy dad?'

'Dyna be sy'n od. Mae o yn ei lofft ac yn gwrthod dod allan i helpu.'

Roedd yn rhaid i Daf chwerthin o dan ei wynt.

'Dwi 'di curo'r drws tan mae fy nwrn yn goch ond mae o wedi symud y gist flancedi ar draws y drws. Ac ... mae 'na rywun yno efo fo, wir i ti, Daf. Rhyw ddynes. Amser rhyfedd o'r diwrnod i garu, yn enwedig i ffarmwr llaeth.'

'Mae dy dad a finne wedi dod o hyd i Doris heddiw bore.'

'Doris? Ti'n sicr, Wncl Daf?' Roedd hi wastad yn amlwg pan fyddai Siôn dan bwysau – roedd o'n tueddu i ddychwelyd at ei hen arferion, megis siarad fel còg deg oed.

'Gwranda, lanc, dwi'm awydd cario clecs, ond dwi'n amau fod dy dad a Doris yn fwy na ffrindie. Roedd hynny'n ddigon amlwg pan gawsoch chi'r ymweliad gan y llu mewnfudo, yn doedd?'

'Dwi erioed wedi'i weld o mor wyllt â hynny, siŵr Dduw. Ond Doris ... wel, tydi hi ddim yn debyg i Mami o gwbl.'

'Mae pobol yn newid, dod i ddeall eu hunain yn well, falle. Ond dwi'm yn meddwl y bydd dy dad yn dod allan i'r parlwr godro heddiw bore, sori.'

'Rhaid i *ti* ddod fyny, felly, Wncl Daf.' Roedd y panig yn llais Siôn yn ddigon i ennyn cydymdeimlad unrhyw un.

'Dwi'n methu dod i dy helpu, sori, Siôn. Rhaid i mi fynd yn syth i 'ngwaith.'

'Dwi 'di ceisio ffonio Anti Fal ond doedd dim ateb.'

'Paid â meiddio styrbio dy fodryb,' gorchmynnodd Daf, gan gofio'n sydyn am y pecyn Clearblue Plus oedd yn dal ganddo.

'Wel, dwi wedi methu cael neb o'r asiantaeth. Mae Prycey, sy'n dod fel arfer mewn argyfwng, wedi torri ei blydi migwrn wrth gwympo ar fuarth Penisa Rhos, tydi Arwel ddim wedi dod adre o'r coleg eto ac mae o'n hollol *shit* efo gwartheg beth bynnag – ac os dwi'n rhoi pwyse ar Jim y Rhyd neu Col, fe fyddan nhw'n cerdded allan. Dwi'n hollol styc.'

'Mae'n gas gen i dynnu'n groes, lanc, ond alla i wir ddim dod.'

'Be am Rhods? Fydd dipyn o awyr iach yn llesol iddo fo ar ôl neithiwr.'

'Mae ganddo fo ysgol.'

'Os ddaw o fyny reit handi, fydd o'n iawn. Dwi 'di godro cyn ysgol sawl tro a dim ond dair gwaith gollais i *reg*.'

'Rho ddeng munud i mi, Siôn – mae dy fam newydd ddod lawr staer. Falle'i bod hi'n nabod rhywun.'

Roedd Gaenor yn edrych yn ddeniadol beth bynnag roedd hi'n ei wisgo, ond i Daf roedd hi'n harddach byth y peth cyntaf yn y bore, ei gwallt ym mhobman a'i hwyneb yn ffres ond ag olion cwsg arno.

'Be sy 'di bod yn digwydd heddiw bore, Daf?' gofynnodd. 'Ro'n i'n meddwl dy fod ti 'di mynd allan tua awr a hanner yn ôl.'

'Mi ffeindiais Doris, sy'n beth braf, ond mae hynny wedi achosi problem i Siôn – all o ddim godro ar ei ben ei hun.'

'Ble mae John, felly?'

'Yn gofalu am Doris. Yn ei wely.'

'Be ti'n feddwl rŵan?'

'Mae John wedi syrthio am Doris, dros ei ben a'i glustiau. Hi yw ei flaenoriaeth ar hyn o bryd, nid yr Holsteins.'

'Waw! Wnaeth o erioed fy rhoi fi o flaen ei wartheg.'

'Roedd Doris wedi cymryd y garthen borffor ac wedi cysgu dros nos ar aelwyd Hengwrt efo'r garthen drosti.'

Roedd yn rhaid i Gaenor chwerthin am eiliad wrth feddwl am y blydi carthen, ond daeth golwg o gydymdeimlad dros ei hwyneb.

'Ond roedd hi mor oer neithiwr, fydd hi 'di clemio.'

Cyn i Daf gael cyfle i wneud jôc am sut roedd Doris yn cael ei chynhesu gan John, canodd ffôn y tŷ eto. Prifathro'r ysgol uwchradd.

'Dafydd? Be ti'n feddwl am y tywydd? Well i ni gau'r ysgol?'

Gan ei fod yn Llywodraethwr yn yr ysgol, a bod y prifathro'n greadur braidd yn nerfus ei natur, byddai Daf yn cael ambell alwad fel hyn o dro i dro.

'Dydi'r eira ddim mor ddrwg â hynny, ydi o?'

'Newydd glywed gan y cwmni bysys – mae'r depo yn Adfa o dan dros droedfedd o eira caled, a'r undeb wedi dweud wrth fois y Drenewydd fod yn well iddyn nhw beidio dod dros Fryn y Grogbren. Mae bws mini wedi mentro i gyfeiriad Cwm Twrch ond roedd y lôn yn llawn dop, eira'n llenwi rhwng un banc a'r llall.'

'Be mae'r sir yn ddweud?'

'Dim ateb, dim ond rhyw neges wedi'i recordio yn ein hatgoffa ni am ein dyletswyddau iechyd a diogelwch. Yn enw rheswm!'

'Be am y rhagolygon?'

'Cawodydd trwm tan chwech heno ac wedyn tywydd clir – sy'n golygu y bydd yr eira 'ma'n rhewi'n galed.'

'Cadeirydd y Llywodraethwyr ddylai benderfynu. Ti wedi'i ffonio fo?'

'Mae'r cadeirydd ar ei wyliau, mae'r is-gadeirydd wedi camu'n ôl oherwydd bod ganddi ddiddordeb ariannol yn y penderfyniad ... hynny ydi, bydd yn rhaid iddi hi golli diwrnod o waith os bydd yr ysgol ynghau. Ti ydi is-gadeirydd yr is-bwyllgor safle, felly cau neu agor, Dafydd?'

'Oes 'na siawns y bydd disgyblion yn cyrraedd ac wedyn yn methu mynd adre?'

'Siawns go fawr, yn enwedig plant Cefn Coch.'

'Neb yn gwneud arholiadau allanol?'

'Dim heddiw, na.'

'Cau felly.'

'Dyna be o'n i'n feddwl. Diolch yn fawr, Dafydd. Dydi'r tywydd ddim yn mynd i helpu dy ymchwiliad di chwaith. Mi weles i ti ar y newyddion neithiwr – roedd Mam yn synnu, achos roedd hi'n meddwl ei bod hi'n nabod pawb yn yr ardal ond dydi hi erioed wedi gweld yr hen ddynes yn y llun.'

'Mae'r rhan fwya o'r gwaith ymchwil ar y safle wedi cael ei wneud cyn i'r eira gyrraedd, diolch byth. Pob lwc efo popeth heddiw, Bri.'

'Wel, mae'r system tecst yn help mawr.'

Bum munud yn ddiweddarach, derbyniodd Daf, fel pob rhiant arall, decst yn dweud wrtho fod yr ysgol ar gau.

'All Rhodri bicio fyny i helpu Siôn felly,' awgrymodd Gaenor.

'Debyg iawn, os ydi o'n barod i ddangos ei wyneb ar ôl be ddigwyddodd neithiwr.'

Gafaelodd Gaenor yn llaw Daf.

'Mi wn i dy fod ti'n flin, Daf, ond ifanc ydi o.'

'Nid jest y chwydu, na'r yfed, sy'n fy mhoeni fi. Mae o wedi dechrau disgyn i rigol, ac mae'n amlwg mai fel hyn mae o'n bwriadu byw. Dyn busnes bach lleol llewyrchus sy'n mwynhau sbri. Ffyc's sêc, Gae, dwi 'di cenhedlu Jonas Bitfel.'

'Mae o'n ifanc. Bosib fydd o wedi dewis bod yn filfeddyg cyn y flwyddyn newydd.'

'Dwi'm yn meddwl. Ti heb ei weld o efo'r merched 'na. Maen nhw i gyd yn debyg i'w gilydd – erioed wedi agor llyfr heblaw catalog Next. Ac maen nhw'r math o ferched sy'n trafod rhoi *footings* lawr ar fyngalo ar ôl y trydydd dêt.'

'Wel, dydi dy greisis tadol di ddim yn mynd i wagu pyrsie'r

Holsteins,' atebodd Gaenor, a nodyn nawddoglyd yn ei llais. 'Mi a' i fyny staer i'w godi fo, tra ti'n ffonio Siôn.'

Roedd Siôn yn ddiolchgar tu hwnt ac addawodd gyflog da i Rhodri. Wnaeth Daf ddim crybwyll y dylai Rhodri fod yn cynnig gweithio am ddim bob hyn a hyn os oedd o'n mynd i elwa o lwyddiant y fferm drwy'r blydi ymddiriedolaeth. Trodd yn ôl at ei negeseuon e-bost.

Ddeng munud yn ddiweddarach cnociodd Rob Berllan, ffrind gorau Rhodri, yn siriol ar y drws, ei dractor wedi'i barcio yn y lôn tu allan. Yn y bocs ar y cefn roedd pentwr o fagiau plastig trwchus, gwag.

'Bore da, Mistar Dafis. Mae'r ysgol 'di cau felly dwi am fynd i sledjio. All Rhodri ddod efo fi?'

'Mae'n rhaid iddo fynd i help Siôn i odro, sori, lanc.'

'Mi a' i fyny i helpu 'fyd, wedyn all Siôn sledjio efo ni ar ôl gorffen. Mae 'na gwpl o lethrau grêt yn Neuadd.'

Roedd Daf ar fin gwrthod cynnig Rob am ddim rheswm o gwbl ond daeth Rhodri i'r golwg, yn cerdded lawr y staer braidd yn araf fel petai'n teimlo'n fregus.

'Ty'd 'laen, *piss artist*, mae gwaith i'w wneud,' galwodd Rob, wedyn trodd at Daf, yn llawn embaras. 'Sori am regi, Mistar Dafis.'

'O, paid poeni. Cymer ofal.'

'Be am frecwast?' galwodd Gaenor.

'Wastad brecwast da yn Neuadd ar ôl godro,' atebodd Rhodri, gan gau'r drws ar ei ôl. Sŵn corn y tractor oedd eu ffarwél.

'Dwi'n bendant fod y tractor yna dros ei bwysau,' mwmialodd Daf.

'Be?'

'Ddylai'r tractor fod o dan 2,550 kilo os ydi Rob yn ei yrru fo ar y ffordd efo'i leisens Class F.'

'Daf ...'

'A dwi bron yn bendant nad oes sedd i Rhods yn y cab, felly dyna reol arall sy'n cael ei thorri ...'

'Daf. Ti'n bihafio fel coc oen llwyr. Jest meddylia di am yr holl bobol yn eu harddegau ti'n eu gweld yn dy waith, a ti'n gwneud môr a mynydd o dy fab yn cael lifft mewn tractor? Ddylet ti fod yn falch fod ganddo gystal ffrind, a'i fod o'n cael hwyl efo pobol ifanc clên. Ac ynglŷn â be ddigwyddodd neithiwr, faint o gogie yn eu harddege sy'n caru eu chwiorydd bech fel hyn? Wedi meddwi'n rhacs ac yn dal i geisio gofalu amdani? Be sy'n bod arnat ti? Weithie dwi'n meddwl mai cenfigennus wyt ti fod dy fab yn cael mwy o hwyl na gest ti yn ei oed o.'

'Ges i lot fawr o hwyl yn fy arddegau, diolch yn fawr iawn. Dwi'm yn hoffi gweld fy mab yn rhedeg yn rhemp, dyna'r cyfan.'

'Dydi o ddim gwaeth nag oedd Siôn.'

'Ac mae hynny i fod yn gysur, ydi o?'

'Wn i ddim be sy'n bod arnat ti, Daf Dafis. Well i ti sobri o'r surni 'ma yn go sydyn.'

'Sobri, surni, sydyn: ti'n ceisio cynganeddu?'

'Na. Siarad o 'nghalon o'n i.'

'Gyda phob parch, Gae, fy mab i ydi Rhodri a dwi'n teimlo fod ei ymddygiad yn annerbyniol.'

'Mae pobol, hyd yn oed y rhai den ni'n eu caru, yn bihafio fel ffyliaid weithie. Ti'm yn sant dy hunan, Daf. Ac os nag wyt ti'n gwerthfawrogi fy nghyfraniad i bob agwedd o dy fywyd, pam na wnest ti fy ngadael i yn Neuadd?'

'O ie, Neuadd, lle oedd wastad ddigon o sofrenni yn dy bwrs? Dyna be sy tu ôl i hyn, ie? Ti'n meddwl fod gen ti hawl i roi ordors i mi oherwydd bod arian yn brin? Wel, ffycia di 'nôl i Neuadd i ymuno â'r ciw. Fyddi di jest tu ôl i Doris – hi sy'n cael y fraint o wario pres John rŵan.'

Cymerodd Daf ei wynt. Roedd eiliad o lonyddwch perffaith cyn i sŵn llais bach ddod o'r llofft. Rhedodd Gaenor i fyny ati. Dechreuodd Daf grynu fel deilen. Roedd o'n methu cael ei wynt yn iawn, fel petai rhywun wedi clymu cortyn tyn o gwmpas ei ysgyfaint. Be ddiawl oedd o'n wneud? Roedd Gaenor yn llygad ei lle. Nid Rhodri oedd y broblem ond fo ei hun, ac roedd o wedi ceisio troi'r bai arni hi. Caeodd ei lygaid i geisio atal y dagrau, a chlywodd o mo'r drws ffrynt yn agor.

'Hei, Dad!' galwodd Carys yn llawen, gan ddod i mewn i'r tŷ. 'Be sy'n bod arnat ti? Gwena – ti'n cael diwrnod off i fwynhau'r eira.'

'Dim ond yr ysgolion sy wedi cau. Dwi'n mynd i'r gwaith.'

'Wrth gwrs. Dwi 'di dod adre i nôl fy *salopettes* – dydi Mair a finne ddim yn rhy hen i sledjio.'

'Ar ôl iddyn nhw orffen godro mae Rhods a Rob Berllan yn mynd allan ar lethrau Neuadd, os dech chi awydd mynd efo nhw. Mae gan Rob sawl bag plastig.'

'Swnio'n ôsym! Efallai ddaw Siôn i'n nôl ni yn y Land Rover.'

'Os dech chi'n fodlon aros am chydig, mi a' i â chi fyny.'

'O ie, y ffôr-bai-ffôr newydd smart. Dwi angen paned beth bynnag, dwi 'di bod yn gweithio ers hanner awr wedi chwech.'

'Gwaith coleg?'

'Na, yn y Goat. Ac mae'r *journo* 'na isie gair efo ti, os yn bosib. Fi wnaeth ei brecwast di-glwten ... roedd y bòs yn cwyno braidd ond mae pobol Llundain wastad yn ffyslyd.'

'Debyg iawn.'

'Cer di draw i'r Goat i weld y ferch 'na – mae hi bron â gorffen ei selsig feji, ac roedd digon o goffi ar ôl yn ei *cafetiére*.'

Roedd y bwyty'n wag heblaw am Ffion Spancell yn darllen y *Times*.

'Bore da, lodes.'

'Bore da, lanc.'

Yn amlwg, roedd hi wedi cymryd ei gyfarchiad yn sarhad. Smaliodd Daf nad oedd o wedi sylwi.

'Brecwast neis?'

'Da iawn, diolch. Dwi'n deall dy fod ti'n ddyn prysur, ond ofynnes i i ti ddod draw achos mae gen i wybodaeth y dylet ti ei chael.'

'Wel, diolch yn fawr. Mae'r ymchwiliad yn un cymhleth, rhaid i mi ddweud, ac mae unrhyw gyfraniad yn help mawr.'

'Faint wyt ti'n wybod am Ambroise Moreau?'

'Dim llawer. Mi welais i o ddoe fyny yn y Lakes.'

'Mae o'n ddyn peryglus iawn. Cyn cwrdd â Nolwenn Kerjean, roedd o wedi datblygu cysylltiadau gyda nifer o grwpiau ar y Dde, y ffasgwyr traddodiadol, os lici di. Mae o'n ddyn cyfoethog o deulu bonheddig, a threuliodd bymtheg mlynedd yn y Llynges. Petai *coup* milwrol yn digwydd yn Ffrainc, byddai Ambroise Moreau yn ei ganol.'

'Gyda phob parch, dwi'm yn gweld y cysylltiad rhwng hyn a marwolaeth Illtyd Astley.'

'Roedd y ddau yn ffraeo ym maes parcio Gwesty Llyn Efyrnwy bnawn Sul.'

'Sut wyt ti'n gwybod hynny?'

'Mae gen i dyst sy'n fodlon dweud bod Moreau wedi pwnio Illtyd Astley. Ac wyt ti wedi sylwi pa mor debyg yw'r llun wnest ti ei gyhoeddi ddoe i'r forwyn sy ganddyn nhw? Dyn eiddigeddus iawn yw Moreau, yn plethu ei ffantasi o briodas draddodiadol efo'i natur dreisgar. Ar ôl y ffrae, rhoddodd orchymyn i'r hen ddynes, sy'n ei addoli, fynd lawr i'r plygain a rhoi gwenwyn yn ei de. Achos wedi'i ddatrys.'

'Diolch yn fawr iawn. Be ydi enw dy dyst, os ga i ofyn?'

'Jay Khan. Mae o'n gweini yno.'

'Dwi'n meddwl 'mod i'n gwybod pwy sy gen ti. Còg ifanc, jest dros ei ugain oed.'

'Waw, mae dy isymwybod hiliol di'n syfrdanol, Brif Arolygydd Dafis. Ti'n gweld dyn â chroen tywyll a ti'n cymryd yn syth mai fo ydi'r dyn â'r enw dieithr, ie?'

'Be?'

'Ddylen ni i gyd fod yn lliwddall.'

'Ond mae'n rhaid i mi sylwi ar rinweddau pobol – mae'n rhan bwysig o'm swydd. Ac mi wnes i sylwi, yn bendant, fod gan yr hen ddynes a roddodd y baned i Illtyd Astley acen Sir Drefaldwyn gref.'

'Efallai fod ganddi'r ddawn i watwar lleisiau.'

'Sori, Ms Spancell, ond dwi 'di gweld y ddwy – yr hen leidi yn y plygain a morwyn y Moreaus. Dwi'm yn dweud nad ydyn nhw'n debyg, ond nid yr un person ydyn nhw, yn bendant.'

'A be wyt ti'n feddwl o Madame Moreau?'

'Wel, mae'n gas gen i be sy ganddi hi i'w ddweud, ond roedd hi'n go ddymunol efo fi.'

'Dymunol? Fersiwn Lydewig o Hitler yn ddymunol?'

'Dim ond pethe personol wnaethon ni eu trafod.'

'Does dim byd yn bersonol iddi hi. Swynodd hi Moreau er mwyn defnyddio ei arian a'i gysylltiadau, a hyd yn oed pan gollodd ei hunig blentyn roedd hi'n tynnu sylw at nifer y babis tramor yn y ward geni. Mae hi'n dweud bod rhyw ddynes mewn *niqab* wedi cael gwell triniaeth na hi a'i mab. Yn yr angladd ddwedodd hi hynny – mae o i gyd ar You Tube. Pwy sy'n gwahodd camerâu i angladd plentyn?'

'Os alli di roi manylion cyswllt Jay i mi, fydden i'n ddiolchgar iawn. Mae'n rhaid iddo wneud datganiad.'

'Dwi'm yn sicr fydd o'n fodlon.'

'Be?'

'Dwi'm yn sicr am ei statws yn y wlad. Dwi'n amau ... Mae o'n fodlon siarad efo fi, ond efo rhywun swyddogol ...'

'Gwranda, lodes, falle mai gêm o *politics* ydi hyn i ti, ond mae gen i lofrudd i'w ddal.'

Martsiodd Daf allan o'r Goat a ffoniodd Steve.

'Cer fyny i'r Lakes i weld dyn o'r enw Jay Khan. Dwi isie gair efo fo. Oes rhywbeth wedi dod yn ôl o'r *path lab* ynglŷn â'r botel fach?'

'Mae'n hanner awr wedi saith yn y bore, bòs. Dydi bois y *path lab* byth yno cyn naw.'

'Iawn.'

'Yden ni'n dal i ddefnyddio Canolfan Dolanog hyd yn oed yn yr holl *snow*?'

'Eira, ac yden, dwi'n meddwl. Mae'n agosach i'r tystion pwysig. Ac ar ôl i ti weld Jay Khan, dos fyny i Bantybrodyr a gofyn i'r hen foi ddod i lawr i gael gair. Gobeithio, erbyn hynny, y byddwn ni'n gwybod be oedd yn y botel.'

Sylweddolodd Daf ei fod ar lwgu. Camodd dros yr eira draw i'r tŷ ond oedodd am eiliad cyn agor y drws. Roedd Gaenor wedi agor y llenni a thrwy'r ffenest gallai Daf weld Carys yn brysur wrth y cwpwrdd yn y gornel, ac yn troi ei phen i siarad efo Gaenor. Wrth y bwrdd, roedd Gaenor yn ceisio bwydo Mali efo rhywbeth wedi'i stwnsio. Ochneidiodd cyn agor y drws. Doedd o ddim yn haeddu cystal teulu. Roedd yr ymddiheuriad enfawr yn dal ar ei wefus pan roddodd Gaenor gusan iddo.

Braf oedd cael rhoi lifft i Carys a'i ffrind yn y car mawr. Wrth i Daf barcio'r car wrth y giât ar gopa'r bryn roedd sŵn bloeddio'n atseinio drwy'r dyffryn. Glaniodd pêl eira fawr ar y sgrin wynt.

'Rhaid talu'r pwyth yn ôl, Dadi!' gwaeddodd Carys, gan neidio i lawr o'r car.

Ddeng munud wedyn, ac eira dros ei gôt ac yn ei wallt, roedd Daf yn chwerthin ymysg y bobol ifanc.

'Rhaid i chi sledjio, Mistar Dafis,' mynnodd Rob. 'Mae o'n hollol wych.'

'Yn anffodus, dwi ar fy ffordd i'r gwaith. Mi fydda i'n wlyb socian os dwi'n cael tro.'

Cyn iddo orffen y frawddeg roedd Siôn wedi tynnu ei fŵts ac yn ceisio cadw'i falans yn sefyll ar sêt y cwad yn ei sanau wrth iddo dynnu ei legins.

'Rhaid cael un tro, Daf,' mynnodd, gan daflu'r legins draw at Daf. 'Falle fydd Mals fech yn yr ysgol uwchradd cyn i ni gael tywydd sledjio fel hyn eto.'

Ymhen dau funud roedd Daf yn gwisgo legins chwyslyd Siôn a'i fŵts maint tri ar ddeg, ac yn eistedd ar fag plastig efo logo Wynnagold arno. Roedd Carys ar un ochr iddo ar fag gwrtaith a Rhodri ar y llall wedi lapio'i hun mewn sawl haenen o lap silwair. Dim ond am funud a hanner y parodd y wefr, a'r tri'n gweiddi dros ei gilydd. Lawr wrth y ffos, cymerodd Daf eiliad i gael ei wynt ato a rhedodd Rhodri draw.

‘Dwi mor sori am neithiwr, Dadi,’ meddai. ‘Roedd hi’n crio a wnes i geisio helpu.’

‘Dwi’n deall. Paid poeni.’

‘Y peth ola dwi isie yw ti a Gae yn ffraeo. Mae hi wastad mor neis i fi.’

‘Ac i finne. Gwranda, mae gen i lot ar fy meddwl ... sori os dwi’n brathu braidd.’

‘Ti’n ocê, Dad.’

‘Wela i ti nes mlaen, còg.’

Tynnodd Daf legins a bŵts Siôn gan feddwl pa mor anfaddeuol, hyd yn oed yng nghanol cweryl, oedd bod yn sarhaus am Siôn. Tynnodd lun o’r criw ifanc ar ei ffôn a’i ddanfon draw i Gaenor efo neges: ‘Sori am fod gystal twat. Dwi’n dy garu di ond, wir, dwi’m yn dy haeddu di.’

Daeth neges yn syth yn ôl: llond y sgrin o gusanau.

Roedd o’n gorffen cau ei esgidiau pan ddaeth Rob draw ato.

‘Ai gwenwyn laddodd y boi ’na, Mistar Dafis?’

‘Well gen i beidio trafod y busnes, os ydi hynny’n iawn, Rob.’

‘Mae jest yn fy atgoffa o rwbeth ddigwyddodd yn yr ysgol gynradd, dyna’r cyfan. Roedd Tanc ym mlwyddyn pedwar amser ’ny a finne ond yn y babanod, ond dwi’n cofio’n iawn.’

‘Am Tancred Taylor ti’n sôn, ie?’

‘Ie, dyna chi. Roedd rhyw fwli yn nhop yr ysgol yn ei sbeitio fo, yn gofyn ble oedd ei dad o, a throdd Tanc arno a dweud y byse’i fam, Mrs Taylor, yn gallu lladd y boi yn ddigon rhwydd. “Mae gen Mam ffasiwn wenwyn,” medde fo, fel tase fo’n gwybod yn union be oedd o’n ddweud, “na fydde’n gadael clais ar dy gorff na smic o dystiolaeth yn dy waed.” Es i adre i holi Mam achos do’n i ddim yn deall.’

‘Mae plant yn siarad dipyn o lol, cofia, lanc.’

‘Dim Tanc. Boi reit strêt ydi o, byth yn rhaffu celwydde, byth yn brolio’i hunan. Ond roedd peth arall o’n i isie’i ddweud wrthoch chi, Mistar Dafis. Den ni’n cadw tir Bitfel Bach yn deidi iddyn nhw – topio caeau, torri’r sietins a ballu. Ro’n i yno wythnos diwetha, yn torri’r sietin yng ngwaelod y buarth, ac mi stopiais am eiliad am be mae Mam yn alw'n *comfort break*. Wrth gerdded 'nôl i'r tractor ro'n i'n gwynto rwbeth rhyfedd, wel, dim mor rhyfedd â hynny ond rhyfedd yn fanno achos mai fejis yden nhw i gyd. Er, dwi wedi gweld Tanc yn cael *kebab* ar noson fawr, ond beth bynnag. Mi wyntais waed ffres, yn union fel mae'n gwynto acw pan den ni'n lladd bustach. A dwi'n gwybod na ddylen ni wneud hynny ar y fferm, ond dydi o'm yn brifo neb. Beth bynnag, pan es i'n ôl i'r cab mi weles i, yn y bwlch rhwng dau adeilad, lif o waed yn dod o ddrws y blaid. Sut hynny, os mai fejis yden nhw i gyd?'

'Mae hyn yn swnio'n od braidd, Rob ... diolch yn fawr. Fel mae'n digwydd, dwi'n bwriadu picio draw i'w gweld nhw beth bynnag.'

Brysiodd ar hyd y ffyrdd bach cul draw i Ddolanog. Roedd Steve yn aros amdano yng nghwmni'r dyn ifanc o'r gwesty a'r ferch oedd yn gweithio ar y dderbynfa.

'Roedd y lodes yn insistio dod, bòs. Mae hi'n dweud ei bod hi'n gallu esbonio pethe.'

'Paid â bod yn flin efo fo,' dechreuodd y ferch barablu. 'Hithe, y *journalist*, sy wedi camddeall, dyna i gyd.'

Cyn i Daf agor ei geg daeth Mrs Morris allan o'r gegin.

'Mae'r eira wedi stopio'ch gwaith ymchwil, yn bendant,' datganodd yn awdurdodol. 'Felly be am agor y maes parcio er mwyn i ni gael defnyddio'r pethe ailgylchu 'na?'

'Alla i ddim agor y safle nes bydd y swyddogion lleoliad trosedd yn dweud bod eu gwaith nhw ar ben.'

'Wel, dwi bron â boddi mewn potiau iogwrt ar hyn o bryd. Mae'r pentre 'ma wedi bod yn gaeth i'r drosedd 'ma am ddyddie rŵan, ac mae'n hen bryd i ti 'i datrys hi, wir.'

'Dwi'n gwneud fy ngore glas, Mrs Morris, dwi'n addo.'

'Hmm.' Roedd y sŵn yn ei chorn gwddf yn amheus, ond ategodd, 'Roeddet ti'n edrych reit *handsome* ar y *news* neithiwr, rhaid i mi ddweud. Rhyfedd meddwl bod un o'n milltir sgwâr ni yn gwneud mor dda. Paned?'

'Mi fyse paned i bawb yn help mawr, Mrs Morris – ond does dim rhaid i chi dendio arnon ni o hyd.'

'Twt lol, Dafydd. Mi wn i beth mor ddifrifol ydi llofruddiaeth, ond dwi ddim wedi cael cystal hwyl ers y Sêl Mulod ddwy flynedd yn ôl ... wel, y noson honno ...'

'Diolch yn fawr am eich cymorth beth bynnag,' torrodd Daf ar ei thraws rhag ofn iddi ddechrau rhannu manylion yr hyn ddigwyddodd ar ôl y Sêl Mulod. 'Welsoch chi lun y ddynes 'na?'

'Heblaw ei bod hi'n fy atgoffa i o'r ddynes Penrhyn-coch honno, does gen i ddim syniad.'

'Pa ddynes o Benrhyn-coch?'

'Daeth hi'n ail yng nghystadleuaeth y *Victoria sponge* yn Sioe Frenhinol 1986, ac mi wnaeth gŵyn swyddogol yn f'erbyn i oherwydd 'mod i wedi defnyddio wyau hwyaid.'

'Ydech chi'n cofio'i henw hi?'

'Wrth gwrs 'mod i – ddim yn aml iawn mae rhywun yn cael ei gyhuddo o wneud y ffasiwn beth. Mary Morgan oedd ei henw hi.'

'Ydech chi'n credu ei bod yn bosib mai hi oedd hi? Efallai ei bod wedi dod efo Parti Penrhyn-coch, a ...'

'Ysbryd fydde hi felly ... bu farw Mary Morgan ddwy flynedd yn ôl. Mi ddanfones i gerdyn neis i'r teulu, i ddangos nad oedd drwgdeimlad. Cerdyn lyfli efo hwyaid arno fo.'

Ochneidiodd Daf, a throi at y ddau ifanc o'r gwesty.

'Dim bai Jay ydi o,' ailadroddodd y ferch. 'Wnaeth o ddim dweud mai mewnfudwr oedd o. Dydi Jay ddim yn siarad lot ... mae o'n swil ... ond roedd y ddynes 'ma o Lundain yn hongian o gwmpas yn y dafarn nos Sadwrn pan aethon ni fewn am ddiod sydyn ar ôl ein shifft. Aeth hi fel saeth at Jay, yn cynnig lot o bres iddo fo i gadw llygad ar y Moreaus.'

'Ydi hyn yn wir, lanc?' gofynnodd Daf.

'I don't speak Welsh but Lis told me what she was going to say to you, 'cos that's the truth. She, that journalist woman, was going on and on about refugees and that. I hadn't the heart to tell her I'm from Ashby-de-la-Zouch.' Roedd ei acen yn gymysgedd ryfedd o dde Asia a chanolbarth Lloegr.

'Wasn't your accent a bit of a giveaway? I'm no expert but you definitely sound more like you come from Ashby than Aleppo.'

'We always speak Urdu at home, and when I'm nervous I sound like my mum and aunts.'

'Wnaeth hi ddim gwrando arnon ni o gwbl, Mr Dafis. Doedd peth bach fel acen ddim yn bwysig.'

'She gave me two hundred quid in cash to look out if the French couple did anything odd.'

'Od yw'r gair, Mr Dafis. Maen nhw'n gwisgo'n ffurfiol ar gyfer swper bob nos, fel petai'n dal yn 1920, ac ... wel, mae hi'n fflyrtian fel dwn i'm be efo pawb, ond mae'r morwynion yn casáu gwneud eu llofft nhw achos maen nhw wrthi ddydd a nos. Os nad ydi o allan yn saethu neu'n bwyta wrth y bwrdd, mae o ar ei wraig o hyd.'

'What did you see, Jay? On the Sunday?'

'After we'd done the lunches, I was going up to take the compost from the kitchen to the heap, the other side of the top car park. There was a car parked there, a little red sports car. When I got back from emptying the bucket, Mr Moreau was by the car, shouting. I didn't see the man inside but I did see Moreau give him some heck of a punch on the side of the face. After that, the car drove away and Moreau went back to the hotel.'

'Why didn't you tell the police?'

'Listen, sir, a lot of drink gets drunk up at the hotel, especially at weddings. The odd punch gets thrown.'

'Ond dwedodd Jay wrthi hi, y Ms Spancell 'na. Roedd hi'n falch iawn, ac wedi addo bonws o ganpunt iddo fo.'

'Dwi'n gweld.'

'Paid bod yn gas efo Jay, Mr Dafis. Doedd o ddim wedi gwneud unrhyw gysylltiad rhwng y llofruddiaeth a'r ffrae yn y maes parcio, tan ddoe. Jest chydig o *gossip* ar gyfer y papurau

Sul, dyna oedd o'n feddwl oedd o. Mae'n amlwg bod y Ffrancwyr yn selébs o ryw fath. Dipyn o bres poced am stori ddibwys, dyna oedd y bwriad.'

'Dwi'n deall yn iawn, lodes. You realise now that your evidence is possibly significant in a serious criminal investigation?'

Nodiodd Jay ei ben.

'And don't spend the money – you're going to have to give it back.'

Roedd yn rhaid i Daf chwerthin ar ôl iddyn nhw fynd: roedd y lodes frwdfrydig o'r *Guardian* yn chwilio am rywbeth oedd yn siwtio'i delwedd hi o'r byd, felly roedd yn rhaid i Jay fod dan anfantais, nid yn llanc o Loegr oedd yn gweithio dros dro yng nghefn gwlad Cymru. Ond roedd Ffion Spancell wedi gwneud ffafr fawr â Daf – heblaw am ei phrosiect i erlyn ffasgwyr, fyddai o'n ddim callach ynglŷn â sut y cafodd Illtyd Astley yr ergyd i'w wyneb. Aeth at un o'r cyfrifiaduron a theipiodd enw Ambroise Moreau yn Gŵgl. Roedd nifer fawr o ddelweddau ohono, y rhan fwyaf ohonynt o gylchgronau megis *Paris Match* a *VSD*. Ar glawr un rhifyn o *Vogue* Ffrainc roedd llun ohono yn ei wisg gleddyfaeth, ei grys ar agor hyd at ei fotwm bol. Plesergarwr oedd o, aer i stad fawr oedd â merched yn disgyn wrth ei draed. Roedd ei briodas â Nolwenn yn Eglwys Gadeiriol Nantes yn un fawr ac, yn amlwg, roedden nhw'n mwynhau'r cyhoeddusrwydd gan iddyn nhw wahodd un o'r cylchgronau swanc at ddrws yr ystafell wely bron. Doedd y lluniau mwy diweddar ddim mor hapus: bu farw'r babi a aned iddynt. Roedd lluniau o'r gwasanaeth angladdol, eto yn yr Eglwys Gadeiriol, lle rhoddodd Ambroise arch fach wen yn un o'r beddi mawr marmor. Chwe mis wedyn cafodd ei arestio ar ôl ffrae yn un o ralïau'r Front National. Gwyliodd Daf ffilm o'r digwyddiad ar wefan y BBC. Roedd Nolwenn ar y llwyfan a dringodd hanner dwsin o brotestwyr i fyny ati, un ohonynt yn dal potel wedi'i thorri fel arf. Dringodd Ambroise i'r llwyfan, ac ar ei ben ei hun efo'i ddyrnau a'i draed, cliriodd y llwyfan. Edrychodd Daf ar gornel y sgrin – roedd y ffilm o'r sgarmes wedi cael ei gweld dros saith miliwn o weithiau.

Oedodd Daf y ffilm eiliad cyn i ddwrn mawr Ambroise, ei ewinedd wedi eu trin yn berffaith, lanio ar wyneb dyn ifanc Morocaidd. Ar wyneb yr ymosodwr roedd dicter ... a phleser. Roedd o'n mwynhau'r sylw. Gallai Daf ei ddychmygu'n rhoi andros o glec i gyn-gariad ei wraig, ond nid yn stelcian yn y cysgodion i'w wenwyno. Doedd dim clod yn hynny.

O'r olwg ar wyneb Steve, gwyddai Daf ei fod wedi cael cryn drafferth i berswadio Richard Parry i adael Pantybrodyr.

'Does gen i ddim amser am fwy o'r nonsens yma, wir Dduw. Dafydd Dafis, dwi'n gwybod nad wyt ti'n fab fferm ond roeddet ti'n byw yn Neuadd yn ddigon hir i ddysgu faint o waith ychwanegol mae tywydd fel hyn yn 'i greu i ffermwyr. Den ni 'di bod wrthi ers cyn toriad gwawr a den ni'n dal ar ei hôl hi.'

'Steddwch i lawr, Mr Parry.'

'Gawson ni sgwrs ddoe. Does gen i ddim byd arall i'w ddweud wrthat ti.'

Tynnodd Daf y botel fach o fag tystiolaeth.

'Ddaethon ni o hyd i hon ddoe, Mr Parry. Mae olion eich bysedd chi arni.'

Cochodd yr hen ddyn a chaledodd ei wyneb fel craig.

'Does gen i ddim byd i'w ddweud.'

'Chi sy biau'r botel?'

'Mae 'na sawl potel debyg yn yr ardal 'ma, dybien i. Bron pawb yn defnyddio dipyn o stwff Gala Taylor bob hyn a hyn.'

'A chithe?'

'Fel mae pawb yn gwybod, dwi'n mynd ati am driniaeth weithie, at y cryd cymalau. Mae hi 'di rhoi olew macrell i mi.'

Tynnodd Daf faneg blastig o'i boced ac, yn ofalus, agorodd y botel a'i chodi at ei drwyn.

'Tydi hon ddim yn drewi o bysgod, Mr Parry. Dech chi'n dweud eich bod chi'n brysur ... dwi'n brysur fy hun. Be oedd yn y botel? Den ni wedi danfon samplau draw i'r labordy felly does ganddoch chi ddim i'w ennill drwy guddio'r gwir.'

'Dwi am weld cyfreithiwr.'

'Pam?'

'Dwi'n gwybod pa hawlie sy gen i. Dwi'm yn dweud gair arall tan dwi 'di gweld cyfreithiwr.'

'Unrhyw gyfreithiwr penodol?'

'Gwilym Bebb oedd ein cyfreithiwr ni ers ugain mlynedd, ond wnest ti ei arestio fo 'nôl yn y gwanwyn.'

'Chi awydd cael cyfreithiwr sy'n siarad Cymraeg?'

'Debyg iawn.'

Ochneidiodd Daf a phwysodd fotymau ei ffôn.

Ddeng munud yn ddiweddarach roedd o'n gyrru Richard Parry draw i gyfeiriad Pontrobert drwy eira dwfn. Yn sydyn, ar ôl troi i'r dde, roedd y ffordd gul o'u blaenau yn hollol glir, ei hwyneb du yn sgleinio â digonedd o halen.

'Gwasanaeth da i rai,' sylwodd Daf.

'Nace, nace, Dafydd. Fyse'r Cyngor byth yn gwneud cystal job ar wtra. Y stad sy'n gofalu am y ffyrdd fan hyn.'

Dechreuodd Daf gorddi wrth yrru i lawr y lôn hardd, y coed ar y ddwy ochr yn gwneud iddi deimlo'n fwy fel *avenue* grand na lôn wledig. Pam roedd cymaint gan un teulu tra oedd mamau â phedwar o blant bach wedi eu gwasgu mewn i un ystafell mewn gwely a brecwast yn y Drenewydd? Ac i droi'r gyllell, roedd Mostyn Gwydyr-Gwynne yn sgweier da, yn gofalu am ei bobol, yn creu swyddi ac yn codi tai fforddiadwy i bobol ifanc leol, felly roedd yn amhosib i Daf ei gasáu fel yr oedd o'n ysu i wneud.

Ers ei ymweliad diwethaf roedd arwydd newydd wedi ymddangos ar y lawnt tua phum can llath o flaen y tŷ mawreddog. Yr arwydd bach modern hwnnw oedd y rheswm am ei ymweliad: arno mewn llythrennau bras roedd y geiriau 'Gwasanaethau Cyfreithiol HW Legal Services'. Dilynodd Daf y saeth i glwstwr o adeiladau fferm oedd yn ddigon pell o'r tŷ i fod yn breifat. Gyrrodd i mewn i'r iard o dan y bwa i weld bod hen sgubor ar ei law dde wedi ei thrawsnewid i fod yn swyddfa gyfoes, efo digon o drawstiau a cherrig i gadw cymeriad yr adeilad. Roedd llefydd parcio i wyth o geir ond roedden nhw i gyd yn wag.

'Peth rhyfedd fod Missus y Plas yn dwrnai,' mwmialodd Parry yn anghyfforddus.

'Dim ond Ms Wynne sy ar gael ar hyn o bryd. Mi alla i'ch gyrru chi lawr i'r Trallwng, ond fydd neb yno yn siarad Cymraeg.'

'Paid boddran. Dwi angen cyngor ac mi wnaiff Missus y tro.'

Ystafell fawr oedd y dderbynfa, a'r nenfwd yn uchel er mwyn arddangos y trawstiau. Digon anodd i'w gadw'n gynnes, dychmygodd Daf, ond roedd hynny cyn iddo sefyll ar y llawr llechen. Cododd gwres o'r teils drwy wadnau ei esgidiau. Dyn ifanc oedd y tu ôl i'r ddesg, ei wallt byr, taclus a'i siwt ffurfiol yn cyfleu delwedd broffesiynol, ond pan gododd i'w cyfarch roedd modfedd o'i fraich i'w gweld. Roedd arwyneb y croen yn arw fel wyneb y lleuad, a sawl twll bach i'w gweld. Doedd Daf ddim wedi ei weld ers y gwanwyn pan oedd yn ddigartref, yn defnyddio heroin ac i mewn ac allan o'r carchar.

'Bore da, Mr Dafis,' meddai'r llanc.

'Bore da, Cai. Ddrwg gen i dorri ar draws.'

'Peidiwch â phoeni – mae'r ffyrdd mor wael, mae tri chleient wedi canslo yn barod heddiw bore. Heblaw amdanoch chithe, fe fysen i'n cael diwrnod ffwrdd fel pawb arall.'

Agorodd y drws mewnol a daeth Haf trwyddo.

'Wel, wel, Mr Parry,' meddai. 'Dewch i ni gael sgwrs ac mi gawn ni siarad efo'r Arolygydd Dafis wedyn, ie?'

'Paned, Mr Dafis?' gofynnodd Cai ar ôl i'r drws gau ar eu holau.

'Plis.'

'Mae 'na goffi reit dda yma, a the sy ddim cystal. Neu de ffrwythau ... afal a sinamon, neu ...'

'Ti 'di gwerthu'r coffi, Cai. Sut mae pethe?'

'Ddim yn rhy ffôl o gwbl, thanciw. Mae Haf yn rêl teyrn – dwi'n gweithio oriau gwirion. Ond mae'n waith diddorol ac yn help mawr i mi. Dwi awydd mynd i'r coleg cyn bo hir.'

'I astudio'r gyfraith?'

'Ie, ond rhaid i mi fod yn sicr y ca' i fy nerbyn gan Gymdeithas y Gyfraith – os ydyn nhw'n fy ngwrthod, dwi'n *stuffed*. Felly, dwi fan hyn yn profi 'mod i'n ymddwyn yn dda, a'r flwyddyn nesa dwi'n dechrau cwrs mynediad efo'r Brifysgol Agored. Dyma fi felly, Mr Dafis – jynci bach sy wedi troi ei fywyd rownd.'

Camodd Cai draw i'r gornel i baratoi'r coffi.

'Ti 'di dod i mewn heddiw er gwaetha'r eira,' sylwodd Daf, yn mwynhau un o'r mins peis roedd Cai wedi'u rhoi o'i flaen.

'Dwi'n byw ar ochr arall y buarth. Mae gen i dipyn o dŷ bach twt ...'

'Cyfleus.'

'Yn enwedig i rywun sy 'di troi, ar ôl blynyddoedd o wneud fawr ddim, i fod yn *workaholic*. Mae'n braf cael rwbeth i'w wneud.'

'Ti'n brysur, felly?'

'Fflat owt. Mae gan Haf andros o enw da yn ei maes ond ers iddi fynd ar ei liwt ei hun mae hi wedi gorfod gwneud dipyn o bopeth. Den ni'n gwneud lot o drais yn y cartref a mewnfudwyr heb bapurau, ond dwi'n dwlu ar gyfraith tir, yn enwedig yr elfennau amaethyddol.'

'Chwarae teg i ti wir, còg.'

'Chwarae teg i deulu'r Plas.'

Oedodd Daf i yfed ei goffi cyn gofyn ei gwestiwn nesaf.

'Dal yn lân?'

'Hollol lân. Y peth anodda oedd y ffags, ond dwi ddim hyd yn oed wedi cael un pwff ers yr haf.'

'Braidd yn dawel yn fan hyn i ddyn ifanc fel ti?'

'Fyset ti'n synnu pa mor sydyn ydi'r we yma: mae'r byd i gyd gen i ar sgrin.'

Canodd y ffôn ar ddesg Cai i dorri ar y sgwrs – Haf yn ei wahodd i ymuno â Mr Parry a hithau.

'Wel, Arolygydd Dafis, dwi'n cytuno'n llwyr â Mr Parry. Does dim rhaid iddo ddweud wrthat ti beth oedd yn y botel 'na.' Roedd ei llais melfedaidd yn benderfynol.

‘Ond mae rhywun wedi cael ei wenwyno. Cafodd y botel ei darganfod yn agos i leoliad y drosedd ag olion bysedd Mr Parry drosti.’

‘Does gen ti ddim byd solet i gysylltu Mr Parry efo’r drosedd.’

‘Ond bydd canlyniad profion y labordy yn dweud wrthon ni be oedd yn y botel.’

‘Debyg iawn. Felly, does dim rhaid i ti boeni Mr Parry ymhellach, heblaw dy fod awydd ei arestio fo.’

Roedd tôn llais Haf a’r olwg hunanfodlon ar wyneb Richard Parry wedi gwylltio Daf ac roedd yn rhaid iddo gyfri i dri cyn ymateb.

‘Wel, os mai felly mae pethe, does dim llawer alla i ddweud.’

‘Yn union.’ Cododd Haf yn urddasol o ystyried ei bod yn edrych fel petai ar fin esgor. ‘Bore da, Dafydd, Mr Parry.’

Yr holl ffordd yn ôl i Ddolanog roedd Daf yn rhy flin i siarad, ond wrth barcio ger drws y Ganolfan roedd yn rhaid iddo gael dweud ei ddweud.

‘Dech chi’n gwybod y caiff eich cyfrinach ei datgelu’r eiliad mae bois y labordy’n gorffen eu gwaith?’

‘Dwi’n hapus i helpu efo’r ymchwiliad. Nid fi laddodd Astley a dwi’n deall yn iawn fod yn rhaid i ti ddod o hyd i bwy bynnag wnaeth. Ond does gen ti ddim hawl i ofyn cwestiynau personol sydd â dim cysylltiad efo’r achos.’

‘Ond sut alla i benderfynu oes ’na gysylltiad efo’r achos ai peidio?’

Eisteddodd yr hen ddyn yn hollol fud.

‘Mi alla i ofyn i Gala Taylor.’

‘Fydd Gala ddim yn dweud gair wrthat ti am ei chleients. Mae hi’n rhy broffesiynol o lawer.’

‘Iawn. Ond tydi pethe ddim yn edrych yn dda o gwbl.’

Ddywedodd Richard Parry ’run gair am sbel. ‘Dydi Avril ddim yn hoffi eira o gwbl,’ meddai ymhen hir a hwyr. ‘Roedd hi’n gorwedd wrth y stof fel hen beth heddiw bore, a hithe wastad mor sionc.’

Gwaeddodd Daf ar Steve wrth frasgamu at ddrws y Ganolfan.

'Cer â'r hen fastard adre, wnei di, cyn i mi ei ladd o?'

'Unrhyw beth 'nôl o'r labordy, Nev?' galwodd wrth i'r drws glepian ar ei ôl.

'*Unidentified organic matter*, hyd yn hyn.'

'Isie gwybod os mai gwenwyn oedd o ydw i, nid barn y blydi Soil Association am y stwff.'

'Nage, nage, bòs, organig yn y cyd-destun ei fod yn tarddu o rywbeth byw.'

'Ro'n i'n gwybod hynny. Reit, rhaid i ni fynd fyny i'r gwesty cyn bo hir, dwi'n meddwl. Wyt ti'n siarad Ffrangeg, Nev?'

'Nac'dw.'

'Ffonia HQ. Gofyn oes ganddyn nhw rywun.'

'Sdim iws cael siaradwr Ffrangeg yng Nghaerfyrddin ar dywydd fel hyn, bòs. Mae'r ffyrdd yn uffernol a'r trêns i gyd wedi stopio 'fyd. Mae bois y traffig yn mynd yn *mental*: pymtheg RTA rhwng y Trallwng a'r Drenewydd.'

'Shit. Den ni wir angen siarad efo morwyn Madame Moreau.' Oedodd am eiliad a chofiodd am athrawes Ffrangeg yr ysgol uwchradd. Roedd Daf wedi bod yn ffrind iddi hi ers degawd, drwy'r corff llywodraethol. 'Cer di lawr i Lanfair, Nev – bydd siaradwr Ffrangeg yn aros amdanat ti yn y Londis.'

Un alwad ffôn yn ddiweddarach ac roedd Gwerfyl yn awyddus iawn i helpu. Cyn gadael am y gwesty, danfonodd Daf neges at Gaenor: 'Dwi wir yn dy cart die. Dwi'n bihafio fel twat mor aml ond nid oherwydd nad ydw i'n hapus. Erioed wedi bod mor hapus. Mae 'mhen i'n berwi drosodd weithie. Dydi hyn ddim yn esgus. Dwi'n addo gwella. Neu geisio gwella. Ac mae ffycin autocorrect wedi cywiro caru ti i fod yn cart die. Wel, dwi'n cart die efo 'nghalon a f'enaid. Sori, sori, sori.'

Hanner munud wedyn cafodd ateb: 'Cart die hefyd. A ti'n twat llwyr ond dwi'n styc yn y cart efo die.'

Roedd yn rhaid iddo chwythu ei drwyn ond roedd y tywydd garw'n esgus perffaith. Cerddodd at y drws.

'Rŵan 'te, ffrindie. Dwi awydd mynd i weld Gala Taylor, i ddysgu mwy am gynnwys y botel fach 'na. Gyrrwch decst os ydech chi'n clywed gan y labordy achos does bygyr-ôl o signal ffôn yn ardal Bitfel.'

Roedd o'n lwcus: derbyniodd neges gan Steve jest cyn iddo ddiflannu i'r twll du. 'Epimedium brevicornum'. Man cychwyn i'w sgwrs efo Gala.

Erbyn hynny roedd yr haul wedi torri drwy'r cymylau a'r tirlun yn llachar. Eira neu beidio, roedd cwpl o gerbydau wedi mentro i fyny ac i lawr lôn Bitfel Bach. Gyrrodd i lawr yn ofalus gan fod yr eira wedi hanner llenwi'r wtra, yn ogystal â chuddio'r blodyn melyn oedd ar yr arwydd.

Tancred agorodd y drws, gan esbonio bod ei fam yn brysur yn yr ystafell ymgynghori.

'Mae'r sesiwn yn gorffen mewn hanner awr, os wyt ti'n gallu aros. Paned?'

'Fyse'n well gen i edrych o gwmpas am dipyn, lanc, diolch.'

Hipi neu beidio, roedd Gala'n hoffi trefn. Roedd rhywun wedi clirio'r eira oddi ar y buarth felly roedd yn ddigon hawdd i Daf gerdded heibio'r rhes o hen adeiladau carreg. Roedd golau cynnes yn treiddio drwy fleinds yr ystafell ymgynghori ond fel arall roedd pob ffenest yn dywyll. Syllodd Daf drwy ffenest fawr ar ben yr adeilad a gwelodd fyrddau mawr a gwahanol gelfi oedd hanner ffordd rhwng teclynnau gwyddonol ac offer coginio. Roedd dresel gyferbyn â'r drws, ei silffoedd yn llawn o boteli bach glas a label blodyn haul ar bob un. Rhoddodd ei law ar ddwrn y drws ond roedd o wedi'i gloi.

Tu ôl i'r adeiladau oedd wedi eu hadfer, o'r golwg i'r tŷ a'r ystafell ymgynghori, roedd casgliad o siediau mwy amrywiol: rhai wedi eu trwsio, eraill wedi'u hesgeuluso. Agorodd Daf un drws pren oedd â chen gwyrdd drosto. Casgliad o hen deganau, beiciau ac ati. Tu ôl i'r drws nesaf roedd drws arall, un dur, trwm, ac roedd sŵn hymian y tu ôl iddo. Tynnodd Daf dortsh o'i boced. Tu mewn i'r hen feudy roedd storfa oer. Cofiodd Daf gyhuddiad bechgyn Bitfel, ac yn ofalus, agorodd y drws. Daeth golau ymlaen yn awtomatig. Disgwyliai Daf weld silffoedd llawn cig, ond yn lle hynny, gwelodd sawl pecyn gwastad wedi eu lapio mewn plastig. Cododd Daf un ond pan welodd beth oedd ynddo bu bron iddo ei ollwng yn syth. Yn y pecyn roedd darn o groen wedi'i rewi, a thatŵ o dderyn arno. Cododd Daf becyn arall. Darn mwy, a phatrwm Celtaidd cymhleth arno. Cododd drydydd a phedwerydd: roedd y storfa oer yn llawn cnawd dynol.

Pennod 11

Yn hwyrach ddydd Iau

Camodd Daf allan yn araf, gan gau'r drysau ar ei ôl. Doedd o erioed wedi gweld unrhyw beth tebyg, ond roedd o wedi darllen am lofruddion cyfresol oedd yn casglu troffïau o'u dioddefwyr. Roedd cogiau Bitfel ar y trywydd iawn, felly, ond roedd rhywbeth llawer mwy anfad na lladd-dy heb leisans yng nghartref Gala Taylor. Cerddodd yn ôl i'r tŷ. Roedd car cleient Gala yn dal yno, ond curodd y drws eto.

'Dwi angen defnyddio'r ffôn, lanc,' eglurodd wrth Tancred.

Cytunodd hwnnw'n syth ac arwain Daf i gyfeiriad y ffôn, cyn tynnu'r tegell i flaen y stof fawr. Edrychodd Daf ar ei ffôn symudol – petai smic o signal gallai wneud yr alwad â thamed mwy o breifatrwydd, ond doedd dim un bar yn dangos ar y sgrin.

'Steve? Tyrd draw i Bitfel Bach. Den ni angen *forensics* ac o leia ddwsin o swyddogion yma, gynted â phosib.'

'Dwsin, bòs? Efo'r tywydd fel y mae?'

'Bygro'r tywydd: dwi 'di dod o hyd i olion dynol. Mi a' i draw i Blas Gwynne i wneud cais am warant.'

Doedd Tancred ddim wedi clywed y sgwrs gan fod ei glustffonau am ei glustiau. Tynnodd nhw pan welodd Daf yn dod ato.

'Sut mae'r hwyl, Tancred?'

'Reit dda, diolch.' Fel ei fam, doedd ei acen Sir Drefaldwyn ddim ond yn amlwg pan oedd yn siarad Cymraeg.

'Mwynhau dy gwrs?'

'Ydw, mae'n fendigedig. Ac erbyn hyn, dwi'n gwybod yn union be dwi'n mynd i wneud ar ôl gorffen.'

'Y gwaith graffeg 'na?'

'Ie. Mi fyddan ni'n creu stiwdio flwyddyn nesa, er mwyn cyflogi tîm o ddylunwyr.'

'Pwy ydi "ni", Tancred?'

'Finne a va. Ers 2011, mae mwy o bres yn cael ei wneud gan gemau na ffilmie, ac mae'r sector indi yn cynyddu'n gyflym.'

'Ydi'ch perthynas chi'n seriws?' Roedd Daf wedi dewis cymryd arno nad oedd yn gwybod beth oedd yn y rhewgell fawr.

'Dwi ddim cweit yn deall am be ti'n sôn. Den ni'n gweithio efo'n gilydd ac mae hi 'di gwerthu rhan o'i chwmni i mi.'

'Gwerthu?'

'Ie. Erbyn hyn, fi sy biau ugain y cant ohono.'

'A dech chi'n caru hefyd?'

'Den ni'n shagio weithie, ie.'

'Mae hi dipyn yn hŷn na ti.'

'Os nad ydi hynny'n ein poeni ni, dwi'm yn gweld rheswm i neb arall boeni am y peth.'

'Mae tad va newydd gael ei ladd felly rhaid i mi ddysgu am y teulu.'

'Ocê. Den ni'n ffrindie mawr, yn gyd-weithwyr a dwi'n gwneud dipyn bech iddi hi bob hyn a hyn. Den ni'm yn *exclusive*, dim addewidion.'

Er gwaetha'i wallt hir a'i enw egsotig, roedd Tancred yn gòg ei filltir sgwâr, yn bendant, a'i eirfa'n adlewyrchu'r mwyafrif o ieuenctid y fro.

'Iawn. Be mae dy fam yn feddwl am y peth?'

'Dydi Mam byth yn busnesa. Dwi'n ddigon hen.'

'Ydi dy fam a va'n gyrru mlaen yn dda?'

'Dipyn bach yn rhy debyg, a dweud y gwir. Merched cryf ydi'r ddwy, wedi arfer cael eu ffordd eu hunain, ti'n gweld.'

'Alla i gredu. Welest ti va dros y penwythnos?'

'Do. Es i draw ati i weithio ar y *storyboards* bnawn Sul.'

'Sut aeth hi?'

'Gwych. Mae hi mor cwic, y ffordd mae hi'n meddwl.'

'Aethoch chi i'r gwely?'

'Na. Roedd Mam yn gwneud pethe braidd yn lletchwith, rywsut. Beth bynnag, roedd va'n ffansïo mynd allan am *geocache*.'

'Faint o'r gloch oedd hyn?'

'Ar ôl iddi ddechre tywyllu. Toc cyn pedwar, falle?'

'Doeddet ti ddim isie mynd efo hi?'

'Wrth gwrs 'mod i, ond mae gen i glamp o brosiect coleg mawr i'w orffen, ar gyfer un o'r modiwlau eraill. "Marketing Theory and Practice" neu ryw crap tebyg.'

'Wedyn aeth hi ar ei phen ei hun am y *geocache*?'

'Do, dwi'n meddwl. Mae hi wastad yn gwneud be mae hi'n mynnu wneud.'

'Be wyt ti'n feddwl am destun eich gêm chi?'

'Lot o hwyl. Mae va a finne wedi trafod dipyn ar y busnes Deadbeat Dads.'

'Oedd hi'n casáu ei thad, Tancred?'

'Na ... dim cweit. Roedd hi'n casáu be ddigwyddodd i'w mam ac i'w theulu oherwydd na allai ei thad gadw ei gopis ar gau. Ond fel ddwedodd hi, fel hyn maen nhw, y bastards.'

'Be am dy dad di, Tancred?'

'Dwi'n gwybod dim byd amdano fo, heblaw ei fod o'n olygus ac yn dod o'r Eidal. Sgen i ddim llawer o ddiddordeb ynddo fo, dweud y gwir. Petai o'n werth ei fachu, fydde Mam wedi'i gadw fo, bendant.'

'Digon teg. Nawr 'te, cwestiwn arall: pam mae 'na storfa oer lawr yn y beudy?'

'Busnes And yw hynny.'

'Dy frawd hŷn?'

'Ie, Andre ... ar ôl y tywysog Andrei yn *War and Peace*, finne ar ôl tywysog mewn llyfr Eidalaidd. Dwi'm yn gwybod be sy'n mynd ymlaen yn ei sieds o.'

'Ble mae o?'

'Wedi mynd fyny i Blackpool ddoe ar fusnes.'

'Pa fusnes?'

'Wn i ddim. Dydi o ddim yn potsian yn fy ngwaith i, a ffor' arall rownd.'

'Be ydi ei swydd o?'

'Mae o'n gweithio ar ei liwt ei hun. Yn yr haf mae o'n mynd

rownd y gwylie, fel *roadie*. Hefyd mae o'n trawsnewid hen lorris stoc i fod yn garafáns trendi: mae ganddo wefan.'

'Pam mae o angen storfa oer, felly?'

''Sgen i ddim syniad.'

Agorodd y drws a daeth Gala i mewn yn wên i gyd.

'Sori i dy gadw di, Dafydd. Os ydi cwsmer yn fodlon dod i 'ngweld i drwy'r tywydd garw 'ma, rhaid i mi roi perffaith chwarae teg iddo fo.'

Camodd ato i'w gyfarch, ond cyn iddi ei gyrraedd gwelodd rywbeth yn llygaid Daf oedd yn awgrymu nad i gymdeithasu roedd ei hen ffrind wedi galw.

'Be sy, Daf?'

'Gala, wnest ti chwerthin pan oedden ni'n trafod y posibilrwydd bod lladd-dy yn fan hyn.'

'Do – mae'r syniad yn abswrd.'

'Ond mi es i lawr i'r storfa oer yn y beudy, a ...'

Torrodd Gala ar ei draws. 'Cer lan lofft rŵan, plis, Tancred.'

'Ond mae fy holl waith fan hyn – rhaid i mi gario mlaen.'

'Ty'd allan efo fi, Dafydd. Mi allwn ni siarad yn yr ystafell ymgynghori.'

'Well gen i aros yn y tŷ, Gala, plis.'

'Den ni'n styrbio Tancred rhag gwneud ei waith. Ty'd, Dafydd.'

Am y tro cyntaf erioed, clywodd Daf nodyn erfyniol yn ei llais. Cytunodd i'w dilyn dros y buarth, gan feddwl yn ystod pob cam o'r daith beth roedd o'n ei wybod amdani mewn gwirionedd.

Roedd yr ystafell ymgynghori'n fawr, yn olau ac yn llawn arogl lafant. Roedd stof goed fawr a chadair ddofn bob ochr iddi, ac yn y gornel roedd bwrdd triniaeth. Amneidiodd Gala arno i eistedd, a gollyngodd Daf ei hun yn ofalus ar flaen un o'r cadeiriau cyfforddus, yn anfodlon suddo yn ôl iddi.

'Daf, ti'm yn nabod Andre.'

'Dwi 'di clywed amdano fo, wrth gwrs, ond dwi ddim yn ei nabod, na.'

'Mae Tancred yn hawdd i'w drin, yn agored. Fydda i byth yn poeni amdano fo, ond mae Andre'n wahanol - yn wyllt ei natur - a beth bynnag sy'n mynd ymlaen ym musnes Andre, dydi Tancred ddim ynghlwm ynddo fo o gwbl. Roedd o'n chwarae o gwmpas efo *legal highs* am gyfnod ac ro'n i'n poeni amdano fo am sbel.'

'Pryd oedd hynny?'

'Dros bum mlynedd yn ôl rŵan. Jest ar ôl iddo adael yr ysgol.'

'Doedd ganddo ddim diddordeb mewn mynd i goleg?'

'Na. Gormod o bethe i'w gwneud.'

'Gala, gwranda, dwi ddim wedi dod yma i fusnesa.'

'Felly pam oeddet ti'n potsian yn y beudy heb ganiatâd?'

'Den ni wedi dod o hyd i botel fach las efo label blodyn haul arni.'

'Dwi'n eu prynu nhw fesul cannoedd. Mae 'na filoedd ohonyn nhw o gwmpas erbyn hyn.'

'Ond roedd hon yn agos iawn i leoliad trosedd, ac olion bysedd Mr Parry Pantybrodyr drosti i gyd.'

'O diar mi, yr hen greadur.'

'Gallai'r hen greadur fod yn llofrudd.'

'Niwsans, falle, ond nid llofrudd. Nid gwenwyn oedd yn ei botel o, ond ffisig.'

'Pa fath o ffisig?'

'*Epimedium brevicornum*. Mae hi'n feddyginiaeth gyfarwydd iawn yn y Dwyrain Pell. Dwi'n gwerthu cannoedd, miloedd hyd yn oed, o boteli ohoni yn ystod y flwyddyn. Ti 'di gweld y stof neis sy gen i yn y gegin? Brynes i honna diolch i *epimedium brevicornum*. Os wyt ti am ddod allan i'r ardd berlysiau, mae gen i sawl *polytunnel* llawn o'r stwff.'

'Ond pam oeddet ti'n rhoi peth i Mr Parry?'

'Achos ei fod o'n fodlon talu, a'i fod o'n addas ar gyfer ei gyflwr.'

'Ar gyfer pa salwch mae pobol yn gofyn amdano?'

'Nid salwch, ond gwendidau rhywiol. *Herbal Viagra* ydi o, neu *horny goatweed*.'

'Roedd Illtyd Astley yn cymryd rwbeth tebyg, yn ôl ei wraig.'

'Roedd o'n un o'm cwsmeriaid mwya cyson ... drwy'r post.'

'Ond pam roedd Mr Parry yn gofyn am y stwff?'

'Mae'r hen foi dal yn gêm, ti'n gwybod!' Roedd ei chwerthiniad mor ffres, mor onest, bu bron i Daf anghofio am y cargo o gnawd yn y storfa oer. 'Oedd y botel yn wag?'

'Oedd.'

'Mae'n amlwg ei fod o wedi'i gwagio hi cyn trio'i lwc yn swper y plygain.'

'Does neb yn chwilio am *action* yn swper y plygain, Gala, hyd yn oed Mr Parry.'

'Roedd hi'n noson fawr iddo. Ond waeth pa mor dda ydi'i lais o, mae o braidd yn hen i mi, fel ddwedes i wrtho fo.'

'Be?'

'Yn y fynwent, daliodd fy llaw fel petai'n daer am sgwrs. Mae o'n gleient, ond dim sgwrs oedd o isie ... mae'n dywyll bitsh yn y cysgod o dan yr ywen fawr 'na.'

'Ti erioed yn dweud bod Richard Parry wedi ... wedi ceisio dy fachu di, Gala?'

'Mae'r peth wedi bod ar y cerdie ers y bac-end, mae o wastad yn ffeindio esgus i bicio draw, cynnig torri coed bore, ti'n gwybod y drefn. Ac yn dod yn ddigon cyson i gael triniaeth ar ei ddwylo.'

'Wel, diolch am yr eglurhad. Roedd yr hen foi yn gwrthod yn lân â dweud wrtha i be oedd yn y botel.'

'Dwi'm yn synnu – pwy fydde'n fodlon cyfadde 'i fod o'n cymryd y ffasiwn beth jest rhag ofn?'

'Ti'n iawn. Ti 'di cael trafferth fel hyn gan rywun o'r blaen?'

'Sawl tro, ond erioed o dan ywen.' Gydag ymdrech, gosododd Gala wên ar ei hwyneb ond wnaeth hi ddim cyrraedd ei llygaid.

'Roeddet ti'n sôn am Andre.'

'Ie. Mae o braidd yn ecsentrig – hyd yn oed yn yr ysgol, roedd o'n llawer mwy *alternative* na Tancred. Giang o'r Drenewydd oedd ei ffrindiau, a dechreuodd dreulio cryn dipyn o'i amser yn fanno. Wedyn daeth merch ar y sin, rhywun roedd o wedi cwrdd â hi mewn gŵyl yn Sir Gâr yn rhywle. Ro'n i'n falch pan ddechreuon nhw dreulio'u hamser fan hyn yn hytrach nag yn ei fflat hi yn y Drenewydd. Roedd Andre'n fodlon gwneud unrhyw beth i'w phlesio hi ...'

Daeth sŵn cerbyd i'r buarth. Cododd Gala i'r ffenest mewn pryd i weld Steve yn cyrraedd, a char sgwad yn dynn ar ei sodlau.

'Be ffwc sy'n digwydd?' gofynnodd.

'Mae'n rhaid i ni chwilio drwy'r adeiladau i gyd, Gala.'

'Adeiladau? Am be ti'n sôn, Daf Dafis? Bitfel Bach ydi 'nghartref i, dim rhyw blydi adeilad mewn rhyw ffycin achos.'

'Dwi wedi gweld rwbeth yn y storfa sy'n peri pryder i mi.'

'A pha hawl sy gen ti? Os ydi'r *heavies* yna'n rhoi un o'u bŵts ar fy nhir i heb warant ...'

Ochneidiodd Daf yn ddwfn. Gan adael Gala a Tancred dan wyliadwriaeth Steve, neidiodd i'r car a gyrru'n ôl i Blas Gwynne.

Gan fod swyddfa Haf wedi cau, aeth Daf draw i'r plasty. Morwyn ifanc o ddwyrain Ewrop agorodd y drws iddo a'i arwain at Haf, oedd yn eistedd mewn ystafell hardd yn wynebu'r gerddi gwynion. Sylwodd ar arogl braf: hyd yn oed yng nghanol y gaeaf, roedd y lle'n llawn rhosynnau.

'Dwi'n aros am fy mam-yng-nghyfraith,' eglurodd Haf, 'ond wn i ddim sut mae hi'n bwriadu dod i lawr o Frynmelyn yn yr eira 'ma.'

Ar y gair, daeth ffigwr rhyfedd iawn i'r golwg, yn croesi'r lawnt yn gyflym. Person tal, wedi'i lapio mewn sawl haenen o ddillad trwchus, yn sgio'n gampus i gyfeiriad y drws ffrynt. Fel cynffon tu ôl i'r sgïwr hedfanai sgarff liwgar, ac am ei phen roedd cap marchogaeth piws a gwyn.

'Dyma hi ar y gair,' meddai Haf, efo gwên lydan.

Ger y drws mawr, arhosodd Lady Beatrice Gwydyr-Gwynne i dynnu ei sgis pren.

'Ah, Inspector,' dechreuodd, gan dynnu'i chap a'i gogls. 'Let's see about this warrant, shall we? And Haf, a mug of cocoa with a decent slug of Tío Pepe in it would be splendid. I don't think there's an offence of skiing whilst under the influence, is there, Mr Davies?'

Nid oedd hi'n bell o'i hwyth deg, ond chwarae teg iddi hi, roedd wedi teithio drwy filltir o eira i gyflawni ei dyletswydd fel ynad. Ond roedd golwg anturus yn ei llygaid glas, fel petai wedi mwynhau'r esgus i fentro. A'i llaw'n dal i grynu o ganlyniad i'r oerfel, torrodd ei henw ar y ddogfen i ganiatáu'r chwilio yn Bitfel Bach.

Cododd enw'r ynad ar y warant storm o ddicter yn Gala. 'Ers pryd ti 'di bod yn was bach i'r bonedd, Daf?' ffrwydrodd.

'Gala, mae'r bois yn mynd i chwilio'r lle – be am i ni fynd yn ôl at ein sgwrs ...?'

'Y sgwrs roedden ni ar ei chanol pan ddaeth dy *stormtroopers* di?'

'Yn union.'

'Mae'n amlwg nad oes gen i ddewis,' meddai'n dawel ar ôl saib byr. 'Ro'n i'n trafod cariad Andre, Laurie. Wel, roedd hi awydd gweithio fel artist tatŵ. Y drafferth oedd, ar ôl gorffen ei phrentisiaeth roedd hi'n dal angen mwy o ymarfer i ddatblygu ei sgiliau a gwneud y job yn iawn. Ceisiodd ddechrau ar Andre, ond bob tro roedd o'n tynnu ei grys roedd hi'n colli'i hyder. Os wyt ti'n gwneud *crap job* o datŵ ar groen rhywun ti'n ei garu ... Ty'd efo fi, i ti gael gweld.'

Ymhlith yr hen adeiladau roedd beudy efo waliau cerrig a tho sinc newydd. Agorodd Gala'r drws mawr pren a throdd y golau ymlaen. Yno, yn ffroenu yn y gwellt trwchus, roedd dros ddwsin o foch mawr. Roedd eu crwyn yn wahanol i bob mochyn arall a welsai Daf erioed – yn lliwgar, a sawl patrwm llachar yn addurno'u cefnau, eu coesau a'u hystlysau. Allai Daf dim credu ei lygaid: moch efo tatŵs!

'Be ddiawl ...?'

'Prynodd Andre yr un cyntaf, Napoleon, fel anrheg i Laurie, iddi gael ei addurno fel y mynnai. Bu Nap fyw am gyfnod hir, yn hapus iawn er gwaetha'i groen lliwgar.'

'Ond mae o'n boenus iddyn nhw, siŵr o fod?'

'Gwnaeth Andre ei ymchwil yn iawn. Mae o'n rhoi anaesthetig i'r moch.'

'Mae hyn yn seriws o od, Gala. Dwi erioed wedi gweld y ffasiwn beth.'

'Mae Laurie wedi dweud wrth bobol eraill am y peth, ac mae o'n rhentu moch i bobol er mwyn iddyn nhw ymarfer tatŵio. Wedyn, maen nhw'n cael prynu'r moch, neu'r croen.'

'Y croen?'

'Ar ôl iddyn nhw farw, mae Andre'n rhoi cemegau ar y croen er mwyn i'r lliwiau fod yn fwy trawiadol. Mae bron pawb sy'n dod fan hyn yn defnyddio'r gwasanaeth cadw ar ôl iddyn nhw wneud y tatŵ.'

'Felly ti'n dweud wrtha i, Gala, mai cig moch sy yn y storfa oer?'

'Yn gwmws.'

'A faint o reolau dech chi'n dorri? A be sy'n digwydd i'r moch ar ôl iddyn nhw gael eu blingo?'

'Am ein bod ni'n llysieuwyr, den ni'n llosgi'r moch. Heblaw eu crwyn, wrth gwrs.'

'Dech chi'n eu lladd nhw?'

'Mae'r rhan fwyaf ohonyn nhw'n marw o henaint. Os ydyn nhw'n sâl, wrth gwrs, maen nhw'n cael eu rhoi lawr.'

Camodd Daf yn ôl allan i olau gwan y gaeaf – roedd o'n ysu am awyr iach. 'Mae cwmni ffilm o Wlad Belg wedi cysylltu efo Andre yn ddiweddar – maen nhw awydd hurio dwsin o'n moch ni a'u cludo draw 'na ar gyfer ffilm. Maen nhw'n cynnig llwyth o bres, a dyna lle mae Andre heddiw – yn cwrdd â nhw, yn Blackpool o bob man. Wn i ddim allwn ni eu helpu nhw, achos mae 'na lwyth o reolau ynglŷn â symud da byw, tatŵs neu beidio. A bydde'n rhaid iddyn nhw gael *chaperones* ar y set.'

Doedd gan Daf ddim syniad beth i'w feddwl. Roedd y ddelwedd o'r moch yn tyrchu'n llon yn y beudy, eu crwyn yn llawn lluniau fel hen forwyr neu hipsters, yn anodd i'w phrosesu.

'Dweud wrtha i eto – wyt ti wedi bwyta neu werthu'r cig?'

'Ach-y-fi, na! Unwaith neu ddwy mae Andre wedi gorfod lladd rhai, ar ôl iddyn nhw gael damwain neu rwbeth, ond heblaw hynny maen nhw'n byw efo ni bron fel anifeiliaid anwes.'

'Ond rhai sy'n derbyn anaesthetig bob hyn a hyn. Pa fath o anaesthetig mae Andre'n ei ddefnyddio, gyda llaw?

'*Sodium pentobarbitone.*'

'Ac o ble mae hwnnw'n dod? Alli di ddim ei brynu dros y cownter yn Boots.'

'Mae o ar gael dros y we.'

'Wrth gwrs ei fod o. Mae pobol yn ei alw'n Gyffur Dignitas.'

'Be?'

'Mae pobol yn prynu *sodium pentobarbitone* er mwyn lladd eu hunain: mae o'n stwff cryf. Does dim iws i mi ofyn oes gan Andre leisans i brynu a chadw *sodium pentobarbitone*?'

Ddywedodd Gala 'run gair.

'Dwi'n methu anwybyddu hyn, Gala, ti'n deall hynny?'

Nodiodd ei phen. Heb ei hyder a'i hegni, roedd yn lodes hollol wahanol, a theimlodd Daf awydd i'w hamddiffyn.

Erbyn hyn roedd aelodau eraill y tîm wedi ymgynnull y tu ôl i Daf.

'Holy crap!' ebychodd Steve.

'Dim ond moch efo tatŵs ydyn nhw,' meddai Daf yn hamddenol. 'Cymer luniau, plis, ond dim ond ar gyfer tystiolaeth – dim trydar. *Social media lockdown*, ocê? Reit, Gala, ble mae dy labordy?'

Fel dynes yn cerdded yn ei chwsg, dangosodd Gala ei holl gyfarpar i Daf. Roedd ei system labelu yn un fanwl, a chynnwys y poteli wedi ei drefnu yn ôl y mathau o blanhigion. Gwelodd Daf lu o enwau Lladin, ac roedd pedair silff â dim ond *epimedium brevicornum* arnynt, yn dystiolaeth i'r obsesiynau a wnaeth gryn dipyn o elw i Gala dros y blynyddoedd. Daliodd un label sylw Daf: *Oenanthe crocata* – roedd wedi gweld y geiriau'n aml yn ystod yr wythnos diwethaf.

'Gala, pam mae gen ti *oenanthe crocata* fan hyn? Y gysblys ydi hwnnw – y gwenwyn a laddodd Illtyd Astley.'

'Clywodd Andre am ei effaith, y *rictus sardonicus*, ac oherwydd ei fod o wastad yn awyddus i arbrofi efo ffyrdd newydd o gadw croen y moch rhag colli eu lliwiau, gofynnodd i mi wneud dipyn er mwyn iddo arbrofi. Mae o'n gwybod ei fod o'n stwff peryglus ond ei fwriad oedd defnyddio cynnyrch naturiol os yn bosib, yn hytrach na'r cemegau.'

Gadawodd Daf i Steve a'r dynion orffen eu gwaith yn Bitfel Bach, a chychwynnodd i Westy Llyn Efyrnwy. Ar y ffordd, parciodd mewn cilfan lle gwyddai y byddai signal ffôn. Roedd neges gan Nev, oedd wedi dod o hyd i'r athrawes Ffrangeg ac a oedd ar ei ffordd i fyny i'r gwesty yn ei chwmni. Gadawsai Sheila ddwy neges yn datgan pryder am gyflwr Enid Astley: 'Mae hi'n dweud bod rhywun wedi torri mewn i'r tŷ dros nos ac wedi dwgyd rhai o'i thrysorau – oes modd i ti ddod lawr? Dwi wedi methu gweld unrhyw dystiolaeth i awgrymu hynny. Wnaiff Community Mental Health ddim dod fyny gan nad ydi hi ar fin lladd ei hun.'

Ffoniodd Daf hi'n ôl yn syth.

'Mae gen i gyfweliad fyny yng Ngwesty Llyn Efyrnwy, wedyn mi a' i draw, iawn?'

'Diolch i ti, bòs'

Yn nerbynfa'r gwesty roedd Gwerfyl yn sgwrsio efo Nev.

'Diolch yn fawr iawn am gytuno i'n helpu ni, Gwerfyl,' meddai Daf. 'Den ni braidd yn styc yn y tywydd 'ma.'

'A finne hefyd – ro'n i'n marcio llyfrau Cyfnod Allweddol Tri pan ffoniest ti, Daf.'

'Den ni'n trefnu i gael defnyddio ystafell dawel i siarad efo'r hen leidi,' meddai Nev. 'O be dwi'n glywed, dydi'r Ffrancwyr ddim yn boblogaidd iawn yma. Heddiw, er enghraifft, ar ôl gweld bod yr eira'n rhy drwchus iddyn nhw fynd i saethu, mynnodd Monsieur gael y Drawing Room yn breifat iddyn nhw drwy'r dydd, a gofynnodd i'r staff symud y piano a rholio'r carped i'r ochr.'

'Mae lle fel hyn wedi arfer efo cwsmeriaid sy'n mynnu pethau anghyffredin, dwi'n siŵr.'

Wrth nesáu at y Drawing Room, clywodd Daf un o ganeuon Charles Trenet yn llenwi'r ystafell, a gwelodd Ambroise a Nolwenn yn dawnsio. Roedden nhw'n cyd-symud yn berffaith, a'u bochau'n cyffwrdd. Roedd yn rhaid i Daf gyfaddef eto bod y ddelwedd o ramant rhyngddyn nhw'n apelgar. Curodd ar y drws, a chyfarchodd Nolwenn ef fel hen ffrind.

'M'sieur Dafis! Ti wedi dod i ymweld â ni tra ydan ni'n sownd fan hyn, bron â marw o ddiflastod. Ambroise, c'est Inspecteur Dafis.' Roedd arogl leim a lafant yn llenwi'r ystafell.

Cliciodd Ambroise ei sodlau mewn ystum milwrol, stiff, cyn ymestyn ei law at Daf.

'Enchanté,' dywedodd yn swta, fel petaen nhw erioed wedi cwrdd o'r blaen.

'Nid galwad gymdeithasol ydi hon, yn anffodus. Yn yr ymchwiliad ...'

'Llofruddiaeth Astley?' torrodd Ambroise ar ei draws.

'Ie. Den ni'n chwilio am ddynes yr un un oed â'ch ... â Mademoiselle Bernard, felly mae'n bwysig ein bod ni'n siarad â phawb o'r un oedran a disgrifiad oedd yn yr ardal nos Sul.'

Dechreuodd sŵn yn isel ym mrest Ambroise Moreau, rhyw chwyrnu llawn perygl.

'Oes raid i ti ei styrbio hi, y greadures? Tydi hi'n gwybod dim am yr hyn ddigwyddodd i Illtyd.'

Rhoddodd Nolwenn ei llaw, ei modrwyau trwm yn fflachio, ar fraich ei gŵr.

'Mae'n rhaid i ni. Mae ganddon ni gyfieithydd.'

'Mae Mademoiselle Bernard yn haeddu pob parch,' chwyrnodd Ambroise. 'Os oes rhaid i ti siarad efo hi, fe fydda i'n eistedd wrth ei hochr.'

'Yn anffodus, dyden ni ddim yn gadael i un tyst aros yn yr ystafell tra den ni'n siarad ag un arall. Mi fyddwn ni'n trin Mademoiselle Bernard â phob cwrteisi.'

Wrth iddo gau'r drws ar ei ôl, clywodd Daf nodau cyntaf

trac gan Django Reinhardt – mae'n rhaid bod Nolwenn yn cytuno â Shakespeare ynglŷn ag effaith cerddoriaeth ar dymer.

Yn y swyddfa fach y tu ôl i'r Sba, roedd Mademoiselle Bernard yn sefyll yn anesmwyth rhwng Gwerfyl a Nev. Bob hyn a hyn roedd hi'n yngan brawddegau hir yn Ffrangeg, a Gwerfyl yn amlwg yn ceisio'i thawelu. Cododd ei hwyliau rywfaint pan welodd Daf – roedd wyneb cyfarwydd yn amlwg yn gysur iddi.

Fel tyst, doedd hi ddim llawer o iws. Wnaeth hi ddim gadael y gwesty o gwbl ar y dydd Sul ar ôl dychwelyd efo'r 'meistr a'r feistres ifanc' o'r eglwys yn y Trallwng. Treuliodd y prynhawn yn ei llofft, yn gwnïo ac yn gwylio'r teledu. Daeth un o ferched y gegin â chacen iddi tua phump, ac roedd y caredigrwydd hwnnw yn amlwg wedi gwneud argraff fawr ar Mademoiselle. Er ymdrechion Gwerfyl, chafodd Daf ddim gwybodaeth o bwys, ond manteisiodd ar y cyfle i astudio llygaid yr hen ddynes. Na, nid hi oedd yn swper y plygain.

'Be ti'n feddwl, bòs?' sibrydodd Nev.

'Dim hi oedd hi.'

'Ond mae hi mor debyg i'r llun. Rhaid i ni o leia'i rhoi hi mewn rhes adnabod, bòs.'

'Gofyn iddi, Gwerfyl, ydi hi'n siarad Cymraeg.'

Drysodd y cwestiwn Mademoiselle am eiliad. Oedodd am sawl munud cyn gwadu siarad unrhyw iaith ond Ffrangeg.

'Mae hi'n teimlo cywilydd,' eglurodd Gwerfyl, 'wrth ystyried mai dim ond Llydaweg roedd ei thaid a'i nain yn siarad, ei bod yn uniaith Ffrangeg.'

'Dyna ti'r ateb, Nev!' meddai Daf.

'Ond tybed fyddai hi'n syniad gofyn i'r tystion eraill am eu barn? Wedi'r cyfan, dim ond ei gair hi sy ganddon ni nad ydi hi'n deall gair o Gymraeg.'

'Ocê, iawn, Nev. Trefna di res adnabod fory. A Gwerfyl, wnei di plis bwysleisio iddi hi nad ydi hi dan amheuaeth o unrhyw fath.'

Ym Machynlleth roedd yr ysgol ar agor ac awel fwyn yr arfordir wedi meirioli'r eira. Chwiliodd Daf am y troad â'r arwydd bach pren a gafodd ei beintio'n ofalus ugain mlynedd ynghynt. Roedd yr wtra'n gul ac yn serth ac yn mynd o dan y rheilffordd a thrwy dir brwynog, ond rhwng y coed gwelai Daf stribed o fwg yn codi i'r awyr glir. Wrth nesáu gallai weld tŷ bach carreg wedi'i beintio'n wyn, ond ers y tro diwethaf iddo weld brwsh paent roedd mwsog, cen ac adar wedi gadael eu marc, gan wneud i'r bwthyn bach edrych fel petai wedi codi'n naturiol o'r tirlun. Wynebai cefn y tŷ i'r gorllewin, gan fwynhau golygfa heb ei hail o'r aber a'r mynyddoedd yn y pellter. Roedd Illtyd Astley wedi dewis ei gartrefi'n ofalus.

Canodd ei ffôn. Nolwenn.

'M'sieur Dafis, paid â dweud dy fod ti wir yn amau Mademoiselle Bernard! Mae hi'n hollol ddiniwed.'

'Yn anffodus, mae hi'n ddigon tebyg i'r llun ...'

'Rydan ni'n rhy glyfar i dy gemau di. Iawn. Ti sy'n ennill. Mae Ambroise yn fodlon cyfadde iddo bwnio Illtyd bnawn Sul, felly gei di adael llonydd i Mademoiselle.'

'Mi fydd yn rhaid iddi hi gymryd rhan mewn rhes adnabod, yn anffodus. Nid chwarae tric i bryfocio'ch gŵr chi o'n i, Madame Moreau. Ond dwi'n falch iawn ei fod yn cyfaddef.'

'Wyt ti am ei arestio fo?'

'Mae ymosod ar rywun yn drosedd ond ar hyn o bryd byddai ei arestio'n golygu gwaith papur i mi a dirwy, mwy na thebyg, iddo fo. Er, dydi o byth yn beth call i ddyn sy ar leisans roi clec i neb.'

'Beth petai Ambroise yn amddiffyn ei hun?'

'Rhag Astley? Roedd o mor fygythiol â phowlen o bwdin reis.'

Chwarddodd Nolwenn o waelod ei bol er gwaethaf difrifoldeb y sefyllfa.

'Bydd aelod o'r tîm yn paratoi'r papurau ar gyfer Gwasanaeth Erlyn y Goron: nhw fydd yn penderfynu. Pryd dech chi'n bwriadu mynd yn ôl i Ffrainc?'

'Byddwn ni'n hedfan fore Sul.'

'Gwnewch yn siŵr fod y gwaith papur wedi'i gwblhau cyn i chi fynd.'

'Ond wyt ti am ei arestio?'

'Yn Ffrainc, bydd yn rhaid iddo adrodd i'r awdurdodau ynglŷn â'r hyn sy wedi digwydd yma – nhw sy'n gyfarwydd â thelerau ei ryddhad.'

'Achos ... tra ydyn ni fan hyn, mae'n bwysig iddo fod efo fi.'

'Os nad ydi pobol isie i'r heddlu ymyrryd â'u cynlluniau gwyliau, mae'n syniad iddyn nhw beidio pwnio pobol eraill.'

'Nid dim ond gwyliau arferol oedd y daith yma. Rydan ni wedi dod i Sir Drefaldwyn am reswm penodol.'

Daliodd Daf ei wynt, gan obeithio nad oedd damcaniaethau Ffion Spancell yn wir. Cynllwyn asgell dde rhyngwladol oedd y peth olaf roedd o'i angen.

'Ers y saithdegau, mae lefelau hormons yng nghyflenwadau dŵr Ewrop wedi cynyddu. Heb yn wybod iddyn nhw, mae dynion yn yfed cemegau yn ddyddiol sy'n eu hatal rhag cenhedlu. Gawson ni fabi unwaith ... Mae dŵr yr ardal hon yn enwog am ei burdeb ... gorau oll i greu babi.'

'Pob lwc.'

Roedd Daf yn falch o orffen yr alwad a throi ei sylw at Enid Astley. Ar ei ffordd o'r car i'r tŷ safodd ar sawl darn o rew, gan synnu mai dim ond un a dorrodd dan ei draed. Cnociodd y drws, a'r sŵn yn uchel yn y llonyddwch.

Agorodd Sheila'r drws, ond cyn gadael Daf i mewn camodd allan dros y trothwy. Tu ôl iddi roedd cwmwl mawr o awyr dwym, damp, yn drewi o wlân glwyb, te ac wrin cathod a phobol.

'Dwi erioed wedi bod mor hapus i dy weld di, bòs. Mae'r ddwy yn boncyrs ... wedi methu cael unrhyw fath o synnwyr ganddyn nhw.'

'Mi wna i fy ngorau glas. Duwcs, mae'n drewi 'na.'

'Yr eiliad dwi'n dechre piso fy hunan yn rheolaidd, pryna docyn i mi i'r clinic yn y Swistir. Dwi'n teimlo bod siawns dda i mi ludo fy hunan i'r soffa efo'r gymysgedd o lwydni, blew cath a llaeth sur. Dwi'm yn beio va am gadw draw.'

'Mae'n rhaid i'r Gwasanaethau Cymdeithasol wneud rwbeth.'

'Dwi wedi colli dipyn, dwi'n clywed, efo Lady Beatrice yn sgio, moch efo tatŵs, *herbal Viagra* a ballu,' meddai Sheila, yn newid y pwnc.

'Dwi'm yn gwybod ydw i'n mynd neu'n dod, Sheila, wir i ti. Reit 'te, tyrd i ddangos i mi be 'di be, a llenwa dy ysgyfaint ag awyr iach cyn mynd yn ôl i mewn.'

Tu mewn i'r drws roedd llen neu flanced o wlân trwchus yn hongian, a brwsiodd ei ffibrau seimllyd dros wyneb Daf wrth iddo basio heibio iddi. Nid oedd coridor na chyntedd – agorai'r drws ffrynt i ystafell eithaf mawr. Roedd y tân yn y grât hen ffasiwn yn mygu â gormod o huddygl a lludw i losgi'n siriol, a phob modfedd o'r waliau cerrig yn llawn lluniau, darnau o frodwaith, llestri Llydewig lliwgar a thystysgrifau eisteddfodol. Ar y soffa, wedi'i phlygu ei hun yn belen gron, roedd Enid.

Eisteddai ei mam mewn cadair NHS ger y tân – dynes fach oedd hi, ei hysgwyddau'n llac yn ei gŵn nos. Roedd y rhan fwyaf o'i gwallt wedi mynd, gan adael rhimyn fel clown o gwmpas yr ochrau a chorun oedd bron yn foel. Yn ei chôl roedd ei dwylo main, llwyd mor esmwyth â chwyr a chan fod ei gên yn gorffwys ar ei brest a'i llygaid ar gau, meddyliodd Daf ei bod hi'n cysgu. Yn sydyn, daeth cân o'i gwefusau slac.

'O mae'r haf yn hir i ddyfod,
Meddai geneth fechan glaf.
Pryd mae'r gwanwyn yma'n darfod?
Pryd, fy mam, y daw yr haf?'

Cododd Enid ei phen.

'Lyfli, Mami, ond mae Mr Dafis yma i drafod y bwrglera a beth i'w wneud nesa.'

'Enid,' meddai Sheila mewn llais addfwyn, 'den ni wedi trafod hyn. Does neb wedi torri mewn i'r tŷ.'

'Ond ble mae bocs coleri Illtyd, felly?'

''Nôl yn y saithdegau a'r wythdegau, roedd Mr Astley yn arfer gwisgo hen ddillad ... *vintage*, fel petai,' esboniodd Sheila. 'Roedd llawer iawn o'i grysau, yn enwedig y rhai gwlanen, heb goler arnyn nhw ac roedd ganddo focs bach lledr i gadw'r coleri rhydd ynddo. Enid brynodd o fel anrheg iddo.'

'A rŵan, mae o wedi diflannu. Dros nos. Rhywun wedi ei ddwyn.' Roedd llais Enid yn isel, y geiriau'n gwthio'u hunain drwy ei gwefusau sych. Chwifiodd ei llaw i gyfeiriad y dresel. Ar yr ail silff, ymysg hen grochenwaith a sawl powlen ddi-siâp, roedd bwlch. Yn y llwch, roedd cylch o bum modfedd ar draws.

'Mi edrycha i o gwmpas y tu allan cyn i mi fynd,' cysurodd Daf hi. 'Ond yn y cyfamser, mae'n rhaid i ni gael sgwrs.'

'Iawn.'

Eisteddodd Daf wrth ei hochr ar y soffa ar garthen debyg iawn i'r llen oedd dros y drws. Roedd blew cath ymhob man, gan gynnwys dros ddillad Enid. O'i chadair, ochneidiodd yr hen wraig cyn codi procer i geisio rhoi tipyn o obaith i'r tân marwaidd. Clywodd Daf dinc ysgafn wrth iddi brocio, a rhwng bariau'r grât disgynnodd rhywbeth bach metel i'r llwch o dân.

'Reit, Enid, ydech chi'n hapus i siarad efo'ch mam yn bresennol?'

'Wnaiff o ddim gwahaniaeth. Mae ei chorff yma ond mae popeth arall wedi hen fynd.'

'Ers faint mae hi wedi bod fel hyn?'

'Dwy flynedd. Ers i ni golli Nhad.'

'Trist.'

'Dim tristach na gweddill fy mywyd, Mr Dafis.'

Allai Daf ddim meddwl am ateb i hynny. 'Nawr 'te, beth oeddech chi'n wneud nos Sul?'

'Es i i Fachynlleth yn y pnawn, i lansiad arddangosfa Perdita Murray yn y Tabernacl.'

'Faint o'r gloch oedd hynny?'

'Tri. Roeddwn i yno'n brydlon er mwyn cael cyfle i longyfarch Perdita ar ei gwaith.'

'Tan pryd oeddech chi yno?'

'Tan bump, jest mewn pryd i fynychu'r oedfa yng Nghapel y Graig.'

'Capelwraig ydech chi felly, Enid?'

'Ges i fy magu yn yr Hen Gorff a dwi wrth fy modd yn canu.'

Gallai Daf ddychmygu Enid yn y capel, fel paun yn ei gwisg hipïadd yng nghanol môr o gotiau duon, yn aderyn prin ymhlith y drudwyod.

'Ac ar ôl y gwasanaeth?'

Lapiodd hi gudyn o'i gwallt o gwmpas ei bawd chwith, gan osgoi llygaid Daf.

'Mi welais ffrind yn yr oedfa. Mae o wedi ... wel, cynigiodd bryd o fwyd i mi ac aethom i'r Wynnstay.'

'Be ydi enw'ch ffrind?'

'Dydi hynny ddim o bwys.'

'Gyda phob parch, Enid, fi sy'n penderfynu os ydi rhywbeth yn bwysig ai peidio.'

'Huw Howyn-Jones. Den ni wedi bod yn ffrindiau ers ein glasoed.'

'Dim ond ffrindiau?' Roedd yn rhaid i Daf ofyn y cwestiwn, er mor anodd oedd dychmygu perthynas o unrhyw fath rhwng Enid a'r cyfreithiwr ceidwadol.

'Dim ond ffrindiau. Mae Huw wedi bod yn dda efo ni dros y blynyddoedd, yn gofalu amdanon ni pan gollon ni Dadi.'

'Tan pryd oeddech chi efo'ch gilydd?'

'Roedd hi'n hwyr, ar ôl un ar ddeg, siŵr.'

'Yn y bwyty?'

'Yn y bwyty, wedyn yn y bar.'

'Digon i siarad amdano felly?'

'Wastad.' Daeth gwên wan i'w hwyneb gwelw.

'Wedyn, ddaethoch chi'n syth 'nôl i'r fan hyn?'

'Dim cweit. Mi es i am goffi i'w dŷ o ... ro'n i'n gyrru heibio.'

'Coffi?'

'Coffi. Roedd o wedi dod o hyd i hen luniau o'n cyfnod yn y coleg. Roedden ni yn y G&S efo'n gilydd.'

'G&S?'

‘Gilbert and Sullivan. Fi oedd Little Buttercup, fo oedd Ralph Rackstraw.’

‘Dwi’n gweld. A dim ond lluniau *HMS Pinafore* oedd ar ei feddwl o?’

Cochodd Enid, ac roedd y gwrid yn gwneud iddi edrych lawer yn iau.

‘Does gen i ddim syniad beth oedd ar feddwl Huw, ond cwmni hen ffrind o’n i isie.’

‘Digon teg. A faint o gloch ddaethoch chi adre?’

‘Toc ar ôl un.’

‘A ble oedd eich mam bryd hynny?’

‘Doedd dim dewis gen i, Mr Dafis. Alla i ddim byw yn hollol gaeth. Rhoddais bryd o fwyd lyfli iddi hi, *millet gratineé* a llysiau, a’i rhoi hi yn ei gwely cyn i mi gychwyn allan.’

‘Yn gynnar yn y pnawn, felly?’

‘Dydi hi ddim yn saff i’w gadael ar ei thraed. Mae hi’n crwydro a chwympo.’

‘Dwi’n gweld,’ atebodd Daf, gan droi syniad Sheila am y clinig yn y Swistir yn ei feddwl. ‘Nawr ’te, ac mae’n ddrwg gen i ofyn cwestiwn anodd, ond oes ganddoch chi syniad pwy laddodd Illtyd?’

‘Dim syniad o gwbl. Roedd o wastad mor ffeind, mor hwyliog ...’

‘Heblaw efo merched.’

‘Hyd yn oed efo nhw. Hwyl oedd popeth iddo fo. Chwarae’n troi’n chwerw.’

‘Mae gen i fater arall i’w drafod, a’r unig reswm dwi’n codi pwnc mor breifat yw’r ffaith fod perthnasau Illtyd wedi cael eu crybwyll gan dystion eraill yn yr ymchwiliad. Oedd Illtyd yn cael unrhyw ... anawsterau rhywiol tra oeddech chi’n briod?’

Gydag adwaith syfrdanol o sydyn i ddynes mor fregus, caeodd Enid ei llaw i wneud dwrn a’i defnyddio i bwnio Daf yn ei geg, yn ddigon caled i dynnu gwaed. Roedd y sioc yn ddigon i’w dawelu am eiliad.

‘Dyna hen ddigon!’ meddai Sheila’n chwyrn. ‘Mae’n hen

bryd iddi gael ei hasesu. Mi fyse hi'n ymateb yn go brydlon petai peryg iddi gael ei chartio ffwrdd i'r sbyty meddwl.'

'Paid poeni, Sheila, cwestiwn digywilydd oedd o.'

'Roedden ni'n hapus, mor hapus, mor hapus,' dywedodd Enid, dro ar ôl tro. Plygodd ei choesau o dan ei phen ôl a chrynai fel deilen.

Cododd Daf ar ei draed. 'Ddrwg gen i eich ypsetio chi, Enid. Mae'n rhaid i bobol fel finne dyrchu'n ddwfn i fywydau pobol weithiau.'

Ddywedodd hi 'run gair. Plygodd Daf i roi coed ar y tân a gwelodd, ymysg y llwch, y darn bach o fetel a welodd yn cwympo. Cafodd afael arno a'r roi yn ei boced heb i neb sylwi.

'Reit. Mae Sarjant Francis a finne'n mynd rŵan, ar ôl edrych o gwmpas i chwilio am dystiolaeth ynglŷn â'r bocs coleri. Iawn? Dwi'n cymryd bod y bocs yn *antique* go iawn? Roedd o'n werthfawr?'

'Roedd o'n werth y byd i mi,' meddai Enid, ei dagrau'n llifo eto.

Wrth y drws, sylwodd Daf ar lun mawr: ffotograff lliw yn dangos dwy ferch hardd ac oddi tano'r teitl 'Deuawd Cerdd Dant Penrhyn-coch'. Chwiorydd, yn amlwg, a chafodd Daf y teimlad ei fod wedi gweld un ohonyn nhw o'r blaen. Nid oedd y llun wedi dirywio dros y blynyddoedd ac edmygodd Daf walltiau golau a llygaid glas golau'r merched. Doedd Daf erioed wedi gweld llygaid tebyg: lliw'r nen jest cyn y wawr, yn boddi mewn pwll o ddagrau heb eu gollwng. Roedd bron pob tamaid o'r lliw glas golau wedi diflannu o lygaid mam Enid bellach.

Tu allan, yn y buarth, tynnodd Daf y darn o fetel o'i boced a'i ddangos i Sheila.

'Ti'n gwybod be 'di hwn, Sheila?'

'Styd coler. Mae gan Tom rai ar y crys mae o'n ei wisgo efo bow-tei.'

'Yn gwmws. A sut aeth styd coler i'r lludw? Achos bod rhywun wedi llosgi'r bocs, a dyna'r rheswm pam roedd y tân yn tagu.'

'Ond pwy? Enid ei hun? Dwi'n gwybod ei bod hi mor wallgo â dwn i'm be, ond ...'

'Neu ei mam. Dim ond y ddwy oedd yn y tŷ.'

'Wnaeth neb arall alw heibio, dwi'm yn meddwl. Heblaw Gala Taylor, biciodd draw nos Lun. Dwi'n meddwl mai mam Enid losgodd y bocs, Daf. Fetia i nad oedd hi'n ffan mawr o Illtyd, ac mae pobol efo Alzheimer's yn cofio sut oedden nhw'n teimlo am rywun hyd yn oed os nad oes ganddyn nhw glem pam. Felly oedd Nain.'

'Debyg iawn. Wnei di ffonio'r Gwasanaethau Cymdeithasol eto? Dwi am grwydro o gwmpas am dipyn. Cer di 'nôl: ti'n haeddu mynd adre am gawod a glasiad o win.'

Nid oedd Daf yn disgwyl gweld unrhyw beth i awgrymu bod rhywun wedi torri i mewn i'r tŷ, ond aeth o amgylch tu allan y tŷ er mwyn rhoi cysur i Enid, oedd yn ei wylio drwy'r ffenest. Cerddodd drwy'r ardd fach, a heibio'r ardd lysiau oedd yn ymestyn draw i gyrion y goedwig. Tu ôl i'r patio roedd sietin efo giât fach ynddo fo, yn arwain i lwybr bach oedd yn troelli lawr yr allt i'r morfa. Ar lan yr afon roedd cwch gwyn yn symud ar y llanw. Brasgamodd Daf draw – y cwch brynodd Astley er mwyn cadw ei fywyd carwriaethol oddi wrth ei ferch. Ar ôl i Nolwenn ddisgrifio'r cwch yn ei llais melys, roedd Daf wedi disgwyl rhywbeth rhamantus, fel gondola o Fenis. Yn hytrach, golwg ddiwydiannol oedd i'r cwch, a'i ochrau wedi'u gwneud o blatiau o ddur wedi'u peintio'n wyn. Roedd caban bach yn y tu blaen ac yn y starn roedd ffrâm bren wedi'i chodi i greu ystafell yn y gwagle lle byddai pysgotwr gynt wedi llwytho'i gargo. Camodd Daf dros y bompren. Roedd y drws wedi'i gloi ond drwy'r ffenest gallai weld ystafell amlbwrpas efo gwely mawr, bwrdd a sawl cadair ynddi. Pentyrrwyd llwyth o ddillad ar y gwely yn dyst i'r ffaith na ddefnyddiwyd y lle fel nyth caru ers sbel go hir. Ar y bwrdd roedd peiriant gwnïo, sawl bag llawn gwlân a defnydd, a chyfrifiadur desg – y math o beth nad oedd unrhyw un wedi'i brynu ers blynyddoedd. Sylwodd Daf ar sawl cadair gynfas wrth y wal – mewn tywydd braf byddai'n bosib agor y drysau gwydr ar ochr bella'r cwch i fwynhau'r olygfa. Teimlodd Daf don o drueni dros Enid.

Yr holl ffordd adref, meddyliodd Daf am yr hen ddynes wrth y tân a'i llygaid gwelw. Hi oedd yn y llun efo'i chwaer, yn sicr – lodes dalentog, brydferth a sionc, yn gyferbyniad llwyr i'r corff oedd yn pydru'n dawel, yn gallu canu ond nid siarad. Hi, a neb arall, oedd wedi penderfynu llosgi'r bocs – ond pam? Meddyliodd am ei henaint ei hun ac roedd yn barod iawn i weld ei deulu pan agorodd y drws ffrynt.

Roedd yr ystafell ffrynt yn llawn dop: Carys a'i ffrind, Mair, Rhodri, Jenna, Rob Berllan a Siôn, Mali yn y gornel yn chwarae'n hapus efo efeilliaid Berllan ... a Belle.

'Wel,' meddai Belle, gan neidio ar ei thraed i gyfarch Daf, 'dim ond am chydig ddyddia dwi 'di bod i ffwrdd a sbia'r holl lanast ti 'di gadael iddyn nhw greu, Dafydd. Doris yn diflannu, ymweliad gan y bois mewnfudo, a rŵan mae Neuadd fel set *rom-com – Four Weddings and a Milking Parlour* neu rwbath. Mae'r gegin yn llawn o flodau Interflora, a Doris a John yn cerdded rownd y lle law yn llaw fel blydi Telitybis ... a rŵan 'dan ni'n clywed bod Fal yn disgwyl!'

'Blodau?' gofynnodd Daf.

'I Doris gan Dad,' eglurodd Siôn. 'Ffoniodd bob siop flodau rhwng Telford ac Aber, ond tydi 'run o'r *bouquets* yn ddigon da iddi, medde fo.'

'Druan ohonot ti, Gae,' meddai Carys. 'Chest ti erioed ffasiwn flodau gan Wncl John!'

'Dwi'n eitha balch. Mae o'n swnio fel ei fod wedi mynd o'i gof, wir. Ffaelu codi i odro, a blodau o siopau swanc!'

'Wel, gawn ni weld be mae'r *happy couple* wedi'i baratoi i swper,' meddai Belle.

'Os yden nhw'n rhy brysur, mae 'na gaserol fan hyn all strejo,' cynigiodd Gaenor.

'Na, mi fyddwn ni'n iawn, siŵr,' cadarnhaodd Belle. 'Dydi Doris ddim y math o ddynes i adael i bethau bach fel y Border

Force a John Neuadd ei styrbio hi.' Tynnodd hi Siôn ar ei draed a drwy'r drws ffrynt, gan chwerthin.

'Ti'n gwybod be?' meddai Mair wrth Carys, 'does dim byd wedi digwydd yn ein teulu ni ers i frawd fy hen daid golli'i fys yn y Somme. A bys bach oedd hwnnw. Yma, mae wastad ryw fath o gyffro.'

Setlodd popeth i lawr i greu noswaith gartrefol. Daeth Bryn lawr i nôl yr efeilliaid ac i ddweud wrth Rob fod ei swper bron yn barod, ac roedd yn rhaid i Daf, unwaith yn rhagor, fynd â Jenna i fyny i Gefn Coch. Arhosodd Mair am swper gan ei bod hi a Carys angen cynnal trafodaethau pwysig ynglŷn â be i'w wisgo i fynd i'r Noson Dadlapio. Ymunodd Gaenor â'r ddwy, a phenderfynodd Daf, ar ôl rhoi ei farn onest ar bum ffrog, y byddai peint bach yn yr Afr yn syniad da.

'Y drafferth ydi,' meddai wrth Gaenor, 'ti'n edrych mor lyfli o hyd, does 'run ffrog yn gwneud smic o wahaniaeth.'

Gwirfoddolodd Rhodri i roi bath i Mali gan ei fod yn dal yn teimlo'n euog am ei gampau'r noson cynt, ac roedd Daf yn ystyried sut y gallai ddianc am beint pan ffoniodd John, yn gofyn iddo wneud yr union beth hynny. Wnaeth Gaenor, yn ôl ei harfer, ddim cwyno o gwbl.

'Mae Carys a Mair yn gwybod llawer mwy am ffasiwn na tithe – ti dan draed fan hyn, Dafis.'

Roedd awyrgylch fyrlymus yn y dafarn, a phawb yn rhannu straeon am drafferthion yr eira. Dewisodd Daf beint o gwrw Nadolig Monty's: roedd o'n ddewis da. Ni chafodd amser i flasu mwy na'r fodfedd uchaf cyn i John gyrraedd, wedi'i wisgo'n fwy ffurfiol nag arfer efo tei i'w weld yn V ei siwmper Pringle.

'Cymer beint o'r Ding Dong, John,' cynigiodd Daf.

'Dwi'n iawn efo'r Worthy, diolch.'

'Rhaid i ti flasu hwn, John, wir. Ti 'di bod yn yfed Worthy ers deng mlynedd ar hugain – mae'n hen bryd i ti gael newid.'

Fyddai John ddim yn chwerthin yn aml, a chan ei fod mor dal a mawr roedd y sŵn braidd yn frawychus.

'Peint o beth bynnag, felly, Dafydd. Hen bryd i mi ddysgu sut i newid.'

Setlodd y ddau wrth y tân, a choesau hir John wedi'u plygu'n anystwyth o dan y bwrdd isel.

'Gwranda, Dafydd, aethon ni draw i weld dy ffrind heddiw pnawn, y gyfreithwraig. Y Plas yn lle clên iawn am swyddfa.'

'Mae o, clên iawn.'

'Gwybod ei stwff, yn tydi? Mae hi wedi rhoi'r holl wybodaeth i ni a dim ond un broblem fech dwi'n ei rhagweld.'

'Sef?'

'Yn ôl Mrs Gwydyr-Gwynne, mae'n rhaid i rywun sy isie caniatâd i briodi gwraig dramor ennill hyn a hyn o bres.'

'Tydi o ddim yn swm sylweddol, nac ydi, John? Ddim i ddyn fel ti?'

'Deunaw mil a chwe chant.'

'Ti'n filiwnydd, John.'

'Ddim ar bapur. Yn flynyddol, dwi'n talu pymtheg mil i mi fy hun, a deg mil i Siôn.'

'I osgoi talu dy drethi?'

'Cynllunio treth, dyna be o'n i'n wneud. Ond rhaid i mi newid fy nghyflog i sicrhau fod Doris yn cael aros.'

'Dwi'm yn gyfrifydd, John.'

'Na, dwi'n gwybod hynny, ond dwi angen siarad efo'r teulu cyfan, ti'n gweld. Os ydw i'n tynnu mwy o gyflog, mae hynny'n golygu llai o arian yn mynd i mewn i'r busnes ac i'r ymddiriedolaethau, sy'n effeithio ar Carys a Rhodri.'

'Dwi erioed wedi gofyn am bres gen ti, John, ac mae gen ti berffaith hawl i wneud unrhyw beth efo dy bres dy hun.'

'Ond dim fy mhres i ydi o, ond pres Neuadd, pres y teulu.'

'John, dwi'n dweud dim ynglŷn â dy sgam i osgoi'r trethi, ond rhaid i ti wneud y peth iawn, er mwyn Doris.'

'Wnei di drafod y peth efo Gae? Dwi wir ddim isie gwneud drwg i'r plant.'

'Cer di i sortio pethe'n iawn, John. Fydd y teulu cyfan yn dy gefnogi di.'

Llowciodd John hanner peint mewn un gegaid yn ei awydd i fynd.

'Ti'n foi go resymol, Dafydd. Rhyfedd ein bod ni'n gystal ffrindie erbyn hyn.'

'Bywyd yn beth rhyfedd.'

'Bendant. Diolch eto.'

Rhuthrodd John yn ôl at Doris, gan adael Daf efo hanner peint yn ei law. Roedd o'n rhannu sgwrs am y tywydd efo'r landlord pan welodd wyneb hollol annisgwyl: hen gariad Carys, Matt Blainey. Ers iddyn nhw wahanu yn ystod Eisteddfod Meifod, doedd Daf ddim wedi ei weld, ac yn ôl y sôn roedd o wedi symud i Aberystwyth i nyrsio ei galon doredig.

'Mr Dafis. Ddwedodd Carys dy fod ti 'di dod drosodd am un.'

'Matt, braf dy weld di.'

'A chithe, syr.'

'Mae dy Gymraeg wedi gwella lawr efo'r Cardis, Matt, chwarae teg.'

'Es i ar gwrs preswyl. Mae'n help efo 'ngwaith. Ond ta waeth, dwi angen siarad efo ti, syr.'

'Ie?'

'Ro'n i a chyd-weithiwr i mi, Siwan, yn mesur lle heddiw ar gyfer *probate valuation*. Tŷ mawr hardd yn Nyffryn Aeron.'

'O.'

'Fi wnaeth y tu allan, a Siwan y tu mewn. Roedden ni wedi gorffen ac wedi teithio hanner milltir i'r briffordd pan sylwodd Siwan ei bod hi wedi gadael ei *laser measure* yno.'

'Hwnnw'n beth drud?'

'Ydi, canpunt o leia, ac mae Siwan wedi cael sawl damwain efo nhw o'r blaen. Gollyngodd un i bwll, a safodd ceffyl ar un arall. Mae hi ar ei *last warning* felly aethon ni yn ôl i chwilio amdano. Cynigiais gropian i mewn i'w nôl heb i neb sylwi.'

'Pam na wnest ti gnocio ar y drws fel pawb arall?'

'Rhag ofn i'r bòs gael gwybod. Roedd Siwan bron yn bendant mai ym mhantri'r gegin oedd o. Roedd y drws cefn ar agor a fanno oedd o, ar y silff. Wedyn mi glywais sŵn traed – y weddw.'

'Ddylet ti fod wedi dod allan ac esbonio.'

'Wn i, ond wnes i ddim. Jest cwato yn y gornel.'

'Den ni'm yn dweud "cwato" ffordd yma. Cuddio.'

'Ocê, diolch, Mr Dafis. Wedyn, clywais sŵn car, y drws cefn yn agor a chau, a llais cyfarwydd.'

'Pwy?'

'Dwi'n chwarae pêl-droed yn y Leisure Leagues yng nghanolfan hamdden Aber, jest am hwyl. Mae boi ar yr un tîm â fi, Lleu Puw ... enw od, ond dyna fo. Dipyn yn hŷn na fi, bron yn dri deg, dim byd sbesial amdano fo o gwbl.'

'Ie?'

'Beth bynnag, roedd twll yn y drws, ac mi welais i hi, heb iddyn nhw gael dim sgwrs, bron, na chusan, yn rhoi ei llaw yn ei *flies*.'

'Copis ... ond caria mlaen.'

'Roedd hi braidd yn *rough* efo fo, fel rhywun yn godro, ac wedyn gwthiodd hi Lleu lawr i gadair fawr a neidio arno fo. Pan oedd o wedi gorffen, neidiodd hi lawr. Gorweddodd ar y llawr a chodi ei choesau, fel rhyw siâp ioga, ei thraed yn yr awyr. Arhosodd felly am bum munud dwi'n siŵr, wedyn cododd a rhoi trefn ar ei dillad. Roedd Lleu yn eistedd yn y gadair fel petai rhywun wedi ei saethu o. Wedyn agorodd hi ddrôr a thynnu chydig o bres allan, dwi'm yn siŵr faint, a'i roi o i gyd iddo fo. Caeodd ei ... gopis, rhoddodd y pres ym mhoced ei jîns a ffwrdd â fo. Galwodd hi ar ei ôl; "Cofia gael rhywbeth i'w fwyta cyn dod heno. A dim cwrw, ie?" Wedyn, aeth hi fyny staer ac es i allan.'

'Mae hynny'n dipyn o stori. Fel rwbeth o ffilm porn.'

'Ddyle fo fod yn secsi, ond doedd o ddim.'

'Difyr iawn, Matt. Diolch yn fawr.'

'Ro'n i'n meddwl, a hithe newydd golli ei gŵr, fod rwbeth yn od am y peth.'

'Bendant. Diolch yn fawr. Oes gen ti rif ffôn i Lleu?'

'Nag oes, yn anffodus. Y cyfan dwi'n wybod amdano fo ydi ei fod o'n byw fyny ym Mhenparcau efo'i fam ac yn gweithio yn y *printers* yn Llanbadarn.'

'Ti 'di bod yn grêt, diolch i ti. A'r tro nesa, paid cuddio yn unrhyw bantri, rhag ofn.'

Roedd hanner dwsin o gwestiynau ar wyneb Matt, ond llwyddodd i beidio gofyn yr un ohonynt.

'Wel, mae 'na dipyn o gam 'nôl i Aber heno. Hwyl.'

'Wela i di, lanc.'

Ffoniodd Daf rif Nev.

'Rho ring i fois Aber. Dwi angen siarad efo dyn o'r enw Lleu Puw, a dwi isie iddo fo ddod draw i'r orsaf yn y Trallwng y peth cynta yn y bore.'

A'r diferyn olaf o Ding Dong ar ei wefus, dychwelodd Daf i'w gartref, ei ben yn troi.

Pennod 12

Dydd Gwener

Roedd y golau tu ôl i'r llenni'n dwyllodrus oherwydd yr eira. Edrychodd Daf ar ei ffôn a gweld mai dim ond chwech o'r gloch y bore oedd hi. Dihunodd Gaenor hefyd.

'Be oedd Matt yn wneud yma neithiwr?' gofynnodd. 'Dydi o erioed ar ôl Carys eto?'

'Roedd o isie sgwrs efo fi ynglŷn â'r achos – dim byd i'w wneud efo Carys.'

'Hmm.'

Roedd yr ysgol ar agor, ac erbyn wyth roedd Rhodri ar ei draed ac yn bwyta'i frecwast, gan gnoi fel un o wartheg ei ewythr.

'Dad, ydi Mam yn disgwyl?'

'Ydi, hyd y gwn i.'

'Felly dwi'n mynd i gael brawd neu chwaer arall?'

'Dyna fo.'

'Ond, Dad, dwi ddim yn nabod Jonas a dwi'n casáu ei feibion. Dwi'm isie bod yn perthyn iddyn nhw.'

'Does dim rhaid i ti wneud dim byd efo bois Bitfel, Rhodri. Ond yr eiliad ti'n gweld y babi, mi fyddi di wrth dy fodd.'

'Dwi'm yn siŵr. Dwi'n gobeithio na fyddan nhw isie i mi fynd yno i warchod.'

'Dwi'n sicr nad ydi dy fam wedi meddwl am y ffasiwn beth.'

'Mae'n wahanol efo tithe a Gae. Den ni'n deulu. Fydd y babi arall, wel, sgileffaith fydd o, fel maen nhw'n dweud yn y gwersi Daearyddiaeth. Sgileffaith o'r ffaith fod Mam a Jonas Bitfel yn shagio.'

'Gawn ni weld sut fydd popeth yn setlo.'

'Ddaeth Mam draw i ddweud. Roedd Carys a Gae yn dweud, "www, am newyddion lyfli", ond dwi ddim yn mynd i hoffi'r babi fel dwi'n hoffi Mali. *End of*.'

'Gawn ni weld.'

'Gyda llaw, Dad, dwi o gwmpas heno.'

'Be?'

'Os oes rhaid i ti fynd i rywle nes mlaen, tra mae Carys a Gae yn y peth stripio, dwi o gwmpas ar gyfer Mals.'

'Diolch, còg.'

Roedd brecwast bron drosodd pan gurodd Jeff, brawd Gaenor, ar y drws.

'Newyddion tip top, Daf,' dywedodd, yn wên i gyd. 'Dwi 'di dod o hyd i ddigon o *DPC membrane* i wneud y cwbl lot am hanner be o'n ni'n disgwyl ei dalu. A dwi'n gwybod nad yden ni wedi dechre eto, ond *you snooze you lose* ydi hi yn y gêm yma.'

'Chwarae teg i ti,' meddai Daf. Jeff oedd yn mynd i fod yn gyfrifol am gydlynu'r dasg o weddnewid Hengwrt yn gartref i'r teulu bach.

'A fydd dim ceiniog i'w thalu tan ar ôl Dolig, sy'n well byth. Ydw i'n haeddu paned?'

'Bendant,' atebodd ei chwaer.

'Tra ti yma, Jeff, pa mor dda wyt ti'n nabod Roy Bryngrug?' gofynnodd Daf.

'Does dim byd i'w ddweud am Roy. Wastad wedi bod o gwmpas, yn gweithio i'r Cyngor Sir, o depo Llanfyllin. Roedd o'n byw efo'i fam nes iddi gael Parkinson's. Chwarae teg, roedd Roy a Miriam yn gwneud job dda iawn o ofalu am yr hen wraig, ond yn y pen draw roedd yn rhaid iddi hi fynd i gartre gofal, sy'n fusnes drud. Roedd yn rhaid iddyn nhw werthu'r tŷ ac mae Roy yn rhentio rŵan, twll o le yn Llanrhaead, ger y Plough.'

'Sut ddyn ydi o, Jeff?'

'Iawn. Siriol, dymunol ... braidd yn ddiog, falle.'

'Ac mae o wedi bod yn canlyn Miriam am chwarter canrif?'

'Do.'

'Tydi o ddim wedi cymryd ffansi at neb arall?'

'Roy? Mae o'n lwcus i gael Miriam ac mae o'n gwybod hynny. Heblaw am ... wel ... roedd criw ohonen ni ar stag ym mis Mai, stag Glyn Argoed, a sy'n ryw siort o gefnder i Roy.'

'Alla i ddim dychmygu Roy ar stag.'

'Aeth pethe braidd yn rhemp. Ti 'di bod ar stag yn Blackpool, Daf?'

'Byth.'

'Paid boddran: mae popeth yn erchyll yna. Roedden ni i gyd wedi meddwi'n rhacs ac roedd rhywun, Colin Traws dwi'n meddwl, wedi dechre plagio Roy, yn gofyn oedd o erioed wedi bod efo merch. Wedyn – a Gae, rhaid i ti addo peidio dweud hyn wrth Del, achos fydde hi'n fy lladd i – benderfynon ni gael *whip-round* i brynu merch i Roy. Ugain yr un.'

'Yn enw rheswm, Jeff, dwi'n synnu atat ti, wir,' dwrdiodd ei chwaer wrth roi brechdan bacwn o'i flaen.

'Dipyn o laff oedd o.'

'A faint o bres gostiodd y ferch?' gofynnodd Gaenor.

'Dau gant. Gawson ni un neis iddo fo.'

'A be am y gweddill ohonoch chi? Be oeddech chi'n wneud yn y puteindy tra oedd Roy druan yn cael gwerth eich arian chi? Chwarae Connect 4?'

Roedd yn amlwg i Daf fod Gaenor wir wedi digio am ymddygiad ei brawd.

'Gwylio criced, yr IPL, ar Sky Sports.'

Roedd yn rhaid i Gaenor chwerthin.

'Ond be am Roy?' gofynnodd Daf.

'Wel, aeth o i mewn efo merch fech neis a daeth allan ar ôl awr, yn amlwg wedi bod yn beichio crio.'

'Am beth creulon i wneud i ddyn diniwed!' dwrdiodd Gaenor eto.

'Hwyl oedd o i fod. Ddwedodd Traws wrtho fo yn y mini-bỳs ar y ffordd adre y bydde dipyn o brofiad yn gwneud byd o les iddo petai Miriam a fynte'n priodi.'

'Ac ers hynny?'

'Wel, a bod yn onest, dydi o ddim wedi bod cweit mor hwylus ag arfer.'

'Ydi o'n ddyn cenfigennus?'

'Roy? Na.'

'Ynglŷn â Miriam dwi'n feddwl.'

'Nac'di, ond does ganddo ddim llawer o reswm i fod. Gyda phob parch, mae hi'n ddynes mor ffeind, ond pwy fyse isie mynd efo Miriam Pantybrodyr?'

'Wel, dydi hi ddim yn Marilyn Monroe, mae hynny'n wir, ond mae 'na rwbeth amdani pan mae hi'n canu ...'

'Bois, plis!' ebychodd Gaenor. 'Dwi'n ceisio bwyta 'mrecwast a dech chi'n trafod potensial rhywiol Miriam Pantybrodyr.'

'O, paid dechre mynd ar gefn dy geffyl, Miss,' atebodd Jeff. 'Dim Daf a finne sy'n mynd i *strip show* heno.'

'O, 'nes i anghofio dweud wrth Del bod lle iddi aros dros nos yma os ydi hi awydd.'

'Mae Del yn dod â *twenty seater* lawr o Ddyffryn Tanat, felly mae hi'n iawn, diolch.'

Cododd Jeff yn araf, fel petai'n ystyried rhywbeth.

'Dyna'r drafferth efo rhywun fel Roy Bryngrug,' dywedodd. 'Pawb yn meddwl eu bod nhw'n ei nabod, ond falle nad oes neb yn ei nabod go iawn. Mae ganddo fo wastad wên ar ei wyneb a chân ar ei wefus, ond be sy'n mynd ymlaen yn ei ben?'

Y diwrnod hwnnw, am y tro cyntaf, roedd ffocws yr ymchwil yn y Trallwng yn hytrach na Dolanog. Roedd ystafell yr ymchwiliad yn y Ganolfan wedi cyflawni ei phwrpas.

'Nev,' galwodd Daf wrth frasgamu drwy ddrws yr orsaf. 'Cer fyny i'r Ganolfan yn Nolanog efo fan a chwpl o hobi bobis i glirio'r lle, iawn?'

'Dim problem, bòs, heblaw am y ffaith dy fod ti'n sarhau'r PCSOs o hyd. Gyda llaw, dydi'r athrawes ddim ar gael heddiw i gyfieithu ar gyfer y rhes adnabod.'

'Shit. Wyt ti wedi trefnu amser i Mademoiselle Bernard ddod i mewn?'

'Do, ar ôl deg. A den ni 'di cael cryn dipyn o *hassle* i greu'r rhes adnabod fel mae hi, ac allwn ni ddim ei haildrefnu. Diolch i Dduw am Ferched y Wawr, ddweda i.'

Rhoddodd y gair 'Duw' syniad i Daf.

'Steve, ffonia'r Tad Hogan a gofyn iddo ydi o'n siarad Ffrangeg.'

Roedd Hogan, offeiriad Catholig yn y Trallwng a ffrind i Daf, yn chwip o ieithydd ac wedi rhoi help llaw iddyn nhw sawl gwaith o'r blaen.

'Iawn bòs. Mae Aber wedi danfon boi o'r enw Lleu Puw draw i dy weld di hefyd.'

'Iawn. Ga i sgwrs efo fo – ac yn y cyfamser, dwi angen i rywun gael gafael ar y weddw, Mel Astley.'

'Www, fysen i ddim yn meindio cael gafael arni,' meddai Steve.

'Ddylet ti byth siarad fel'na am dystion, Steve,' ymatebodd Sheila.

'Dim ond jôc oedd o.'

Camodd Daf i'r coridor, ac aeth Sheila ar ei ôl.

'Dwi'n gwybod bod gen ti ormod ar dy blât ar hyn o bryd, ond mae'n rhaid i ti gael gair efo Steve.'

'O, fel'na mae o, ei anwybyddu o fyse orau.'

'Dim am hynna dwi'n sôn. Ti'n gwybod pwy ydi'i gariad newydd o?'

''Sgen i ddim syniad, a dim llawer o ddiddordeb chwaith.'

'Y ferch yn yr achos rheolaeth orfodol. Dyna pam mae hi'n teimlo'n ddigon cryf i dystio yn erbyn ei chyn-bartner er mwyn i ni ei erlyn. Achos bod ganddi hi gariad newydd: Steve.'

'Ffyc. Ti'n siŵr?'

'Neithiwr, ro'n i fyny ym Mryn Glas, yn chwilio am hen leidis i gymryd rhan yn y rhes adnabod, a pwy weles i ond Steve. Roedd o'n parcio'r *pool car* tu allan i dŷ Ms Coercive Control ac aeth i mewn, gan ddefnyddio'i allwedd ei hun.'

'Ffyc. Be sy'n bod arno fo?'

'Mae hi'n lodes neis, ac yn secsi, ac mae o wastad wedi diodde o syndrom y marchog ar geffyl gwyn, yn union fel tithe.'

'Ond os fydd y cyn-bartner yn darganfod be sy'n mynd ymlaen ...'

'Fydd ei gyfreithiwr yn ein chwalu ni yn y llys. A bydd Steve yn colli'i swydd.'

'Ac mae'r cyn-bartner yn biler yn y gymuned, yn nabod pawb a phopeth. *Hell's bells*, pam mae'n rhaid i hyn ddigwydd rŵan?'

'Dim syniad. Ti isie paned? Ac un i'r boi bach hefyd, i helpu efo'i nerfau?'

'Plis.'

Roedd disgrifiad Sheila'n addas: wrth y bwrdd yn Ystafell Holi Dau roedd dyn bach eithriadol o nerfus yn pigo'r croen o amgylch ei ewinedd. Doedd Matt Blainey ddim wedi disgrifio Lleu ond rywsut roedd Daf wedi disgwyl gweld dyn golygus, rhywiol. O gofio nad oedd priodas Mel yn un gorfforol, gallai Daf gredu ei bod hi wedi talu i ddyn am ryw ... ond nid y dyn yma. Doedd o ddim mymryn dros bum troedfedd chwe modfedd, ac roedd o dros ei bwysau heb fod yn gyhyrog. Roedd ei dalcen yn uchel, ac i guddio effaith ei foelni roedd wedi torri'i wallt brown yn fyr.

'Ocê, Lleu. Daf Dafis ydw i ac mae gen i gwpl o gwestiynau i'w gofyn i ti, reit? Dwi'n ymchwilio i drosedd ddifrifol a dwi angen y gwir, waeth faint o embaras mae hynny'n ei achosi. Iawn?'

'Dwi'n deall.'

'Ers faint ti'n nabod Mel Astley?'

''Wy ddim yn ei nabod hi.'

'Ti 'di bod mewn trafferth efo'r heddlu o'r blaen?'

'Na.'

'Reit. Gwranda, Lleu, paid â chwarae efo fi achos nid heddiw ydi fy niwrnod cynta yn y *rodeo*. Dwi'n mynd i ofyn y cwestiwn eto. Mel Astley.'

'Wel ... echdoe, ro'n i'n chwarae pêl-droed yn y ganolfan hamdden ac roedd hi'n aros amdana i, yn ei char. Galwodd fy enw, ac roedd y lleill yn dweud ... wel, fe ddwedon nhw fod fy lwc i wedi troi. Mae hi'n bishyn go smart.'

'Wyt ti'n briod, Lleu?'

'Nag'w, yn anffodus. O'n i'n canlyn, yn cyd-fyw â merch, ond fues i'n hurt, yn gamblo ar-lein a cholli arian. Roedd yn rhaid i ni werthu'r tŷ i glirio'r ddyled. Mae hi 'da boi arall nawr a finne'n ôl 'da Mam.'

'Felly, be ddwedodd Mel wrthat ti?'

'Mae hi'n ... wel, mae'n swnio mor dwp, fel rwbeth o ffilm frwnt, ond gynigiodd hi arian i mi tasen i'n ei ffwcio hi.'

'Waw. Ydi pethe fel hyn yn digwydd i ti'n aml, Lleu?'

'Byth. O'n i'n hollol *shocked*.'

'Ond gest ti dy demtio?'

'Wrth gwrs. Mae hi'n ferch bert ac mae arian yn brin.'

'Felly, doeddet ti ddim angen llawer o berswâd?'

'Na. Roedd amodau, wrth gwrs.'

'Pa amodau?'

'Gofynnodd hi i fi beidio ag yfed alcohol, a ...'

'A be, Lleu?'

'Wel, ro'dd hi'n dweud y bydde'n rhaid i fi fynd yn *bareback*.'

'Felly mae dynes ddierth yn dod atat ti ac yn gofyn am dipyn o *action* heb gondom. Doeddet ti ddim yn amheus?'

'O, oeddwn ... ond o'n i heb gael shag ers Gina, bron i ddwy flynedd yn ôl. Ac roedd hi'n cynnig dau gant i mi am y tro cynta, wedyn hanner cant bob tro ar ôl hynny.'

'Ac wyt ti wedi gweithredu'r cynllun yma eto?'

'Do. Ddoe. Es i draw yn y prynhawn, ar ôl cinio, wedyn yn y nos.'

'A sut aeth pethe?'

'Roedd hi braidd yn arw 'da fi, ond roedd y peth yn hynod o secsi hefyd, cael ffwcio heb orfod dweud gair wrthi.'

'Wnest ti aros dros nos?'

'O na, dim byd fel'na. Neithiwr aethon ni lan staer, ac ar ôl y *go* cyntaf aeth hi lawr i wylio'r teledu. Awr yn ddiweddarach ddaeth hi lan 'to, ac ar ôl yr ail *go*, ffwrdd â fi gartre.'

'Wel, wel. Wnaeth hi ofyn i ti wneud unrhyw beth ... arbenigol?'

'Dim byd. Ond roedd un peth braidd yn rhyfedd. Ar ôl ...

roedd hi wastad yn codi fyny ar ei hysgwyddau, a'i choese lan yn yr awyr.'

'Pam hynny?'

''Sda fi ddim syniad. 'Wy ddim yn ei nabod hi o gwbl.'

'Ti 'di trefnu i fynd yn ôl ati hi heno?'

'Bendant.'

'A does gen ti ddim syniad pam y dewisodd hi ti, o bawb?'

'Dim syniad. Does dim yn sbesial amdana i o gwbl.'

'Rho dipyn o dy hanes i mi, Lleu.'

'Does fawr ddim i'w ddweud. Ges i 'ngeni yn Sbyty Bronglais, mynd i Ysgol Llwyn yr Eos, wedyn draw i Benweddig. Ers i mi adael, 'wy wedi bod yn gweithio i Cambrian Printers.'

'Ti'n byw efo dy fam, ddwedest ti. Be am weddill y teulu?'

'Dim ond Mam sy 'da fi. Gafodd hi fi yn ifanc, yn blentyn siawns, a do'dd y teulu ddim isie'i nabod hi wedyn.'

'Pwy ydi dy dad?'

'Wnaeth Mam erioed ddweud wrtha i.'

'Wnaeth o helpu yn ariannol i dy fagu di?'

'Naddo. Unwaith, roedd arian yn brin iawn 'da ni ac fe aeth Mam ar ei ofyn, ond chafodd hi ddim byd ond llythyr cas gan ei gyfreithwyr. Fe wnaeth hynny ei hypsetio hi'n lân – fe oedd fy nhad i ond roedd e'n gwadu popeth. Ond fel mae hi'n dweud, ry'n ni'n well heb y bastard.'

Ar ôl disgrifio'i dad, gwenodd Lleu yn llydan a sylweddolodd Daf ei fod yn debyg i rywun.

'Wyt ti'n nabod dyn o'r enw Illtyd Astley?'

'Oedd e'n gweithio yn y coleg? 'Wy'n siŵr i mi ddarllen yn y papure am sgandal 'da fe a rhyw ferch.'

'Mel Astley oedd y ferch.'

'Sai'n cofio.'

'A doedd dim rheswm penodol i ti gofio pethau oedd yn gysylltiedig ag Illtyd Astley?'

'Nago'dd.'

Roedd Lleu Puw un ai yn ddyn gonest iawn neu'n gelwyddgi mwya llwyddiannus y byd, meddyliodd Daf.

'Cer 'nôl i dy waith rŵan, Lleu, ond paid mynd at Mel heno, reit?'

'Ocê.'

'A rho dy enw i'r boi tu ôl i'r ddesg, iawn?'

Roedd y dderbynfa yn llawn menywod yn eu saithdegau, i gyd yn trydar fel adar bach pwysig. Cafodd Daf fraw pan welodd fam-yng-nghyfraith Sheila yn eu plith.

'Bore da, Dafydd,' meddai, gan fwytho ei siaced Jaeger. 'Am antur! Gobeithio na fydd y tystion yn fy newis i – dwi ddim wedi bod yn agos i 'run plygain eleni eto!'

'Dwi'n siŵr y byddwch chi'n iawn, Mrs Francis.'

Agorodd y drws a daeth arogl persawrus i mewn, cymysgedd o sitrws a sbeis. Fel cŵn, trodd bob un o'r hen leidis eu pennau i gyfeiriad arogl drud, gwrywaidd Ambroise Moreau. Clywodd Daf sawl ebychiad bach, un ohonynt gan Mrs Francis Glantanat.

'Am ddyn golygus!' sibrydodd yng nghlust Daf. 'A dillad smart. Pwy ydi o, tybed?'

'Ffrancwr o'r enw Ambroise Moreau,' atebodd Daf, gan ryfeddu pa mor debyg i ferched yn eu harddegau oedd y menywod aeddfed.

'Wel, nid yn Ffrainc gafodd o'r ffasiwn gôt. Dim ond yn Llundain mae gwaith fel'na'n cael ei wneud.'

'Debyg iawn.'

Daliodd Ambroise y drws ar agor i Mademoiselle Bernard.

'Paid dweud mai'r ddynes fach siabi yna ydi ei fam o, wir!'

'Nage, Mrs Francis, mae Mademoiselle yn gweithio iddo fo.'

'Diolch byth! Roedd yn anodd coelio bod dyn mor *stylish* yn dod o dras ...'

'Gyda phob parch, Mrs Francis, ddylwn i ddim bod yn trafod tystion efo chi.'

'O, wrth gwrs. Wrth gwrs. Mae'n ddrwg gen i.'

Ond, yn amlwg, doedd hi ddim yn sori, a hithau'n cael cymaint o hwyl. Yng nghanol cyfnod o farsipán a sgwennu cardiau, roedd rhes adnabod yn egwyl ddifyr.

'Steve, wnei di ofalu am Mademoiselle Bernard plis? Monsieur Moreau, mae angen i chi wneud datganiad. Sheila, wnei di fynd â'r gŵr bonheddig yma i Ystafell Holi Tri a gofyn ydi o angen cyfreithiwr? Nev, gest ti ateb gan y Tad Hogan?'

'Mae o'n rhugl yn y Ffrangeg ac mae o ar ei ffordd.'

'Campus.'

'A den ni wedi cael datganiad gan Richard Diamond ynglŷn â'r gerddoriaeth i'r ffilm.'

'Grêt. A Steve, wnei di sicrhau bod y leidis yma i gyd yn cael paned, plis?'

Ciliodd Daf yn ôl i lonydd ei swyddfa. Cododd y ffôn a deialodd rif cyfarwydd gorsaf heddlu Aberystwyth. Roedd y llais ar ben arall y lein yn gyfarwydd hefyd, yr Arolygydd Jane Jenkins.

'Ry'ch chi'n meddwl tipyn ohonoch eich hunain lan fan yna yn y Trallwng,' meddai heb gyfarchiad. 'Mae 'da ni bethe gwell i'w gwneud na rhedeg ar dy ôl di, gw'boi.'

'Hen bryd i chi wneud rwbeth mwy nag eistedd ar eich tinau, wir. Ac er gwybodaeth, y Prif Arolygydd Dafis sy'n siarad, felly os dwi'n dweud wrthat ti am neidio, Jane Jenkins, yr ymateb cywir ydi "Pa mor uchel, bòs?" Neu gei di 'ngalw fi'n "syr" os lici di.'

'O, ffyc off, Brif Arolygydd Dros Dro. Be ti angen? Yn wahanol i'r hyn ti'n weld ar *Y Gwyll*, dyw'n adnodde ni yn Aber ddim yn ddiddiwedd.'

'Job digon syml, hyd yn oed i chi: dwi angen i rywun bicio draw i gyfeiriad ym Mhenparcau i ofyn i ddynes pwy yw tad ei phlentyn.'

'Ynglŷn â?'

'Llofruddiaeth Illtyd Astley.'

'Ti byth wedi datrys hynna? Be sy'n bod arnot ti? Treulio gormod o amser ar dy slej?'

'Mae o'n reit gymhleth. Ti'n gwybod unrhyw beth amdano fo, Jane?'

'Dim, heblaw'r sôn ei fod yn dipyn o gi.'

'Oedd, o be dwi wedi'i ddarganfod hyd yn hyn.'

'Siom, ac ynte mor selog am yr iaith.'

'Mae 'na rai fel'na ym mhob cenedl, yn anffodus. Ond os alli di gael ateb i'r cwestiwn yn go handi, fe fydda i'n ddiolchgar iawn.'

'Mae'n bosib y bydd rhywun yn rhydd – os wyt ti'n addo cofio amdana i amser Dolig.'

'Mae potel o Baileys yma ers mis Medi, Jane, efo dy enw di arni hi.'

'Iawn 'te, syr. Mwynha dy ddyrchafiad, tra parith e.'

'Diolch yn fawr.'

Byddai'n rhaid iddo gofio am y Baileys – byddai wastad yn cael potel o Bushmills ganddi hi bob Dolig, a byddai yntau'n gyrru'r Baileys iddi hithau. Roedd o'n bendant y câi Jane ateb difyr gan fam Lleu Puw.

Cawsai datganiad Richard Diamond ei wneud yn Llundain gan ei fod o'n ddyn rhy brysur i ddod yr holl ffordd i fyny i Gymru am gyfweliad. Roedd pwy bynnag a roddodd y briff i'r Met wedi gwneud job dda – roedd pob cwestiwn perthnasol wedi cael ei ofyn. Bu i Diamond gwrdd ag Illtyd Astley mewn digwyddiad Celtaidd yn Iwerddon ddeng mlynedd ynghynt, lle cawson nhw sgwrs ddifyr am gyfraniad cerddorol y Celtiaid i'r diwylliant Americanaidd. Gwirionodd Diamond ar theorïau Astley ynglŷn â'r cydbwysedd rhwng naratif a thelynegiaeth, a bu i'r ddau gadw mewn cysylltiad, er na chawsant gyfarfod arall. Pan laniodd syniad ffilm *Eye's Apple* ar ddesg Diamond, meddyliodd am Astley ar unwaith. Roedd o angen cân wreiddiol oedd mor agos i alaw draddodiadol â phosib, fel bod pobol yn meddwl eu bod wedi ei chlywed o'r blaen. Esboniodd sawl tro i Astley fod trafferthion gyda hawlfraint yn gallu bod yn broblem, ond pan glywodd lais Miriam yn canu 'Y Gwir yn y Gwair' cafodd groen gŵydd ac roedd ei fam – beirniad mwyaf craff gwaith ei mab – hefyd wedi gwirioni ar yr alaw. Cawsant sgwrs am ddefnyddio llais Miriam ei hun yn y ffilm ond yn y pen draw y dewis doethaf oedd rhoi'r gân i gantores Wyddelig.

O gofio'r ffordd roedd Astley yn siarad am Miriam, daethai Diamond i'r casgliad eu bod yn gariadon, ac roedd Astley, yn ôl y cyfarwyddwr, yn daer i fynd â Miriam i'r *premiere*, ond roedd ei drefniadau'n newid o hyd. Diffyg caniatâd gan ei wraig amheus oedd casgliad Diamond.

Yn ariannol, roedd yr alaw yn llwyddiannus iawn. Disgwyliai Diamond i gyfanswm y breindaliadau gyrraedd can mil o bunnoedd cyn y Nadolig. Chwibanodd Daf o dan ei wynt wrth ddarllen hynny. Byddai Miriam yn lodes gyfoethog iawn.

Canodd y ffôn ar ei ddesg: y cyfreithiwr Huw Howyn-Jones.

'Mr Dafis, dwi'n dod draw i'ch gweld chi yn nes ymlaen efo Mel Astley.'

'Ydych.'

'Ac mae'n bwysig hefyd i mi gwrdd â Miss Parry.'

Am eiliad, doedd gan Daf ddim syniad at bwy roedd o'n cyfeirio – doedd neb erioed wedi galw Miriam Pantybrodyr yn 'Miss Parry'.

'Dydi hynny ddim yn fater i'r heddlu.'

'Mi wn i hynny'n iawn, ond dwi wedi ffonio'r fferm sawl tro heb gael ymateb. Ro'n i'n gobeithio y gallech chi ddweud wrthi hi 'mod i wir angen siarad efo hi ac, o bosib, arbed taith i lawr i Aberystwyth iddi.'

'Mi ddweda i wrth Miriam, ond cofiwch fod yr eira 'ma'n cadw'r ffermwyr yn ofnadwy o brysur.'

'Wrth gwrs. Edrych ymlaen i'ch gweld chi'n nes ymlaen.'

Roedd Daf yn edrych ymlaen i gael sgwrs arall â'r cyfreithiwr hefyd, ar ôl clywed am ei gyfeillgarwch ag Enid Astley. Roedd Howyn-Jones mewn sefyllfa anodd, meddyliodd Daf, yn cynrychioli Mel ac Enid. Efallai y byddai'n rhaid iddo ddewis cyn bo hir ble roedd ei deyrngarwch.

Trodd yn ôl at ddatganiad Richard Diamond, ond doedd fawr ddim arall o bwys ynddo. Roedd o'n disgwyl Astley a Miriam i'r *premiere* ond yn ansicr a fyddent yn fodlon cymryd rhan yn y cyhoeddusrwydd, felly wnaeth o ddim gofyn i Miriam ganu. Datganodd yn ofalus ei dristwch o glywed am farwolaeth Astley, ond roedd yn amlwg o'r ffordd roedd o'n pwysleisio'r ffaith nad oedd o'n adnabod Astley yn bersonol ei fod eisiau osgoi sgandal.

Ffoniodd Daf rif Pantybrodyr ac atebodd yr hen ddyn.

'Wel, wel, Mr Parry. *Horny goatweed*, hei?'

'Mae'n gwneud lles i dy gorff cyfan.'

'Un rhan o'r corff yn enwedig, ie?'

'Fy musnes i ydi hynny.'

'Peidiwch â phoeni – does gen i ddim diddordeb yn eich bywyd personol. Cynnwys y botel oedd yn bwysig.'

'Ydi o'n wir bod llwyth o heddlu wedi mynd i Bitfel Bach ddoe?'

'Dech chi'n gwybod na alla i drafod yr achos, Mr Parry. Ydi Miriam o gwmpas?'

'Drygs fydd o, gan y mab hyna'. Mae'r llall yn iawn, yn llanc iawn, ond mae Andre angen chwip din.'

'Miriam?'

'Ie, ie, mae hi fan hyn.'

Dychmygodd Daf sut le oedd Pantybrodyr mewn eira mawr, a phawb yn fwy caeth nag arfer. Roedd o'n siŵr ei fod yn clywed tinc o ryddhad yn llais Miriam fod rhywun wedi torri ar y diflastod.

'Helô, Dafydd.'

'Sut mae'r eira acw?'

'Go drwm. Dim byd wedi disgyn ers ddoe ond roedd hi'n ddigon oer neithiwr.'

'Ddylet ti sledjo, felly. Ges i dro bach ddoe.'

'Dwi'n rhy hen o lawer i sledjo, wir. A tithe hefyd.'

'Dwi newydd gael galwad ffôn gan Huw Howyn-Jones.'

'O.'

'Mae o wedi bod yn ceisio cael gafael arnat ti, Miriam.'

'Dwi'n gwybod. Sori. Dwi'n methu wynebu'r sgwrs, rywsut.'

'Gwranda, does dim rhaid i bob un o dy gyfrinachau di ddod i'r golwg. Yr unig beth fydd yn amlwg ydi'r ffaith dy fod ti wedi etifeddu dipyn o bres. Roeddet ti'n haeddu hynny – mae'r alaw yn llwyddiant byd-eang.'

'Ond ... mae'r pres yn golygu fod Illtyd wedi marw. A sôn am haeddiant, doedd o ddim yn haeddu marw fel y gwnaeth o.'

'Mae Howyn-Jones yn dod i'r Trallwng pnawn 'ma. Ty'd lawr i gwrdd â fo.'

'Dwi'm yn siŵr os alla i. Den ni'n sownd yn yr eira.'

'Miriam. Ti'n gwneud esgusodion. Mae gan dy frawd Land Rover all fynd â ti i unrhyw le.'

'Fyddi di yno?'

'Does dim rheswm i fi fod yno, Miriam.'

'Ddim fel heddwas, ond fel ffrind. A'r unig ffrind sy'n gwybod y gwir.'

'Ddylen i ddim, ond ocê. Ffonia fo rŵan i drefnu a rho'r manylion i mi: dwi'n eitha prysur heddiw.'

'Diolch i ti, Dafydd. Dwi erioed wedi delio efo busnes fel hyn o'r blaen.'

'Pam na wnei di ofyn i Roy ddod efo ti?'

'Yn yr eira 'ma? Dwi'n caru dyn sy'n trin y ffyrdd felly mi fydda i'n weddw tan y dadlaith.'

'Paid â dod lawr os ydi'r ffyrdd yn rhy beryglus.'

'Dydi pethe ddim mor ddrwg â hynny.'

'Ocê. Cymer ofal.' Penderfynodd Daf, waeth beth arall fyddai'n dod o farwolaeth Illtyd Astley, y byddai'n gwneud ei orau i drefnu diweddglo hapus i Miriam Pantybrodyr.

Roedd yn rhaid iddo alw heibio'r rhes adnabod, ac roedd pethau yno yn union fel roedd o wedi'i ragweld. Safai Mademoiselle Bernard ymhlith y lleill, yn syllu i nunlle, a cherddodd y tystion heibio iddi heb oedi. Stopiodd Mrs Morris y Felin am yn hir o flaen Mrs Francis a chodi ei llaw fel petai ar fin cadarnhau mai hi oedd y ddynes a welsai yn y plygain, wedyn cerddodd ymlaen. Daeth hi draw i siarad â Daf yn syth, gan anwybyddu'r drefn.

'Dim ond chwarae efo Missus Glantanat oeddwn i. Doedd 'run o'r rheina'n debyg i'r ddynes weles i yn y plygain. Biti bod y ferch o Benrhyn-coch wedi marw. Y mwya dwi'n meddwl am y peth, hi oedd yr unig berson dwi wedi'i gweld erioed oedd yn debyg i'r ddynes honno.'

'Wel, diolch am ddod, beth bynnag.'

Wrth ei harwain i'r dderbynfa, clywodd Daf dipyn o stŵr. Roedd Steve yn gwneud ei orau glas i fod yn gwrtais â Ffion Spancell.

'Mi welais Moreau yn gadael yn ddyn rhydd lai na deng munud yn ôl. Un o'r ffasgwyr gwaetha yn Ewrop, wedi troseddu fan hyn yng Nghymru, ac mae o'n yfed coffi yn y Royal Oak.'

'Does ganddon ni ddim i'w ddweud wrth y wasg ar hyn o bryd, Ms Spancell. Os dech chi angen gwybodaeth ynglŷn ag Ambroise Moreau, ac os ydi o'n eistedd yn yr Oak, be am i chi fynd lawr i siarad efo fo?' awgrymodd Steve.

Ar ôl cau'r drws tu ôl iddi, brysiodd Daf yn ôl i'w swyddfa a thynnu ei ffôn o'i boced i roi caniad i'r Dirprwy Brif Gwnstabl, Dilwyn Puw.

'Syr?'

'Sut mae'n mynd, Dafydd?'

'Ddim yn rhy ddrwg, syr. Braidd yn gymhleth. Roedd rhywun wedi ymosod ar Illtyd Astley cyn iddo yfed y gwenwyn, a dwi wedi dechrau paratoi'r gwaith papur i'w ddanfon i'r CPS.'

'Wrth gwrs.'

'Ond dwi'n bendant nad fo laddodd Astley, ac mae o'n digwydd bod yn ŵr i wleidydd enwog o Ffrainc ... wel, o Lydaw. Ac efallai fod drwgenwog yn nes ati nag enwog.'

'Dwi wedi gweld straeon yn y papurau ynglŷn â Madame Moreau.'

'Mae 'na ferch o'r *Guardian* fan hyn yn chwilio am gynllwyn yn ymwneud â ffasgwyr Celtaidd sy ddim yn bodoli. Dwi'm yn siŵr, a dweud y gwir, fod y còg dech chi wedi'i ddanfon fyny i helpu yn ddigon aeddfed i ymdopi efo'r holl helynt.'

'Gawn ni weld.'

'Y broblem efo Moreau ydi y bydd pobol yn dweud ein bod ni'n sgubo'r peth dan y carped os nad ydi'r CPS yn llym efo fo.

Does gen i ddim amser i botsian mewn materion gwleidyddol yng Nghymru, heb sôn am draw yn Llydaw.'

'Dwi'n deall. Ti wedi dod o hyd i'r hen leidi eto?'

'Den ni ar ganol gwneud rhes adnabod.'

'Da iawn. Paid â phoeni am y wasg – dy swydd di ydi canolbwyntio ar yr achos.'

'Bendant, syr. Diolch am eich cefnogaeth.'

Cofiodd fod yn rhaid iddo siarad efo Steve, ac yn sydyn teimlai Daf yn flinedig iawn. Roedd Steve yn swyddog da ac uchelgeisiol, ond roedd o wedi peryglu ei yrfa gyfan efo'i berthynas anaddas. Pwysai'r ffaith fod Nev wedi troseddu, a hynny heb gosb, yn drwm ar gydwybod Daf, ond roedd achos Steve yn hollol wahanol. Dim ond fo'i hun roedd Nev wedi'i frifo ond roedd Steve wedi cymryd mantais ar fenyw fregus. Gwnaeth alwad fewnol a gofyn am Steve.

Ni fu'r sgwrs yn llwyddiant. Gan neidio o un iaith i'r llall bob yn ail frawddeg, roedd Steve yn benstiff. Doedd Julie ddim yn dyst mewn unrhyw achos, yn ôl Steve, pan oedd eu perthynas yn dechrau – bryd hynny, doedd hi ddim wedi penderfynu erlyn ei chyn-bartner. 'Dim achos, dim tyst,' meddai dro ar ôl tro.

'Ond, Steve, mae hi'n ferch fregus tu hwnt.'

'Yn fregus, ydi, ond yn secsi hefyd. Mae hi'n haeddu *sex life*.'

'Nid efo heddwas.'

'O, ffyc off, bòs. Mae Grant wedi trin hi fel *shit* a rŵan ti'n dweud na tydi hi ddim yn cael partner newydd?'

'Mi gaiff *hi* garu efo pwy bynnag mae'n dymuno – ond chei di ddim. No we. Os wyt ti'n cwrdd â dynes yn ystod ymchwiliad, ti ddim yn cael perthynas efo hi. *End of*.'

'Ond nid ymchwiliad oedd o! There wasn't a case till the beginning of the week. Dwi 'di symud i mewn erbyn hyn. Mae'r plant yn *used to me*.'

'Yr eiliad y bydd papurau'r achos yn cyrraedd Grant, fydd o'n mynd yn gandryll.'

'Wel, mae'r ateb yn simple: fydd Julie yn tynnu'n ôl.'

'Bastard hunanol! Mae hi'n haeddu cyfiawnder a ti'n fodlon iddi golli ei siawns i unioni'r cam achos bo ti ddim yn fodlon colli shag.'

'Well, what are you going to do about it? Throw the book at me, like you did with Nev and the gym candy?'

'Ti'n gwybod be dwi'n mynd i wneud, Steve? Dwi'n pasio hyn fyny, *up the line*. Ti'm yn cael getawê efo hyn, wir Dduw.'

'Ond, bòs, mae Julie'n hapus. Rydw i'n hapus. Mae'r plant yn hapus. Yr unig person sy ddim yn hapus yw Grant, a *fuck him*.'

'Ti'n gwybod y drefn. Den ni byth yn cymryd mantais.'

Oh, come on, boss. Cofio achos Plas Mawr? You were over that suspect's sister-in-law like a rash. Hot piece with the best rack in the county on her.'

'Dwi erioed wedi cael perthynas efo Chrissie Humphries, nac unrhyw dyst arall.'

'Na, achos roedd ti'n rhy prysur yn shagio dy *sister-in-law* dy hun.'

'Dydi fy mywyd personol i ddim yn berthnasol o gwbl, Steve. Mae hyn yn mynd yr holl ffordd i'r top.'

'Bang goes your coercive control case. We were only saying on Tuesday, if you nail the first co-con in the police area, you'll get that Chief post permanently.'

'Cau dy ben.'

'Ti'n gwybod be sy'n bod arnat ti, bòs? Ti o hyd yn meddwl dy fod ti'n iawn, ac *in reality* ti'n ffwcio pethe fyny jest fel pawb arall.'

Martsiodd Steve allan, gan roi clep i'r drws ar ei ôl. Roedd Daf yn flin iawn – efo Steve, ond efo fo'i hun hefyd. Doedd Steve erioed wedi cuddio'r ffaith ei fod o'n cyd-fyw efo mam sengl oedd â phlant yn y ffrydiau Cymraeg yn ysgolion Ardwyn a Maes-y-dre. Erbyn hyn, roedd yn ddigon posib bod Julie wedi syrthio dros ei phen a'i chlustiau am Steve. Dywedodd sawl tro wrth Sheila faint roedd hi'n dibynnu ar ei phartner newydd.

Efallai, petai'n colli Steve, y byddai ei bywyd yn mynd yn sitrwns unwaith eto. A beth bynnag y byddai o'n penderfynu ei wneud ynglŷn â Steve, byddai'n rhaid iddo gofio bod Sheila wedi cwrdd â Tom yn ystod ymchwiliad. Cuddiodd ei wyneb yn ei ddwylo.

Daeth Sheila i mewn efo paned o de a phecyn o Lemon Puffs. Roedd pawb wedi clywed tipyn o'r ffrae ac roedd Daf yn ddiolchgar iawn fod Ffion Spancell wedi mynd cyn i'r gweiddi gychwyn.

'Dwi ddim wedi gweld Lemon Puffs ers blynyddoedd,' meddai, ei lais yn gryg.

'Mae mam Tom yn mynd i Home Bargains i'w prynu nhw. Mi brynodd becyn ychwanegol i ti. "Fetia i fod Dafydd Dafis yn ddyn am fisged *vintage*," dyna ddwedodd hi neithiwr.'

'Mae hi'n llygad ei lle. Ond French Fancies fydd dy fam-yng-nghyfraith yn eu prynu o hyn ymlaen – mae hi wedi cymryd at Ambroise Moreau.'

'Dwi'm yn ei beio hi. Mae o'n andros o rywiol, os ti'm yn meindio *mean and moody*.'

'Ydi o wedi cyffesu i'r ymosodiad?'

'Nac'di, dim siawns. Mae o'n mynnu bod y tyst wedi cael llwgrwobr.'

'Sydd, yn anffodus, yn wir,' meddai Daf.

'Dydi'r CPS ddim yn mynd i fedru gwneud llawer ... ac mae ganddo fo alibi hefyd.'

'Be?'

'Mae o'n dweud ei fod wedi treulio'r pnawn yn y gwely efo'i wraig. Sy'n beth od i ddyn sy'n gwneud sioe fawr o'i drip i'r eglwys yn y bore.'

'Wel, bydd hyn yn fêl ar fysedd y lodes o'r *Guardian*.'

'Petai hi heb gynnig pres i'r tystion, byddai popeth yn lot haws.'

Eisteddodd Sheila ar y ddesg a chynnig Lemon Puff arall i Daf. 'Be sy'n mynd i ddigwydd efo Steve?' gofynnodd.

'Fydd o ar *disciplinary*, yn bendant.'

'Ond os na wnawn ni ei riportio fo, mi fyddwn ni'n atebol am beidio dweud, Dafydd.' Ddim yn aml iawn y dewisai Sheila ddefnyddio enw llawn Daf.

'Mi fydd yn rhaid dechrau ymchwiliad i ymddygiad Steve. Fysen i wrth fy modd petaen nhw'n ei gael yn ddieuog, ond rhaid mynd drwy'r broses.'

'Dwi 'di lawrlwytho'r gwaith papur i ti ei lenwi.'

'Diolch, Sheila. Does dim pwrpas i mi gael sgwrs efo'r *high-ups*: mae 'na siawns y bydda i'n ei chael hi am fethu gweld pa mor amlwg oedd y sefyllfa. O, Sheila. Pam yn enw rheswm yden ni'n ddigon ffôl i wneud y swydd yma?'

'Oherwydd pobol fregus fel Julie, neu Enid Astley.'

'Roedd Fal wastad yn ceisio 'mherswadio fi i roi'r ffidil yn y to ac ailhyfforddi yn athro.'

'Maen nhw dan dipyn o straen hefyd, cofia.'

Llanwodd Daf y ffurflen â chalon drom. Doedd o erioed wedi dechrau ar broses ddisgyblu o'r blaen, a theimlai ei fod yn arwydd o'i fethiant. Dylai fod wedi gweld y peryg, rhybuddio Steve, neu Julie – neu'r ddau. Ac os byddai Steve yn ddigon dan-din i drafod problem steroids Nev, byddai Daf ei hun yn wynebu camau disgyblu, a'i gyfle am ddyrchafiad yn diflannu fel eira yng ngwres yr haul. Meddyliodd am awgrym Fal. Efallai fod ganddi bwynt.

Sychodd yr inc yn ei feiro. Wrth estyn i waelod ei boced am un arall, teimlodd focs bach – roedd o wedi anghofio'n llwyr am fynd â'r prawf beichiogrwydd i Fal. Edrychodd ar y cloc mawr ar ei wal a gweld y byddai'n amser egwyl yn yr ysgol, felly ffoniodd ei gyn-wraig.

'Fal, dwi mor sori. Mae'r Clearblue dal gen i.'

'O, dim ots. Ro'n i'n methu aros felly es i lawr i'r Trallwng amser cinio.'

'Jonas yn hapus?'

'Wrth ei fodd. Yr unig broblem ydi'r blydi cogie 'na.'

'Dwi'n gwybod. Yr eiliad mae'r achos yma'n dod i fwcwl, mi sortia i bethau ... rywsut.'

'Does dim rhaid i ti, Daf, ti'n gwybod hynny.'

'Dydi o'm yn gwneud dim lles i neb eu bod nhw'n mynd yn rhemp.'

'Diolch ... A diolch am helpu John hefyd.'

'Wnes i ddim byd, dim ond gwneud yn siŵr ei fod o'n cael y cyngor gorau.'

'Mae Mam yn gandryll.'

'Goelia i.'

'Dynes ddu yn rheoli'r Aga yn Neuadd! Dwi'n hanner meddwl mai hi ffoniodd bobol y Border Force, neu pwy bynnag ydyn nhw.'

'Wel, os ydi hynny'n wir, mae ei thric sbeitlyd wedi troi rownd i'w brathu hi.'

'Yn union. Petai o heb golli Doris, fyddai John ddim yn ei gwerthfawrogi hi gymaint.'

'Dydi hynny ddim cweit yn wir, Falmai. Roedden nhw'n ... wel, wedi dod yn lot agosach jest cyn iddi redeg i ffwrdd.'

'Wel, dwi erioed wedi gweld John mor hapus, ac mae Doris mor stedi a diffuant a chlên.'

'Mi fyddan nhw'n tsiampion. Gofala di amdanat ti dy hun.'

'Mi wna i. A Daf, diolch am fod yn gystal ffrind i ni i gyd.'

Ond doedd o'n sicr ddim yn teimlo'n ffrind i Steve wrth stwffio'r ffurflen ddisgyblu i amlen fawr frown.

Pennod 13

Yn hwyrach ddydd Gwener

Nid oedd llawer o'r Lemon Puffs ar ôl yn y paced pan ddaeth Nev i ddweud wrtho fod Mel Astley a'i chyfreithiwr wedi cyrraedd. Taclusodd Daf ei ddesg cyn eu gwahodd i mewn, a chadwodd ddatganiad Richard Diamond o'r golwg. Hefyd, rhoddodd ei ffôn ym mhoced ei siaced rhag ofn i Mel weld y tecst gan Jane Jenkins oedd yn cadarnhau pwy oedd tad Lleu Puw. Hi ddaeth i mewn gyntaf, ei llygaid yn herfeiddiol, a Huw Howyn-Jones ar ei hôl yn llawer mwy gwylaidd gan ei fod yn ddigon profiadol i ddeall nad oedd y sefyllfa'n edrych yn addawol i Mel, er nad oedd ganddo syniad pam.

'Diolch yn fawr iawn am ddod yma heddiw, Mrs Astley,' meddai Daf. 'Mae gen i gwpl o gwestiynau i'w gofyn ynglŷn â'r achos, ond cyn hynny, alli di edrych ar hwn plis?'

Ar sgrin ei liniadur roedd llun, heb deitl, o lan pwll bach a sawl clwstwr o blanhigion.

'Be ydi'r rhein?' gofynnodd Daf iddi.

'Does gen i ddim clem. Planhigyn o ryw fath, yn amlwg.'

'Wyt ti erioed wedi gweld rhai tebyg?'

'Na'dw ... na, aros am eiliad. Mae 'na rai fel hyn wrth ein pwll ni, ar fin y lawnt.'

'A dwyt ti ddim yn gwybod dim byd amdanyn nhw?'

'Dim. Pam?'

'Achos y gysblys ydi o, sef ffynhonnell y gwenwyn a laddodd dy ŵr.'

'Be? Ti'n dweud mai o'n gardd ni ddaeth y gwenwyn?'

'Mae'r gysblys yn blanhigyn reit gyffredin, ond mae'n ddigon posib.'

'Blydi hel. Ro'n i wedi meddwl mai rwbeth o bell oedd e, nid planhigyn bob dydd.'

Ers iddo glywed am ei pherthynas â Lleu Puw, roedd Daf

wedi ailasesu Mel Astley. Yn amlwg, roedd hi'n fwy uchelgeisiol nag yr oedd wedi meddwl i ddechrau, ond doedd hi ddim yn actores o fri. Pan ddywedodd nad oedd ganddi syniad beth oedd y gysblys, roedd Daf yn ei chredu.

'Diolch yn fawr. Nawr, i droi at brif destun ein sgwrs, sef Lleu Puw.'

Agorodd ei llygaid yn fawr. 'Pwy?'

'Y dyn ddaeth draw i dy weld di ddoe. Wyt ti isie dweud wrtha i be ddigwyddodd wedyn?'

''Sgen i ddim syniad am be ti'n sôn.'

'Ty'd 'laen, Mrs Astley, ti'n gallu gwneud yn well na hyn. Ddaeth Lleu draw heddiw a dwi'n gwybod y cyfan.'

'Pa gyfan?'

'Roist ti ddau gan punt i Lleu Puw. I be?'

'Does dim rhaid i mi ddweud.'

'Oes, mae'n rhaid. Mr Howyn-Jones, dwi am gyhuddo'ch cleient chi o gynllwynio. A thwyllo. A *kerb crawling*, hyd yn oed.'

'*Kerb crawling*?' gofynnodd y cyfreithiwr, wedi drysu'n lân.

'Os dech chi'n stopio rhywun mewn man cyhoeddus, megis tu allan i'r ganolfan hamdden, a chynnig pres iddyn nhw am ryw, *kerb crawling* ydi hynny.'

'Melanie!' ebychodd Howyn-Jones, yn debycach i hen ewythr na chyfreithiwr. 'Pwy yw'r Lleu Puw 'ma?'

Tynnodd Daf y prawf beichiogrwydd o waelod ei boced.

'Mrs Astley, fyddet ti mor garedig â defnyddio hwn, plis?'

'Does dim rhaid. 'Wy'n disgwyl babi Illtyd.'

'Mae gen ti hawl i wrthod, wrth gwrs. Ond os wyt ti'n bendant dy fod ti'n feichiog, be sy gen ti i'w golli?'

Cododd y cyfreithiwr ei aeliau'n uchel.

'Dwi'n cofio pwy yw Lleu Puw nawr. Mab Leonie Puw, oedd yn arfer gweithio tu ôl i'r bar yn y Central.'

'Mae Leonie wedi magu'i phlentyn ar ei phen ei hun, a dim ond unwaith gofynnodd hi am gymorth gan y tad. Chi ddeliodd efo'r achos, Mr Howyn-Jones?'

'Ie. Yn breifat, roedd Illtyd wedi cyfadde i gael affêr efo hi, ond yn swyddogol roedd o'n gwadu'r peth, gan wybod yn iawn nad oedd gan Leonie adnoddau i fynd â phethe ymhellach.'

'Felly, Mrs Astley, ar ôl clywed am amodau ewyllys dy ŵr – yn reit handi, diolch i dy fam – feddyliest ti am ffordd o gael aros yn dy dŷ crand. Byddai babi yn sortio hynny, ond, yn anffodus, bu dy ŵr farw cyn i ti feichiogi. Petai aer bach newydd sbon, annisgwyl, yn cyrraedd, byddai va, o leia, yn gofyn cwestiynau. Yr unig ffordd o brofi pwy yw tad dy blentyn ydi prawf DNA. Yn anffodus, tydi DNA ddim wastad yn hollol ddibynadwy wrth ymdrin ag aelodau o'r un teulu ... ond petaet ti'n cael plentyn efo mab dy ŵr, byddai canlyniadau'r profion yn ddigon tebyg i'r hyn y byddai rhywun yn ei ddisgwyl petai Illtyd yn dad i'r plentyn.'

Agorodd Howyn-Jones ei geg ond ddaeth dim sŵn o'i wefusau tynn.

'Os ydi fy theori i'n ddi-sail, Mrs Astley, mi fydda i'n ymddiheuro'n llaes i ti.'

Cododd Mel y bocs yn ei llaw a'i wasgu'n dynn.

'*En ventre sa mère*,' meddai'r cyfreithiwr. 'Dyw rhestr o aeriaid ddim yn gyflawn nes y bydd yn amlwg nad oes aer arall wedi'i genhedlu. Ym mol ei fam neu, neu fel y'n ni'n dweud, *en ventre sa mère*.'

'Nawr 'te, Mrs Astley, be am i ni ddechrau'r stori eto? A'r tro yma, byddai'n hynod o neis clywed y gwir.'

Hanner awr yn ddiweddarach roedd Mel wedi mynd, yn amlwg yn flin iawn â methiant ei chynllwyn.

'Y'ch chi am ei herlyn, Arolygydd Dafis?' gofynnodd Howyn-Jones. 'Dydi Garton, Gethin, Hughes ddim yn dod allan o hyn yn dda iawn.'

'Mi fydd yn rhaid i mi baratoi'r achos ar gyfer Gwasanaeth Erlyn y Goron. Dwi'm yn siŵr faint o fygythiad i'r cyhoedd ydi hi, chwaith.'

'Merch ddiog yw Melanie. Roedd e'n fy ngwylltio i i'w gweld hi'n swanco'n y tŷ mawr 'na ac Enid yn methu talu'r bil trydan draw ym Morfa Dyfi.'

'Dech chi'n ffrindiau mawr efo Enid, felly?'

'Ers ein dyddie coleg. Roedden ni'n canu 'da'n gilydd yng nghôr y coleg.'

'Ac wrth gwrs, yn y Gymdeithas Gilbert a Sullivan.'

'Sut y'ch chi'n gwybod hynny?'

'Ddwedodd Enid wrtha i.'

'Neis ei bod hi'n cofio. Mae ei ffan hi yn dal i fod 'da fi, ers y *Mikado*.'

'Dech chi'n ei charu hi?'

'Wastad wedi.' Roedd o'n disgrifio blynyddoedd o dorcalon fel petai'n trafod gwerthiant cae.

'Ond mae hithe'n dal i hiraethu am Illtyd?'

'Yn gwmws.'

'Dwi'n mynd i awgrymu rwbeth i chi, fydd efallai'n gwella'r sefyllfa. Mae Enid yn siarad am y cyfnod cyn perthynas Illtyd â Nolwenn fel cyfnod perffaith, ond dyna pryd gafodd Lleu Puw druan ei genhedlu. Dech chi ddim wedi trafod hyn efo Enid?'

'Roedd cyfrinachedd y cleient yn fy atal, hyd yn oed os oedd e'n fastard.'

'Ond erbyn hyn mae'r cleient wedi marw, ac os ydi'r CPS yn penderfynu erlyn Melanie, bydd yr wybodaeth yn cael ei rhyddhau beth bynnag. Ac a dweud y gwir, efo'r holl erthyglau a'r lluniau o Mel yn y papurau, fydden i'n synnu dim petai Lleu yn ystyried gwerthu ei stori i wneud chydig o bres.'

Daeth fflach newydd i lygaid Howyn-Jones.

'Ie. Bydd cyfle iddi nawr, cyfle i ddechre eto. Ac i'w mam, druan, gael gwell gofal.'

'Sut mae mam Enid?'

'Fel mae cleifion Alzheimer's, fyny ac i lawr. Weithiau mae hi'n gallu siarad yn gall, yn enwedig am y dyddie gynt, ac mae hi'n reit dda ar y cyfrifiadur brynodd va iddi hi. Yn ôl va, gall chwarae rhai gemau cyfrifiadurol arafu'r salwch, ond pwy a ŵyr ydyn nhw'n helpu ai peidio. Weithie mae hi'n helpu Enid yn yr ardd, ac mae wastad yn sortio'r ailgylchu.'

'Dwi'n gweld. Ydi Enid yn cael cymorth o gwbl?'

'Ydi, i'w hymolchi ac ati, ond mae'r asesiad wastad y tu ôl i ddatblygiad y cyflwr, chi'n gweld. Yn ddiweddar, ers iddi golli'i gwallt, mae hi wedi bod yn wael iawn – er iddi brynu wig hyfryd dros y we.'

'Druan ohoni.'

'Mae o'n hen beth creulon. Ac i feddwl ei bod, dim ond cwpl o flynyddoedd yn ôl, mor egnïol, mor brysur. Roedd hi'n hyfforddi sawl grŵp ymgom o Ysgol Bro Hyddgen ar gyfer yr Urdd, ac yn mynd i bob man yn ei Micra bach coch, yn cystadlu fan yma a fan draw.'

'Cystadlu?'

'Roedd hi'n ddynes eisteddfod fawr yn ei gogoniant, yn canu ac yn adrodd, heb sôn am yr am-drams.'

'Ac mi nyrsiodd hi ei gŵr?'

'Do, dwi'n meddwl, am sbel. Roedd yn rhaid iddi werthu'r tŷ wedyn er mwyn iddo fynd i gartre gofal, ac roedd hi'n gwmni da i Enid nes i'r symptomau ddechre.'

'Diolch yn fawr am y cefndir.'

Roedd Howyn-Jones yn dawel am eiliad, fel petai'n anesmwyth ynglŷn â'r hyn oedd ganddo i'w ddweud nesaf.

'Dwi'n cwrdd â Miss Parry yn y Royal Oak am hanner awr wedi tri, Arolygydd Dafis. Mae hi'n dweud eich bod chi wedi cytuno i ddod hefyd, i'n cyflwyno ni i'n gilydd. Dwi'n cael yr argraff mai cymeriad braidd yn swil yw Miss Parry.'

'Ie. Wela i chi yno.'

Ar ei ben ei hun yn y swyddfa, ceisiodd Daf asesu'r achos. Fesul un, roedd y llofruddion posib yn disgyn oddi ar ei restr. Doedd Mel yn amlwg ddim yn gyfarwydd â'r gysblys, a rywsut roedd Daf yn ei chael yn ddigon anodd credu ei bod hi wedi llwyddo i greu un cynllwyn, heb sôn am ddau. Roedd gan Miriam reswm i gasáu Illtyd Astley, a digonedd o'r gysblys, ond petai'n bwriadu lladd rhywun â phlanhigyn gwenwynig, a fyse hi'n addurno'r eglwys efo'r un planhigyn toc cyn y llofruddiaeth? Doedd Miriam ddim yn un i chwarae tric felly. Ac yn amlwg doedd neb yn ei theulu, na'i chariad, yn gwybod y stori i gyd. Roedd gan Gala hefyd ddigon o'r gwenwyn, ond dim rheswm i'w ddefnyddio. Doedd Nolwenn ddim yn dal unrhyw ddig yn erbyn ei chyn-gariad, ac er bod ei gŵr yn ddyn cenfigennus a threisgar, doedd Daf ddim wedi llwyddo i ddarganfod tystiolaeth o fath yn y byd i gysylltu Ambroise Moreau â'r llofruddiaeth. Roedd va yn yr ardal ar y pryd ac yn casáu ei thad, ond doedd dim tystiolaeth i brofi mai hi roddodd y gwenwyn yn ei de. A phwy, yn enw rheswm, oedd yr hen ddynes?

Toc cyn hanner awr wedi tri, cerddai Daf i gyfeiriad y Royal Oak. Gwelodd Julie yn dod i'w gyfeiriad, yn brysio fel arfer. Roedd cael un plentyn yn yr ysgol fabanod a'r llall yn yr ysgol iau yn dipyn o her i ddynes heb gar. Gwenodd Daf arni ond gwgodd yn ôl arno. Cododd ei merch fach yn ei breichiau a phoerodd ar lawr cyn croesi'r ffordd.

'Come on, Alice, that's not a nice man. He says we can't love Uncle Steve.'

O, blydi grêt, meddyliodd Daf. Pan gyrhaeddodd yr Oak cafodd ei demtio i archebu gwydraid mawr o Bushmills, ond o nabod ei lwc o byddai rhywun fel Ffion Spancell yn ei weld, a'r peth olaf roedd o'i angen oedd gweld pennawd megis 'Daytime Drinking Shame of Fascist Plot Cop' yn y *Guardian*. Prynodd *latte* ac eisteddodd i aros am Miriam.

Roedd Miriam wedi dewis ei dillad ar gyfer y tywydd yn hytrach na phen ei siwrnai. Cerddodd i mewn i'r bar yn ei hoelscin a'i welintons, wedi ei lapio mewn sawl haen o ddillad. Eisteddodd yn nerfus wrth ochr Daf.

'Ddylen i fod wedi gwisgo'n smartiach, Dafydd,' meddai'n isel.

'Twt lol, lodes. Mae gwesty mewn tref farchnad wedi hen arfer efo pobol gyfoethog yn eu sgryffs.'

'Paid siarad fel'na, wir.'

Prynodd Daf baned iddi, ond yn hytrach na'i hyfed dechreuodd chwarae efo'r llwy.

'Ffasiwn ddyn yw'r twrnai, dwed?'

'Boi iawn. Hen ffasiwn a ffurfiol, ond dyn neis yn y bôn.'

'Dwi 'di gofyn i Roy bicio heibio, ond mae o ar y taenu heno eto, felly pwy a ŵyr a ddaw o.'

Roedd ffurfioldeb Howyn-Jones yn help mawr i Miriam achos roedd o'n debyg iawn i'w syniad hi o'r twrnai perffaith. Aeth drwy fanylion ei hetifeddiaeth, gan awgrymu iddi chwilio am gyngor gan arbenigwr ym maes hawlfraint i sicrhau ei bod hi'n derbyn pob ceiniog. Gwasgodd Miriam law Daf pan ddechreuodd y cyfreithiwr drafod sut y dylai drefnu ei phres o safbwynt treth, ond drwy gydol y cyfarfod gwrandawodd yn astud gan ofyn cwestiynau call. Dros yr ail baned, dechreuodd hi ddatblygu rhyw fath o hyder, a dechreuodd siarad am y dyfodol, ei chynlluniau ... a Roy.

'Mae'n bwysig i chi feddwl am ewyllys, Miss Parry,' awgrymodd Howyn-Jones.

'Digon rhwydd,' atebodd yn llon, 'deg mil i Ceri a'r gweddill i Roy.'

Ar y gair, clywodd Daf sŵn mawr tu allan, fel petai rhywun yn ceisio parcio lorri enfawr. Ond nid lorri oedd hi ond gritar, a neidiodd Roy i lawr o'r cab a rhedeg ar draws y stryd. Cyflwynwyd Roy i Huw Howyn-Jones ond roedd y cyfreithiwr yn daer i fynd. Gwenodd Daf iddo'i hun – tybed ai at Enid roedd o'n rhuthro?

Ar ôl iddo fynd, edrychodd Daf yntau ar ei watsh.

'Sori 'mod i'n ddigywilydd, Roy, a tithe newydd gyrraedd, ond rhaid i finne fynd.'

'Ie, siŵr, Dafydd. Fydd Gaenor dy angen di i warchod yn go gynnar, bendant.'

'Paid â sôn. Hen nonsens budr.'

'At achos da,' pwysleisiodd Miriam.

'Wyt ti wir am fynd i'r Dadlapio, Miriam?' gofynnodd Daf yn anghrediniol.

'Wel, mae'r tocynnau'n go ddrud, ond mae o at achos da.' Mwythodd fraich Roy a chwarddodd yntau'n braf.

'Cer di â chroeso, cariad,' meddai. 'Ond fydd dim byd gwell yn y Ganolfan Hamdden na be sy gen ti fan hyn.'

Yn sydyn, taflodd Miriam ei breichiau o'i gwmpas.

'Mi wn i,' sibrydodd yn ei glust, cyn ei gusanu'n ddwfn.

Dim ond dyn ffordd yn ei *hi-vis* a ffermwraig yn ei bŵts oedden nhw, ond roedd Daf wedi ei hudo gan y cynhesrwydd rhyngddynt.

'Rhaid i mi fynd cyn iddi rewi'n galed,' meddai Miriam toc, a phranciodd allan fel oen.

Syllodd Roy ar ei hôl.

'Sut all ddyn fod mor ffodus, dwed?' mwmialodd.

'Priodas ar ôl yr wyna, felly?' awgrymodd Daf yn ysgafn, ond disgynnodd cysgod dros wyneb agored Roy.

'Alla i ofyn am dy gyngor di, Dafydd? Ti'n dipyn o *man of the world*.'

'Dwi ddim yn siŵr am hynny, ond dwi wedi gweld dipyn go lew yn fy swydd.'

'Ty'd efo fi rŵan, plis.'

Dilynodd Daf ef i'r toiled.

'Be sy, Roy?'

'Rhosa di fan hyn am ciliad, Dafydd,' mwmialodd Roy, gan fynd i mewn i'r ciwbicl. Clywodd Daf sŵn sawl sip trwchus a felcro cryf iawn yn agor.

'Ti'n dal yna, Dafydd?'

'Ydw, tad.'

'A does neb arall wedi dod i mewn?'

'Dim ond tithe a finne.'

'Reit.'

Agorodd Roy ddrws y ciwbicl. Roedd o'n sefyll o flaen Daf, ei drowsus a'i focsars rownd ei fferau, a'i goesau soled yn crynu. O gwmpas ei bidlen roedd dafadennau enfawr, yn hongian fel grawnwin pinc.

'O diar mi.'

'Fedra i ddim ei phriodi hi fel hyn,' mwmialodd Roy, ei lais yn ddagreuol.

'Cau'r drws a choda dy drowsus,' meddai Daf, oedd yn teimlo'n swp sâl.

Daeth Roy o'r ciwbicl yn welw, a'i lygaid yn wlyb. 'Anrheg gan y ferch yn Blackpool?'

Nodiodd Roy ei ben.

'O'n i ddim isie mynd efo hi, wir. Ddechreuodd y peth fel jôc, ac wedyn roedd hi'n rhy hwyr i dynnu'n ôl.'

'Delwedd braidd yn anffodus. Rhaid i ti fynd at y meddyg: all o eu sortio nhw'n sydyn reit.'

'Alla i ddim mynd at y meddyg, dwi'n rhy swil. A beth os ydi Miriam yn clywed? Fydd hi'n torri'i chalon.'

Yn sydyn, gwelodd Daf ochr bositif y sefyllfa.

'Gwranda, Roy, dwyt ti a Miriam ... dech chi ddim yn bobol ifanc ddim mwy. A ti 'di gwneud camgymeriad. Dydi hyn ddim yn effeithio ar dy gariad di tuag ati hi o gwbl – camgymeriad meddw oedd o. Beth os ydi hi wedi gwneud rwbeth tebyg? Heblaw'r dos, wrth gwrs.'

''Sen i'n teimlo'n llawer gwell.'

'Be am i chi gael sgwrs fach onest, hei? Does dim rhaid i ti drafod y plorod, dim ond dweud y gwir am y ferch a symud ymlaen.'

'Ond rhaid i mi gael gwared o ... o'r rhein. Dwi'n methu mynd i glinig yn Shrewsbury achos dwi wastad yn gweithio, neu efo Miriam. A dydi fy Saesneg ddim yn ddigon da, beth bynnag.'

'Ti'n gwybod be, Roy? Dwi angen chydig o awyr iach.' Ar ei ffordd allan drwy ddrws cefn y gwesty, cofiodd Daf pa noson oedd hi. 'Roy, faint o'r gloch mae dy shifft di'n gorffen?'

'Chwech i fod, ond dwi'n cymryd hanner awr fach slei rŵan.'

'Tyrd rownd i 'ngweld i ar ôl dy shifft, reit? Mae gen i syniad sut i helpu.'

'Ti'n hynod o ffeind, Dafydd.'

'Mi wnaeth dy ffrindiau sbort am dy ben di, Roy. Doeddet ti ddim yn haeddu hynny, wir.'

Galwodd Daf yn yr orsaf i weld mai dim ond dau PCSO oedd o gwmpas. Diweddglo diflas i ddiwrnod eithaf fflat, ac roedd geiriau Julie wedi gadael eu marc. Aeth adref.

Roedd y tŷ yn llawn pan ddychwelodd Daf. Roedd Daisy'n gorwedd dros y soffa gyfan a gwydraid o rywbeth pefriog yn ei llaw.

'Paid â dechre arna i, Dafi, plis: sudd afal ydi o. Mae RB wedi bod yn cecru fel dwn i'm be.'

Daeth y dyn ei hun, Rhys Bowen AC, drwy ddrws y gegin yn cario hambwrdd ac arno bedair potel o siampên wedi eu hagor a tua dwsin o wydrau.

'Rhaid cadw llygad barcud arnat ti, fflwsi fech,' atebodd, gan chwerthin. 'Dwi'n trystio ti efo hi heno, Gae. Gofala amdani hi, ie?'

'Mi wna i,' addawodd Gaenor, gan lenwi ei gwydryn.

'Be 'di hyn?' gofynnodd Daf. '*Pre-loading*?'

'Rwbeth fel'na,' atebodd Carys, gan wagio'i gwydr mewn dwy gegaid.

'Dyna ti lodes dda!' gwaeddodd Bowen, yn ail-lenwi ei gwydr.

'Cofia di, Carys,' ategodd Daisy, 'dwi'n methu yfed felly ti'n yfed i ddwy.'

'Dim problem o gwbl, Daisy!'

'Mae'n gas gen i ddrysu'r hwyl, ond pwy sy'n trefnu pethe fyny yn y Ganolfan Hamdden?' holodd Daf, gan wrthod y siampên.

'Den ni 'di bod yno drwy'r dydd, Daf,' esboniodd Gae. 'Mae'r lle'n edrych fel palas a phopeth yn barod ... a den ni jest yn torri'n syched.'

'Chwarae teg i chi i gyd.'

Simsanodd Mair lawr y staer mewn sodlau uchel a ffrog fer iawn.

'Gen ti lond tŷ o biwtis fan hyn, Daf,' datganodd Bowen, gan estyn gwydr i Mair ac un arall i Gaenor.

Os oedd y tŷ yn llawn merched hardd cynt, cododd y safon eto pan gerddodd Chrissie i mewn. Roedd hi'n gwisgo ffrog felfed sgarlad, yn dynn fel croen amdani. Doedd dim strapiau ar y bodis, a ddangosai ddigon o'i bronnau i lorio unrhyw ddyn.

Cyrliai ei gwallt du yn rhydd dros ei hysgwyddau noeth a llwyddai i gerdded yn rhywiol hamddenol mewn sgidiau coch oedd yn uwch na rhai Mair.

'Dduw annwyl Dad, Chrissie,' glafoeriodd yr Aelod Cynulliad. 'Pan oedden nhw'n dy dywallt di i'r ffrog 'na, wnaethon nhw anghofio dweud "*when*"!'

'Ti'n cwyno, RB?' heriodd Chrissie, gan helpu ei hun i ddiod.

'Ddim o bell ffordd, Chrissie, ddim o bell ffordd.'

Cyrhaeddodd Bryn ar ôl ei wraig a newidiodd yr awyrgylch rhyw fymryn. Roedd yn ddigon rhwydd i Daf a Rhys Bowen chwerthin efo'r merched a thynnu coes ynglŷn â'r noson stripio, ond peth anghyfforddus braidd oedd trafod prisiau ŵyn tew efo un o'r dynion roedd eu gwragedd wedi talu degpunt ar hugain i'w weld yn noeth. Roedd Daf yn falch iawn o'u gweld nhw'n diflannu i fyny'r allt yn Range Rover Evoque Rhys Bowen. Neidiodd Bryn i gab ei pic-yp ond oedodd Chrissie ger y drws.

'Gyrru heno, Mr Dafis?' gofynnodd.

'Wel, dwi'm yn yfed.'

'Alla i roi ring i chi os dwi'n styc?'

'Cei â chroeso, ond bydd digon o dacsis yn mynd a dod.'

'Dwi'm mor siŵr o hynny, Mr Dafis. Den ni 'di gwerthu tri chant o docynne.'

'Cer di i gael amser da, Chrissie, ac os ti wir yn styc, danfona di neges.'

'Mi wna i.'

Nid oedd Daf yn ddigon o dwpsyn i feddwl ei bod o ddifrif, ond roedd fflyrtio efo Chrissie yn gêm braf. Dechreuodd glirio'r gwydrau.

'Ydyn nhw wedi mynd?' gofynnodd Rhodri'n bryderus, gan ddod i lawr y grisiau'n ofalus â Mali yn ei freichiau.

'Do, den ni'n iawn rŵan, còg.'

'Den ni 'di bod yn cuddio. Dyfala faint gostiodd ffrog Daisy?'

'Does gen i'm smic o ddiddordeb.'

'Naw can punt, ond mae RB yn dweud bod hynny'n sobor o fargen achos mae o 'di addo cnocio dwsin o blant allan ohoni.'

Rhoddodd ei ddwylo dros glustiau ei chwaer fach. 'Ffor ffyc's sêc, Dad!'

'Anwybydda nhw, Rhod. Gwranda, mae Dr Mansel yn dod draw yn nes ymlaen, a rhywun sy'n rhan o'r ymchwiliad, felly os alli di fod yn ddigon caredig i ddiflannu am dipyn ...'

'Ar ôl sortio Mals, fydda i'n mynd i'r gwely beth bynnag. Ti'n iawn i 'ngyrru fi draw i Ddolanog yn y bore? Mae'r criw yn dweud eu bod nhw awydd saethu, er gwaetha'r eira.'

'Iawn.'

Setlodd Daf ar y soffa a cheisiodd beidio meddwl am yr ymchwiliad na'r noson hwyliog oedd ar gychwyn i fyny'r allt. Crensiodd ei Dwiglet yn feddylgar.

Roedd wastad yn bleser gweld ei ffrind, Huw Mansel.

'Dana 'di mynd i'r *do* 'ma?'

'Rhes flaen, dwi'n tybio.'

'Diolch o galon am ddod.'

'Ddylen i ddim. Ti'n gwybod hynny.'

'Mi wn i. Ond mae o'n ddyn mor ddiniwed.'

'Iawn.'

Roedd y gnoc ar y drws, hyd yn oed, yn swnio'n swil.

'Ty'd i mewn, Roy.'

Cochodd Roy pan welodd Dr Mansel, ond llwyddodd y meddyg i wneud iddo deimlo'n gyfforddus.

'Ty'd lan staer, wnei di?' gofynnodd.

Deng munud yn ddiweddarach daeth Huw Mansel lawr y staer â phâr o fenig plastig yn ei law. Roedd Roy yn ei ddilyn, yn cydio mewn pecyn papur gwyn.

'Golcha fo i ffwrdd ar ôl chwech i ddeg awr, a gwna'r un peth eto dair gwaith yr wythnos. A ty'd 'nôl ata i os na weli di welliant sylweddol ar ôl mis. A chadwa draw o Blackpool.'

'Mi wna i, syr.'

'A phaid â chwarae gemau efo dy iechyd, ti'n deall? Mae angen dod i weld rhywun yr eiliad ti'n darganfod problem. Pethau hyll ond go ddiniwed oedd y rhain – falle na fyddi di mor ffodus tro nesa.'

'Dwi 'di dysgu sawl gwers o'r profiad yma, syr.'

'A phaid â disgwyl ymgynghoriad preifat eto, ti'n deall? Ffonia'r feddygfa a gofyn am *repeat prescription* os ti angen mwy o'r Imiquimod 'na.'

'Diolch yn fawr, syr. A diolch i ti, Dafydd. Dwi'n gweld y ffordd ymlaen rŵan.'

Safodd y ddau ffrind yn hollol dawel am dros ddeng munud, er mwyn bod yn sicr fod y claf wedi mynd. Wedyn, ffrwydrodd Huw Mansel mewn pwl o chwerthin.

'Gweld y ffordd ymlaen? Fydd o'n cael gweld *down below* hefyd ar ôl cwpl o fisoedd.'

Tinciodd ffôn Huw a gwenodd wrth ddarllen y neges.

'Oes gen ti *schnapps*, Daf?'

'Nag oes, dim ond potel o Bushmills.

'Wnaiff y tro. Rho joch go dda i mi.'

'Gan pwy oedd y tecst?'

'Pwy ti'n feddwl? Dana, wrth gwrs.'

Cyn iddo fo orffen ei wisgi, cafodd decst arall.

'Oes siawns am *top-up*, Daf?'

'Oes siŵr ... ond ti ddim wedi gorffen y cynta.'

'Na. Ond dyna den ni'n wneud, Dana a finne, os ydi un yn mynd allan heb y llall. Mae hi'n dweud wrtha i be mae hi'n yfed a dwi'n cymryd rwbeth tebyg. Does dim byd gwaeth na dod adre'n llawn hwyl i weld rhyw flaenor yn dy ddisgwyl di.'

'Dwi erioed wedi sylwi.'

'Achos ti wastad yn gyrru, er mwyn rhoi lifft adre i ryw ferch hanner meddw ar ddiwedd y noson.'

'Ydw i mor slebogaidd â hynny?'

'Fetia i dy fod ti'n meddwl am Mrs Humphries rŵan, a sut fydd hi'n mynd adre.'

'Mae ei gŵr hi efo hi, yn enw rheswm.'

'Gawn ni weld.'

Gorffennodd Huw Mansel ei ddiod ac aeth adref, gan adael Daf i boeni am argraff ei ffrind ohono. Penderfynodd beidio meddwl am Chrissie byth eto, ond roedd y coed a losgai yn y grât union yr un lliw â'i ffrog. Ar y bwrdd bach o'i flaen roedd rhaglen y noson ddadlapio. Roedd hi bron yn naw – roedden nhw tua hanner ffordd drwy'r nonsens, mwy na thebyg. Ochneidiodd a thynnu llyfr oddi ar y silff.

Toc ar ôl unarddeg roedd o'n cerdded i fyny grisiau'r Ganolfan Hamdden. Tu allan, roedd tair o ferched yn ysmygu a Dana, gwraig Dr Mansel, yn fêpio.

'Not got my man boozing at your place, I hope?'

'Sent him home hours ago, Dana.'

'Mind you have, Daf.'

Tu mewn, roedd yr arogl arferol o bolish llawr a threiners wedi diflannu o dan lanw o Lynx, gwin a phersawr. Er gwaetha'r meddwon, roedd awyrgylch braf iawn yno a phawb yn hapus ac yn llon heblaw'r rheolwr.

'Diolch byth dy fod ti yma, Dafydd. Mae rhywun wedi cloi'i hun yn y *gym* ar ôl dwyn y goriadau o'r bachyn yn fy swyddfa.'

'Does gen ti ddim *master key*?'

'Oes, ond mae'r goriad yn dal yn y clo.'

Aeth Daf heibio i sawl cwpwl ifanc oedd yn lapswchan ar y meinciau ger y cyrtiau sboncen wrth gerdded at ddrws mawr gwyrdd y gampfa. Curodd ar y drws efo'i ddwrn ac atseiniodd y sŵn drwy'r ystafell fawr. Dim ateb.

'Be os ydyn nhw'n cymryd drygs yna?'

Doedd hynny ddim yn debygol iawn ym marn Daf. Curodd y drws eto, a gweiddi. O'r tu mewn, clywodd sŵn fel petai rhywun yn fyr ei wynt.

'Does dim rhaid i ni boeni am gyffuriau, Tony,' atebodd. 'Cwpwl sy tu mewn. Be am roi deng munud o lonydd iddyn nhw?'

'Dydi pobol ddim yn cael cloi eu hunain i mewn yn y *gym* am *quickie*, Daf, waeth pa mor anweddus ydi'r noson. Os nac'dyn nhw'n dod allan rŵan, fydd rhaid i mi dorri mewn drwy'r allanfa dân.'

Curodd Daf ar y drws eto, a gweiddi. Dim byd ond yr un sŵn eto.

'Be am i ni adael iddyn nhw orffen beth bynnag maen nhw'n wneud?' ceisiodd Daf ddarbwyllo rheolwr y ganolfan. 'Fyddan nhw ddim yn peryglu strwythur yr adeilad na neb arall.'

'Dydyn nhw ddim yn cael gwneud ... hyn ... ar dir Hamdden Harlech.' Roedd y rheolwr yn chwys domen. 'A faint ydi'u hoed nhw? Yden ni'n sicr eu bod nhw'n ddigon hen?'

Curodd Daf y drws eto â theimlad o ddiflastod llwyr. Ar ôl tri munud, agorodd Siôn y drws yn gwisgo dim byd ond bocsars â draig goch arnyn nhw. Yn y gornel, ar y mat ger y ceffyl neidio, roedd Belle yn noethlymun, yn tynnu tabards pêl-rwyd drosti hi. Roedd Daf yn falch iawn o'r tabard Goal Attack.

'Yn enw rheswm, Siôn! Mae gen ti wely lai na hanner milltir fyny'r lôn.'

'Sori, Wncl Daf,' gwaeddodd Belle o bell.

'Dwi'm yn meddwl bod unrhyw ddeddf wedi cael ei thorri fan hyn,' meddai Daf wrth y rheolwr coch, 'heblaw rheolau chwaeth a gweddusrwydd. A tithe,' ategodd, gan droi yn ôl at Siôn, 'rho dy drowsus mlaen a cer adre.'

Wnaeth Siôn ddim ateb. Cerddodd yn ôl at Belle – ar ei gefn, mewn *permanent marker*, roedd y geiriau 'Eiddo Belle Pashley'. Caeodd Daf y drws, yn teimlo'n llawer rhy hen i fod yno. Daeth llwyth o ferched allan o'r neuadd, Gaenor yn eu plith.

'Ydi popeth drosodd?' gofynnodd Daf iddi.

'Nac'di, ond mae pawb isie diod neu bicio i'r *ladies* cyn y *main event*.'

'Ddes i fyny i gynnig lifft adre i ti.'

'Sori, Daf, dwi'n mynd lawr i'r Red wedyn.'

'Os ti angen lifft nes ymlaen ...'

'Mae RB wedi ordro *minibus* i ni am hanner nos, paid poeni.'

'Grêt. Cymer di ofal.'

Cerddodd Ed Mills heibio iddo, ei grys ar agor at ei ganol a gwên fawr feddw ar ei wyneb. Wedyn daeth Nev, wedi'i liwio yn oren tywyll fel soffa ledr rad. Teimlai Daf fel taid iddyn nhw i gyd.

'Doeddwn i ddim yn disgwyl dy weld di yma, Daf,' meddai Gala o'r tu ôl iddo.

'Hmm. Mae 'na rywbeth brwnt am yr holl fusnes ... ond ta waeth, sut mae pethe yn Bitfel Bach?'

'Mae Andre'n ôl, ac yn flin. Dydi Animal Health ddim yn gwybod be i wneud efo'r moch achos nad oes rheolau penodol ynglŷn â thatŵio da byw.'

'Plis paid â dal dig. Dwi 'di creu dipyn o helynt i ti.'

'Dydi o ddim yn neis cael yr heddlu'n cribo drwy dy eiddo ... ond mae pethe'n ocê. Poeni am ymateb Andre o'n i fwya.'

'Digon teg. Wyt ti wedi cael unrhyw syniadau ynglŷn â phwy laddodd Astley?'

'Dwyt ti ddim yn mynd i ddatrys y broblem honno heb ddod o hyd i'r hen ddynes, Daf.'

'Wn i. O'n i jest yn gofyn, rhag ofn bod gen ti ryw theori i'w rhannu.'

'Mae gen ti dipyn o nyrf, wir, Dafydd! Danfon ugain o dy *heavies* acw a gofyn am fy help wedyn.' Roedd hi'n chwerthin ond roedd tyndra yn ei geiriau hefyd. 'Os ga i ysbrydoliaeth, mi ro i ganiad i ti. Ond cofia, mae lladd rhywun yn gam mawr. Pwy sy â'i gefn, neu ei chefn, wrth y wal?'

'Diolch i ti, Gala.'

Roedd yr ysmygwyr wedi mynd o'r tu allan i'r drws gan adael un ddynes yno, yn llowcio'r awyr iach, oer.

'Dwi wedi'i gor-wneud hi braidd, Mr Dafis,' cyfaddefodd Chrissie. 'Blydi coctels. Ewch â fi adre, plis.'

'Ti'm yn aros am Bryn?'

'Fo sy'n stripio nesa: dwi'm isie crampio'i steil o. Ac mae 'na giang o ferched wedi talu pum can punt i gael ei gwmni yn nes ymlaen.'

'Chrissie!'

'Mae o at achos da. Dwi 'di dweud y cân nhw wneud be fynnan nhw ond iddo fod yn ôl adre cyn saith, heb farc ar ei groen, yn barod am ddiwrnod o waith.'

'Ti'n gês, Chrissie Humphries.'

'Ewch â fi adre, plis, Mr Dafis. Dwi'm yn teimlo'n tsiampion.'

Doedd Daf erioed wedi gweld dynes yn edrych yn fwy tsiampion, hyd yn oed os oedd hi braidd yn sigledig ar ei sodlau uchel.

'Tyrd.' Hebryngodd hi at y car. 'Dyna ti, Chrissie.'

Chwibanodd hi wrth weld y car.

''Na chi beth smart, Mr Dafis.'

'Car heddlu ydi o.'

'Wrth gwrs.' Neidiodd i mewn iddo fel mwnci. 'Ddylech chi byth fynd i brynu car hebdda i. Chi'n andros o ddyn clyfar ond chi'n gwybod ffyc ôl am geir.' Rhoddodd y sedd yn ei hôl a chodi'i thraed ar y dashbord.

'Ti'n ddigon cyfforddus, Chrissie?'

'Bron. Bydde llaw gynnes ar fy nghoes yn helpu dipyn.'

'Bihafia.'

Ymestynnodd ei choesau byr nes y llithrodd ei ffrog i ddangos top un hosan ddu a modfedd o groen uwch ei phen.

'Ddylet ti ddim eistedd fel'na, Chrissie,' dwrdiodd Daf, gan geisio gwasgu'r chwant o'i lais. 'Petai'n rhaid i mi roi'r brêcs ymlaen yn sydyn, allet ti dorri dy goes.'

'Ond dwi ddim am i chi roi'r brêcs ymlaen heno, Mr Dafis, wir.'

Hen gêm oedd hon, ond roedd gwahaniaeth mawr rhwng tipyn o bryfocio wrth aros am eu meibion ger y cae rygbi a char cynnes yn hwyr y nos. Cyrhaeddodd y car fuarth taclus Berllan a rhoddodd Daf ochenaid o ryddhad. Cwympodd Chrissie o'r car uchel ac allai Daf ddim penderfynu oedd hi mor feddw â hynny go iawn neu a oedd hi'n dal i chwarae gemau. Baglodd y ddau dros y trothwy i'r tŷ.

'Duwcs, Chrissie, mae'n dawel iawn 'ma.'

'Dydi'r plant ddim yma, Mr Dafis,' meddai mewn llais isel. 'Den ni ar ein penne'n hunain.'

'Hen bryd i mi fynd yn ôl, i jecio ar Gae,' mwmialodd Daf, heb ei berswadio'i hun, heb sôn am Chrissie.

'Peidiwch â 'ngadael i, Mr Dafis. Gwnewch baned i mi ... mi wnaiff hynny fyd o les i mi.'

Diflannodd Chrissie i gefn y tŷ a llanwodd Daf y tegell. Clywodd sŵn cyfogi.

'Bowlen las dan y sinc! Plis, Mr Dafis.'

Nid yn yr ystafell molchi oedd hi ond yn yr ystafell wely. Roedd yr ystafell yn union fel roedd o wedi ei dychmygu: gwely enfawr gyda charthen ffwr ffug arno, a dim teledu. Safai Chrissie yn droednoeth ar y rỳg croen dafad, ag un llaw yn pwyso ar ei bol. 'Dwi'm yn cael sesh fel hyn yn aml iawn.' Ceisiodd agor sip cefn ei ffrog tra oedd hi'n plygu dros y bowlen ond roedd ei dwylo'n crynu gormod. 'Dwi'm isie chwydu lawr y ffrog 'ma. Helpwch fi, plis, Mr Dafis.'

Agorodd Daf y sip mawr a chwympodd y ffrog i'r llawr. Roedd hi'n gwisgo dillad isaf melfed o liw arian, a'r pants yn dod fyny bron at ei botwm bol. Roedd hi'n hollol hudolus.

'Neis, Mr Dafis?'

'Neis iawn, Chrissie.'

'Fel oeddech chi'n disgwyl?'

Penderfynodd geisio newid yr awyrgylch efo jôc.

'Fysen i 'di disgwyl rwbeth mwy ... ansylweddol, a dweud y gwir.'

'Wel, rhein yw'r *pulling pants* erbyn hyn, Mr Dafis. Chi isie gweld pam?'

Tynnodd ddefnydd ffrynt ei nicer i lawr i ddangos croen ei bol iddo, oedd yn llinellau arian i gyd.

'Sbiwch y llanast adawodd y bastards bech ar eu holau, Mr Dafis.'

Rhoddodd ei bawd ar un o'r llinellau golau a dilynodd ei lwybr dros ei chlun.

'Maen nhw'n lyfli, Chrissie, fel bob modfedd ohonat ti – ond ti 'di meddwi'n rhacs a dwi'm yn un am gymryd mantais.'

'Ond dwi'n ysu i chi gymryd mantais ohona i, Mr Dafis.'

Cododd ar flaenau ei thraed a'i gusanu yn boeth a dwfn, fel petai ei thafod yn llyfu ei galon.

'Be ti 'di bod yn yfed, Chrissie?'

'Malibu. A'r Baileys siocled 'na.'

'Dyna pam ti'n blasu fel Bounty.'

Tynnodd Chrissie yn ôl am eiliad.

'Wyddech chi fod Gae yn un o'r giang sy 'di talu i gadw Bryn allan yn hwyr, Mr Dafis?'

'Wrth gwrs,' atebodd Daf yn ysgafn, gan ddweud celwydd llwyr.

'Felly, tra mae Gae yn cael chydig o sbort efo fo, arhoswch chi fan hyn.'

'Mae'n gynnig lyfli, Chrissie, ond mae'r Malibu yn ein herbyn ni. Ryw dro arall, ie?'

Gafaelodd Daf yn ei llaw a'i thywys at y gwely. Tynnodd y garthen yn ôl a'i chodi fel merch fach a'i rhoi yn y gwely, gan lapio'r garthen yn dynn amdani.

'Nos da, Chrissie.'

'Nos da, Mr Dafis.'

Pan gyrhaeddodd y car, pwysodd y botwm i'w gloi ei hun i mewn ynddo. Tybed fyddai o, mewn cartref henoed ryw ddydd, yn difaru colli'r cyfle? Ysgydwodd y cyfan o'i ben a gyrru adref.

Aeth i'w wely ond methodd â chysgu felly ailwisgodd amdano a thanio'r stof goed, i aros am Gaenor. Oedd Chrissie'n dweud y gwir pan ddywedodd fod Gaenor wedi cyfrannu at y pum can punt i chwarae o gwmpas efo Bryn, a phethau mor dynn arnyn nhw? Wedi'r cyfan, roedd o newydd wrthod cystal hwyl yn rhad ac am ddim.

Ceisiodd feddwl am Illtyd Astley a'i elynion. Roedd Gala'n iawn: roedd yn rhaid meddwl pwy oedd ar ben ei dennyn. Penderfynodd y dylai siarad eto efo Enid, gan mai hi oedd wedi dioddef fwyaf dros y blynyddoedd. Cofiodd yr olygfa yn yr ysbyty; Astley ar ei wely angau a hithe yn canu iddo. Beth oedd yr alaw? Taniodd Daf ei liniadur a dechrau chwilio. Awr a hanner a bron i gant o alawon gwerin yn ddiweddarach, cafodd lwyddiant. Synnodd pa mor addas oedd y gân: 'Rwy'n glaf, rwy'n glaf a'm calon ar fyned i'r bedd.' Dechreuodd ymchwilio ymhellach ond roedd y geiriau'n neidio ar y sgrin felly penderfynodd aros tan y bore. Hefyd, roedd talp sylweddol o'i ymennydd yn dal yn llawn o Chrissie yn ei dillad isaf.

Pan fyrstiodd Gaenor drwy'r drws roedd Daf yn falch iawn o'i gweld hi. Neidiodd ar ei draed i'w chofleidio ond cafodd ei atal gan yr olwg o bryder ar ei hwyneb. Er ei bod wedi meddwi'n rhacs, gwyddai Daf fod rhywbeth mawr o'i le.

'Daf, brysia! Mae Daisy'n cael y babi yn y Red.'

Gyrrodd lawr y stryd cyn gynted â phosib ar ôl rhoi sawl carthen a thywel yn y car, yn barod i gadw Daisy'n gyfforddus ar ei thaith i'r ysbyty ac i arbed seddi ei gar gwaith.

'Dwi'm yn sicr alli di fynd â hi i'r ysbyty, Daf,' meddai Gae yn boenus. 'Fydd hi'n rhy beryg ei symud hi.'

'Be am Denise?' Bydwraig oedd Denise, ac un o famau'r ysgol feithrin.

'Wedi mynd adre ers awr, wedi meddwi'n rhacs. Mi ffoniais Dana i weld fyse Huw Mansel yn fodlon dod – dim ateb. Ond fyse fo ddim llawer o iws erbyn hyn, beth bynnag.'

Roedd y dafarn yn llawn ond roedd pawb fel petaen nhw ofn symud. Doedd neb yn yfed, ond doedd neb wedi rhoi eu gwydrau'n ôl ar y bar chwaith. Eisteddai Daisy ar y llawr o dan y bwrdd dartiau ac roedd dipyn o lanast ar y ffrog naw can punt. Yn penlinio wrth ei hymyl a'i fraich dros ei hysgwydd mewn cwtsh gysurus roedd Bryn.

'Helô, Daisy,' mentrodd Daf. 'Mae gen i gar tu allan i fynd â ti i'r sbyty yn y Trallwng yn go handi.'

'Dipyn rhy hwyr, Mr Dafis,' meddai Bryn, gan adael i Daisy wasgu ei law nes bod ei figyrnau'n wyn. 'Den ni 'di ffonio ambiwlans a byddan nhw yma toc, gyda lwc, ond dwi'n meddwl bod siawns go dda i'r babi gyrraedd cyn hynny.'

Gwaeddodd Daisy fel petai'n cael ei lladd.

'Da lodes,' sibrydodd Bryn, wrth iddo deimlo nerth y contracsion. 'Rhein ydi'r rhai sy'n gwneud y busnes. A chofia di, cariad siwgr, bob un ti'n giâl, ti un cam yn nes.'

'Ocê,' datganodd Daf, 'well iddi hi gael dipyn o breifatrwydd, felly.'

Efo rhes o gadeiriau a chynfasau o'r fflat uwchben y dafarn, gwahanwyd Daisy oddi wrth weddill y bar. Roedd yn rhaid i Daf edmygu pa mor dawel a threfnus oedd Bryn. Gofynnodd am ddŵr poeth, menig plastig a Dettol ac, fel petai'n gwybod yn union beth oedd o'n wneud, gwnaeth archwiliad mewnol.

'Duwcs, ti'n gwneud yn tsiampion, lodes. Fydd y babi efo ni toc, ti'n wyth centimedr yn barod.'

Roedd Daf yn synnu hefyd at ddewrder Daisy yn geni ei babi cyntaf heb unrhyw beth i ladd y boen.

'Daf,' meddai mewn llais isel, penderfynol, 'cer i nôl RB i mi, plis. Mae goriad y drws cefn yn fy mag. Mae'r merched wedi ei ffonio fo sawl tro ond mae o'n fflat owt erbyn hyn, debyg.'

'Mi a' i i'w nôl o rŵan.'

Stopiodd Daf y car tu allan i dŷ mawr deg llofft Rhys Bowen gan ryfeddu, fel y gwnaeth droeon o'r blaen, at ei ysblander. Roedd yno ystafell gerdd, hyd yn oed, oedd yn eironig iawn ym marn Daf, o gofio nad oedd gan Bowen na Daisy 'run nodyn o lais canu rhyngddyn nhw. Curodd y drws cefn a galwodd. Dim ateb, felly aeth i mewn. Dringodd y grisiau llydan a safodd ar y landin yn edrych ar y rhes hir o ddrysau o'i flaen. Deuai sŵn fel cymysgwr sment o'r drws gyferbyn â'r grisiau felly curodd Daf ar y drws hwn. Doedd dal dim ateb felly cerddodd i mewn a throdd y golau ymlaen. Roedd yr ystafell yr un maint â thŷ Daf, a soffa a chadeiriau ynddi yn ogystal â gwely pedwar postyn.

'Rhys!' bloeddiodd Daf.

O'r tu ôl i lenni'r gwely, tawelodd y sŵn chwyrnu. Wedyn, clywodd Daf sŵn arall, fel petai walrws yn dod i fyny o ddyfnder y môr.

'Dafydd?'

'Ty'd, Rhys, mae Daisy yn cael y babi rŵan, yn y Red.'

Roedd yn rhaid i Daf ganmol Rhys Bowen – o fewn munud a hanner roedd o ar ei draed ac yn barod i fynd, gan dynnu siwmper dros ei byjamas a hyrddio'i draed noeth i mewn i'r bŵts ger y drws cefn.

'Sut mae hi, Dafydd?'

'Mae hi'n gwneud job dda. Mae'n ifanc ac yn gryf.'

'Oes rhywun yno i'w helpu hi?'

'Wel ... does ganddi hi ddim bydwraig ond mae Bryn Humphries yno, ac mae ganddo fo brofiad helaeth iawn o wyna.'

Chwarddodd Bowen yn nerfus.

'Dwi 'di trafod amserau ymateb ambiwlansys yn ddigon aml yn y Cynulliad, Daf, ond do'n i ddim yn disgwyl i'r peth ddod mor agos at adre.'

Roedd Daf yn gobeithio y byddai'n gweld ambiwlans tu allan i'r dafarn wrth iddo gyrraedd yn ôl yno efo'r darpar dad pryderus, ond doedd dim.

'Dydyn nhw ddim yma!' Roedd Bowen yn anadlu'n drwm wrth iddo neidio i lawr o'r car, yn syfrdanol o sionc am ddyn oedd gymaint dros ei bwysau. Gwthiodd ddrws y dafarn fel petai'n bwriadu chwalu'r ffrâm. 'Daisy!' galwodd.

Erbyn i Rhys Bowen a Daf gerdded i mewn i'r bar roedd y rhan fwyaf o'r meddwon wedi mynd. Dim ond hanner dwsin o'r merched oedd ar ôl, Gaenor yn eu plith, yn eistedd ger y tân yn yfed coffi.

'Gawn ni dipyn o hysh, Mistar Bowen,' meddai Bryn o'r gornel o dan y bwrdd dartiau, yn ei lais tawel. 'Den ni'n gwthio rŵan.'

Daeth contracsion arall, a gwaeddodd Daisy'n uwch.

'Lawr â ni, gorjys,' sibrydodd Bryn. 'Stedi rŵan, mae digonedd o wallt melyn i'w weld.'

Camodd Bowen ymlaen yn ymosodol, fel petai awydd pwnio'r dyn oedd â'i ddwylo rhwng coesau Daisy, ond daliodd Daf ei fraich.

'Arhosa di am funud neu ddau, Rhys; mae pethau'n mynd yn iawn.'

'Ond,' mwmialodd Bowen, 'dwi'm yn hanner licio sut mae o'n siarad efo hi, fel petai o'n ceisio fflyrtio'r babi allan.'

'Jest bydda'n gall, Rhys. Roeddet ti'n fodlon i Daisy dalu i weld Bryn yn tynnu ei focsars gwpl o oriau'n ôl. O leia mae o'n gwneud rwbeth o iws rŵan.'

Sgrechiodd Daisy'n uchel a dechreuodd wthio.

'Dim eto, Miss,' rhybuddiodd Bryn. 'Ti'm isie pwythe. Yn ara deg rŵan, un, dau ... gwthia!'

Bowen roddodd y sgrech nesaf wrth wylio'i fab yn dod i'r byd, ei wyneb mawr coch yn wlyb efo dagrau, ond cyn i'r bychan lanio ar y llawr wrth ochr Daisy roedd y tad newydd yn gwenu fel giât. Roedd Bryn, yn y cyfamser, wedi codi'r babi a'i lapio mewn tywel.

'Ti'n ffycin marfylys, Daisy Davies,' datganodd Bowen. 'Ac mi fysen i wrth fy modd taset ti'n 'sidro bod yn Daisy Bowen.'

'Neis iawn, Mistar Bowen,' torrodd Bryn ar ei draws, 'ond mae 'na waith i'w wneud fan hyn o hyd. Cydia yn dy fab am eiliad.'

Rhoddodd Bryn y babi ym mreichiau ei dad, ac efo siswrn cig cegin y dafarn a chortyn o rywle, torrodd linyn y bogail. Yn sydyn, daeth ton arall o boen drwy gorff Daisy fel daeargryn.

'Be sy?' gofynnodd Bowen. 'Babi arall?' Am eiliad, roedd ei wyneb yn dywyll iawn wrth iddo gofio bod hanes o efeilliaid yn nheulu Bryn.

'Nage, nage, Mistar Bowen, dim ond y brych. Dyna ti, Daisy fech, un ... dau ... tri!'

Roedd Daf yn sicr fod y dafarnwraig yn falch fod Daisy wedi penderfynu cael ei babi o dan y bwrdd dartiau, gan fod y mat rwber wedi arbed ei charped. Erbyn hyn roedd Gaenor wedi dod ato, a theimlodd Daf ei llaw ym mhoced ei siaced. Ceisiodd Bryn dynnu ffrog Daisy.

'Hei, be ti'n wneud?' protestiodd Bowen.

'Hen bryd i'r còg bech gael ei gynllaeth, Mr Bowen. Ar ôl ei holl waith caled, fydd Daisy'n llawn dop, siŵr.'

Gwelodd Daf y dryswch ar wyneb Bowen. Ar un llaw, nid peth braf oedd gweld dyn arall yn tynnu ffrog ei gariad, ond ar y llaw arall roedd Bryn wedi gwneud job dda ohoni hyd yn hyn.

'Dwi'n methu symud ar hyn o bryd, Bryn,' meddai Daisy, gan godi ei llaw i fwytho talcen bach ei mab.

'Reit ho,' atebodd Bryn. Tynnodd ei gyllell o'i boced a

thorrodd agen yn ffrog ddrud Daisy. Wedyn, rhoddodd ei law galed i mewn a thynnu un o'i bronnau allan. Ymestynnodd am y babi o freichiau Rhys, ac fel petai wedi gwneud hynny sawl tro o'r blaen, llanwodd y geg fach â theth Daisy. Ebychodd Daisy.

'Mae'n brifo, fan hyn,' cwynodd, gan roi ei llaw ar ei bol.

'Dim ond ôl-boenau ydi'r rheina, lodes. Bron drosodd rŵan. Den ni angen carthen i lapio drostat ti tra ti'n bwydo.'

Felly, pan ddaeth dyn yr ambiwlans i mewn ddeng munud yn ddiweddarach, a'r fydwraig yn dynn wrth ei sodlau, roedd golygfa go drefnus yn eu disgwyl: y babi'n bwydo'n hapus, ei rieni'n sibrwd yng nghlustiau'i gilydd a'u ffrindiau yn rhannu potel o siampên.

'Gawn ni fynd, Daf?' gofynnodd Gae. 'Os den ni awydd yfed peth o siampên RB, mae 'na sawl potel dal yn ein ffrij ni.'

Pennod 14

Dydd Sadwrn

Oherwydd bod bywyd yn hollol annheg, deffrodd Daf efo poen yn ei ben fel petai rhywun yn defnyddio morthwyl tu ôl i'w lygaid. Roedd Gaenor, ar y llaw arall, yn iawn heblaw am syched mawr.

'Ges i snog efo Bryn neithiwr,' cyffesodd, gan roi paned wrth y gwely iddo.

'Dynnes inne ffrog Chrissie. Roedd hi'n swp sâl ac yn rhy feddw i agor ei sip.'

'Medde hi. Oeddet ti'n hoffi'i dillad isa newydd hi? Ddwedes i wrthi mai dyna'r math o stwff ti'n hoffi.'

'Be?'

'Roedden ni'n siopa efo'n gilydd ac yn jocian am ba fath o ddillad isa fydde'n fwya tebygol o dy ddenu di.'

'Ti'm yn flin, felly?'

'Pam ddylen i fod yn flin?'

'Unrhyw straeon arall o'r noson?'

'Ti'n nabod Gwerfyl, yr athrawes Ffrangeg?'

'Wrth gwrs 'mod i.'

'Wel, yn ôl y sôn, gafodd hi fet efo'i ffrindie y bydde hi'n gallu denu un o'r stripars am y noson.'

'A lwyddodd hi?'

'O be dwi 'di glywed, do.'

Llanwodd Daf ei geg efo te a chanodd y ffôn yn syth. Roedd yn rhaid iddo lyncu'n gyflym cyn ateb.

'Arolygydd Dafis? Ble mae Neville Wyn?'

Doedd Daf ddim wedi clywed neb yn defnyddio enw canol Nev o'r blaen, a phenderfynodd y byddai'n rhaid iddo yntau ei ddefnyddio yn y dyfodol.

'Does gen i ddim syniad, Mrs Roberts. Dydi o ddim ar ddyletswydd tan nes ymlaen, dwi'm yn meddwl.'

‘Chlywes i ddim o’i sŵn o neithiwr, a heddiw bore roedd ei stafell yn wag a neb wedi cysgu yn ei wely.’

‘Roedd Nev yn y *do* yn Llanfair neithiwr. Mwy na thebyg ei fod wedi aros dros nos efo ffrind.’

‘Os nad ydw i’n clywed ganddo ymhen yr awr, dwi’n mynd i’w riportio fo fel *missing person*. Tra oedd o’n gweithio yn y banc, còg go stedi oedd o, a rŵan ...’

Roedd Gaenor yn chwerthin yn isel, a phan orffennodd yr alwad ffôn allai hi ddim dal yn ôl.

‘Nev oedd y stripar fachodd Gwerfyl!’

‘O mam bach! Fydd Mrs Roberts ddim yn hapus i glywed ei mab yn cael ei ddisgrifio fel’na!’

‘Fyse hi ddim wedi nabod ei mab ar ôl iddo liwio’i hun yn oren a phlastro *foundation* ar ei wyneb!’

Er bod Daf yn chwerthin, ategodd, ‘Dwi’n gwybod dy fod ti ’di cael lot o hwyl wrth drefnu’r noson, Gae, ond mi fydda i’n falch pan gawn ni fynd yn ôl i drafod pethe bob dydd.’

‘Cenfigen, dyna sy gen ti. Mi ddisgrifia i’r noson gyfan i ti nes ymlaen, os wyt ti’n gofyn yn neis.’

‘Dim rŵan, Gae – mae Rhods angen lifft i’r gwaith.’

Ar ei ffordd yn ôl adref ar hyd y lonydd cul, roedd yn rhaid i Daf dynnu i mewn i gilfan i wneud lle i pic-yp du cyfarwydd iawn. Stopiodd Bryn wrth ochr car Daf gan flocio’r ffordd yn gyfan gwbl.

‘Noson a hanner neithiwr, Mr Dafis,’ meddai yn ei lais diog.

‘Bendant. Chwarae teg, wnest ti job reit dda efo’r babi.’

‘Wel, dwi ’di gweld y busnes saith o weithie, fel ti’n gwybod, a dydi o’n ddim gwahanol i wyna yn y bôn.’

‘Debyg iawn, ond dwi’m yn siŵr faint o bobol heb hyfforddiant allai fod mor hamddenol drwy’r cwbwl.’

‘Mi alla i wneud pethe efo merched yn eitha rhwydd, Mr Dafis.’ Oedodd am eiliad a gwên hunanfodlon ar ei wyneb. ‘Lodes neis iawn ydi Gaenor, ynte?’

‘Wel, dyna ’marn i, wrth gwrs, ond ...’

'Ti roddodd Chrissie yn y gwely neithiwr? A thynnu ei dillad?'

'Wel, ie, ond ...'

'Gwranda, Mr Dafis, dwi 'di dweud wrthat ti o'r blaen fod Chrissie wedi cymryd dipyn o ffansi atat ti, ac ers neithiwr dwi 'di bod yn meddwl. Ti ffansi gwneud *swap*? Ti'n ciâl *go* efo Chrissie a finne 'fo Gae. Fydde Gae ddim yn cwyno, bendant.'

Ni allai Daf ymateb, ac aeth Bryn yn ei flaen.

'Mae Chrissie'n meddwl y byse'n neis cael rhyw hoe fech, efo'n gilydd, lawr ar lân y môr. Pryd o fwyd, cwpl o boteli o win a gweld ffor' den ni'n gyrru mlaen, hei?'

'Dwi braidd yn brysur ar hyn o bryd, Bryn. Hwyl am y tro.'

Gan fod Bryn wedi parcio dros y gilfan roedd yn anodd iawn i Daf ddianc.

'Well i ni adael i'r leidis setlo pethe, falle,' penderfynodd Bryn, cyn cau'r ffenest a gyrru i ffwrdd, yn bipio corn y pic-yp i ffarwelio.

Roedd Daf wedi meddwl cymryd y bore i ffwrdd, ond petai hynny'n golygu trafod cynnig Bryn efo Gaenor, byddai ymchwiliad i lofruddiaeth yn llai heriol o lawer.

Roedd yr orsaf yn gymharol dawel a chafodd Daf amser i edrych drwy'r ffeiliau roedd y tîm wedi bod yn eu creu ar bob un o'r prif dystion. Un o'r grŵp bach yma oedd y llofrudd, roedd Daf yn bendant o hynny, ond heb dystiolaeth yr hen ddynes sut oedd modd dyfalu pa un? Porodd unwaith eto dros yr adroddiad fforensig a chofiodd y wên annaturiol ar wyneb Astley. Wedyn, cofiodd yr alaw y dewisodd Astley ei chanu i'w wraig gyntaf. Ffoniodd Carys: dim ateb. Pwy arall allai ei helpu fo efo alawon gwerin? Miriam Pantybrodyr, wrth gwrs, ond roedd hi'n rhy agos i'r ymchwiliad. Fyddai 'run arbenigwr academaidd ar gael dros y penwythnos chwaith, ond roedd un person allai ei helpu.

'Bore da, Falmai.'

'Wel helô, Daf – jest y dyn. Ydi o'n wir fod partner ein Haelod Cynulliad wedi cael ei babi yn y Llew Coch neithiwr?'

'Hollol wir. Bryn Gwaun oedd y fydwraig.'

Trodd Falmai ei phen oddi wrth y ffôn am eiliad. 'Mae o'n wir, am y babi yn y Llew Coch.' Roedd sŵn chwerthin yn y cefndir a sylweddolodd Daf fod Fal a Jonas yn dal yn y gwely. 'Beth bynnag, Daf, dwi'n siŵr nad i rannu clecs y fro ti wedi fy ffonio fi am naw o'r gloch ar fore Sadwrn.'

'Isie gofyn oeddwn i wyt ti'n gyfarwydd â'r gân "Mab Annwyl dy Fam"?'

Atebodd Fal wrth ganu'r pennill cyntaf iddo. Roedd ei llais yn glir ac yn gywir, heb ddyfnder llais Carys.

'Be wyt ti isie wybod?'

'Be ydi stori'r gân?'

'Bonheddwr ifanc yn dychwelyd at ei fam yn teimlo'n sâl, a gofyn iddi wneud ei wely er mwyn iddo gael marw ynddo. Mae o'n rhestru ei roddion i'w deulu ar ôl ei farwolaeth, yn cynnwys "cortyn i'w chrogi" i'w gariad.'

'Sori, ti'n gwybod 'mod i ar goll yn y maes yma. Be mae hynny'n olygu?'

'Mae'r dyn ifanc wedi cael ei wenwyno gan ei gariad.'

'Aros am eiliad, Fal. Ti'n dweud mai testun y gân oedd dyn yn cael ei wenwyno gan ei gariad?'

'Ydw. Mae hi'n gân gyfarwydd iawn.'

'Felly, petai dyn sy'n arbenigwr ar ganeuon gwerin yn ei chanu ar ei wely angau, falle ei fod o'n danfon neges?'

'Wel, os mai "Mab Annwyl dy Fam" oedd y gân, mae'n hen bryd i ti arestio cariad Illtyd Astley.'

'Ond pa un?'

'Ti ydi'r heddwas, Daf.'

Chafodd Daf ddim amser i ystyried neges gudd y gân gan iddo dderbyn galwad ffôn gan Dr Jarman, y patholegydd.

'Dwi'm yn arfer gweithio ar ddydd Sadwrn, Dafydd, ond dwi'n amheus am ymroddiad rhai o'm cyd-weithwyr. Do'n i ddim yn sicr os oeddet ti wedi cael clywed am y meinwe dynol gafodd ei ddarganfod ymysg y porc yn stordy oer Bitfel Bach.'

'Meinwe dynol?'

'Ie. Cnawd a chroen. Cyhyr ysgwydd dyn yn ei chwedegau. Tatŵ mawr o arth wen arno, a morfilod yn y cefndir.'

'Dech chi'n sicr nad cig moch ydi o?'

'Gyda phob parch, ti, nid fi, sy'n stryglo efo'r ymchwiliad yma. Dwi'n falch o ddweud 'mod i'n batholegydd â degawdau o brofiad – a dwi'n gallu gweld y gwahaniaeth rhwng meinwe dynol a golwyth.'

'Ocê, diolch yn fawr, syr.'

'Dwi wedi danfon y manylion i ti ar e-bost, iawn?'

'Perffaith. Diolch yn fawr am eich help.'

Yn syth wedyn, aeth Daf ati i ffonio Gala, i ofyn a gâi fynd draw ati am sgwrs ymhen yr awr.

'A'r tro yma, dwi angen gair efo Andre hefyd.'

Nid oedd yr hyn ddywedodd Jarman yn gwneud unrhyw synnwyr i Daf, ond cyn iddo gael amser i feddwl mwy am y moch tatŵog, canodd ei ffôn drachefn.

'Bore da, Daf.' Haf Gwydyr-Gwynne; galwad hollol annisgwyl. 'Sut mae'r hwyl? Pam nad wyt ti wedi arestio Nolwenn Kerjean-Moreau eto? Mae hi'n ffasgwraig erchyll.'

'Haf, ti'n gwybod na alla i drafod yr achos.'

'Dim ond tynnu dy goes di. Newydd siarad â chleient mewn achos mewnfudo a dwi isie i ti wneud ffafr i mi, os gweli di'n dda ...'

Erbyn iddo orffen y sgwrs roedd ei ddiwrnod yn prysur lenwi. Aeth i wneud paned iddo'i hun a synnodd weld Sheila yn y cyntedd, yn edrych yn smart iawn mewn siwt las ac esgidiau a het goch.

'Ti'n mynd i briodas?'

'Yndw. Mae Ellis Rhoswen wedi penderfynu priodi Mari ar ôl iddyn nhw fod yn cyd-fyw am wyth mlynedd ar hugain. Tom ydi'r gwas priodas felly rhaid i mi wneud ymdrech.'

'Be ti'n wneud fan hyn felly?'

'Dwi isie darllen drwy ddatganiadau'r tystion – ond ro'n i isie i ti weld hwn hefyd. Den ni newydd fod yn swyddfa'r cofrestrydd i jecio fod y blodau wedi cyrraedd, a welais i hwn.'

Ar ei ffôn, roedd Sheila wedi tynnu llun o'r hysbysfwrdd yn y cyntedd. Roedd papur arno yn cyhoeddi priodasau oedd ar y gweill. Un o'r enwau oedd Steven David James, statws priodasol sengl, oedd yn datgan ei fwriad i briodi Julie Mae Mytton ymhen y mis.

'Hen bryd i ti brynu het arall felly,' meddai Daf rhwng ei ddannedd.

'A pheth arall – cafodd Grant, cyn-bartner Julie, sawl peint yn yr Angel neithiwr efo'r ferch o Lundain, y *journo*.'

'Ffion Spancell? O blydi hel. Fydd Grabby Grant yn bownd o fod wedi trafod perthynas Julie a Steve. Well i ni geisio rhybuddio boi bach y wasg.'

'Dydi o ddim yn gweithio dros y penwythnos. Mae o'n aelod o ryw fand.'

'Wyddost ti be? Dwi'n mynd i anwybyddu'r holl lol a chanolbwyntio ar yr achos. Dwi 'di ceisio siarad efo fo, dwi wedi dilyn y rheolau swyddogol. Does dim arall alla i wneud.'

'Digon teg, bòs. Ty'd allan i ddweud helô wrth Tom.'

Yn y maes parcio, yn sefyll wrth ei Lexus, roedd Tom yn smart yn ei siwt a rhosyn mawr gwyn yn ei labed.

'Jest y dyn dwi isie'i weld,' meddai, gan ysgwyd llaw Daf. 'Diolch o galon am fynd â Sheila i'r clinig. Gobeithio na wnaethon nhw ofyn am sampl gan y dyn anghywir.'

'O, ydi Sheila wedi trafod y peth? Roedd hi'n teimlo mor anghyfforddus ...'

'Druan ohoni. Dydi hi ddim cweit wedi fy neall i eto, Daf. Wrth gwrs 'mod i wrth fy modd efo Glantanat – sy'n digwydd bod y fferm orau yn Sir Drefaldwyn – ond petai hi isie byw yn y Caribî, wel, y Caribî amdani. Tyfu cnau coco fydden i wedyn.'

'Roedd hi'n poeni am dy adael di lawr, Tom.'

'Well gen i gael Sheila a dim babi na chael unrhyw ferch arall dan haul a llond tŷ o blant, Dafydd. A sôn am unrhyw ferch dan haul, pethe braidd yn gyffrous yn Neuadd dyddie yma, yn ôl y sôn?'

'Rhaid i ti drafod hynny efo John.'

'Dynes neis iawn yw Doris, o be dwi'n weld, a duwcs, mae hi'n gogyddes o fri.'

Daeth Sheila yn ôl mewn pryd i glywed sylw nesaf ei gŵr.

'Dweud y gwir, os na fydd Sheila'n siapio yn y gegin, well i finne chwilio am y ffasiwn howscipar.'

Ymatebodd Sheila efo gwên fawr. 'Ti'n batio'n bell uwchben dy safon fel mae hi, Tom Francis.'

Wrth eu gwylio'n gyrru i ffwrdd, dechreuodd Daf deimlo'n emosiynol. Dau o bobol eithaf cyffredin o gefndiroedd hollol wahanol, ond wedi llwyddo i greu perthynas sbesial iawn.

Ar sail y disgrifiad roddodd Gala, roedd Daf wedi disgwyl i Andre fod yn dal ac yn arw'r olwg. Yn hytrach, safai dyn main efo gwallt byr du o'i flaen. Pe byddai'n bosib i forlo gael modrwy yn ei ael, byddai'n edrych yn union fel Andre, meddyliodd Daf. Baglai dros ei eiriau braidd ac roedd Daf yn bendant y byddai wedi bod yn darged i unrhyw fwli yn yr ysgol.

'Mr Dafis, Andre ydw i. Dwi wir yn sori am greu cystal helynt.'

'Dwi 'di hen arfer efo helynt. I dy fam ddylet ti ymddiheuro.'

Anelodd Andre gipolwg dros y bwrdd at Gala a gostyngodd hi ei llygaid.

'O be ro'n i'n ddeall, torri rheolau oeddet ti, lanc, nid troseddu. Ond mae pethe'n llawer mwy difrifol rŵan. Roedd cnawd dynol yn dy oergell di, nid jest porc.'

Disgwyliodd weld sioc, euogrwydd neu ofn ar wyneb y fam, ond roedd wyneb Gala yn ddiemosiwn, fel petai ganddi ddim i'w gyfrannu. Tynnodd Andre, ar y llaw arall, lyfryn bach a phensil o'i boced.

'Dwi'n gweithio ar y darn yma. Ysgwydd dyn o'r Almaen oedd hi: Niclas Koch. Bu farw tua mis yn ôl ac mae'r teulu'n awyddus iawn i gadw ei hoff datŵ er cof am eu tad annwyl. Mae cwmni yn yr Iseldiroedd sy'n troi tâtws i silica a chwmni arall yn America sy'n defnyddio cemegau cryf – ond fan hyn, den ni'n cynnig gwasanaeth llawer mwy gwyrdd.'

'Am be ti'n sôn, còg?'

'Does 'run tâtw gen ti, Mr Dafis?'

'Nag oes, wir.'

'Reit, rhaid i mi esbonio. Nid rwbeth ti'n wneud ar fympwy ydi cael tatŵ. Mae'n golygu rwbeth arbennig i ti. I ryw radde, mae'r tatŵ ti'n ddewis yn neges ti'n ei danfon i'r byd.'

'Dwi'n gweld.'

'Felly, pan mae rhywun yn marw, mae'r teulu'n hoffi cadw'r ddelwedd gan ei bod yn rhan o'r person maen nhw wedi'i golli.'

'Ond tydi o ddim yn beth od iawn i'w wneud?'

'Mr Dafis, all rhywun sy erioed wedi ystyried cael tatŵ ddim deall yn iawn. Yr unig beth sy'n berthnasol ydi bod rhai pobol yn gofyn am y gwasanaeth yma, a dwi'n ei ddarparu o.'

'Be am reolau?'

'Dwi 'di hyfforddi a chofrestru fel pêr-eneiniwr a dwi'n dilyn yr holl ganllawiau.'

'Ac oes galw am y ffasiwn wasanaeth?'

'Dim llawer, ond mae'r diddordeb yn cynyddu. Ar hyn o bryd, dydi pobol ddim yn ymwybodol ei bod yn bosib gwneud peth mor arbenigol.'

'Felly, mae gen ti ganiatâd swyddogol i wneud hyn?'

'Oes, gan y teulu a'r awdurdodau.'

'Iawn, felly.'

'Ga i'r tatŵ yn ôl, plis?'

'Be?'

'Dech chi mo'i angen o fel tystiolaeth ac mae'n bwysig iawn i'r teulu ei fod o'n cael ei ddychwelyd.'

'Digon teg. Mi drefna i rwbeth.'

'Ti'm yn edrych yn dda iawn,' meddai va wrtho, gan ddod allan o ddrws yng nghornel y buarth, yn gwisgo lensys lliw arian yn ei llygaid y tro yma. 'Noson fawr neithiwr?'

'Noson *hwyr* neithiwr.'

'Ti'n dod allan i Lanfair nes ymlaen? Mae Tancred yn dweud bod rhywbeth o'r enw "Christmas Grading" yn digwydd.'

'Hen draddodiad yw "Christmas Grading", sef sesh fawr y noson cyn y sêl Dolig yn y farchnad. Dydi'r farchnad dim yn bodoli bellach, ond mae'r sesh yn parhau.'

'Ryden ni'n mynd lawr heno – mae ganddon ni rywbeth gwerth ei ddathlu.'

'va, alla i fentro rhoi gair o gyngor i ti? Os wyt ti'n mynd allan i ddathlu marwolaeth dy dad heno, falle y byddi di'n difaru rhyw ddiwrnod.'

'Nage, nage, Mr Dafis, dydi hyn ddim byd i'w wneud â Dad. Dwi 'di bod yn trio cael cyfarfod efo'r brodyr Houser ers dwy flynedd – nhw ydi'r tîm tu ôl i gwmni enfawr Rockstar. O'r diwedd, maen nhw wedi cytuno i'n gweld ni yn Llundain fis nesa.'

'Ac mae hynny'n beth mawr?'

'Mae o fel petaen ni'n cael cwrdd â Steven Spielberg neu Richard Diamond. Nhw sy wedi creu GTA.'

'GTA?'

'Grand Theft Auto. Y brand mwya llwyddiannus erioed.'

Roedd ei gwên lydan a'i llygaid cyffrous yn gwneud i va edrych yn llawer iau na'i hoed. Meddyliodd Daf am ei phlentyndod unig mewn tŷ anghysbell – roedd va wedi dod drwyddi'n iawn, rywsut. Ac os oedd y teclynnau yn ei ffroen a'i chlust yn od, doedd o'n ddim odiach na chadw tatŵ ar silff ben tân i gofio am rywun.

'Newyddion da.'

'Newyddion ardderchog, Mr Dafis. Ac yn y cyfamser, noson allan dawel mewn tre farchnad heb farchnad yng nghanol nunlle. Be all fynd o'i le?'

'Cymer di ofal, lodes, den ni'n bobol wyllt yn Llanfair.'

Roedd o yn ei gar pan alwodd va ar ei ôl.

'Mae Nain yn ffan mawr ohonat ti, Mr Dafis.'

'Dy nain?'

'Ie. Danfonodd e-bost hanner tudalen ata i yn dweud pa mor neis wyt ti.'

Peth rhyfedd fod dynes efo Alzheimer's yn danfon negeseuon e-bost, meddyliodd. Byddai'n rhaid iddo eistedd i lawr yn dawel i ystyried popeth yn drylwyr, ond cyn hynny roedd yn rhaid iddo fynd i weld John, gan ei fod wedi addo helpu Haf Gwydyr-Gwynne.

Doedd dim golwg o Doris.

'Wedi picio lawr i wneud ei negeseuon,' esboniodd John.

Roedd y newid yn y dyn dros wythnos yn syfrdanol. Dan ddylanwad Doris roedd o wedi agor fel rhedynen.

'Mae gen i rwbeth i'w ddweud wrthat ti, John, os oes gen ti eiliad?'

'Wrth gwrs. Paned?'

Ar ôl ei sgwrs ynglŷn â chadw tatŵs y meirwon roedd Daf yn barod i werthfawrogi croeso cynnes Neuadd.

'Sut oedd pen Gae heddiw bore?' gofynnodd John, heb smic o hiraeth. 'Mi biciais lawr i nôl Belle a Siôn ac roedd pawb wedi meddwi'n gaib.'

'Well nag y dyle hi fod.'

'A be am y babi yn y Black?'

'Yn y Llew Coch gafodd y babi ei eni.'

'Yn tyden ni'n byw mewn tre fach brysur, Dafydd? Rhwng y babi ar fat y darts a'r stripio, does neb yn siarad am helyntion Neuadd bellach!'

'Ti'n hen, hen stori erbyn hyn, John.'

'A sut mae'r ymchwiliad yn mynd?'

'Mae gen i lwyth o wybodaeth ond yn methu gweld drwyddo.'

'Mi ddaw.'

'Gobeithio. Gwranda, John, Haf Gwydyr-Gwynne sy wedi gofyn i mi bicio draw, i esbonio rwbeth i ti ynglŷn â gwaith papur y fisa i Doris.'

'O'n i'n meddwl 'mod i wedi deall y cwbl lot, ond cer amdani, Dafydd!'

'Roedd yn rhaid i ti aildrefnu'r cyflog ti'n dderbyn gan y fferm, yn doedd.'

'Oedd. Mi dala i fwy o dreth os oes rhaid.'

'Bydd rhaid i ti. Ti'n gwybod bod Doris yn weddw?'

'Ydw, ydw. Gollodd hi ei gŵr yn ystod y rhyfel cartref.'

'A'i mab hefyd. Ar ôl lladd ei gŵr, cymerodd y rebels, pwy bynnag oedden nhw, Doris a'i mab. Mi gafodd o ei hyfforddi i fod yn filwr, ac ynte ond yn ddeg oed. Roedd brwydr rhwng y rebels a'r fyddin, a chafodd y mab ei ladd. Ond wnaethon nhw ddim rhyddhau eu caethion, ac arhosodd Doris efo nhw tan y cyrhaeddodd milwyr yr UN, yn cynnwys Belle.'

'Am hanes trist!'

'Pan gafodd Doris ei rhyddhau, roedd hi'n feichiog.'

'Pwy oedd y tad?'

'Doedd ganddi ddim syniad. Roedd y rebels yn gwneud fel fynnen nhw i'r merched.'

'Na!'

'Cafodd ei babi – merch – ei geni yn ysbyty milwrol y Cenhedloedd Unedig. Ers hynny, mae Doris wedi gweithio ddydd a nos i gadw'i merch: roedd hi'n methu fforddio ei gyrru i'r ysgol uwchradd felly mi ddaeth draw yma i weithio er mwyn danfon pres yn ôl i dalu'r ffi.'

'Y ferch fach druan!' ebychodd John, ei fochau mawr coch yn sgleinio â dagrau. 'Ddyle hi ddod draw ar unwaith. Mae 'na ddigonedd o le, siŵr Dduw. Be am y stafell fach efo'r rhosynnau ar y papur wal? Roedd Gae wedi paratoi ...'

'Mae hyn yn golygu y bydd yn rhaid i ti ennill dipyn bach mwy. I gael fisa i Doris a'i merch, rhaid i'r cyfrifon ddweud dy fod ti'n ennill £22,440.'

'Waw. Mae hynny'n gyflog mawr, ond bydd yn rhaid ei wneud o, i gadw'r ddwy ohonyn nhw. Be 'di ei henw hi, y ferch, dwed?'

'Ddylet ti ofyn hynny i Doris.'

'Dwi'm yn synnu ei bod hi heb ddweud yr holl hanes trist wrtha i ... mae'n rhaid ei bod yn torri'i chalon wrth feddwl am y peth. Milwr bech deg oed! A finne'n poeni nad oedd Siôn yn ddigon aeddfed i fynd i Langrannog yn yr un oed.'

Roedd John yn ceisio cuddio'i deimladau y tu ôl i'w gleber, ond roedd y dagrau'n llifo'n ddi-stop. Chwythodd ei drwyn ar sgwaryn o bapur cegin. Pan glywodd sŵn car ar y buarth, rhedodd nerth ei draed i gyfarfod Doris, ei chodi yn ei freichiau fel tad yn codi plentyn a'i chario drwy'r cyntedd a'r gegin gefn. Rhoddodd hi i lawr ger yr Aga. Yn ddryslyd ond yn hapus, daliodd Doris ei law.

'Be ydi ei henw hi?' gofynnodd John. 'Dy ferch – na, ein merch ni.'

'Netta.'

'Am enw hardd. Rhaid i ni fynd i'w nôl hi'n syth!'

Erbyn hyn roedd Doris yn wylo hefyd a theimlai Daf fel petai'n ymyrryd mewn golygfa breifat.

'Ond, John,' protestiodd Doris yn ei llais llyfn, tawel. 'Be am yr arian ecstra?'

Cleciodd John ei fysedd trwchus.

'Wfft i'r pres. Netta sy'n bwysig. Oes gen ti lun ohoni?'

Camodd Daf at y drws heb iddyn nhw sylwi, wedyn cofiodd rywbeth pwysig.

'Dwi'm yn meddwl ei fod yn syniad da i Doris adael y wlad ar hyn o bryd, tan y bydd ei phapurau'n iawn. Be am ddanfon tocyn i Netta a mynd i'w chyfarfod yn y maes awyr?'

'Bydd Neuadd yn baradwys i Netta,' datganodd Doris.

'Netta Neuadd: mae'n swnio'n hyfryd i mi.'

Cyn tanio injan ei gar, danfonodd decst i Haf: 'Mission accomplished.'

Roedd y tŷ'n dawel gan fod Rhodri'n gweithio a Carys yn siopa efo'i ffrindiau. Gwelodd Daf fod Gaenor wedi bod yn brysur yn gwneud cawl cennin a thatws, ffefryn Daf, a llwyth o fins peis i'r rhewgell. Roedd wedi gobeithio creu diagram gwe pry cop i ddangos cysylltiadau rhwng pawb oedd dan amheuaeth yn yr ymchwiliad, ond yn hytrach cafodd y gwaith o wneud y tyllau bach yng nghaeadau pob mins pei. A hithau yn ei chadair uchel am unwaith, roedd Mali wrth ei bodd yn chwarae efo gweddillion y toes. Ymlaciodd Daf yn llwyr yn y gegin gynnes yng nghwmni ei gariad, a phan ganodd ei ffôn tua tri cafodd ei demtio i adael iddo ganu. Ond wrth gwrs, wnaeth o ddim.

'Dafydd.' Mr Parry Pantybrodyr oedd yno. 'Ddei di fyny fan hyn ar unwaith? Dwi 'di dod o hyd i wreiddyn y gysblys ym mhoced oelscin Ceri.'

Oedodd Daf ar stepen y drws cyn cychwyn. Roedd hi'n nosi'n barod, a chymylau llwyd trwm yn pwyso i lawr ar y dref.

'Ti'n meddwl all Siôn nôl Rhods yn y Land Rover os oes rhaid, Gae? Dwi'm yn hanner hoffi'r tywydd 'ma ac mae'n bosib y bydda i fyny ym Mhantybrodyr am gwpl o oriau.'

'Paid meddwl ddwywaith; cer di rŵan.'

Ceri. Wnaeth o ddim ystyried Ceri, ond gan fod y teulu i gyd mor agos gallai Ceri, yn ogystal â Richard Parry, amddiffyn Miriam. Ceisiodd Daf redeg drwy'r hyn a wyddai am Ceri. Llais braf ond ddim mor braf â rhai o aelodau eraill y teulu. Yn codi yn y bore, gweithio, bwyta, canu, cysgu. Doedd ganddo ddim llawer o fywyd o'i gymharu â'i gyfoedion. Ac yntau'n gaeth yn y bryniau efo neb ond ei deulu, wythnos ar ôl wythnos, fis ar ôl mis, pa fath o ddyfodol oedd yn llenwi ei freuddwydion? Efallai nad oedd Ceri'n breuddwydio o gwbl.

Disgynnodd y bluen eira gyntaf cyn iddo gyrraedd Dolanog, ac wrth iddo ddringo'r ffordd o gwmpas yr Allt cododd y gwynt i chwyrlïo rhwng y bryniau. Diolch byth, roedd pob giât ar ôl y gyntaf ar agor.

Roedd y buarth yn gymharol dawel, ac nid oedd golwg o'r Land Rover na char Miriam. Curodd Daf ar y drws, gan fyfyrio dros y ffaith fod Richard Parry wedi ei alw yno i fradychu ei ŵyr ei hun.

Pan agorodd y drws i Daf, edrychai Mr Parry fel hen ddyn, ei wyneb yn welw a'i lygaid braidd yn goch. Roedd o'n gwisgo'i slipers ac yn shifflo wrth gerdded, y gwadnau llac yn curo'r llechi.

'Dwi'm yn gwybod be sy'n bod ar Ceri, wir,' dechreuodd heb gyfarchiad. 'Mi ffeindiais y peth, a phan ofynnes i be oedd yn digwydd, fflachiodd fel dwn i'm be, yn gweiddi a bob dim. Wedyn, i ffwrdd â Ceri, ar y beic *motocross*, efo twelf bôr.'

'Be ddiawl mae Ceri'n wneud efo twelf bôr?'

'Rwbeth gwirion.'

'Ydi o'n gòg treisgar?'

'Byth. Mae Ceri braidd yn swta wrth siarad, dyna'r cyfan.'

'Ble all o fynd yn yr holl eira?'

'Fyny i'r hafod, dyna ble mae Ceri wastad yn mynd. Tua milltir fyny'r ffridd oedd yr hen hafod – wyddost ti, lle oedd y bugeiliaid yn aros dros yr haf. Dim ond pentwr o gerrig sy 'na erbyn hyn, ond tua pymtheg mlynedd yn ôl rhoddodd Dewi Wyn hen gonteiner llong yna, i gadw dipyn o fwyd gwartheg a ballu. Erbyn hyn, mae fel ... wel, cuddfan i Ceri. Lle am dipyn o lonydd.'

'Pa gyfeiriad?'

'Acw, fyny'r ffridd. Ond alli di ddim gadael y buarth yn y *Dinky* car 'na: well i ti ddefnyddio'r cwad.'

Er iddo fyw am dros ugain mlynedd ym myngalo Neuadd, doedd Daf erioed wedi meistroli'r grefft o yrru cwad. Tynnodd ei het i lawr yn dynn a gobeithio'r gorau.

'Ac mae Avril ar goll hefyd,' gwaeddodd Mr Parry ar ei ôl.

Roedd y llwybr yn aneglur i ddechrau. Erbyn hyn, roedd yr haul wedi machlud, ac yn y storm eira roedd yn amhosib i Daf weld mwy na llath o'i flaen. Roedd ei wyneb a'i gefn yn oer iawn ond roedd gwres y cwad yn rhywfaint o help. Heblaw am sŵn yr injan a rhuo'r gwynt, ni chlywai'r un sŵn. Diffoddodd y cwad am eiliad er mwyn ceisio dyfalu ble roedd o. Yn sydyn, clywodd sŵn isel: sŵn pawennau mawr yn disgyn drwy eira trwchus. Roedd Avril wedi penderfynu dilyn Daf bob cam i fyny'r ffridd, a phan symudodd Daf yn ei flaen arhosodd Avril wrth ei ochr. Doedd Daf ddim yn siŵr ai bygythiad ynteu gysur oedd hi.

O'i flaen, rhwng y plu eira, gwelodd Daf olau, yn wan ond

yn gyson. Nid oedd tŷ am filltiroedd, na lleuad ar noson mor gymylog, felly rhaid bod y pelydrau'n dod o'r hafod. Aeth ugain llath yn nes a sylwodd fod gwawr goch i'r golau, fel tân – ond byddai'n amhosibl cynnau tân mewn tywydd mor wael. Y peth nesaf i gyrraedd ei synhwyrau oedd arogl cryf, chwerw oedd yn aros yng nghefn ei wddf. Mwg, heb os, ond beth oedd yn cael ei losgi? Newidiodd Daf i lawr i gêr isel.

'Ceri!' gwaeddodd.

Dim ateb.

Roedd y blas ar y gwynt wedi cryfhau. Cofiodd Daf yn sydyn am ddiwrnod yn Neuadd pan benderfynodd Gaenor a Falmai gael gwared o hen ddŵfes a chlustogau ar goelcerth yng nghornel Cae Sowth. Roedd y lle'n drewi am wythnos wedyn. Yn y tywyllwch, er gwaethaf storm o eira, roedd Ceri Pantybrodyr yn llosgi plu. Daeth siapiau cadarn drwy'r eira: gwelodd Daf un wal, wedyn un arall, a rhyngddyn nhw roedd tân. Symudai siâp tywyll wrth ei ymyl.

'Ceri!' galwodd Daf eto. 'Be ti'n wneud fan hyn?'

'Cer o'ma.'

'Be ti'n wneud?'

'Dim ond ciâl dipyn o dân ydw i. Cer o'ma.'

Parciodd Daf y cwad tu mewn i'r hen fuarth allan o'r gwynt, lle roedd hi'n gymharol dawel.

'Dwi angen siarad efo ti, Ceri.'

'Cer o'ma.'

Camodd Daf dros yr eira newydd, ac Avril yn ei ddilyn. Aeth Ceri i mewn i'r bocs mawr dur a disgwyliodd Daf y byddai'n cloi'r drws ar ei ôl. Yn lle hynny, daeth yn ôl allan tuag at olau'r cwad efo'r gwn twelf bôr. Tynnodd sawl cetrisen o boced ei oelscin.

'Dwi 'di llwytho,' galwodd, ond doedd y bygythiad ddim yn peri gofid i Daf, oedd wedi bod mewn digon o sefyllfaoedd tebyg o'r blaen.

'Rho'r gwn i lawr,' gorchmynnodd Daf, gan gymryd cam arall yn ei flaen.

'Paid â dod yn nes. Mi saetha i.'

'Paid bod yn wirion. Ti'm yn mynd i saethu neb.'

'Ti'n gwybod ffyc ôl amdana i!' gwaeddodd Ceri, gan ymestyn ei freichiau i roi baril y gwn o dan ei ên ei hun.

Dechreuodd Daf boeni. Roedd dwylo Ceri wedi dechrau crynu, a chan fod ei fys ar y glicied gallai unrhyw symudiad fod yn farwol i'r naill neu'r llall ohonyn nhw.

'Plygain yn Garthbeibio nos fory,' meddai Daf mewn llais sgwrsiol. Ni symudodd Ceri o gwbl. 'Gobeithio bydd y tywydd wedi troi erbyn hynny neu fydd o'n ddiflas iddyn nhw, a'r eglwys mor uchel yna.' A'r gwn o dan ei ên, roedd Ceri'n dal i sefyll yn llonydd. 'Wnes i wir fwynhau plygain Dolanog. Dyna'r tro cynta i mi ganu'n gyhoeddus ers gadael yr ysgol.'

Tra oedd o'n sgwrsio am bethau dibwys, roedd Daf yn brysur yn ystyried y sefyllfa. Roedd Ceri'n rhy bell i Daf allu neidio ato i gnocio'r gwn o'i law, ond roedd yn rhaid iddo wneud rhywbeth yn gyflym. Ceisiodd feddwl am unrhyw beth fyddai'n tynnu sylw Ceri am eiliad. Llanwodd ei ysgyfaint ag awyr oer, boenus. 'Cydganed dynoliaeth ar ddydd gwaredigaeth ...' canodd Daf, a thynnodd Ceri ei ffocws oddi ar y gwn. Nid oedd yn arfer clywed emynau plygain yn cael eu canu mor wael. Parhaodd Daf, gan obeithio y gallai gofio'r geiriau. 'Daeth trefn y Rhagluniaeth i'r g'leuni. A chân Haleliwia, o fawl i'r Goruchaf.' Ar y gair 'Haleliwia', plygodd Daf yn sydyn, cododd Avril yn ei freichiau ac fel pàs o'r frest mewn pêl-rwyd, taflodd y gath yn syth at Ceri. Pàs da oedd o hefyd – hitiodd Avril y gwn fodfedd uwchben y glicied, a chan fod ei chrafangau ym mhobman, doedd gan Ceri ddim dewis ond gollwng y gwn, gan wasgu'r glicied. Aeth y cetris i fyny i'r storm. Camodd Daf ymlaen i godi'r gwn.

'Reit, Ceri, awn ni i mewn o'r gwynt?'

Wrth nesu at y tân, sylwodd Daf yn union beth roedd Ceri yn ei losgi: roedd sawl pen, sawl pig a nifer o draed gweog yn sticio allan o'r goelcerth. Roedd Ceri Pantybrodyr yn llosgi gwyddau. Tu mewn i'r conteiner, yn gymysg ag arogl coed yn llosgi ar stof fach, roedd sawr ffowls marw, un o arogleuon Nadoligau ei blentyndod. Ond nid ffowls arferol oedd y rhain. Yn y gornel tu ôl i'r drws roedd pentwr o wyddau gwyllt, gwyddau Canada â'u gyddfau hir du a'u hadenydd streipiog.

'Ti 'di bod yn saethu?' gofynnodd Daf, gan geisio cofio yn union pa adar oedd yn cael eu hamddiffyn gan y Ddeddf Bywyd Gwyllt a Chefn Gwlad.

'Na,' mwmialodd Ceri.

Ger y gwyddau roedd bocs mawr plastig yn llawn grawn. Pan dynnodd Daf y clawr, gwelodd fod y grawn yn socian mewn hylif clir. Roedd arogl cryf o lygod arno.

'Ti'n gwybod ei bod hi yn erbyn y gyfraith i wenwyno bywyd gwyllt?'

Nodiodd Ceri.

'Yn be mae'r corn 'ma'n iste, Ceri? A paid ceisio cuddio dim byd – mae gen i dîm fforensig fydd yn gallu dweud y gwir wrtha i.'

'Maen nhw fel ffycin llygod mawr, Mr Dafis, y ffycin gwydde. Llynedd, mi wnaethon nhw stripio'r topie reit 'nôl i'r pridd. Doedd dim gwelltyn ar ôl. Den ni ddim yn ffermio tir hawdd, moethus fel dy deulu di, Mr Dafis – os den ni'n colli porfa ar y topie am flwyddyn arall, den ni'n styffd.'

'Felly, wnest ti benderfynu lladd y gwydde, ond sut?'

'Wnes i geisio'u saethu nhw ond roedd 'na ormod ohonyn nhw. Dim ond un ar y tro o'n i'n gael, wedyn lan â nhw a lawr rwle arall. Rhoi dipyn o ddrwg yn y corn, dyna i gyd wnes i.'

'Pa fath o ddrwg?'

'Dyna be 'di'r broblem. Wnes i roi cynnig ar wenwyn llygod mawr ond dydyn nhw ddim yn licio'r blas. Wedyn daeth yr holl stŵr am y gysblys, Taid yn beio Miriam am botsian efo peth peryglus ac ati. Mi gasglais rai o'r gwreiddie a'u berwi ar y stof.'

'Ac mae o'n gweithio?'

'Tri deg neithiwr a phymtheg heddiw bore. Dwi 'di llosgi'r rhan fwya ohonyn nhw rhag i'r cŵn ddod o hyd iddyn nhw.'

'Ti 'di bod yn ffŵl llwyr, ti'n gwybod hynny?'

'Ydw.'

'Alla i ddim anwybyddu hyn.'

'Carchar?'

''Sen i ddim yn meddwl, ond mi fydd cosb go sylweddol.'

'O.'

'Ond mae gen i gwestiwn arall i'w ofyn, Ceri. Hyd yn oed os wyt ti'n cael dirwy go sylweddol, wnei di ddim colli dy swydd na dy gartre. Eto, pan ddes i fyny yma, y peth cynta ddaeth i dy ben oedd saethu dy hun. Pam hynny, Ceri?'

Ddywedodd Ceri 'run gair, dim ond syllu ar y llawr.

Dechreuodd Daf edrych o'i gwmpas. Roedd hanner yr ystafell yn bendant yn stordy amaethyddol, efo sawl bag o fwyd anifeiliaid, tŵls a rholyn neu ddau o weiren bigog. Yn y pen arall, ger y stof, roedd ymdrech wedi'i gwneud i greu lle i ymlacio. Hen soffa, hen fwrdd cegin, tair o'r cadeiriau achubwyd o'r sgip pan gaeodd Ysgol Llanwddyn. Heb fath o syniad am beth yn union roedd o'n chwilio, agorodd Daf ddrôr y bwrdd. Roedd o'n wag ond roedd y pren tu mewn wedi ei orchuddio â lluniau: rhai wedi eu hargraffu o luniau ffôn neu gamera, eraill wedi eu torri o'r papur lleol. Wyneb a chorff dyn ifanc oedd ynddyn nhw i gyd, dyn ifanc, golygus efo gwallt ffasiynol. Roedd yr wyneb yn gyfarwydd iawn i Daf: Siôn Neuadd.

'A,' ebychodd Daf yn isel. Nid oedd Pantybrodyr y math o deulu i groesawu mab hoyw – a dewis anffodus oedd Siôn, gan nad oedd yn rhannu'r un duedd. 'Oes 'na fodd i ni gael paned fan hyn ... heb ddim o'r gysblys ynddi?'

Nodiodd Ceri ei ben a llanwodd degell bach o botel fawr o ddŵr a safai ar y bwrdd. Roedd y stof goed yn ddigon poeth i'w ferwi'n go sydyn. Roedd yn rhaid i Ceri doddi'r llaeth.

'Wyt ti am roi chydig o laeth i Avril?' gofynnodd Daf. Doedd y gath fawr ddim yn edrych damed gwaeth ar ôl cael ei lluchio fel pêl, ac roedd wedi dod o hyd i le cyfforddus ger y stof.

'Well i mi beidio: mae llaeth yn rhoi'r *shits* iddi hi. Ddim nad ydi hi'n haeddu'r *shits*, yr hen bitsh.'

'Mae dy daid yn hoff iawn ohoni hi.'

'Mae Taid yn hoff iawn o'r effaith mae hi'n gael ar bobol eraill, sy'n wahanol.'

Roedden nhw'n eistedd, wyneb yn wyneb, wrth y bwrdd ar y cadeiriau ysgol.

'Lle bach handi,' sylwodd Daf. 'Dwi'n siŵr dy fod yn dod fyny reit aml yn yr haf efo sawl can o Magners a chwpl o fêts.'

'Gas gen i Magners a 'sgen i ddim mêts.'

'Dwi'n siŵr nad ydi hynny'n wir.'

'Wir Dduw. Ond dim ots.'

'Be am gariad, Ceri?'

'O, gen i siawns reit dda o ddod o hyd i gariad fyny fan hyn, does?'

'Ond mae 'na rywun ti'n licio?'

Ddywedodd Ceri ddim gair.

'Ond does dim siawns i ti draw yn Neuadd. Mae'r llanc yn caru'n selog, a hefyd ...'

'Hefyd be?'

'Does ganddo fo ddim tuedd ...'

'Tuedd?'

'Sori, Ceri, ond be dwi'n ceisio'i ddweud ydi mai merched mae Siôn yn eu hoffi.'

'Wrth gwrs. Ond be mae hynny'n olygu?'

'Sori. Dwi'm isie bod yn fusneslyd nac yn gas, ond fyddet ti'n well off efo llanc sy'n hoyw.'

'Pam hynny?'

Yn sydyn, rhoddodd Daf y darnau yn eu lle. Dwylo bach, llais ysgafn o'i gymharu â lleisiau dynion eraill y teulu, rhannu llofft efo Miriam, dim cysgod ar ei ên – neu ar ei gên.

'O sori, sori, Ceri, dwi'n ffŵl llwyr. Merch wyt ti?'

'Wrth gwrs mai merch ydw i. Paid ti â chychwyn.'

'Cychwyn?'

'Mae Dr Mansel wedi gofyn sawl tro os dwi'n "trans", beth bynnag mae hynny'n olygu.'

'Wel, ti'n ymddangos yn reit fachgennaidd, os ga i ddweud.'

‘Ti’n gwybod be ydw i, Mr Dafis? Siom i fy nhaid. Ddylwn i fod yn gòg, yn aer i’r holl draddodiade. Does ganddo fo ddim aer – dim ond finne. Dwi erioed yn cofio cyfnod heb i mi fod yn ymwybodol o ffasiwn broblem dwi wedi’i hachosi wrth fod yn ferch. Dwi ’di gwneud y cyfan alla i – dwi ddim yn gwisgo fel merch, dwi’n slafio ddydd a nos ar y fferm, dwi’n cadw ’ngwallt yn fyr, ond bob nos, pan dwi’n tynnu fy nillad, dwi’n dal yn ferch. Y gwir ydi bod Taid yn caru’r ffycin gath yn fwy na fi.’

Fel tyst o hyn, daeth sŵn canu grwndi o ddyfnder corff Avril.

‘Dwi’n sicr nad ydi hynny’n wir. Dyn hen ffasiwn ydi dy daid, dyna’r cyfan. A does dim rhaid i ti aros fan hyn os nad wyt ti’n hapus yma.’

‘Ti’m yn dod o deulu fferm? O’n i’n meddwl mai un o deulu Neuadd oeddet ti?’

‘Na, teulu fy nghyn-wraig ydi teulu Neuadd. Boi dre ydw i.’

‘Dwi’n methu mynd i nunlle. Dwi’n sownd yma.’

‘Sut wyt ti’n gyrru mlaen efo Miriam, dwed?’

‘Miriam ydi’r peth gorau yn fy mywyd i. Hi sy’n troi’r hen fastard pan mae o’n dechre. Hi sy’n gofalu amdana i.’

‘Mwy na dy fam?’

‘Mae Mam yn rhy brysur yn ceisio bod yn fersiwn dda o Missus Pantybrodyr i wneud llawer efo fi.’

‘Be ti’n wybod am Illtyd Astley?’

‘Dim llawer. Ond do’n i ddim yn hoffi’r ffordd roedd o’n edrych ar Mirs.’

‘A sut oedd hynny?’

‘Anodd dweud. Weithiau, mae Roy a Mirs yn reit ... dwym efo’i gilydd, yn rhoi mwythau, yn swsio hyd yn oed, ond wastad yn agored. Rwbeth sy’n symud, ti’n gwybod, fel dŵr y nant. Efo Astley, roedd rwbeth o dan yr wyneb, rwbeth seimllyd, fel dŵr llonydd. Ti ’di gweld llyffantod, Mr Dafis, dri chwarter ffordd drwy’r tymor wyna? Maen nhw’n rhyw gwlwm mewn pwll bach, ymysg y dyfrllys, pob un yn procio un arall, wedyn ffwrdd â nhw, yn llithro dros gyrff ei gilydd. Dyna sut oedd Astley yn edrych ar Mirs.'

'Be am y garol?'

'Wel, mae hynny'n beth arall. Wnes i hanner meddwl ei bod hi 'di mynd yn ôl i bwll Astley a chael ei denu dan y dŵr.'

'Wnest ti ei frifo fo?'

'Naddo. Wnes i feddwl am y peth, sawl tro, ond do'n i ddim isie rhoi Mirs mewn lle gwaeth.'

'Dŵr y gysblys – pryd wnest ti o am y tro cynta?'

'Do'n i ddim wedi clywed sôn am y peth tan yr wythnos yma. Dwi ddim fel Taid, sy ag enw arbennig am bob un chwynnyn.'

'Be sy'n dy ddiddori di, felly, Ceri?'

'Dim llawer. Dwi'n hoffi canu, wrth gwrs.'

'Ti'n gwybod be? Ar ôl y Dolig, fydd pethe'n reit dawel ar y ffarm a dim mwy o blygeinie, felly rhaid i ti helpu'r gymuned.'

'Sut felly?'

'Ti'n nabod fy merch, Carys?'

'Dwi'n gwybod pwy ydi hi.'

'Wel, mae hi yn y coleg yn Llundain ac yn methu dod adre'n aml.'

'Goelia i.'

'Felly maen nhw'n brin o bobol yng Nghlwb Ffermwyr Ifanc Llanfair, i wneud yr Adloniant ... angen merch efo llais da i gyd-fynd â'r holl gogie.'

'Dwi erioed wedi bod yn aelod.'

'Mi ddanfona i Ed Mills fyny efo ffurflen aelodaeth i ti ar ôl y tywydd garw 'ma. Ac yn well na hynny, os wyt ti'n addo rhoi llonydd i'r gwyddau o hyn ymlaen, ac ymuno â'r Ffermwyr Ifanc, mi helpa i di i'w llosgi nhw, ie?'

'Dwi erioed wedi meddwl am ...'

'Hen bryd i ti. Ti'n ifanc, Ceri, ddylet ti gael dipyn o hwyl.'

'Ond ers gadael ysgol, dwi 'di mynd reit swil. Dwi'm yn gwybod be i ddweud, na be i'w wisgo chwaith.'

'Jîns glân a chrys polo'r clwb, mae'n hawdd, a does dim rhaid i ti agor dy geg o gwbl, heblaw i ganu.'

Chwarddodd Ceri fel rhywun yn deffro o gwsg trwm, a gwasgodd ei mẁg yn dynn.

'Dwi ddim angen label, Mr Dafis. Dwi'n gwybod 'mod i'n wahanol i'r merched eraill ond llonydd dwi angen, llonydd i fod yn driw i mi fy hun. Roedd Dr Mansel yn sôn am ryw glinig, ond y cyfan dwi isie yn fy mywyd ydi rhywun i ffermio fan hyn efo fi, rhywun wnaiff fy nghymryd i yn union fel ydw i a derbyn sut mae pethe ym Mhantybrodyr.' Oedodd Ceri am ennyd. 'Ond hefyd, be ddiawl ydw i i fod i'w ddweud wrth Taid ynglŷn â'r gysblys?'

'Dweda dy fod wedi rhoi rhywfaint lawr i gael gwared o lygod mawr ond 'mod inne wedi dweud wrthat ti am beidio, iawn?'

'Diolch, Mr Dafis.'

'Cofia'r amod: dwi'n cau fy ngheg ynglŷn â'r gwyddau, ti'n agor dy geg yn Adloniant y Ffermwyr Ifanc. Iawn?'

Nid oedd llosgi'r gwyddau mewn eira yn waith hawdd, ond yn ffodus, cyn iddyn nhw orffen y gwaith, daeth y storm i ben a chododd lleuad wen lachar dros y bryniau. Tynnodd Ceri frigau o'r pentwr ger y giât oedd i fod ar gyfer trwsio'r sietin, ac ar ôl eu siglo i gael gwared â'r eira roedden nhw'n poethi'r tân ddigon i losgi'r gwyddau fesul tair yn lle fesul un.

'Well i ti roi llunie Siôn ar y tân hefyd,' awgrymodd Daf.

'Na. Dwi'n eu hoffi nhw ormod.'

'Digon teg. Ond paid â meddwl amdano fo fel cariad.'

Daeth perlau o sêr i'r golwg yn y nen, pob un yn adlewyrchu ei sglein dros y tirlun.

'Ti'n dod lawr i'r tŷ, Ceri?'

'Ddim eto. Dwi ddim isie eistedd wrth y tân efo'r hen fastard. Ti'n gwybod pam wnaeth o dy ffonio di, yn dwyt, Mr Dafis?'

'Rhag ofn i mi feio Miriam?'

'Yn union. Os oedd rhaid i rywun o'r teulu gael ei garcharu am ladd Astley, well dewis yr un lleia pwysig, lleia annwyl.'

'Ceri, paid â meddwl fel'na. Os wyt ti'n teimlo fel brifo dy hun eto, siarada di efo rhywun.'

'Efo pwy?'

'Fi, i ddechre. A chofia, taset ti wedi brifo dy hun, fyset ti'n torri calon Miriam.'

Roedd y daith i lawr y ffridd yn un hollol wahanol: yn lle cael ei gyfyngu gan yr eira, cafodd Daf olygfeydd diddiwedd yng ngolau'r lleuad. Oedodd ger un o'r gatiau i fwynhau'r harddwch ond teimlodd fflach o boen creulon tu ôl i'w glust. Trodd yn gyflym a gweld bod Avril yn eistedd tu ôl iddo ar sedd y cwad, ac yn amlwg doedd hi ddim yn hapus fod Daf yn gwastraffu amser drwy syllu dros y bryniau. Roedd yn anodd bod yn bendant yng ngolau'r lleuad ond gallai Daf daeru bod gan Avril waed ar ei hewinedd.

Roedd Mr Parry'n aros amdano, ei lygaid yn llithro o'r clwyf ar wddf Daf i Avril ac yn ôl.

'Wel?' gorchmynnodd.

'Isie lladd llygod mawr oedd Ceri, dyna'r cyfan ... cael trafferth efo nhw i fyny yn yr hafod ... ac ar ôl clywed gan y botanegydd faint o ddrwg oedd yn y gysblys ...'

'Hmm. Fel arfer, un o'r pethe mwya handi am gonteiners ydi'r waliau dur. Rhaid i'r llygod mawr fod yn eitha cryf i gnoi drwy'r rheina.'

Roedd y celwydd yn hongian yn yr awyr rhyngddyn nhw.

'Gwrandwch, Mr Parry, does gen i ddim hawl i ymyrryd yn eich teulu ...'

'Paid gwneud, felly.'

'... Ond mae Ceri mewn cyflwr go fregus. Dwi'n meddwl ei bod hi angen dipyn o help.'

'Mi ddanfonodd Heather hi at y meddyg. Chwarae teg, roedd o'n sôn am ryw driniaeth i'w throi hi'n fachgen go iawn yn lle'r hanner-hanner ydi hi rŵan, ond roedd hi'n rhy groes ei natur i dderbyn ei help. Dwi 'di gweld ar y teledu – does dim rhaid i ti dderbyn mai merch sy gen ti dyddie 'ma. Mae 'na bethe ar giâl, *operations* a ballu.'

'Ydech chi'n dweud y bysech chi'n hapus petai Ceri yn *trans*?'

'Dwi'm yn gwybod be ti'n feddwl pan ti'n dweud "trans", ond ddyle hi fod wedi bod yn fachgen o'r dechre. Ac roedd Heather yn ormod o gachgi i fentro babi arall, achos ei bod hi'n poeni gormod. Poen? Mi fu fy ngwraig annwyl bron â marw efo Miriam, ond mi gafodd Dewi Wyn yn go handi wedyn.'

'Dwi'n meddwl mai cael ei derbyn mae Ceri isie, nid newid mawr. Rhowch lonydd iddi a dipyn o ryddid ac mi ddaw hi â rhyw gòg adre un diwrnod fydd yn ddigon cryf i helpu ac i fod yn dad i'r genhedlaeth nesa.'

'Fydd Ceri byth yn tynnu llygad neb, byth.'

'Gewch chi weld. Mae'n hen bryd i chi feddwl amdani hi fel merch ifanc yn hytrach na gwas ffarm.'

Cyn camu dros y trothwy i'w gartref llawn arogleuon Nadoligaidd, doedd Daf ddim wedi sylwi faint roedd o'n drewi. Roedd o awydd mynd yn syth i'r bàth ond roedd 'na giw am yr ystafell molchi. Rhodri oedd yn sblasio ac yn canu yno a chafodd rybudd chwyrn gan Carys mai hi oedd nesaf. Felly, tra oedd Carys yn y bàth bu'n rhaid i Daf yrru Rhodri i fyny i dŷ Jenna, a rhwng un peth a'r llall roedd hi ar ôl wyth o'r gloch pan eisteddodd i lawr i fwyta'i *moussaka*. Roedd Gaenor yn poeni am y clwyf ar ei wddf.

'Rhag cywilydd i Mr Parry yn cadw'r ffasiwn greadur,' dwrdiodd, gan roi eli antiseptig arno.

'Mae o'n rhoi mwy o barch i'r hen Avril nag i Ceri, druan.'

Daeth cnoc ar y drws, a chyn gofyn am wahoddiad daeth Rhys Bowen i mewn, ei freichiau'n llawn o eitemau go *random*: andros o focs mawr o Turkish Delight, coes cig oen, potel o Jameson, tusw o flodau a chrât bach cardfwrdd efo chwe photel o win ynddo.

'Be sy, Siôn Corn?' gofynnodd Gaenor.

'Daisy wedi gofyn i fi brynu rwbeth bach i chi, i ddweud Dolig Llawen ac i ddiolch i chi am eich help neithiwr, ond hefyd fel blaendal ar y cymorth fyddwn ni ei angen ganddoch chi yn ystod y misoedd i ddod. Den ni mor anobeithiol, y ddau ohonon ni.'

'Ydi'r un bach yn cysgu?' holodd Gaenor.

'Ddim llawer.'

'Mi wnaiff. Dydi o ddim wedi bod yn y byd 'ma am ddiwrnod cyfan eto,' cysurodd Daf ef. 'Sut mae Daisy?'

'Tsiampion. Mae hi'n llawn egni. Beth bynnag, Daf, wyt ti'n fodlon picio dros y ffordd efo fi, i wlychu pen y babi fel maen nhw'n dweud?'

'Ti'm am fynd lawr i'r Red? Nhw sy'n haeddu dy fusnes di ar ôl neithiwr.'

'Mi bryna i fat darts newydd iddyn nhw ond dwi'm cweit yn ffansïo mynd yno eto. Ty'd draw i'r Afr.'

Nid oedd gan Daf lawer o awydd ond roedd yn amlwg fod gan Bowen rywbeth yr oedd angen ei drafod felly dilynodd yr AC draw i'r dafarn. Roedd gwydraid o Jameson o'i flaen yn syth a chynigiodd Bowen lwncdestun.

'I'r Bowen bach, ei fam hardd a'n ffrindie ffeind!'

Roedd y dafarn yn llawn a derbyniodd Bowen sawl neges i'w longyfarch cyn y llwyddodd i siarad â Daf.

'Cwestiwn sy gen i, Daf. Mi ddwedes i wrthat ti fod Daisy mewn hwylie da, ond pryd mae o'n ocê i ... i mi ...? Wel, mae hi'n gofyn i mi ei charu hi a dwi'm yn sicr os ydi o'n iawn i wneud.'

'Blydi hel, Rhys, mae Bryn Gwaun yn andros o fydwraig da os ydi Daisy'n gofyn am dipyn o be-ti'n-galw cyn bod y babi'n ddiwrnod oed! Dwi ddim yn arbenigwr ond y peth calla i'w wneud ydi gwrando ar Daisy. Os ydi hi'n dweud ei bod hi'n barod, mae hi'n barod.'

'Iawn. Hollol newydd i fi, y busnes babis 'ma, a dwi isie gwneud popeth yn iawn, ti'n gweld. A cyn i mi ofyn am y llofruddiaeth, mae 'na rwbeth dwi isie'i ddweud wrthat ti. Dyn busnes ydw i a dwi 'di gwneud y syms. Mae pres yn brin gen ti.'

'Be? Pwy sy 'di dweud ...?'

'Neb wedi dweud gair. Ond dwi'n digwydd gwybod faint wnest ti dalu am Hengwrt. Dydi Gaenor ddim yn gweithio, mae Carys wedi mynd i goleg yn Llundain, sy'n lle andros o ddrud, a ti'n talu £750 yn fisol mewn rhent. Ond o leia dydi hwnnw ddim ar fin codi.'

'Dwi'm yn sicr. Mae landlord newydd ganddon ni ac mae'n sôn am adolygu'r rhent ...'

'Fel arfer, dwi'n adolygu'r rhent yn syth ar ôl prynu lle newydd ond does dim rhaid i mi wneud hynny y tro yma. Yn hytrach na chodi'r rhent, dwi'n cynnig gwylie rhent o dri mis i ti, fel benthyciad. Gei di fy nhalu fi'n ôl ar ôl i ti symud i Hengwrt.'

'Ti ydi'r landlord newydd?'

'Ie, a dyna'r rheswm dwi'n cynnig tri mis o ras i ti.'

'Paid â siarad lol. Dwi'n gallu talu, paid poeni.'

'Os nad oes problem, mae hynny'n iawn. Ond ... fel ffrind, dwi ddim isie i ti boeni. Os ydi'r esgid fach yn gwasgu, jest dweud.'

'Ti'n ffeind iawn, Rhys, ond does dim rhaid.'

'Rhaid i mi gynnig, ar ôl popeth dech chi fel teulu wedi'i wneud i Daisy a finne, a rŵan i'r còg ...'

Roedd y sgwrs yn dod i ben pan ddaeth sŵn mawr o'r ystafell pŵl. Gweiddi, a sawl llais cyfarwydd yn rhegi. Gwthiodd Daf drwy'r dorf i weld y rheswm am y stŵr. Ar y teledu roedd rhaglen adloniant, yn dangos rhyw grŵp o bobol yn dysgu canu carol ar gyfer y Nadolig, ond roedd is-deitl ar waelod y sgrin mewn llythrennau bras: 'Wancar llwyr yw Connor Bitfel.' Yn sydyn, roedd ffonau pawb yn tincian. Cafodd pob person yn y dafarn, yn staff a chwsmeriaid, yr un neges: 'Mae Jonas yn haeddu meibion gwell.'

'Sbia!' galwodd y ferch oedd yn gweini. 'Mae'r peiriant coffi'n siarad.'

Ar y sgrin fach, lle roedd enw'r math o goffi fel arfer yn cael ei arddangos, roedd neges arall: 'Callia, Kev.'

Roedd Connor a Kevin Bitfel yn chwarae pŵl, ond roedden nhw bellach wedi rhewi. Carl gododd o'r bwrdd yn y gornel.

'Beth bynnag sy'n mynd mlaen fan hyn, den ni'n mynd.'

Yn y drws, daeth Carl wyneb yn wyneb ag un o'r ffermwyr lleol, Dilwyn Maesgwyn.

'Peth rhyfedd, lanc. Ro'n i'n gyrru lawr bum munud yn ôl ac yn lle enw'r orsaf radio ar sgrin y car, roedd neges amdanat ti. 'Gad lonydd i bobol, Carl Bitfel' ddwedodd y neges. Be sy'n digwydd?'

Martsiodd bechgyn Bitfel o'r Afr a phawb yn chwerthin yn uchel ar eu pennau.

'Beth oedd hynna, Daf?' gofynnodd Bowen.

'Does gen i ddim clem,' atebodd Daf, ond nid oedd hynny'n hollol wir.

'A pwy 'di *hi*?' gofynnodd Bowen wrth edrych draw i'r bwyty. 'Mae hi'n fy atgoffa i o'r dyddie pan o'n i'n ddyn drwg.'

'Mae hi'n dysgu yn y coleg.'

Yn y bwyty, yn mwynhau un o'r platiau rhannu, roedd Tancred a va, yn anwybyddu'r stŵr. Roedd va yn gwisgo ffrog ledr dynn oedd yn dangos digon o'i chnawd i ddal llygad Bowen. A heno roedd ei llygaid yn edrych fel rhai robot peryglus.

Ar ôl i'r tad newydd ddychwelyd at ei deulu bach, crwydrodd Daf yn ôl adref i eistedd wrth y stof a mwynhau blas ar anrhegion Bowen. Roedd o'n bendant y gallai dalu'r rhent ond roedd cynnig hael Bowen wedi ysgogi sgwrs onest efo Gaenor.

'Ro'n i wir yn poeni y byddai pethe'n anodd petai'r landlord newydd yn codi'r rhent, ond rŵan ...'

'Ond rŵan rhaid i ti addo rhannu dy ofidiau efo fi tro nesa. Achos mae gen i gyfraniad i'r sgwrs. Ar ôl Dolig, ac yn enwedig amser wyna, mae Chrissie wedi gofyn i mi warchod yr efeilliaid yn rheolaidd. Tri diwrnod yr wythnos o leia. Mae hi'n cynnig £100 am y tri diwrnod a £35 am bob diwrnod wedyn.'

'Fydd £400 y mis yn dipyn o *game changer* i ni!'

'Ac mae Miss fech yn dwli arnyn nhw beth bynnag. Dim ond un broblem alla i ragweld.'

'Sef?'

'Os bydd Chrissie yn ryw siort o fòs i mi, ac yn gofyn am shag eto, bydd yn rhaid i ti gytuno.'

'O, ha ha. Mi welais Bryn heddiw bore ac roedd ganddo awgrym difyr, ond gawn ni drafod hynny nes ymlaen. Yn y cyfamser, ga i fins pei? Dwi'm yn siŵr ydi Jamesons a Turkish Delight yn gyfuniad doeth.'

'Roedd y mins peis i fod ar gyfer y Dolig ond mae Rhodri wedi bwyta hanner dwsin yn barod.'

Nid oedd Daf yn disgwyl i neb guro ar y drws mor hwyr. Pan atebodd Daf, gwelodd feibion Jonas Bitfel.

'Mae'n rhaid i ti ein helpu ni, Mr Dafis,' meddai Connor mewn llais crynedig. 'Beth bynnag sy'n mynd ymlaen, mae o'n ein gyrru ni'n wallgo.'

'Steddwch lawr ac esbonia beth sy'n digwydd.'

'Beth am baned?' cynigiodd Gaenor, ond dychwelodd yn ôl yn syth, yn ceisio cuddio gwên. 'Sori, Connor, ond mae 'na neges amdanat ti ar y panel sy'n rheoli gwres y tŷ.'

Gollyngodd Kevin ei hun ar y soffa a chuddio'i ben yn ei ddwylo.

'Mae fel petai rwbeth yn ein herlid ni,' mwmialodd Carl. 'Ar y peiriant cwis yn y Blac, negeseuon ar ffôns pobol, ym mhob man.'

'Yn ddiweddar, dech chi wedi creu dipyn o helynt,' dywedodd Daf. 'Dech chi 'di digio pobol – a tydi pobol ddim wastad yn fodlon cael eu trin fel baw. Dwi bron yn sicr fod rhywun yn talu'r pwyth yn ôl, ond dwi ddim yn barod i wneud unrhyw ymdrech i'ch helpu chi os dech chi'n cario mlaen fel ydech chi. Mae'ch ymddygiad chi'n hollol annerbyniol, a dech chi'n gwybod hynny. Os dech chi'n fodlon callio, wna i helpu.'

'Ond does gan Dad ddim hawl i fynd â rhywun arall i dŷ Mam,' ebychodd Connor.

‘Paid bod yn wirion, Con,’ torrodd Carl ar ei draws. ‘Beth bynnag den ni’n feddwl am yr ast ’na, den ni’n methu byw fel hyn.’

‘I ddechre, paid â meiddio siarad am Fal fel’na. Ac yn ail, dech chi’n mynd i drwsio pob un ffenest yn nhŷ eich tad.’

‘Mae hynny wedi’i wneud yn barod.’

‘Ffeindiwch ffordd arall i ddweud sori. Dwi’n gwybod eich bod chi wedi colli’ch mam, ond dydi hynny ddim yn esgus i fihafio fel ... wel, i ddyfynnu’r neges, fel wancars llwyr. Ewch adre rŵan, ac mi geisia i ddarganfod pwy wnaeth hyn.’

Fel cŵn wedi eu chwipio, gadawodd bechgyn Bitfel y tŷ. Arhosodd Daf am chwarter awr cyn camu drosodd i’r Afr.

‘Ocê, lodes,’ meddai wrth va. ‘Sut?’

‘Sut be, Mr Dafis?’ gofynnodd Tancred, gan geisio rhoi golwg ddiniwed ar ei wyneb ond yn methu.

‘Dwi’n deall eich bod chi’n hacars o fri, ond ...’

‘Rheol gyntaf hacio ydi mynd at dargedau meddal. Dech chi ’di clywed am Ryngrwyd Pethe, Mr Dafis?’

‘Dwi ’di clywed pobol yn ei ddweud o, ond does gen i ddim clem be mae o’n olygu.’

‘Mae sawl peth y dyddiau yma wedi ei gysylltu â’r we. Gwres y tŷ, ffrij, teledu, *sat-nav* yn y car. Mae’n bosib defnyddio ap i ordro paned o goffi, neu i lawrlwytho cwestiynau cwis o’r we.’

‘Dwi’n deall.’

‘Mae rhai systemau’n anodd iawn i’w torri, yn enwedig rhai sy’n ymwneud â phres, ychwanegodd va. ‘Os wyt ti’n cofio, doedd ’run neges sarhaus ynglŷn â bois Bitfel ar y peiriant cardiau fan hyn.’

‘Lodes ddrwg!’

‘Dwi’n cyfadde dim ... ond job go rwydd oedd rhoi *Christmas Grading* i’w gofio i fois Bitfel.’

‘Hmm.’

‘Den ni wedi cael pnawn reit fuddiol, yn tyden ni, Tancred? Efo cymorth rhai o’n ffrindiau o ben draw’r byd. Llanc yng Nghorea ddatrysodd broblem y peiriant coffi ...’

'Maen nhw wedi dysgu eu gwers erbyn hyn,' meddai Daf.

'Dech chi'n sicr?' gofynnodd Tancred. 'Achos doedd dim rhaid iddyn nhw eich tynnu chi lawr ar ben Andre. Doedd o'n gwneud dim drwg i neb.'

'Dwi'm yn meddwl bod Connor, Carl a Kevin yn mynd i greu unrhyw fath o helynt am dipyn.'

'Dyna siom. Roedden ni'n dechre mwynhau ein hunain.'

'Wel, paid â gor-wneud pethe.'

Chwarddodd va. 'O, paid poeni, Mr Dafis. Un Jäger bach arall ac mi awn ni adre i gau pethe lawr.'

Wrth fynd heibio'r bar, gwelodd Daf y botel o Jägermeister, yn barod i va a Tancred fwynhau eu diod olaf. Ar y label, gwelodd ben carw efo croes rhwng ei gyrn, yr un ddelwedd ag oedd ar drawst y pentan yn Hengwrt. Gan ryfeddu, aeth Daf adref, yn barod am ei wely.

Pennod 15

Bore Sul

Deffrodd Daf o hunllef arall tua phump: roedd y briw ar ei wddf yn plycio ac roedd o'n methu mynd yn ôl i gysgu felly aeth lawr staer. Taniodd y stof a syllu ar y fflamau cyn cau'r drws. Roedd Gaenor wedi dangos iddo sut i gynnau tân yn iawn gan roi nifer o ddarnau bach o goed ar ben y coed bore yn hytrach nag un boncyff mawr. Dyna beth oedd yn rhaid iddo fo'i wneud yn yr ymchwiliad: rhoi'r darnau bach at ei gilydd fel bod y cyfan yn tanio.

Ac Avril yn dal i stelcian drwy ei ben, cofiodd Daf sut y bu i Rhodri neidio pan welodd hi ym maes parcio Dolanog. Yn sydyn, atgoffwyd Daf am y car bach coch. Chwiliodd am y nodyn a wnaeth ar ei ffôn – roedd o wedi bwriadu gwneud yn siŵr bod y siwrans a'r MOT yn gyfredol. Sgwennodd y rhif i lawr a phwysodd fotymau cyfarwydd iawn.

'Hello there, PND, this is Chief Inspector Dafydd Dafis, Dyfed Powys Police. Have you got any Welsh-speaking personnel on duty? ... Well, that's not really good enough, given what the protocols actually say, but never mind. I need you to check a vehicle for me. Nissan Micra, number ...'

Wrth aros iddyn nhw brosesu ei gais, dechreuodd ystyried ei fod yn afresymol yn disgwyl i ganolfan yn Hendon ddarparu siaradwyr Cymraeg am bump o'r gloch y bore Sul cyn y Dolig, a chofiodd yn sydyn fod rhywun arall wedi sôn wrtho am Nissan Micra yn ddiweddar. Huw Howyn-Jones, a ddisgrifiodd fam Enid yn ei Micra bach yn teithio o amgylch eisteddfodau lleol ac yn actio mewn dramâu cymunedol.

'Wish we had a Welsh speaker on for you now, Taffie. Registered keeper is a Mrs Kerry-down Ellis.'

'Ceridwen?'

'What you said.'

'And address?'

'Honest to God, it's a meaningless jumble of letters, nothing like a word.'

Cofiodd Daf pa mor gandryll oedd John efo'r swyddogion mewnfudo, yn rhefru am y Saeson yn eu cychod pen draig, ond penderfynodd beidio â dechrau trafod hanes efo swyddog Bas Data Cenedlaethol yr Heddlu, waeth pa mor anwybodus oedd o.

'Just give me the letters and I'll manage the rest.'

'Alpha Lima Lima Tango then Yankee by itself then Golf Whiskey Yankee Alpha Charlie Hotel. It makes no sense and it can't even be said.'

'Allt y Gwyach,' atebodd Daf yn amyneddgar.

'Then it says Mike Oscar Romeo Foxtrot Alpha then Delta Yankee Foxtrot India.'

'Morfa Dyfi. And don't even trouble yourself with Machynlleth.'

'Your phone must be swimming in phlegm and spit.'

'Are you due to do your ethnic sensitivity training refresh any time soon?'

'Yeah, next week. How do you know?'

'Copper's hunch. Thanks and bore da.'

Ar ben ei hun yn yr ystafell dawel, plygodd Daf ei law i wneud dwrn a phwniodd yr awyr. Sgwennodd yn ofalus: 'Nissan Micra coch, Ceridwen Ellis, Allt y Gwyach, Glandyfi, Machynlleth. Mam Enid Astley, nain i va.' Setlodd ar y soffa, ei bapurau o'i gwmpas, yn bwriadu casglu pob tamaid o wybodaeth ynglŷn â'r hen ddynes yn y plygain er mwyn gweld a oedd hi'n bosib mai Ceridwen Ellis oedd hi. Na, roedd mam Enid wedi colli ei gwallt, ac wedi suddo'n ddwfn i grafangau Alzheimer's. A doedd lliw ei llygaid ddim yr un fath, ond ...

Teimlodd law fach gyfarwydd ar ei foch, a llais ysgafn yn parablu nonsens. Pan agorodd ei lygaid roedd y llenni ar agor a heulwen yn tywallt i mewn drwy'r ffenest.

'Ti'n meindio cadw llygad ar Miss?' gofynnodd Gaenor. 'A

diolch am ddod lawr fan hyn i gysgu – roedd dy fol mor swnllyd, ’nes i ddeffro deirgwaith. Mae ’na frechdan bacwn i ti yn y gegin – mae pawb arall wedi cael brecwast.’

‘Faint o’r gloch ydi hi?’

‘Chwarter wedi deg. Mae Rhodri wedi mynd i nôl y papurau ac mae Carys ar Skype efo Garmon. Bore fory mae o’n cael yr op.’

‘Ti’n gwybod be, Gaenor, rhwng pryderu am bres a’r achos ’ma, dwi ddim wedi meddwl am Carys trwy’r wythnos. Mae hi’n poeni am Garmon, siŵr?’

‘Ydi, ond nid am y driniaeth ei hun; mwy am ei reswm i fynd yno. Roedd hi’n meddwl ei fod o’n hapus, wedi derbyn be ddigwyddodd iddo ac yn barod i fyw ei fywyd yn ei gadair olwyn, ond o dan yr wyneb doedd o ddim yn hapus. A dyna sy’n ei phoeni hi – nad oedd hi wedi sylweddoli hynny.’

Daliodd Daf ddwylo’i gariad.

‘Ti’n lodes dda, Gae: ti’n gofalu am bethau dwi’n anghofio hyd yn oed poeni amdanyn nhw.’

‘Mae Carys wastad yn agored efo fi, diolch byth. Rŵan, rhaid i mi alw draw i weld Daisy am hanner awr fech, mae Rhys wedi ffonio. Noson reit heriol, yn ôl y sôn.’

‘Iawn ’te, ond dwi’n gweithio heddiw.’

‘Ddim tan ar ôl cinio, gobeithio? Mae Doris wedi ffonio i’n gwahodd ni fyny i Neuadd. Asen olaf y bustach du Cymreig laddodd John yn y bac end.’

‘Ond mae gen i ...’

‘Mae hyn yn beth mawr. Doris sy isie dangos i bawb fod popeth wedi’i setlo ... a rhaid i ti fwyta rwbeth rywbryd, beth bynnag.’

‘Ocê, ocê.’

‘Hefyd, tyden ni ddim wedi cael ein gwahodd yna ers ...’

‘Ers i ni adael?’

‘Yn union. Fyse’n neisiach petaen ni i gyd yn mynd ’nôl i ... wel, i ryw fath o normal.’

‘Normal efo dy gyn-ŵr yn caru mewnfudwraig

anghyfreithlon a fy nghyn-wraig yn disgwyl babi efo dyn sydd â phlant seicopathig?'

'Ie, normal fel'na. A hefyd ...'

'Hefyd be?'

'Hefyd, fysen i'n gwerthfawrogi cyfle i ... wel ... i weld Siôn ar ddydd Sul, a ti'n gwybod pam.'

'Dyma ni'r gwir o'r diwedd. Ti'n ffansïo bod yn ysbïwr.'

'Dwi'm yn busnesa, wir i ti, Daf. Dwi jest isie tsiecio sut mae o. Os mai pen mawr sy ganddo bob dydd Sul, mae'n andros o ben mawr os ydi o'n ddigon drwg i dynnu dyn cryf i lawr am ddiwrnod cyfan.'

'Ocê, ocê. Ond mae gen i waith i'w wneud, cynt ac wedyn.'

'Mae Doris wedi gofyn allwn ni fynd chydig yn gynnar, tua hanner dydd, er mwyn iddi gael cyfle i baratoi ar gyfer swper plygain Garthbeibio.'

'All Carys yrru Rhods yno, ti'n meddwl? Dwi'm yn ffansïo plygain arall mor fuan ar ôl yr un diwetha.'

'Neu all o fynd efo Fal, neu Doris a John.' Wedyn, chwarddodd yn isel. 'Ti'n meddwl y byddwn ni'n deulu agos cyn hir, Daf?'

'Dwi'm yn sicr allen i ddod i arfer efo Jonas. Mae o mor ddiflas â phostyn.'

'Dydi John ddim yn hynod o ffraeth chwaith.'

'Na, dwi 'di gweld ochr arall i John erbyn hyn.'

'Beth bynnag, dwi'n poeni am Siôn ond dwi ddim isio pechu Belle. Mae hyn yn gyfle i mi gael ...'

'Ocê, ocê, ond rhaid i mi ofyn i Sheila ddod draw yma felly i fy helpu. Dwi angen dipyn o gefndir cyn mynd draw i Forfa Dyfi yn nes ymlaen.'

Fel arfer byddai Mali yn tueddu i fynnu sylw ei thad, ond heddiw roedd hi'n brysur efo'i blocs pren lliwgar. Felly, cafodd Daf gyfle i wneud cwpl o alwadau ffôn. Roedd yn amlwg fod Sheila wedi bod ar ei thraed ers dipyn ond roedd va yn dal yn ei gwely, neu yng ngwely Tancred. Cwestiwn go syml oedd ganddo iddi hi, a daeth yr ateb mewn un tecst.

Hanner awr yn ddiweddarach, atebodd Daf y drws, nid i Sheila ond i Tom.

'Mi alla i ofalu am Miss fech tra dech chi'n trafod yr achos,' cynigiodd. Roedd Tom yn ei ddillad Sul arferol: trowsus *cavalry twill* a siaced o frethyn, ac o dan ei gesail roedd tegan plastig. 'Dwi'm yn gwybod ydi hi'n rhy ifanc i hwn. Ti'n pwyso botymau ac mae anifeiliaid bech yn popio allan.'

Gwenodd Sheila, oedd wedi bod yn chwilio am le i barcio, pan welodd Tom ar ei bedwar yn dangos y tegan newydd i Mali, ond roedd sglein yn ei llygaid hefyd.

'Well i hyn fod yn reit bwysig, bòs. Mae Tom 'di addo mynd â fi am ginio neis.'

'Does nunlle neisiach na'r Afr, a gewch chi fynd wedyn.'

Eisteddodd Daf yn y gegin, y drws ar agor, yn gosod y papurau ar y bwrdd. Roedd Sheila'n sefyll yn y drws rhwng y ddwy ystafell tan y daeth storm o chwerthin gan Mali. Caeodd y drws yn dawel.

'Bron yn methu diodde ei weld o efo hi,' sibrydodd. 'Well gen i ganolbwyntio ar y llofruddiaeth.'

'Reit. Roedd 'na gar ym maes parcio Dolanog noson y plygain, a'r perchennog cofrestredig ydi Ceridwen Ellis, mam Enid.'

'Mae gan Enid alibi. Dwi 'di bod drwy bopeth ddwedodd hi.'

'Ond be am ei mam?'

'Ti 'di'i gweld hi, bòs. Mae hi bron yn methu cerdded, heb sôn am yrru car.'

'Dwi isie ti ffeindio pwy ydi ei meddyg hi, Sheila. A dwi angen gweld metadata y cyfrifon e-bost yma.'

'Maes Nev ydi hynny ... 'se'n well i ti ei alw fo allan beth bynnag.'

'Pam hynny?'

'Ers ei *escapade* nos Wener, tydi Nev druan ddim wedi cael mynd allan o'r tŷ gan ei fam. Yn ôl y sôn, mae ganddo fo hymdingar o frathiad caru ar ei wddf.'

'Siom na wnaeth y steroids glirio'r plorod.'

'Roedd o'n gwisgo *foundation* go drwchus ar gyfer y sioe – falle bod Gwerfyl wedi cael sioc ben bore. Ond ta waeth, be am yr hen leidi – mam Enid?'

'Roedd ei char hi ym maes parcio Dolanog noson y plygain a does ganddon ni ddim esboniad am y peth. Wnei di ddanfon unrhyw wybodaeth i mi'n syth?'

'Ti'm yn dod lawr i'r orsaf?'

'Dwi'n gwarchod. Wedyn cinio dydd Sul.'

'Be am ein cinio dydd Sul ni?'

'Fyddi di wedi gwneud dipyn o waith cyn cinio – mi fydda inna'n gwneud yr un fath.'

Cododd Sheila un o'r ffeiliau oddi ar y bwrdd ac oedodd cyn agor y drws.

'Mae Tom mor neis, bòs. Dwi'm isie ei adael o lawr.'

'Does dim rheswm i ti feddwl fel'na.'

Cododd Daf ac agorodd y drws iddi. Roedd Tom yn gorwedd ar ei gefn erbyn hyn, a Mali yn gosod ei brics fesul un ar ei fol. Pan oedd hi wedi rhoi chwech yn eu lle, chwythodd Tom a disgynnodd y cyfan nes bod Mali yn ei dyblau'n chwerthin.

'Am lodes fech hyfryd,' dywedodd Tom. 'Pwy sy'n cael ei sbwylio gan Wncl Tom?'

Pan welodd Mali fod ei geg ar agor, rhoddodd fricsen felen ynddi. Rhwng y sioc a'r chwerthin, roedd Tom bron â thagu. Rowliodd ar ei ochr a chlapiodd Mali ei dwylo. Pan welodd Mali ei ffrind mawr yn codi, dechreuodd feichio crio a bu'n rhaid i Tom ei chodi yn ei freichiau.

'Ydi'r clinig 'na ar agor ar y Sul?' gofynnodd Tom. 'Achos dwi'n methu aros i ni gael ein Mali fech ein hunain.'

'Sori, Tom,' atebodd Daf, 'fydd dy blentyn di ddim hanner mor ddel – mae gan Mali dad andros o olygus.'

'Pwy, felly?' atebodd Sheila'n swta, ond erbyn i Tom a Sheila adael roedden nhw i gyd yn chwerthin, heblaw Mali, oedd yn torri ei chalon. Daeth Carys lawr y grisiau yn edrych braidd yn flin.

'Ti'n anobeithiol, Dadi. Ro'n i'n ceisio siarad efo Garmon, a Mali'n sgrechian fel dwn i'm be.'

'A sut mae Garmon?'

'Yn union fel byse rhywun yn disgwyl, o gofio y bydd rhyw foi yn potsian efo'i asgwrn cefn bore fory.' Cododd Carys ei chwaer fach o freichiau Daf. 'Ty'd i ddweud helô wrth Garmon, Mals. Tydi Dadi'n dda i ddim.'

Wrth gwrs, teimlodd Daf yn euog am bum munud, wedyn trodd yn ôl at ei waith. Porodd dros bopeth oedd wedi ei ddweud am y ddynes anhysbys yn y plygain, a phopeth a wyddai am Ceridwen, mam Enid. Heblaw am y ffaith fod y ddwy yn fenywod dros eu saith deg oed, nid oedd llawer o debygrwydd rhwng y ddwy. Edrychodd ar ddatganiad Huw Howyn-Jones. 'Eisteddfodau. Micra coch. Cystadlu. Wig. Am-drams. Cyfrifiadur.' Cofiodd va yn sôn am e-bost a gawsai gan ei nain yn trafod Daf. Felly roedd cyfnod wedi bod ers i Daf fod draw yn Allt y Gwyach pan oedd Mrs Ellis yn ddigon clir ei meddwl i ddefnyddio cyfrifiadur. Ffoniodd Jane Jenkins yng ngorsaf Aber: dim ateb. Gwnaeth baned i Carys i geisio cymodi – erbyn hyn, roedd yr alwad Skype wedi dod i ben ac roedd hi'n gorwedd ar ei chefn ar y gwely, a Mali Haf yn ei chesail. Roedd hi'n canu'n isel ac wyneb Mali'n bictiwr wrth iddi wrando ar ei ffefrynnau, yn enwedig 'Mil Harddach Wyt'.

'Dwi am fynd draw yno fory, Dad,' datganodd Carys. 'Mae o wedi dweud wrtha i am beidio ond dwi'n methu ei adael o ar ei ben ei hun, draw yn bell yn fanna mewn poen.'

'Ei benderfyniad o ydi o, 'sen i'n dweud.'

'Nage!' ebychodd Carys, a neidiodd Mali. 'Alla i ddim aros yma. Lwyddes i i fwcio tocyn neithiwr ac mi fydda i yno pan fydd o'n deffro.'

'Pryd, felly?'

'Bore fory. Mae Gae yn gallu fy ngyrru fi fyny i Lerpwl.' Eisteddodd i fyny, gan fwytho ei chwaer fach. 'Ro'n i'n meddwl 'mod i'n ei nabod o, Dadi. Dwi'n ei garu o yn union fel y mae o.'

'Oes gen ti ddigon o bres i dalu am y tocyn?'

Wnaeth Carys ddim ateb. Aeth Daf i nôl ei waled a chyfrodd bum papur ugain ohoni a'u plygu yn ei law cyn dychwelyd at ei ferched.

'Gwranda, lodes, dydi pres ddim yn llifo, ond cymer di gyfraniad bach gan dy dad.'

'Doeddwn i ddim yn disgwyl ceiniog, Dadi,' atebodd. 'Dwi'n gwybod ei fod o'n beth gwirion i'w wneud, rhedeg ar ei ôl o fel hyn, ond mae'n rhaid i mi fynd.'

Daeth Daf i lawr y staer efo Mali, ac ar ôl iddi setlo efo'i thegan newydd, ffoniodd Sheila.

'Dwi angen gair nes ymlaen efo Enid a'i mam – wnei di drefnu hynny, plis.'

'Oce. Mae Nev wedi cyrraedd ac mae o'n cysylltu efo darparwyr y gwasanaethau rhyngrwyd. Dyden ni erioed wedi cael cyfle i fanteisio ar y ddeddf newydd o'r blaen.'

'Ti wedi dod o hyd i gyfeiriad y meddyg eto?'

'Yden ni'n cael poeni meddygon ar ddydd Sul?'

'Ymchwilio i lofruddiaeth yden ni, nid gwerthu'r Watchtower, lodes. Siaradwn ni nes ymlaen.'

Gwnaeth Daf ychydig o nodiadau ychwanegol cyn ffonio Jane Jenkins yng ngorsaf heddlu Aberystwyth eto.

'Noson fawr neithiwr?' gofynnodd.

'Dim o gwbl. Pam?'

'Mi ffonies i yn gynharach. Dim ateb.'

'Ro'n i yn y capel efo 'mhlant, lle dylet ti fod hefyd. Beth bynnag, pam ti'n fy mhoeni i nawr 'to?'

'Wnei di ddanfon car draw i gadw llygad ar dŷ ym Morfa Dyfi, Allt y Gwyach? 'Sneb o Mach ar gael.'

'Iawn. O pryd tan pryd?'

'O nawr tan dwi'n mynd yno tua tri o'r gloch pnawn heddiw, ocê?'

'O, ti'n bwriadu gwneud rwbeth heddi, y't ti? Fydd hynny'n newid neis i bawb.'

'A Nadolig Llawen i ti hefyd.'

Ymhlith yr holl bethau oedd yn troi ym mhen Daf roedd un

lleoliad: Penrhyn-coch. Ceisiodd gofio llais yr hen ddynes yn y plygain, a chofiodd synnu nad oedd o'n ei nabod hi. Roedd o'n dal yn ddryslyd pan agorodd Gaenor y drws, yn eu hannog i baratoi i fynd fyny i Neuadd.

Roedd y tŷ yn llawn. Rhuthrodd Falmai draw at Daf, a sylwodd yntau fod ei gwallt yn llawn arogl blodau.

'Dwi ddim isie gwybod be ddeudest ti wrth Connor, Kev a Carl, na be wnest ti. Dwi jest isie dweud diolch.'

'Am be ti'n sôn?'

'Daeth y bois draw am ddeg y bore 'ma efo tusw o flodau enfawr, i ymddiheuro. Mae Connor dal ... fel mae o, ond dechreuodd Carl grio wrth siarad am ei fam a ... wel, rois i gwtsh iddo fo. Wedyn, meddyliodd Jonas ei bod yn hen bryd dweud wrthyn nhw am y babi. Roedden nhw i gyd, hyd yn oed Connor, yn falch, a disgrifiodd Kev y babi fel aelod newydd o'r giang. Mae pethe'n llawer rhwyddach erbyn hyn ac mae'r tri wedi mynd draw i Bitfel i sortio'r llanast tu allan. Roedd potiau blodau ac ati wedi cael eu malu. Gobeithio y gallwn ni fynd yn ôl yno heno neu fory – mae John a Doris angen y byngalo.'

'Dwi'n falch bod pethe'n well. Diweddglo hapus i bawb, felly.'

'Bendant. A ti 'di clywed be ddigwyddodd neithiwr?'

'Naddo.'

'Ddaeth Mam draw i siarad efo John, achos ei bod wedi clywed am ei berthynas efo Doris. Roedd cryn dipyn o stŵr, a phan gyfaddefodd Mam mai hi alwodd y llu mewnfudo, aeth John yn gynddeiriog. Mae o wedi gwahardd Mam o Neuadd!'

'Chwarae teg iddo fo. Hen bryd iddi gamu'n ôl o fusnes pobol eraill.'

'Dydi o erioed wedi codi'i lais efo hi o'r blaen. Mae hi mewn sioc.'

'Ddyle hi fod.'

Aeth Falmai draw i siarad efo Carys, gan adael Daf i sylwi

ar gyflwr Siôn. Roedd o'n eistedd yng nghornel y soffa, ei goesau i fyny fel bachgen bach, ac roedd gwacter anarferol yn ei lygaid. Gwrthododd y cynnig o ddiod gan ei dad heb yr un gair, gan edrych o gwmpas yr ystafell am Belle. Pan ddaeth hi i mewn, gwenodd rhyw fymryn. Eisteddodd hithau wrth ei ochr yn ei anwesu fel petai'n gi bach.

'Rhaid i ti ddweud rwbeth,' sibrydodd Gaenor. 'Gofyn i Belle. Sbia arno fo: dydi hyn ddim yn naturiol.'

'Gofyn be?'

'Wel, os ydi Siôn yn iawn. Mi wnaiff hi ymateb i ti yn llawer gwell nag i fi.'

Felly chafodd Daf ddim ymlacio o gwbl gan ei fod yn chwilio am gyfle i siarad â Belle – ac roedd hynny'n anodd gan ei bod wastad wrth ochr Siôn. Roedd yn rhaid i Daf gyfaddef bod ei gyflwr yn edrych yn debycach i *comedown* ar ôl cymryd cyffur na phen mawr. O'r diwedd, gofynnodd Doris i Siôn nôl cadair ychwanegol o'r stydi. Cododd Siôn yn araf i ufuddhau ac aeth Daf draw at Belle.

'Ydi Siôn yn iawn, Belle?' gofynnodd, gan geisio swnio'n ddidaro. 'Dydi o'm yn edrych gant y cant.'

'Fydd Siôn yn iawn, siŵr.'

'Belle, ydi o wedi ... cymryd rwbeth?'

Gafaelodd Belle yn ei benelin a'i dywys allan i'r cyntedd, lle ymestynnai'r grisiau mawr derw i fyny i'r llofftydd.

'Dwi'n mynd i ateb dy gwestiwn ar un amod, Daf,' meddai, gydag ychydig o hiwmor yn ei llais penderfynol. 'Os ydw i'n dechrau dweud y stori, does gen ti ddim hawl i fy stopio i tan dwi 'di gorffen, iawn?'

Dylai hynny fod yn ddigon o rybudd, ond teimlai Daf ddyletswydd tuag at Gaenor, oedd wir yn gofidio am ei mab. Gan ei fod yntau'n ysu i glywed beth yn union oedd yn mynd ymlaen, nodiodd ei ben i gytuno.

'Mae ganddon ni berthynas go angerddol, Daf, ti'n gwybod hynny. Ers blynyddoedd dwi wedi bod yn arbrofi'n rhywiol, ac erbyn hyn dwi 'di darganfod be dwi'n licio. BDSM sy'n fy nghynhyrfu i, ond nes i mi gyfarfod Siôn do'n i ddim wedi dod o hyd i ddyn ro'n i'n ei ffansïo oedd yn mwynhau cael ei ddomineiddio. 'Dan ni'n siwtio'n gilydd yn berffaith, fo a fi, ond does ganddon ni ddim amser i chwarae gemau cymhleth bob nos. Ar nos Sadwrn, yn rheolaidd, 'dan ni'n creu "golygfa", sy'n golygu ein bod ni angen llonydd a digon o amser i baratoi. Pan mae pethau'n mynd yn wych rhyngddon ni ...'

'Dim manylion, Belle, plis.'

'Ti ofynnodd, a ti wedi gaddo gwrando ar y stori i gyd. Cau hi tan dwi 'di gorffen.'

'Iawn,' atebodd Daf yn ufudd.

'Pan mae'r olygfa'n gweithio go iawn, mae Siôn yn cyrraedd cyflwr arbennig o'r enw *subspace*. Mae o fel cymryd asid – sgileffaith yr holl endorffins sy'n llifo drwy ei gorff ydi o. Mi all o aros fyny yn y stad yma am sawl awr ond wedyn, fel arfer y diwrnod wedyn, mae o'n dod i lawr ... y *sub drop*. Cyflwr corfforol ac emosiynol ydi o, a dyna be sy'n bod ar Siôn heddiw. Os dwi'n gofalu amdano fo'n iawn, fydd o'n ôl i normal mewn hanner diwrnod, ond mae o'n reit fregus a phryderus wrth ddod lawr, ac angen fy ngofal i.'

'Blydi hel, Belle. Ti'n dweud dy fod ti'n gallu rhoi trip iddo fo jest drwy ei shagio fo?'

'Mae o'n llawer mwy na shag arferol, Daf ... ond ydw, yn y bôn.'

'Dwi mor sori am fod yn fusneslyd. Roedd Gaenor yn poeni amdano fo.'

'Ddyla hi boeni – 'dan ni'n chwarae efo tân. Mae pobol wedi lladd eu hunain mewn *sub drop*. Ond dwi wrth fy modd efo Siôn ac yn lecio gofalu amdano fo. Mae'n rhaid iddo fo fwyta'n iach ac osgoi alcohol a ballu y diwrnod wedyn.'

'Ond mae o'n mwynhau ...?'

'Mae'r pleser yn werth y teimlad isel wedyn, medda fo. Ac nid ei benderfyniad o ydi o, beth bynnag.'

Martsiodd Belle yn ôl i'r lolfa gydag egni ym mhob cam a sleifiodd Daf ar ei hôl hanner munud yn ddiweddarach, yn meddwl be i'w ddweud wrth Gaenor. Byddai'n falch iawn o glywed nad oedd Siôn ar gyffuriau, ond ddim mor hapus pan glywsai mai sgileffaith perthynas BDSM oedd o. Byddai'n anodd eistedd wrth y bwrdd i fwyta'i datws rhost a'i foron ac yntau'n gwybod cymaint am berthynas Siôn a Belle.

Pan eisteddodd pawb wrth y bwrdd, sylwodd Daf fod newid cynnil ond arwyddocaol yn y drefn yn Neuadd. Fel rheol, John, fel pennaeth y teulu, fyddai'n eistedd ar ben y bwrdd yn ei gadair fawr dderw, efo meistres y tŷ ar y pen arall. Heddiw, Belle oedd yn eistedd gyferbyn â John gan nad oedd arno yntau eisiau bod, hyd yn oed dros bryd o fwyd, mor bell oddi wrth Doris. Bob hyn a hyn, rhoddai ei gyllell i lawr er mwyn cyffwrdd cefn llaw Doris. Llifai'r sgwrs yn rhwydd ond roedd meddwl Daf yn bell, yn myfyrio dros y geiriau a sgwennodd ar y papur cyn cychwyn. 'Wig. Micra. Penrhyn-coch.'

Derbyniodd decst gan Sheila a phwdin gan Doris ar yr un pryd: cyfeiriad y meddyg a roli-poli efo jwg mawr o gwstard. Petai o wedi gadael y bwrdd, hyd yn oed oherwydd argyfwng, byddai'n sarhau Doris, felly arhosodd am ddau ddarn o roli-poli allan o gwrteisi. Wedyn, tynnodd sedd car Mali o'i gar gwaith, gan adael Gaenor i drefnu lifft adref. Cyn gadael y buarth, danfonodd neges i Sheila i ofyn am gefndir Ceridwen Ellis. Cafodd gadarnhad hefyd nad oedd neb wedi cyrraedd na gadael Allt y Gwyach.

Uwchben Dyffryn Dyfi, rhyw ddwy filltir o Forfa Dyfi, nid nepell o'r wal a alwai Carys yn Fur Mawr Brexit oherwydd yr holl bres Ewropeaidd a gafodd ei wastraffu arni, roedd dau dŷ pâr wedi eu codi mewn cae. Roedden nhw'n dri llawr yn y tu blaen a dau lawr yn y cefn, a'r golygfeydd ohonynt yn fendigedig. Sylwodd Daf fod gardd ffrynt y tŷ cyntaf yn syml ond braidd yn foel, gyda bwrdd bach pren er mwyn manteisio ar harddwch y wlad; ond yn amlwg, tŷ teulu oedd y llall, efo ffrâm ddringo a beic bach pinc tair olwyn o'i flaen. Deuai alaw gyfarwydd iawn o'r lolfa: thema Peppa Pinc. Cnociodd Daf ar y drws, a tra oedd o'n aros gwelodd wyneb yn ffenest y tŷ drws nesaf. Huw Howyn-Jones. Dyma lle y daeth Enid ar ôl gadael y Wynnstay felly, tra oedd ei chyn-ŵr yn y plygain yn Nolanog. Teimlodd Daf fod y darnau'n disgyn i'w lle, hyd yn oed os oedd twll mawr yn dal i fod yn y canol.

Dyn ifanc, cwrtais oedd y meddyg, ac er nad oedd yn hapus i weld heddwas ar stepen ei ddrws ar bnawn Sul, roedd o'n fodlon helpu.

'Dim ond ers tair blynedd dwi 'di bod yn feddyg teulu,' esboniodd. 'Mi rois i dipyn o help iddyn nhw yn ystod salwch olaf gŵr Ceridwen, ond wnes i ddim sylwi pa mor ddwfn oedd ei hiselder. Dan ni'n anghofio am iechyd meddwl yr henoed yn aml iawn, Inspector, a dwi'n beio fy hun am hyn. Mi wnaeth ymgais, un go ddifrifol, i ladd ei hun efo coctel o dabledi a moddion amgen, rhai roedd hi wedi eu gwneud ei hun o blanhigion yr ardd. Lwcus bod ei wyres wedi galw heibio – roedd hi'n ffantastig. Hi arbedodd fywyd ei nain, yn bendant.'

Yn ystod holl sgyrsiau Daf ag aelodau'r teulu, doedd neb wedi crybwyll hynny.

'Wedyn, ar ôl iddi ddod adre o'r ysbyty, sylwodd ei merch ar symptomau gorffwylltra go iawn. Am ryw reswm doedd ei wyres ddim yn derbyn y diagnosis ond roedd o'n ddigon clir i mi, hyd yn oed mewn dynes sy'n gallu bod mor graff. Mae ganddi hi synnwyr digrifwch grêt ac mae'n gallu defnyddio'r we fel merch yn ei harddegau. Pan ddatblygodd hi alopecia, cyn i mi gael cyfle i ordro wig NHS iddi hi, cyrhaeddodd un newydd sbon o rywle, ac un hyfryd oedd hi hefyd. Ond weithiau, mi fydd yn aros yn ei chadair am ddyddiau, yn siarad bron ddim. Mae'n sefyllfa drist iawn, a tydi iselder ei merch ddim yn helpu o gwbl.'

'Ydi hi'n dal yn gyrru?'

'Nac'di, gobeithio. Dwi'm yn siŵr oes leisans ganddi ai peidio.'

'Diolch yn fawr iawn, a sori am dorri ar draws dy ddydd Sul.'

'Falch o helpu, ac yn falch o gael dianc rhag Peppa Pinc am eiliad, os dwi'n onest.'

Ar ei ffordd yn ôl i'r car, clywodd Daf leisiau yn dod o'r tu ôl i'r tŷ arall.

'Na, na, dim ond plastig caled i'r un coch. I'r *residual waste* mae'r gweddill yn mynd.' Llais Huw Howyn-Jones.

'Dwi ddim wedi dysgu'r system ... Mam sy'n ailgylchu acw.' Llais Enid Astley.

Camodd Daf rownd i'w gweld.

'Mrs Astley, dwi ar fy ffordd draw i weld eich mam – mae gen i gwpl o gwestiynau i'w gofyn iddi. Allech chi ddod hefyd?'

'A finne,' cynigiodd y cyfreithiwr.

'Dim byd ffurfiol, ond dwi angen trafod un neu ddau o bethe.'

'Mae hynny'n iawn,' atebodd Enid.

Efallai mai dim ond effaith yr oerni ar ei bochau oedd o, ond roedd Daf yn siŵr ei fod yn gweld newid ynddi hi, fel petai rhai o'r cymylau wedi gwasgaru rhywfaint.

Ar ben yr wtra roedd car, a synnodd Daf pan welodd mai Jane oedd yn eistedd ynddo.

'Mae'r plant wedi mynd i barti pen-blwydd heddiw ac mae hyn yn esgus da i'w osgoi. Hefyd, ro'n i isie gweld be sy'n mynd mlaen fan hyn.'

'Ty'd lawr efo fi.'

Agorodd Jane y giât ger y bont reilffordd a chafodd Daf gyfle i sylwi ar farc paent ar y concrit. Agorodd ffenest y car i gael golwg well. Paent car, yn amlwg, ond doedd o ddim yn sgleiniog. Cofiodd gyflwr paent y Micra ym maes parcio Dolanog noson y plygain.

Yn y buarth, tra oedd yn aros am Enid a Howyn-Jones, cofiodd Daf iddo wlychu ei draed y tro diwethaf iddo ymweld ag Allt y Gwyach. Dim ond mewn un rhan o'r buarth roedd y rhew yn ddigon tenau i dorri – oherwydd ei fod wedi cael ei dorri yn eithaf diweddar cyn hynny, efallai?

'Am le unig!' sylwodd Jane.

'Cafodd merch ifanc ei magu yma yn unig blentyn, a chafodd ei haddysgu adre.'

‘Hi ydi dy lofrudd di felly! ’Sen i wedi mynd o ’nghof ar ôl wythnos fan hyn.’

‘Mae’n dawel.’

‘Fel y bedd.’

Ger y drws ffrynt roedd rhes o focsys ailgylchu, gan gynnwys rhai ychwanegol ar gyfer compost, dillad ac ati. Cofiodd Daf sut roedd Mrs Morris y Wern wedi poeni am y bocsys ailgylchu yn Nolanog. Tynnodd ei ffôn o’i boced.

‘Steve, cer fyny i Ddolanog ac agora’r bocsys ailgylchu. Den ni’n chwilio am unrhyw botel fach, iawn?’

‘Bòs, wyt ti’n awgrymu bod llofrudd yn *recyclo’r evidence*?’

‘Yn fy mhrofiad i, does neb yn lladd heb fod yn wallgo i ryw raddau. Felly, er mwyn datrys yr achos, rhaid i mi ddeall y gwallgofrwydd hwnnw.’

‘Ocê, bòs, os alla i godi rhywun o’r Cyngor Sir ar bnawn Sul.’

Erbyn hyn roedd Enid wedi cyrraedd.

‘Pryd oedd y tro diwetha i unrhyw un yrru car eich mam?’ gofynnodd Daf iddi.

‘Dros flwyddyn. Dwy flynedd falle. Toc ar ôl marwolaeth Dad.’

‘Ond mi welais y Micra yn Nolanog nos Sul diwetha.’

‘Mae hynny’n amhosib. Roedd o fan hyn.’

‘A sut gallwch chi fod mor sicr? Ar ôl i chi adael, gallai unrhyw beth fod wedi digwydd i’r car.’

‘Ond ...’

‘Ble mae o, y Micra?’

Arweiniodd Enid ef i feudy efo drws mawr pren. O flaen y drws roedd y pwll lle gwlychodd Daf ei draed. Agorodd y drws yn araf a daeth golau o’r tu mewn. Roedd arogl hollol annisgwyl yno: erosol. O dan y bylb noeth roedd mam Enid, wedi’i lapio’n gynnes, yn brysur efo tun o baent car, yn trwsio’r graith roedd y concrit ger y bont wedi’i hachosi. Yn ei chlustiau roedd clustffonau bach ac roedd hi’n hymian wrth weithio. Nid oedd yn gwneud job dda iawn – roedd y paent newydd yn rhy sgleiniog i gyd-fynd â’r hen baent, oedd wedi dylu dros y blynyddoedd. Cododd ei phen, ac am eiliad gwelodd Daf fod ei llygaid glas golau yn sionc, ond fel aer o falŵn, diflannodd pob ystyr o'i hwyneb a daeth sŵn bach anifeilaidd o'i cheg.

'Ar be ydech chi'n gwrando, Mrs Ellis?' gofynnodd Daf.

Tynnodd un o'i chlustffonau a'i gynnig iddo: podlediad o un o raglenni Dai Llanilar.

'Gawn ni sgwrs?'

Nodiodd ei phen i ateb.

'Does dim llawer o breifatrwydd yn y tŷ, Mrs Ellis. Ydi hi'n ddigon cynnes i ni gael sgwrs yn y cwch, dech chi'n meddwl?'

Fel ateb, shifflodd drwy'r drws. Wrth iddi fynd heibio iddo, sylwodd Daf nad oedd hi'n drewi fel yr oedd hi pan alwodd heibio ychydig ddyddiau ynghynt.

'Dwi jest isie gair bach preifat efo Mrs Ellis,' eglurodd Daf wrth Jane. 'Wnei di bicio draw i'r tŷ a thynnu llun o ffotograff ar y wal wrth y drws o ddeuawd cerdd dant? Wedyn, danfon y llun draw at Sheila, ac mae angen sicrhau bod tyst o'r enw Mrs Morris y Wern yn cael ei weld o cyn gynted â phosib.'

'O be farwodd dy gaethwas ola, dwed?'

'Ti 'di dod i fusnesa, felly mae'n rhaid i ti ennill dy hawl i wthio dy drwyn i fy achos i.'

Brysiodd Daf i lawr y llwybr i'r cwch i helpu Mrs Ellis, ond roedd hi'n syfrdanol o gadarn ar ei thraed. Tinciodd ei ffôn: neges gan Sheila efo'i chefndir. Ganed Mrs Ellis yn Ceridwen Williams, merch y mans ym Mhorthmadog, ond symudodd y teulu i Benrhyn-coch yn ystod ei phlentyndod. Roedd ganddi un brawd, David, oedd dal yn fyw, ac un chwaer, Mary, a briododd i deulu amaethyddol y Morgans o Benrhyn-coch: hon oedd y chwaer fu farw ddwy flynedd yn ôl. Aeth Ceridwen i'r coleg yng Nghaerfyrddin a phriodi dyn lleol o ardal Lambed. Enillodd wobr yr actores orau ledled Cymru yn nramâu'r Ffermwyr Ifanc yn ei chyfnod, a chafodd yrfa yn athrawes mewn ysgolion ym Mhowys, Sir Gâr a gogledd Ceredigion. Ganed un plentyn iddi sef ei merch, Enid.

Cam ymlaen, a neges arall, gan Nev. Ar fetadata Mrs Ellis, roedd y rhan fwyaf o'r gwefannau roedd hi wedi ymweld â nhw yn go amlwg: yr Urdd, y *Cambrian News*, siopau llyfrau ar-lein, ac ati, ond roedd un anghyfarwydd yn eu plith, sef www.ionyou.co.uk. Danfonodd Daf neges yn ôl iddo: 'Ymchwilia i bob un ohonyn nhw.' Roedd neges gan Steve hefyd.

Yn groes i ddisgwyliadau Daf, doedd y cwch ddim yn oer o gwbl, nac yn drewi o bi-pi. Yn lle hynny, roedd arogl botanegol braf yno.

'Mae rwbeth yn gwynto'n neis,' sylwodd.

'*Orris root*. Dwi wrthi'n gwneud *pot pourri* i'w roi fel anrhegion Nadolig.' Roedd ei llais yn dawel ond yn glir.

'Dech chi'n gwybod lot am flodau ac ati, Mrs Ellis?'

'Cryn dipyn. Ond Enid ydi'r arddwraig o fri.'

'Ai chi yrrodd eich car draw i Ddolanog wythnos diwetha?'

'Fi? Dwi ddim wedi gadael y lle 'ma ers misoedd. Dim ond pydru fan hyn ....'

'Pam hynny?'

'Achos fod Alzheimer's arna i.'

'Ond dech chi'n siarad yn hollol glir rŵan.'

'Darn o'i greulondeb yw sut mae o'n mynd a dod.'

'Neu mae o'n eich siwtio chi i adael i bobol feddwl hynny.'

'Am be ydach chi'n siarad, Mr Dafis?'

'Dech chi 'di cofio fy enw i'n iawn.'

'Yn tydw i? Peth rhyfedd.'

Dangosodd iddo ble i eistedd ar fainc oedd â chlustog liwgar arni. Tynnodd ei chôt drwchus a'i het wlân, a gwelodd Daf fod sgarff *batik* wedi ei lapio am ei phen.

'Roedd hi'n debyg i chi ... eich chwaer, Mary?'

'Go debyg. Dilyn teulu ochr Mam, dyna oedd pawb yn dweud.'

'Colled fawr i chi.'

'Dyna sut beth yw bywyd, os gallwch chi alw henaint yn fywyd. Mae'r bobol rydych chi'n eu hoffi, eu caru, yn marw fesul un. Yr amser yma o'r flwyddyn mae agor cardiau Dolig yn debyg i ddarllen cofeb, fel adroddiad o'r Somme ond efo robin goch arno.'

Roedd hi'n ffraeth, yn bendant.

'Dech chi'n gyfarwydd â'r gân "Mab Annwyl dy Fam".'

'Ydw.'

'Mrs Ellis, pan oedd Illtyd Astley ar ei wely angau, mi ganodd y gân honno i'ch merch. Oes ganddoch chi syniad pam ddewisodd o wneud hynny?'

'Dim syniad o gwbl. Na diddordeb chwaith.'

'Cân am wenwyno ydi hi, ie?'

'Can werin go gyffredin.'

'Ond dewis rhyfedd. Cyn hynny, roedden nhw'n canu "Tra Bo Dau" a "Deio'r Glyn" i'w gilydd. Oedd Astley yn dal i garu Enid?'

'Pwy a ŵyr.'

'Dech chi'n tyfu'r *orris* eich hun?'

'Wrth gwrs. Mae'n ddrud i'w brynu.'

'Dech chi'n defnyddio gwraidd unrhyw blanhigyn i wneud pethe?'

'Ydw, yn aml iawn. Cochwraidd gwyllt, y lili, dant y llew ...'

'Be am y gysblys?'

'Hen stwff drwg ydi hwnnw. Does dim byd allwch chi ei wneud efo'r gysblys.'

'Heblaw gwenwyno, wrth gwrs.'

'Wrth gwrs. Gymerwch chi baned?'

'Os nad ydi hi'n drewi o lygod.'

'Rydych chi'n chwerthin ar fy mhen, Mr Dafis.'

'Neu fel arall rownd.'

Trodd ei chefn arno i lenwi'r tegell o'r tap uwchben sinc bach yn y gornel.

'Mae'r trydan yn dod o'r tŷ ac mae Huw Howyn yn llenwi'r bowsar dŵr yn rheolaidd,' esboniodd dros ei hysgwydd. 'Roedd Illtyd yn ffansïo creu rhyw fath o hafdy fan hyn ond methodd gael caniatâd cynllunio. Felly prynodd y cwch yma, achos os oes modd ei symud o, does dim rhaid cael y caniatâd. Cyn dod lawr i fan hyn, hel gwymon oedd o yn yr Alban.'

Wrth ei ymyl ar y bwrdd gwelodd Daf ddau focs ailgylchu, un coch a fawr ddim ynddo ac un glas yn llawn cylchgronau a phapurau o bob math.

'Yden ni'n cael rhoi cardfwrdd i mewn yn y bocs glas y dyddie yma?' gofynnodd Daf fel esgus i bori drwy'r papurau.

'Dwi'n meddwl.'

'Dwi'n hollol ansicr ar ôl y lol efo plastig meddal – un wythnos mae'n cael mynd i mewn, yr wythnos nesaf mae o wedi'i wahardd.'

'Dwi bron yn sicr fod cardfwrdd yn dal yn iawn.'

'Be os oes plastig y tu mewn iddo, fel hyn?'

Rhoddodd becyn bach ar y bwrdd oedd yn gardfwrdd tu allan a phlastig y tu mewn i ddal dŵr. Ar y clawr, mewn llythrennau mawr coch, roedd cyfeiriad gwefan: www.ionyou.co.uk. Gwenodd Mrs Ellis yn braf wrth osod paned o'i flaen. Roedd hi'n debyg i va, sylwodd Daf, yn eithriadol o fedrus a dim llawer o ffiniau ganddi.

'Oes 'na rwbeth arbennig yn y te 'ma, Mrs Ellis?' gofynnodd. Roedd Daf yn hoff o chwarae ambell gêm a chafodd y teimlad fod yr hen ddynes o'r un anian.

'Dim ond dŵr ffynnon.'

'Ble oeddech chi'n dysgu, Mrs Ellis?'

'Mewn ysgolion bonedd ... arholiadau LAMDA wedyn hyfforddi perfformwyr ifanc yn breifat.'

'Ac roeddech chi'n actores wych yn eich dydd, dwi'n deall.'

'Dyna ddywedodd ambell un ar y pryd ond mae hynny'n hen, hen hanes ac mae'n gas gen i frolio fy hun.'

'Digon teg. Roeddech chi'n hen law ar drin gwisgoedd a chymeriadu, felly?'

'Bendant.'

'Beth am acenion gwahanol?'

Cododd Ceridwen Ellis ar ei thraed a llanwodd ei hysgyfaint. A phob gair yn berffaith, rhoddodd berfformiad i

Daf o araith Portia o'r *Merchant of Venice*, gan newid ei hacen â phob llinell, o'r Alban draw i Gernyw.

'Be am acenion Cymreig?'

'Digon hawdd. So fi'n gwibod ble ma' fy sboner yn cwato. Rwle ma's ar y tra'th, ac mae hynny'n ddanjeris ... fel maen nhw'n ddweud yn Sir Gâr.'

'Be am y rhai anodd? Wrecsam?'

'Pa ochr i Sbyty Maelor?'

'Dyna un fantais o gael eich magu yn y mans – symud o le i le?'

'Na, dim felly. Ym Mhenrhyn-coch oedden ni gydol fy nglasoed.'

'Mae ganddoch chi glust dda am leisiau, felly?'

'Go bosib. Rydych chi, er enghraifft, Mr Dafis, wastad wedi byw yn eich milltir sgwâr ond drwy addysg, neu ddyrchafiad yn eich gwaith, efallai, rydych chi wedi gadael y rhan fwyaf o'ch acen leol yn y gorffennol. Erbyn hyn, os ydych chi'n defnyddio'ch "e bech annwyl", rydych chi'n swnio fel parodi ohonoch eich hun, rhyw sioe ar gyfer y twristiaid. Ond mewn geiriau penodol, fel "lodes", mae'ch hen lais yn llifo'n ôl a dwi bron yn sicr bod eich acen yn cael ei hatgyfodi pan fyddwch yn siarad â'ch gwraig, neu'n cofleidio'ch plant.'

'Dwi'm yn sicr faint o rinweddau'r dyn ystrydebol o Sir Drefaldwyn sy gen i. Does gen i ddim defaid, dwi ddim yn hunangyflogedig a dwi byth yn canu plygain.'

'Dydi hynny ddim yn wir.'

'Be?'

'Rydych chi *yn* canu plygain.' Sylweddolodd ei bod wedi gwneud camgymeriad a cheisiodd gamu'n ôl yn sydyn. 'Mae'n rhaid eich bod chi, bob hyn a hyn ...'

'Mrs Ellis, mi welsoch chi'r perfformiad o "Garol y Swper" ym mhlygain Dolanog wythnos yn ôl a finne'n canu.'

'Dwi'n falch o fod yn gywir, ond dyfalu oeddwn i.'

Ystyriodd Daf yfed ei baned ond sylwodd nad oedd cwpan o'i blaen hi.

‘Be am i ni rannu’r baned yma?’

‘O’r gorau.’

Tywalltodd hanner cynnwys cwpan Daf i fŵg bach plastig a’i lowcio mewn eiliad.

‘Yfwch, Mr Dafis. Te arbennig, dŵr o’r ffynnon ...’

‘A dweud y gwir, Mrs Ellis, mi fyse’n well gen i siarad am gynnwys y pecyn yma gan gwmni ionyou. Be oedd ynddo fo?’

‘Dim.’

‘Rhyfedd, achos fel arfer pan dech chi’n ordro pethau oddi ar y we, maen nhw’n dod reit handi, hyd yn oed i le anghysbell fel hwn.’

Wnaeth Mrs Ellis ddim ateb.

‘Roedd yr anfoneb yn dal ynddo fo, yn barod i’w hailgylchu. Gan va gawsoch chi’r syniad?’

‘Pa syniad?’

‘Mae’n amlwg mai o’ch ochor chi mae brêns y teulu’n dod. Does dim llawer o fenywod o’r un oed â chi’n gallu meistroli’r we. Lensys i’ch llygaid gan gwmni ionyou. Rhai brown. “Love Chocolate” oedd enw’r lliw, yn ôl yr anfoneb.’

‘Dwi’n teimlo ... dwi wedi blino’n lân.’

‘Sut bensiwn gawsoch chi o’ch ysgolion bonedd a’ch LAMDAs? Dim llawer. A be am eich gŵr?’

‘Ar ôl ymddeol, fe brynon ni dŷ gwely a brecwast neis yn Aberaeron. Cymerodd Bleddyn gyfran sylweddol o’i bensiwn mewn arian parod. Pan gollon ni’r busnes ... roedd Bleddyn braidd yn od am ddau haf cyn cael unrhyw fath o ddiagnosis ... hanner dwsin o sylwadau erchyll ar TripAdvisor a dyna ni, yn byw dan do ein merch, a hithe ond yn hanner call ei hun.’

‘Pan oedd eich gŵr yn dal yn fyw, roedd lwfans gofal ar gael i chi. Tydi o ddim yn llawer, ond ...’

‘O Santiana, chwyth dy gorn, ai-ô, Santiana, Gyr wyntoedd teg i rowndio’r horn ...’ Roedd hi’n defnyddio’r gân fel arf i ymateb.

‘O druan, Mrs Ellis,’ meddai Daf ar ei thraws, ‘mae’ch Alzheimer’s chi wedi gwaethygu’n sydyn, yn union fel bob tro dech chi'n gweld y meddyg. Ond dech chi wastad wedi bod yn giamstar am greu cymeriad, yn do? Ond un peth yw creu cymeriad, peth arall ydi ei gynnal o, wythnos ar ôl wythnos, mis ar ôl mis.'

Stopiodd Ceridwen Ellis ganu. Tu allan i ffenestri'r cwch roedd y tywyllwch yn casglu fel hiff o eira, a symudiad addfwyn yr afon, i fyny ac i lawr, yn atgoffa Daf o fagu Mali yn ei freichiau cyn iddi fynd i'r gwely. Tu ôl iddo, ger y drws, roedd swits ac ar ôl i Daf ei bwyso llifodd golau gwyn dros y lle. Yng nghornel yr ystafell gwelodd Daf sawl peiriant hollol anghyfarwydd.

'Ai ffrâm wau yw hon?' gofynnodd.

'Mae gan Enid gymaint o dalent ym maes tecstilau. Mae hi mor greadigol. Petai'r hen fastard heb ddryllio'i bywyd, gallai fod wedi cyflawni cymaint.'

'Ac yn waeth byth, tydi hi ddim wedi symud ymlaen.'

'Wel, ar ôl sgwrs efo Huw Howyn neithiwr, treuliodd y noson draw yn ei dŷ o, yr un neis ar y bryn, am y tro cyntaf erioed. Mae hynny'n gam i'r cyfeiriad cywir.'

'Mae perthynas ramantus wedi datblygu rhyngddyn nhw, felly?'

Atebodd Ceridwen Ellis gydag ochenaid ddofn. 'Neu'r hyn mae va yn ei alw'n "caru dail". Pwy a ŵyr?'

'A be sy wrth ymyl y ffrâm wau?'

'Kate ddiog yw hon, peiriant i greu edafedd trwchus drwy gyfuno sawl edefyn llai.'

'A be am y teclyn yna ger y sinc?'

'Lliwiau naturiol mae Enid yn eu defnyddio yn ei gwaith: croen winwns, glaslys ac ati. Mae hi'n eu tyfu nhw ei hun, ond weithiau, fel sy'n wir am bob proses naturiol, mae'r lliwiau'n amrywio. Bryd hynny, mae'n rhaid iddi gryfhau'r lliw drwy ferwi'r hylif. Mae hi'n dal y stêm hefyd, i sicrhau ei bod yn casglu pob diferyn.'

'Peth defnyddiol i'w wneud efo gwenwyn hefyd, ynte? Pwy allai berswadio rhywun i yfed peint o'r stwff?'

'Pa liw oedd dy bysgod, mab annwyl dy fam?' atebodd, yn canu eto.

'Dwi'n eich nabod chi, Mrs Ellis. A wyddoch chi be, er gwaetha'ch cuddwisg, roedd tyst arall yno, dynes oedd wedi cwrdd â'ch chwaer ryw dro.'

'Am be ydych chi'n sôn?'

'Marwolaeth Illtyd Astley. Doedd ganddoch chi ddim llawer i'w golli wrth gael gwared ohono fo. Roeddech chi – drwy hap a damwain neu oherwydd bod Huw Howyn-Jones wedi dweud rwbeth yn bwrpasol – yn deall y byddai hawliau Mel yn cynyddu gryn dipyn ar ôl dwy flynedd o briodas. Hefyd, dech chi wedi diflasu ar fyw celwydd, yn pisio'ch hunan, yn eistedd fel delw yn y gornel yn colli'ch cinio lawr y siwmperi oedd yn arfer bod mor smart. Bu farw eich gŵr ac aeth y lwfans gweini efo fo. Tydi Enid yn dda i ddim, yn methu ennill ceiniog, ac er bod dyn caredig, cyfoethog yn ei charu, mae hi'n dal i hiraethu am y bastard Astley. Dech chi'n ddynes beniog, dalentog. Yr unig ddewis oedd esgus eich bod chi'n diodde o'r un cyflwr creulon a ddrylliodd ymddeoliad eich gŵr. Dech chi'n gwybod yn well na neb be ydi symptomau Alzheimer's ... a doedd meddyg teulu ifanc, dibrofiad ddim yn mynd i ofyn gormod o gwestiynau.'

Dechreuodd yr hen wraig ganu:

'Be roi di dy fam, mab annwyl dy fam?
Be roi di dy fam, mab annwyl dy fam?
Wel, ffortiwn, Mam annwyl!
O! c'weiriwch fy ngwely ...'

'Dech chi cystal â'ch wyres, ac mae hi'n athrylith. Efo digon o amser i feddwl, mi greoch chi gynllun. Nid oedd y dull yn eich poeni chi am eiliad gan eich bod yn gwybod popeth am blanhigion.'

'Roedd Enid yn arfer mynd at y ddynes yna, Gala Taylor, am driniaeth amgen ond mae hi'n hynod o ddrud. Mi ddechreuais i wneud yr un pethau yma, efo'r hyn sydd yn yr ardd.'

'Mae pobol yn siarad yn agored o flaen pobol orffwyll, yn union fel petaen nhw'n blant. Bydde'n ddigon hawdd i chi ddysgu cynlluniau Enid, ac ar ôl pum munud ar wefan blemaerplygain.cym daethoch o hyd i'r cyfle. Dech chi'n gwrando ar Radio Cymru'n selog felly mae'n debyg eich bod wedi clywed y drafodaeth am y garol plygain sy ar drac sain ffilm Hollywood newydd. Dech chi'n nabod Illtyd yn ddigon da: petai wedi llwyddo i ddwyn carol plygain byddai'n mwynhau pob eiliad, yn dathlu pa mor glyfar oedd o. Roedd Illtyd yn hoffi plygeiniau, ac yn ara deg daeth y cynllun i'w le. Gan va, sy'n eu gwisgo nhw'n rheolaidd, ddaeth y syniad o lensys i newid lliw eich llygaid, ac yn hytrach na dewis rhywbeth disylw, roeddech chi'n ddigon call i wneud yn siŵr y byddai pawb yn cofio'ch llygaid. Mi brynoch chi'r wig ar ôl colli'ch gwallt ond, am ryw reswm, dech chi ddim yn ei gwisgo bob dydd. Efallai nad oedd rhaid i chi ymchwilio i'r gysblys yn fanwl ar y we, ond mi gawsoch chi gip sydyn ar www.poisongardens.com gwpl o weithiau. Tasg ddigon rhwydd oedd creu'r gwenwyn, rhyw fath o de o wreiddyn y gysblys, wedi'i gryfhau efo'r teclyn bach yna.'

Arhosodd Daf am eiliad i edrych ar ei ffôn.

'Ar ôl i Enid adael am Fachynlleth, mi wnaethoch chi dywallt y gwenwyn i hen botel *peppermint essence* wag. Roeddech chi'n gwybod y byddai'r gwenwyn yn drewi o lygod, ac o bosib bod arogl y mintys i fod i guddio hynny. Gwisgo wedyn, gan gynnwys newid lliw eich dwylo, a digon o golur i dynnu sylw at y llygaid mawr brown. Dech chi'n sicrhau bod eich car mewn cyflwr da, felly roedd yn ddigon rhwydd cyrraedd Dolanog. Den ni'n gwybod be ddigwyddodd wedyn.'

'Be roi di dy gariad, mab annwyl dy fam?
Be roi di dy gariad, mab annwyl dy fam?
Wel cortyn i'w chrogi ...'

'Dech chi'n cyffesu, Mrs Ellis?'

'Dim ond canu ydw i. Hen ddynes ffwndrus ydw i, wedi'r cyfan.'

'Dech chi am bacio bag, Mrs Ellis? Dwi o ddifri.'

'Dech chi'n ddyn peniog, Mr Dafis. Mae hon wedi bod yn sgwrs fuddiol iawn. Wnewch chi bicio i fyny i'r tŷ i nôl ces dillad Enid? Does gen i 'run yma.'

'Dwi ddim am eich gadael chi, Mrs Ellis.'

'Wel, ffoniwch y blismones sy'n yfed te efo Enid 'ta, a gofyn iddi hi ddod i lawr efo'r ces.'

Tynnodd Daf ei ffôn o'i boced. Ers iddi nosi doedd dim un bar o signal ar ei ffôn.

'Does gen i ddim signal.'

'Ewch i'r lan, tua deg llath i gyfeiriad Mach. Mae 'na wastad bedwar bar yno yn ôl va, sy'n gwybod am y fath bethau. Mae hi'n gallu clywed *wi-fi*, wyddoch chi.'

'Dech chi'n reit ddigynnwrf, Mrs Ellis.'

'Rydw i wedi ceisio sicrhau dyfodol i'm merch a chael gwared â'r bastard Astley yna. Fel mae va'n dweud, "Job's a good 'un", ie?'

'Bydd eich gweld chi'n cael eich erlyn yn anodd i Enid, ac i va.'

'Bydd Huw yn gefn i Enid. Mae o wedi aros yn hir, chwarae teg iddo.'

'Reit. Arhoswch fan hyn am eiliad.'

Roedd Mrs Ellis yn llygad ei lle. Ddeg llath i'r dwyrain roedd y signal yn gryf, a danfonodd Daf neges i Steve i ddiolch iddo am ei waith llwyddiannus efo'r botel *peppermint essence*. Wedyn, ffoniodd Jane.

'Ty'd lawr i'r cwch, plis, efo ces dillad. Dwi ar fin arestio Mrs Ceridwen Ellis am lofruddio Illtyd Astley.'

'Yr hen ddynes? Ond mae Alzheimer's 'da hi.'

'Dyna'n union be oedd hi isie i ni feddwl, Jane. O, a well i ti ffonio Sheila Francis – mi fyddwn ni angen person â chyfrifoldeb yn yr orsaf yn y Trallwng heno. Mae ein troseddwraig yn fregus ar bapur, er ei bod hi'n ddigon siarp yn y cnawd.'

Tu ôl i Daf, chwalwyd y tawelwch gan sŵn peiriant mawr. Roedd injan y cwch wedi'i thanio, ac yn yr eiliad y cymerodd Daf i droi roedd o bum llath o'r lan. Rhedodd yn ei ôl, ond erbyn iddo gyrraedd roedd y cwch ddeg llath oddi wrtho. Tynnodd Daf ei siaced a'i esgidiau a cherddodd i'r afon. O dan y dŵr roedd y lan yn cwympo'n serth ac roedd y dŵr i fyny at ei fol mewn eiliad, wedyn ei ysgwyddau. Roedd yr oerni'n boenus ond cerddodd yn ei flaen. Yn y gwyll, gwelodd Mrs Ellis yn llywio'r cwch.

'Be dech chi'n wneud?' gwaeddodd arni, ond ddaeth dim ateb yn ôl.

Erbyn hyn roedd y dŵr yn rhy ddwfn iddo allu sefyll yn gadarn a gallai deimlo'r llanw yn tynnu'n nerthol yn erbyn ei goesau. Roedd grym yr afon yn anodd i'w wrthsefyll. Gan frwydro yn erbyn y dŵr, neidiodd yn ei flaen a llwyddodd i ddal starn y cwch. Gafaelodd yn yr ochr efo'i holl nerth. Gwelodd fod Mrs Ellis wedi gadael y llyw ac yn camu draw ato. Tarodd ei throed i lawr efo'i holl nerth ar fysedd ei law chwith. Roedd y poen yn uffernol ond daliodd ei afael â'i law dde gan fod y cwch, gyda phob eiliad, yn symud yn bellach o'r lan i ganol llif yr afon. Cododd ei throed eto, ond cyn iddi falu ei law arall symudodd Daf hi, gan golli ei afael ar y cwch. Roedd yn amhosib brwydro yn erbyn y ddau elyn, Ceridwen Ellis a'r afon, ac roedd yn well gan Daf gymryd ei siawns yn y dŵr rhewllyd. Llanwodd ei ysgyfaint a phlymiodd yn ddwfn i'r afon, ac erbyn iddo ddod i'r wyneb drachefn roedd y cwch ddeugain llath oddi wrtho. Trodd ei gefn arno a nofio i gyfeiriad y tir, a phan ddaeth i'r lan cliriodd y dŵr o'i glustiau a chlywodd lais yn y pellter yn galw ei enw. Ond roedd rhywbeth arall yn denu ei sylw: y golau rhyfedd tu ôl iddo, ac arogl col-tar ac olew. Roedd y cwch ar dân yng nghanol yr afon a gwelodd Daf siâp aneglur yng nghanol y fflamau.

'Jane!' gwaeddodd. 'Galwa Wylwyr y Glannau!'

'Yr holl ffordd lan o Sir Benfro?' Prin ydi'r bobol sy'n gallu bod yn sarcastig wrth weiddi ar draws cae yng nghanol creisis, ond roedd Jane yn un ohonynt.

'Mae 'na ffycin Bad Achub yn Aberdyfi!'

Ond gwyddai'r ddau'n iawn nad oedd dim y gallai neb ei wneud i achub Ceridwen Ellis. Erbyn hyn roedd y fflamau yn lliwio'r glannau ac wynebau Daf a Jane. Wedyn, ffrwydrad wrth i'r tân gyrraedd y tanc tanwydd, a gwasgarwyd darnau o'r cwch dros yr afon.

'Sortia di chydig o bac-yp, wnei di?' gofynnodd Daf, gan syllu draw i'r afon fel dyn mewn trwmgwsg. 'Gan gynnwys rhywun sy'n delio efo llygredd mewn afonydd.'

'Fe wna i. Beth ddigwyddodd i dy law?'

'Wnes i ddim rhoi digon o barch i rywun oedd â dim i'w golli. Dwi'n meddwl bod y bawd a cwpl o fysedd wedi torri, ond a dweud y gwir dwi'n rhy oer i deimlo ffyc o ddim.'

'Hi wnaeth, felly?'

'Ie. Fyddwn ni angen Sheila draw i gefnogi Enid, a rhaid i rywun siarad efo'i wyres ...'

'Gen i awgrym,' dywedodd Jane, gan dynnu ei chôt gwiltiog a'i lapio am ysgwyddau Daf. 'Cau dy blydi ben, wnei di?'

'Oes gen ti dortsh? Ble mae fy siaced i?' Pan sylwodd Daf pa mor bell roedd y llanw wedi ei dynnu, tawelodd. Yn sydyn, roedd o eisiau siarad efo'i deulu. Pan roddodd Jane ei ffôn yn ei law, allai o ddim symud ei law dde i bwyso'r botymau hyd yn oed. Pasiodd y teclyn yn ôl iddi.

'Mae neges gan Carys yn dweud mai ti yw'r tad gore yn y byd. Nev yn dweud bod y metadata i gyd wedi'i lwytho i'r system a'i fod e'n mynd. Os wyt ti angen cysylltu 'da fe mae rhif yma.'

'Be 'di'r rhif?'

'Dim un naw tri wyth, wyth un un ...'

'Rhif yn Llanfair ydi hwnna. Wel, wel, Nev bach.'

'Wedyn, neges gan Gaenor yn dweud bod y plant wedi mynd i'r plygain yn iawn. Hefyd, mae hi'n edrych mlaen i glywed be sy'n bod 'da Siôn. Ac mae raffl nos Wener wedi codi dros fil ... rhywun o'r enw Chrissie wedi ennill y penwythnos i bedwar yn Sir Benfro. Yn ôl Gaenor, mae Chrissie wedi gofyn i chi fynd efo nhw.'

'Rwbeth arall?'

'Neges gan rywun sy'n arwyddo fel "C" ac wedyn chwech "x", sy'n dweud ei bod hi erioed wedi cael smic o lwc mewn raffl o'r blaen.'

Draw ar yr afon dywyll roedd y cwch yn ddarnau bach, rhai ohonynt yn dal ar dân. Roedd Ceridwen Ellis wedi marw fel brenhines Lychlynnaidd, y fflamau'n cochi'r eira o'i chwmpas. Meddyliodd Daf, er gwaetha'r munudau hir yn y dŵr du a'i law ddrylliedig, am y ddynes oedd yn ddigon call i sylwi nad oedd neb yn edrych ar hen fenywod. Ar ôl derbyn salwch, anhapusrwydd a thrafferthion ariannol yn ddi-gŵyn roedd hi, o'r diwedd, wedi cael ffrwydro, ei choelcerth angladdol yn dilyn y llanw i'r môr gan daflu ei goleuni cynnes dros y dirwedd wen.